マイナンバー法の逐条解説
Commentary on the My Number Law

宇賀克也

有斐閣

はしがき

　本書は、『番号法の逐条解説〔第2版〕』を改訂したものであるが、今回、書名を改めた。その理由は、本書刊行時には、「番号法」という略称が政府部内で一般的に用いられていたのに対し、今日では、「番号法」という略称はほとんど使用されなくなり、「マイナンバー法」という略称が人口に膾炙するようになったからである。

　旧版の刊行後、マイナンバー法について、いくつかの重要な改正が行われたので、その点を中心に加筆を行った。具体的には、地方公共団体情報システム機構に対する国の監督権限を強化する「地方公共団体情報システム機構法等の一部を改正する法律」（平成29年法律第36号）、戸籍関係情報をマイナンバー法に基づく情報連携の対象とする「戸籍法の一部を改正する法律」（令和元年法律第17号）、個人情報保護法制の一元化等に伴う「デジタル社会の形成を図るための関係法律の整備に関する法律」（令和3年法律第37号）によるマイナンバー法改正を中心に加筆を行った。

　なお、令和元年法律第17号のうち戸籍関係情報をマイナンバー法に基づく情報連携の対象とする部分、令和3年法律第37号のうち地方公共団体および地方独立行政法人の個人情報保護法制の一元化等に対応するマイナンバー法改正部分は未施行であるが、施行後の条文について解説している。

　今回の改訂に当たっても、有斐閣法律編集局書籍編集部の笹倉武宏氏に大変精緻な編集作業を行っていただき、多くの点で本書を改善することができた。ここに記して厚くお礼を申し上げたい。

2022年4月

宇賀克也

目　次

序　論　……1

1. 制定の経緯　2
2. 本法の特色　6
3. 本法の構成　8

本　論　本法の逐条解説　……11

第1章　総　則 …………12

第1条（目的）　12／第2条（定義）　17／第3条（基本理念）　33／第4条（国の責務）　38／第5条（地方公共団体の責務）　40／第6条（事業者の努力）　40

第2章　個人番号 …………41

第7条（指定及び通知）　41／第8条（個人番号とすべき番号の生成）　45／第9条（利用範囲）　49／第10条（再委託）　82／第11条（委託先の監督）　86／第12条（個人番号利用事務実施者等の責務）　87／第13条　90／第14条（提供の要求）　92／第15条（提供の求めの制限）　97／第16条（本人確認の措置）　98

第3章　個人番号カード …………100

第16条の2（個人番号カードの発行等）　100／第17条（個人番号カードの交付等）　103／第18条（個人番号カードの利用）　118／第18条の2（個人番号カードの発行に関する手数料）　121

第4章　特定個人情報の提供 …………122

第1節　特定個人情報の提供の制限等　122

第19条（特定個人情報の提供の制限）　122／第20条（収集等の制限）　149

目　次

第2節　情報提供ネットワークシステムによる特定個人情報の提供　151
　第21条（情報提供ネットワークシステム）　151　／第21条の2（情報提供用個人識別符号の取得）　153　／第22条（特定個人情報の提供）　164　／第23条（情報提供等の記録）　166　／第24条（秘密の管理）　168　／第25条（秘密保持義務）　170　／第26条（第19条第9号の規定による特定個人情報の提供）　171

第5章　特定個人情報の保護 …… 177

第1節　特定個人情報保護評価等　177
　第27条（特定個人情報ファイルを保有しようとする者に対する指針）　177　／第28条（特定個人情報保護評価）　179　／第29条（特定個人情報ファイルの作成の制限）　192　／第29条の2（研修の実施）　194　／第29条の3（委員会による検査等）　195　／第29条の4（特定個人情報の漏えい等に関する報告等）　196

第2節　個人情報保護法の特例等　200
　第30条（個人情報保護法の特例）　200　／第31条（情報提供等の記録についての特例）　215　／第32条（特定個人情報の保護を図るための連携協力）　227

第6章　特定個人情報の取扱いに関する監督等 …… 228
　第33条（指導及び助言）　228　／第34条（勧告及び命令）　230　／第35条（報告及び立入検査）　233　／第36条（適用除外）　237　／第37条（措置の要求）　239　／第38条（内閣総理大臣に対する意見の申出）　241

第6章の2　機構処理事務等の実施に関する措置 …… 242
　第38条の2（機構処理事務管理規程）　242　／第38条の3（機構処理事務特定個人情報等の安全確保）　244　／第38条の3の2（機構の役職員等の秘密保持義務）　246　／第38条の4（帳簿の備付け）　248　／第38条の5（報告書の公表）　250　／第38条の6（監督命令）　251　／第38条の7（報告及び立入検査）　251　／第38条の8（個人番号カード関係事務に係る中期目標）　252　／第38条の9（個人番号カード関係事務に係る中期計画）　257　／第38条の10（個人番号カード関係事務に係る年度計画）　260　／第38条の11（各事業年度に係る個人番号カード関係事務に係る業務の実績に関する評価等）　260　／第38条の12（個人番号カード関係事務に係る財源措置）　268　／第38条の13（財務大臣との協議）　269

iii

第7章　法人番号 …………………………………… 270
　　第39条（通知等）　270　／第40条（情報の提供の求め）　279　／第41条（資料の提供）　281　／第42条（正確性の確保）　283

第8章　雑　　則 …………………………………… 284
　　第43条（指定都市の特例）　284　／第44条（事務の区分）　286　／第45条（権限又は事務の委任）　292　／第45条の2（戸籍関係情報作成用情報に係る個人情報保護法の特例）　293　／第46条（主務省令）　301　／第47条（政令への委任）　302

第9章　罰　　則 …………………………………… 303
　　第48条　303　／第49条　308　／第50条　310　／第51条　312　／第52条　317　／第52条の2　321　／第52条の3　322　／第53条　322　／第53条の2　324　／第54条　325　／第55条　326　／第55条の2　328　／第55条の3　329　／第56条　330　／第57条　331

制定附則 …………………………………………… 335
　　第1条（施行期日）　335　／第2条（準備行為）　341　／第3条（個人番号の指定及び通知に関する経過措置）　342　／第3条の2（日本年金機構に係る経過措置）　347　／第4条（委員会に関する経過措置）　349　／第5条（政令への委任）　351　／第6条（検討等）　352

資　料

行政手続における特定の個人を識別するための番号の利用等に関する法律　364
同施行令　439
同施行規則　459
行政手続における特定の個人を識別するための番号の利用等に関する法律に規定する個人番号，個人番号カード，特定個人情報の提供等に関する命令　476

◆ 事項索引　493

著者紹介

宇賀克也（うが　かつや）
東京大学法学部卒。現在，東京大学名誉教授。
この間，東京大学大学院法学政治学研究科教授（東京大学法学部教授・公共政策大学院教授を兼担），ハーバード大学，カリフォルニア大学バークレー校，ジョージタウン大学客員研究員，ハーバード大学，コロンビア大学客員教授を務める。

〈主要著書〉

行政法一般
行政法概説Ⅰ　行政法総論〔第7版〕（有斐閣，2020年）
行政法概説Ⅱ　行政救済法〔第7版〕（有斐閣，2021年）
行政法概説Ⅲ　行政組織法／公務員法／公物法〔第5版〕（有斐閣，2019年）
行政法〔第2版〕（有斐閣，2018年）
ブリッジブック行政法〔第3版〕（編著，信山社，2017年）
行政法評論（有斐閣，2015年）
判例で学ぶ行政法（第一法規，2015年）
対話で学ぶ行政法（共編著，有斐閣，2003年）
アメリカ行政法〔第2版〕（弘文堂，2000年）

情報法関係
新・個人情報保護法の逐条解説（有斐閣，2021年）
次世代医療基盤法の逐条解説（有斐閣，2019年）
情報公開・オープンデータ・公文書管理（有斐閣，2019年）
個人情報の保護と利用（有斐閣，2019年）
個人情報保護法制（有斐閣，2019年）
新・情報公開法の逐条解説〔第8版〕（有斐閣，2018年）
情報公開法制定資料(1)〜(4)，(6)〜(14)（共編，信山社，2020〜2022年）
自治体職員のための個人情報保護法解説　2021年改正（編著，第一法規，2021年）
自治体のための解説個人情報保護制度──行政機関個人情報保護法から各分野の特別法まで（第一法規，2018年）
論点解説　個人情報保護法と取扱実務（共著，日本法令，2017年）
逐条解説　公文書等の管理に関する法律〔第3版〕（第一法規，2015年）
情報公開・個人情報保護──最新重要裁判例・審査会答申の紹介と分析（有斐閣，2013年）
情報法（共編著，有斐閣，2012年）
情報公開と公文書管理（有斐閣，2010年）
個人情報保護の理論と実務（有斐閣，2009年）

地理空間情報の活用とプライバシー保護（共編著，地域科学研究会，2009年）
災害弱者の救援計画とプライバシー保護（共編著，地域科学研究会，2007年）
大量閲覧防止の情報セキュリティ（編著，地域科学研究会，2006年）
情報公開の理論と実務（有斐閣，2005年）
諸外国の情報公開法（編著，行政管理研究センター，2005年）
情報公開法──アメリカの制度と運用（日本評論社，2004年）
プライバシーの保護とセキュリティ（編著，地域科学研究会，2004年）
解説 個人情報の保護に関する法律（第一法規，2003年）
個人情報保護の実務Ⅰ・Ⅱ（編著，第一法規，2003年刊行・加除式）
ケースブック情報公開法（有斐閣，2002年）
情報公開法・情報公開条例（有斐閣，2001年）
情報公開法の理論〔新版〕（有斐閣，2000年）
行政手続・情報公開（弘文堂，1999年）
情報公開の実務Ⅰ・Ⅱ・Ⅲ（編著，第一法規，1998年刊行・加除式）
アメリカの情報公開（良書普及会，1998年）

行政手続・マイナンバー法関係
行政手続三法の解説〔第3次改訂版〕（学陽書房，2022年）
マイナンバー法と情報セキュリティ（有斐閣，2020年）
論点解説 マイナンバー法と企業実務（共著，日本法令，2015年）
完全対応 特定個人情報保護評価のための番号法解説（監修，第一法規，2015年）
完全対応 自治体職員のための番号法解説〔実例編〕（監修，第一法規，2015年）
施行令完全対応 自治体職員のための番号法解説〔制度編〕（共著，第一法規，2014年）
施行令完全対応 自治体職員のための番号法解説〔実務編〕（共著，第一法規，2014年）
行政手続法制定資料(11)～(16)（共編，信山社，2013～2014年）
行政手続法の解説〔第6次改訂版〕（学陽書房，2013年）
完全対応 自治体職員のための番号法解説（共著，第一法規，2013年）
マイナンバー（共通番号）制度と自治体クラウド（共著，地域科学研究会，2012年）
行政手続と行政情報化（有斐閣，2006年）
改正行政手続法とパブリック・コメント（編著，第一法規，2006年）
行政手続オンライン化3法（第一法規，2003年）
行政サービス・手続の電子化（編著，地域科学研究会，2002年）
行政手続と監査制度（編著，地域科学研究会，1998年）
自治体行政手続の改革（ぎょうせい，1996年）
税務行政手続改革の課題（監修，第一法規，1996年）
明解 行政手続の手引（編著，新日本法規，1996年刊行・加除式）
行政手続法の理論（東京大学出版会，1995年）

政策評価関係
　政策評価の法制度——政策評価法・条例の解説（有斐閣，2002 年）
行政争訟関係
　行政不服審査法の逐条解説〔第 2 版〕（有斐閣，2017 年）
　解説行政不服審査法関連三法（弘文堂，2015 年）
　Q&A 新しい行政不服審査法の解説（新日本法規，2014 年）
　行政不服審査の実務（共編著，第一法規，2008 年刊行・加除式）
　改正行政事件訴訟法〔補訂版〕（青林書院，2006 年）
国家補償関係
　条解国家賠償法（共編著，弘文堂，2019 年）
　国家賠償法［昭和 22 年］（日本立法資料全集）（編著，信山社，2015 年）
　国家補償法（有斐閣，1997 年）
　国家責任法の分析（有斐閣，1988 年）
地方自治関係
　地方自治法概説〔第 9 版〕（有斐閣，2021 年）
　2017 年地方自治法改正——実務への影響と対応のポイント（編著，第一法規，2017 年）
　環境対策条例の立法と運用（編著，地域科学研究会，2013 年）
　地方分権——条例制定の要点（編著，新日本法規，2000 年）
行政組織関係
　行政組織法の理論と実務（有斐閣，2021 年）
法人法関係
　Q&A 新しい社団・財団法人の設立・運営（共著，新日本法規，2007 年）
　Q&A 新しい社団・財団法人制度のポイント（共著，新日本法規，2006 年）
宇宙法関係
　逐条解説 宇宙二法（弘文堂，2019 年）

本書で用いた主な法令名の略称は下記の通りである。

本法 行政手続における特定の個人を識別するための番号の利用等に関する法律（平成 25 法 27）
本法施行令 行政手続における特定の個人を識別するための番号の利用等に関する法律施行令（平成 26 政令 155）
本法施行規則 行政手続における特定の個人を識別するための番号の利用等に関する法律施行規則（平成 26 内閣府・総務省令 3）
整備法 行政手続における特定の個人を識別するための番号の利用等に関する法律の施行に伴う関係法律の整備等に関する法律（平成 25 法 28）
個人情報保護法 個人情報の保護に関する法律（平成 15 法 57）
行政機関情報公開法 行政機関の保有する情報の公開に関する法律（平成 11 法 42）
行政機関個人情報保護法 行政機関の保有する個人情報の保護に関する法律（平成 15 法 58〔令和 3 法 37 により廃止〕）
独立行政法人等情報公開法 独立行政法人等の保有する情報の公開に関する法律（平成 13 法 140）
独立行政法人等個人情報保護法 独立行政法人等の保有する個人情報の保護に関する法律（平成 15 法 59〔令和 3 法 37 により廃止〕）
デジタル手続法 情報通信技術を活用した行政の推進等に関する法律（平成 14 法 151）
デジタル社会形成整備法 デジタル社会の形成を図るための関係法律の整備に関する法律（令和 3 法 37）
公的個人認証法 電子署名等に係る地方公共団体情報システム機構の認証業務に関する法律（平成 14 法 153）
カード等命令 行政手続における特定の個人を識別するための番号の利用等に関する法律に規定する個人番号，個人番号カード，特定個人情報の提供等に関する命令（平成 26 総務省令 85）

序　論

Commentary on the My Number Law

[序論]

1 制定の経緯

(1) 事務処理用統一個人コード

わが国における番号制度の導入については，古くは，佐藤栄作内閣時代の1970年，当時の行政管理庁の主導で「各省庁統一個人コード連絡研究会議」が設置され，事務処理用統一個人コードが検討されたが，国民総背番号制の導入につながるという不安を国民に与え，1973年4月，福田赳夫行政管理庁長官は，事務処理用統一個人コードについて，「世界の大勢，国民のコンセンサスの流れを見た上で結論を得べきものである」と国会で答弁し，それ以後，この問題についての政府での検討は中止されることになった。

(2) グリーン・カード

1980年にグリーン・カード制度を導入する所得税法改正が実現したが，少額貯蓄非課税制度を不正利用していた資金が郵便局，金融機関から外国債券等に流出し，グリーン・カード制度への反対運動が高まり，1983年にその実施が延期され，1985年にはグリーン・カード制度は廃止されることになった。

(3) 住民基本台帳ネットワークシステム

1999年に住民票コードを利用した住民基本台帳ネットワークシステムを導入する住民基本台帳法の改正が行われたが，このときは，個人情報保護の観点からの反対運動が強く，住民基本台帳法改正法附則1条2項の規定に基づき，民間部門を対象とした個人情報保護法制を整備することが政府に義務づけられることになり，このことが「個人情報の保護に関する法律」（以下「個人情報保護法」という）制定の直接の契機となった。

(4) 民主党を中心とした連立政権における動き

その後も，納税者番号，社会保障番号や国民IDの検討は政府で行われてきた。そして，2009年3月に成立した「所得税法等の一部を改正する法律」附則104条3項6号において，「納税者番号制度の導入の準備を含め，納税者の利便の向上及び課税の適正化を図ること」とされている。さらに，民主党が「マニフェスト2009」で税と社会保障の共通番号制度導入を謳い，「マニフェ

スト政策各論」において、所得の把握を確実に行うため、税・社会保障制度共通の番号制度を導入することを宣言し、政権交代後、民主党を中心とした連立政権が作成した平成22年度税制改正大綱において、「社会保障制度と税制を一体化し、真に手を差し伸べるべき人に対する社会保障を充実させるとともに、社会保障制度の効率化を進めるため、また所得税の公正性を担保するために、正しい所得把握体制の環境整備が必要不可欠です。そのために社会保障・税共通の番号制度の導入を進めます」とし、これを契機に番号制度導入の動きが急速に進行することとなった。2010年10月からは、政府・与党社会保障改革検討本部において検討が深められ、2011年6月30日に、「社会保障・税番号大綱」が同本部で決定され、これに基づき、法案作成作業が行われ、2012年2月14日に、「行政手続における特定の個人を識別するための番号の利用等に関する法律案」(以下「旧マイナンバー法案」という)、「行政手続における特定の個人を識別するための番号の利用等に関する法律の施行に伴う関係法律の整備等に関する法律案」、「地方公共団体情報システム機構法案」のいわゆるマイナンバー関係3法案が閣議決定され、第180回国会に提出された。しかし、継続審査となり、第181回国会における同年11月16日の衆議院解散に伴い廃案となった。

(5) **自公政権下での制定**

その後、政権交代が行われ、廃案となった法案を自由民主党、公明党、民主党の三党協議を踏まえて一部修正した「行政手続における特定の個人を識別するための番号の利用等に関する法律案」、「行政手続における特定の個人を識別するための番号の利用等に関する法律の施行に伴う関係法律の整備等に関する法律案」、「地方公共団体情報システム機構法案」が「内閣法等の一部を改正する法律案」とともにマイナンバー関係4法案として、2013年3月1日、自由民主党、公明党の連立政権の下で、第183回国会に提出され、同年4月26日に衆議院内閣委員会で「行政手続における特定の個人を識別するための番号の利用等に関する法律案」、「内閣法等の一部を改正する法律案」は一部修正の上、賛成多数で可決、「行政手続における特定の個人を識別するための番号の利用等に関する法律の施行に伴う関係法律の整備等に関する法律案」、「地方公共団体情報システム機構法案」は原案どおり賛成多数で可決され、これらの4法案

> 序論

は同年5月9日に衆議院本会議で賛成多数で可決され、参議院では、5月23日に「行政手続における特定の個人を識別するための番号の利用等に関する法律案」、「行政手続における特定の個人を識別するための番号の利用等に関する法律の施行に伴う関係法律の整備等に関する法律（以下「整備法」という）案」、「内閣法等の一部を改正する法律案」が内閣委員会で全会一致で可決、「地方公共団体情報システム機構法案」が総務委員会で賛成多数で可決され、これら4法案が翌日の本会議で賛成多数で可決された。これらの4法案は、同月31日に公布されている。

なお、衆議院での修正は、以下の4点である。第1は、マイナンバー法案の目的規定（1条）において、行政運営の効率化および行政分野における、より公正な給付と負担の確保を図ること明記したことである。第2は、基本理念の規定（3条1項1号）において、国民の利便性の向上および行政運営の効率化に資することを明記したことである。第3は、国税または地方税に関する特定個人情報の安全を確保するために必要な措置として政令で定める措置を講じているときは、政令で定める国税に関する法律の規定により、国税庁長官が都道府県知事もしくは市区町村長に、または都道府県知事もしくは市区町村長が国税庁長官もしくは他の都道府県知事もしくは市区町村長に、当該特定個人情報を提供することができることとしたことである（19条8号の修正）。第4に、政府が給付付き税額控除の施策の導入を検討する場合には、当該施策に関する事務が的確に実施されるよう、国の税務官署が保有しない個人所得課税に関する情報に関し、個人番号の利用に関する制度を活用して当該事務を実施するために必要な体制の整備を検討することとしたことである（附則6条7項の追加）。

(6) 平成27年法律第65号による改正

2015年9月3日、平成27年法律第65号により、本法が改正された。この改正は、①個人情報保護委員会の設置に伴い、特定個人情報保護委員会に係る規定を整備すること、②個人情報取扱事業者の範囲が拡大することに伴い、個人情報取扱事業者でない個人番号取扱事業者に係る規定を整理すること、③地方公共団体が行う独自利用事務において情報提供ネットワークシステムを利用した情報連携を可能とすること、④医療等分野その他の分野における個人番号の利用範囲・情報連携の範囲を拡充すること、⑤預金保険機構等が行う金融機

関破綻時の預金保険制度等における債権額の把握に関する事務において個人番号を利用できるものとすること，⑥研修の実施，個人情報保護委員会による検査等，特定個人情報の漏えい等に関する報告，⑦特定個人情報の保護を図るための連携協力について定めること，⑧日本年金機構による個人番号の利用および情報提供ネットワークシステムの利用を延期すること，を内容とするものであった。このうち，⑥〜⑧は，日本年金機構からの個人情報漏えい事件を受けて，参議院による修正で追加されたものである。

(7) 平成29年法律第36号による改正

地方公共団体情報システム機構のガバナンスを強化し，総務大臣の地方公共団体情報システム機構に対する監督権限を強化するため，①機構処理事務管理規程の策定・認可・変更命令および②機構処理事務特定個人情報等の安全確保措置に関する規定を設け，③総務大臣の地方公共団体情報システム機構に対する監督権限を強化する改正がなされた。

(8) 令和元年法律第16号による改正

個人番号の利用範囲および情報連携の範囲を拡大し，個人番号カードの海外利用を可能にし，通知カードを廃止する改正が行われた。

(9) 令和元年法律第17号による改正

戸籍法改正により，法務大臣が戸籍の副本に記録されている情報を利用して，親子関係その他の身分関係の存否を識別する情報等を戸籍関係情報として作成して新システムに蓄積することとし，本法において，従前の戸籍謄抄本による戸籍の情報の証明手段に加えて，情報提供ネットワークシステムを通じて戸籍関係情報を確認する手段も提供できるようにする改正が行われた。この場合，行政機関と法務省の間では，個人番号自体の授受は行わず，行政機関内部で用いられる情報提供用個人識別符号を使用することになる。本法において，情報提供用個人識別符号の取得に関して，個人情報保護の観点から目的外利用の制限等が行われ，戸籍関係情報を作成する過程で作成される戸籍関係情報作成用情報の保護のための規定が設けられた。

序論

⑽　令和 3 年法律第 37 号による改正

　行政機関個人情報保護法および独立行政法人等個人情報保護法が廃止され，両法の内容が個人情報保護法に一元化され，公的部門が保有する個人情報についても個人情報保護委員会が一元的に監視権限を有するとされたことを承けた改正，地方公共団体および地方独立行政法人が保有する個人情報についても，個人情報保護法において共通ルールが定められたことを承けた改正が行われた。

　また，①マイナンバーを活用した特定個人情報（個人番号をその内容に含む個人情報）の授受（以下「情報連携」という）の拡大等による行政手続の効率化を図るため，国家資格に関する事務等におけるマイナンバーの利用および情報連携を可能とし，従業員本人の同意があった場合における転職時等の使用者間での特定個人情報の提供を認める改正，②個人番号カードの発行・運営体制を抜本的に強化するため，地方公共団体情報システム機構による個人番号カード関係事務について，主務大臣による目標設定，計画認可，国による財源措置等の規定を整備する改正が行われた。

2　本法の特色

⑴　行政手続法との関係

　「行政手続における特定の個人を識別するための番号の利用等に関する法律」（以下「本法」という）は，行政手続において，悉皆性，唯一無二性，視認性を有する個人番号および法人番号の有する識別機能を活用し，また，当該機能によって異なる分野に属する情報のデータマッチングを行い，行政運営の効率化，国民負担の軽減を図ることを主たる目的としており，行政手続法制の一環をなすものとして位置づけることができる。もっとも，行政手続法は，行政運営における公正の確保と透明性の向上を図り，もって国民の権利利益の保護に資することを目的としている（同法 1 条）ので，本法とは目的を大きく異にする。

⑵　「情報通信技術を活用した行政の推進等に関する法律」等との関係

　本法と目的が類似するのは，「情報通信技術を活用した行政の推進等に関する法律」（以下「デジタル手続法」という）であり，同法は，関係者の利便性の向上を図るとともに，行政運営の簡素化および効率化ならびに社会経済活動のさらなる円滑化に資することを目的としている（1 条）。同法では，そのための手

段が，電子情報処理組織を使用する方法その他の情報通信技術である（令和元年法律第 16 号による改正前の「行政手続における情報通信の技術の利用に関する法律」について詳しくは，宇賀克也・行政手続オンライン化 3 法——電子化時代の行政手続〔第一法規，2003 年〕30 頁以下，同・行政手続と行政情報化〔有斐閣，2006 年〕279 頁以下参照。同改正後のデジタル手続法について，宇賀克也・行政手続三法の解説［第 3 版］〔学陽書房，2022 年〕，同「デジタル手続法の意義・内容・課題」行政法研究 41 号〔2021 年〕3 頁以下参照）。「民間事業者等が行う書面の保存等における情報通信の技術の利用に関する法律」（e-文書法）（宇賀克也＝長谷部恭男編・情報法〔有斐閣，2012 年〕130 頁参照）は，電磁的方法による情報処理の促進を図るとともに，書面の保存等に係る負担の軽減等を通じて国民の利便性の向上を図り，もって国民生活の向上および国民経済の発展に寄与することを目的としており（1 条），国民負担の軽減に主眼が置かれているが，デジタル手続法の姉妹法としての性格を有することは，目的達成の手段が，電子情報処理組織を使用する方法その他の情報通信の技術であることからも指摘できる。

　本法においても，情報提供ネットワークシステムという情報システムを用いて特定個人情報の授受を効率的に行うこととしているが，情報提供ネットワークシステムは個人番号の識別機能を利用したデータマッチングを行うものである点で，単なる手続のオンライン化とは次元を異にする。また，情報提供ネットワークシステムを用いた情報連携は，本法の重要ではあるが一部であり，本法の全体的な目的達成のための手段は，個人番号および法人番号であり，その有する特定の個人および法人その他の団体を識別する機能である。本法の名称に「番号の利用」という文言が使用されていることは，そのことを反映している（「整備法」により改正された住民基本台帳法 7 条 8 号の 2 においては，本法には「番号利用法」という略称が用いられている）。

(3) 個人情報保護法制との関係

　個人番号を検索キーとした不正なデータマッチングが行われると，重大なプライバシー侵害を惹起しかねない。したがって，個人番号，特定個人情報については，一般の個人情報以上に厳格な保護措置を講ずる必要がある。そのため，本法の規定のかなりの部分は，個人番号，特定個人情報の保護措置に係るものである。本法は，個人情報保護のための一般法の存在を前提として，個人番号，

序論

特定個人情報について特別の規律を定めるもので、その限りでは、個人情報保護法の特別法として位置づけられる。

3 本法の構成

本法は、第1章の総則（1条～6条）において、目的、定義、基本理念、国・地方公共団体・事業者の責務規定を置いている。本法の核心は、個人番号の付番とそれをキーとした関係機関間の特定個人情報の共有であり、そのため、第2章（7条～16条）は、個人番号についての章になっており、指定、通知、個人番号とすべき番号の生成、利用範囲、再委託、委託先の監督、安全管理、情報連携、提供の要求、提供の求めの制限、本人確認について定められている。第3章（16条の2、18条の2）は、個人番号と密接に関連する個人番号カードについて規定し、その発行等、交付等と利用、手数料について定めている。第4章（19条～26条）は、個人番号の付番と並び番号制度の核心をなす特定個人情報の提供について定めている。その第1節（19条、20条）は、特定個人情報の提供の制限と収集等の制限について規定している。その第2節（21条～26条）は、特定個人情報の提供の中でも中核的地位を占める情報提供ネットワークシステムによる提供について定めている。具体的には、情報提供ネットワークシステム、情報提供用個人識別符号の取得、特定個人情報の提供義務等、情報提供等の記録、秘密の管理、秘密保持義務、条例に基づく独自利用事務に係る情報提供ネットワークシステムによる特定個人情報の提供について規定している。第5章（27条～32条）は、特定個人情報の保護について定めているが、留意すべきは、そこにおいては、一般的な特定個人情報保護措置としての特定個人情報保護評価等と個人情報保護法の特例等についてのみ定めており、個別の保護措置のうち、個人番号に関するものは第2章で、特定個人情報に関するものは第4章で規定されており、個人番号、特定個人情報の保護措置がすべて第5章で定められているわけではないということである。第5章第1節（27条～29条の4）は、特定個人情報ファイルを保有しようとする者に対する指針、特定個人情報保護評価、特定個人情報ファイルの作成制限、研修の実施、個人情報保護委員会による検査等、特定個人情報の漏えい等に関する報告について規定している。第5章第2節（30条～32条）は、個人情報保護法の特例、情報提供等の記録についての特例、特定個人情報の保護を図るための連携協力について定め

ている。第6章（33条〜38条）は，特定個人情報の取扱いに関する監督について定めている。第6章の2（38条の2〜38条の7）は，平成29年法律第36号による改正で追加されており，機構処理事務の実施に関する措置について定めている。具体的には，地方公共団体情報システム機構の機構処理事務管理規程の策定・認可，機構処理事務において取り扱う機構処理事務特定個人情報等の安全確保，地方公共団体情報システム機構の役職員等の秘密保持義務，帳簿の備付け，報告書の作成・公表，監督命令，報告徴収および立入検査，個人番号カード関係事務に係る中期目標・中期計画・年度計画，各事業年度に係る個人番号カード関係事務に係る業務の実績に関する評価等，個人番号カード関係事務に係る財源措置，財務大臣との協議について定めている。第7章（39条〜42条）は個人番号と並び本法が導入するいま一つの番号である法人番号についての章であり，通知等，情報提供の求め，資料の提供，正確性の確保について定めている。第8章（43条〜47条）は雑則であり，指定都市の特例，事務の区分，権限または事務の委任，戸籍関係情報作成用情報に係る個人情報保護法の特例，主務省令，政令への委任について規定している。第9章（48条〜57条）は罰則について定めている。

　制定附則は，施行期日（1条），準備行為（2条），個人番号の指定および通知に関する経過措置（3条），日本年金機構に係る経過措置（3条の2），特定個人情報保護委員会に関する経過措置（4条），政令への委任（5条），将来における検討等（6条）について規定している。

　平成27年法律第65号による改正附則は，施行期日（1条），通知等に関する経過措置（2条），外国にある第三者への提供に係る本人の同意に関する経過措置（3条），主務大臣がした処分等に関する経過措置（4条），特定個人情報保護委員会がした処分等に関する経過措置（5条），特定個人情報保護委員会規則に関する経過措置（6条），委員長または委員の任命等に関する経過措置（7条），守秘義務に関する経過措置（8条），罰則の適用に関する経過措置（9条），政令への委任（10条），事業者等が講ずべき措置の適切かつ有効な実施を図るための指針の策定に当たっての配慮（11条），検討（12条）等について規定している。

　平成29年法律第36号による改正附則4条は，「個人情報の保護に関する法律及び行政手続における特定の個人を識別するための番号の利用等に関する法

> 序論

律の一部を改正する法律」の一部改正に伴う調整規定である。

　令和元年法律第16号による改正附則1条は施行期日，6条は本法の一部改正に伴う経過措置，7条は罰則に関する経過措置，8条は政令への委任，9条は施行状況についての検討の結果，必要があると認めるときに必要な措置を講ずる義務について定めている。

　令和元年法律第17号による改正附則1条は施行期日について定めている。

　令和3年法律第37号による改正附則1条は施行期日，62条は戸籍法の一部を改正する法律の一部改正に伴う調整規定，71条は罰則に関する経過措置，73条は，個人の氏名を平仮名または片仮名で表記したものを戸籍の記載事項とすることを含め，同法の公布後1年以内を目途としてその具体的な方策について検討を加え，その結果に基づいて必要な措置を講ずることを政府に義務づける規定である。

本　論
本法の逐条解説

Commentary on the My Number Law

本論　本法の逐条解説／第1章　総　則

第1章　総　則

> **（目的）**
> **第1条**　この法律は，行政機関，地方公共団体その他の行政事務を処理する者が，個人番号及び法人番号の有する特定の個人及び法人その他の団体を識別する機能を活用し，並びに当該機能によって異なる分野に属する情報を照合してこれらが同一の者に係るものであるかどうかを確認することができるものとして整備された情報システムを運用して，効率的な情報の管理及び利用並びに他の行政事務を処理する者との間における迅速な情報の授受を行うことができるようにするとともに，これにより，行政運営の効率化及び行政分野におけるより公正な給付と負担の確保を図り，かつ，これらの者に対し申請，届出その他の手続を行い，又はこれらの者から便益の提供を受ける国民が，手続の簡素化による負担の軽減，本人確認の簡易な手段その他の利便性の向上を得られるようにするために必要な事項を定めるほか，個人番号その他の特定個人情報の取扱いが安全かつ適正に行われるよう個人情報の保護に関する法律（平成15年法律第57号）の特例を定めることを目的とする。

(1)　「行政機関，地方公共団体その他の行政事務を処理する者が」

「行政機関」は国の行政機関を意味し，「地方公共団体」は普通地方公共団体（都道府県，市町村）のみならず，特別地方公共団体（特別区，地方公共団体の組合，財産区，合併特例区）を含む。「その他の行政事務を処理する者」には，独立行政法人等，地方独立行政法人のほか，それ以外であっても，行政事務を処理する者を含む。

(2)　「個人番号」

本法7条1項または2項の規定により，住民基本台帳法7条13号に規定する住民票コードを変換して得られる番号であって，当該住民票コードが記載された住民票に係る者を識別するために指定されるものをいう（本法2条5項）。

(3)　「法人番号」

本法39条1項または2項の規定により，特定の法人その他の団体を識別す

るための番号として指定されるものをいう（本法2条15項）。

(4) 「特定の個人及び法人その他の団体を識別する機能」

　個人番号は住民票コードを変換して得られるので（本法8条2項2号），住民票に記載された者全員に付番されるという悉皆性，同一の番号が複数の者に付番されないという唯一無二性を有する。そのため，氏名，住所による個人識別の場合，外字，表記揺れ（たとえば「渡辺一郎」と「渡邉一郎」），氏名・住所の変更等により，同一人物かの識別が困難な場合があるが，個人番号を利用すれば瞬時に識別可能になる。また，法人等についても，法人等情報の管理は，分野ごとに番号を付して機関単位で行われていたため，分野横断的に法人等情報の名寄せ，突合を行う場合，法人等の名称や住所で行わざるを得ず非効率であったが，悉皆性，唯一無二性を有する法人番号制度の導入により，分野横断的に法人等の識別を効率的に行うことができるようになる。

(5) 「異なる分野に属する情報を照合して」

　個人番号は，当初は，社会保障，税，災害対策の分野で利用される。他方，法人番号については，かかる制約はないので，いかなる分野においても利用可能である。

(6) 「これらが同一の者に係るものであるかどうかを確認することができるものとして整備された情報システム」

　異なる分野に属する情報のデータマッチングを行う情報システムである。情報提供ネットワークシステム（本法2条14項）は，特定個人情報の授受について，情報連携が可能な場合として法定されたものであるか否かをシステム上で判断する情報連携基盤である。

(7) 「効率的な情報の管理及び利用」

　番号の識別機能を活用して情報の管理および利用が効率的に行われること。本法は，「利用」と「提供」を分けており，国の行政機関であれば，当該行政機関内で用いる場合には「利用」，他の行政機関に用いさせる場合には「提供」になる。また，地方公共団体の執行機関の場合は，同一の執行機関で用いる場

合には「利用」、他の執行機関に用いさせる場合には「提供」になる。

(8) 「他の行政事務を処理する者との間における迅速な情報の授受を行うことができるようにする」

　番号の識別機能により、番号と紐づいた情報の授受が円滑に行われることになるが、特に、情報提供ネットワークシステムを使用した特定個人情報の授受の場合、本法別表第2に定められた情報照会者、事務、情報提供者、特定個人情報に該当するか、個人情報保護委員会規則で定める条例事務関係情報照会者、条例事務、条例事務関係情報提供者、特定個人情報に該当するかをシステム上、瞬時に判断して情報連携を可能にするため、特定個人情報の授受が迅速に可能になる。

(9) 「行政運営の効率化」

　従前、行政機関、地方公共団体その他の行政事務を処理する者は、情報の名寄せ、突合に多大な労力を費消することが少なくなかった。マイナンバー制度により、この行政コストは大幅に節減されることが期待されている。

(10) 「行政分野におけるより公正な給付と負担の確保を図り」

　個人番号を用いて名寄せ・突合が効率的に行われることによる過少申告の抑止と是正、併給調整のある社会保障給付についての二重給付の抑止と是正等が容易になることにとどまらず、所得の正確な把握により、給付付き税額控除制度の導入が可能となる等、きめ細かな社会保障政策を実施することも可能となる（さらに、マイナンバー制度の導入が、業務処理の体制、人員配置、行政サービスの向上を含めて、行政運営を抜本的に見直す契機となりうることについて、中村裕一郎「社会保障・税番号制度の概要」法律のひろば66巻9号〔2013年〕15頁参照）。

(11) 「これらの者に対し申請、届出その他の手続を行い」

　「これらの者」とは、「行政機関、地方公共団体その他の行政事務を処理する者」を意味する。「申請」とは行政手続法2条3号で定義されているように、「法令に基づき、行政庁の許可、認可、免許その他の自己に対し何らかの利益を付与する処分……を求める行為であって、当該行為に対して行政庁が諾否の

第 1 条（目的）

応答をすべきこととされているもの」である。「届出」とは同条 7 号で定義されているように、「行政庁に対し一定の事項の通知をする行為（申請に該当するものを除く。）であって、法令により直接に当該通知が義務づけられているもの（自己の期待する一定の法律上の効果を発生させるためには当該通知をすべきこととされているものを含む。）」である。

(12)「又はこれらの者から便益の提供を受ける」

上記(11)で述べた申請、届出その他の手続を行うことなく、便益の提供を受ける場合を念頭に置いている。具体例として、社会福祉協議会による生活福祉資金貸付制度による便益の提供が考えられる。従前、同制度は、申請主義の下で、添付資料により要件該当性を確認し、低所得者世帯、障害者世帯、高齢者世帯であって、失業等により生活が困窮した者に対し、資金の貸付を行ってきたが、マイナンバー制度の下では、主務省令の定めるところにより、社会福祉協議会は、市区町村長に住民票、児童手当、介護保険給付等に係る特定個人情報の提供を、都道府県知事等に生活保護、児童扶養手当、母子及び父子並びに寡婦福祉法による給付金の支給に係る特定個人情報の提供を、厚生労働大臣に失業等給付等に係る特定個人情報の提供を、厚生労働大臣もしくは日本年金機構または共済組合等に年金給付に係る特定個人情報の提供を、医療保険者または後期高齢者医療広域連合に医療保険給付に係る特定個人情報の提供を求めることにより、申請を待つことなく、資金の貸付が可能になることが想定される（別表第 2 の 41 の項）。

(13)「手続の簡素化による負担の軽減」

行政機関間での情報の授受（いわゆる「バックオフィス連携」）により、申請、届出等の行政手続を行うに際して所得証明書等の添付書類が不要になる等、手続の簡素化による国民の負担の軽減を意味する。

(14)「本人確認の簡易な手段その他の利便性の向上を得られるようにする」

現在、本人確認の手段としては運転免許証が多用されているが、運転免許証を有しない国民も存在する。旅券もすべての国民が有するわけではない。写真付きの住民基本台帳カードは、運転免許証や旅券を有しない者にとって本人確

認手段として機能することが想定されたが，本法の下では，住民基本台帳カードに代わる個人番号カード（必ず顔写真が貼付される）が本人確認手段としても使用される。個人番号カードは汎用性のある有用な本人確認手段となると考えられる。ただし，個人番号カードは申請により発行されるので，国民全員が個人番号カードを本人確認手段として取得するとは限らない。しかし，自己の特定個人情報の提供記録（アクセスログ）確認機能，行政機関が保有する自己の特定個人情報表示機能，プッシュ型情報提供機能，ワンストップサービス機能を具備する情報提供等記録開示システム（以下「マイナポータル」という）（本法制定附則6条3項・4項）にアクセスする際の本人確認手段として，個人番号カードに記録される電子証明書を用いた公的個人認証システムが採用されているので，個人番号カードを保有しないと，マイナポータルが利用できない。もっとも，同条2項では，スマートフォンもしくはタブレット端末等を活用した認証技術または生体認証技術等の技術開発の動向やその普及状況に応じて，これらの技術を活用した本人確認方法を選択することを排除していないので，個人番号カードを用いた公的個人認証以外の方法によるマイナポータルの利用が実現する可能性がある。なお，令和3年法律第37号による公的個人認証制度の改正で，スマートフォンに搭載する移動端末設備用電子証明書制度が設けられ，移動端末設備用電子証明書の申請者は，個人番号カードの署名用電子証明書を用いて，オンラインで発行申請をすることになる。これにより，個人番号カードをスマートフォンにかざすことなく，移動端末設備用電子証明書を搭載したスマートフォンのみでオンライン申請等を行うことが可能になった。

⒂ 「個人番号その他の特定個人情報の取扱いが安全かつ適正に行われるよう個人情報の保護に関する法律（平成15年法律第57号）の特例を定めることを目的とする」

「個人番号その他の特定個人情報」という表現から，個人番号もそれ単体で特定個人の識別性があり，特定個人情報と位置づけられていることが窺われる（ただし，死者の番号を除く）。個人情報保護法においては，個人番号は個人識別符号（個人情報保護法2条2項）として位置づけられ，生存する個人に関する情報であって個人識別符号が含まれるものは個人情報とされたので（個人情報保護法2条1項2号），個人番号が特定個人情報であることは，より明確になった。

第2条（定義）

　個人番号をその内容に含む特定個人情報も，個人情報の一種であるから，現行の個人情報保護法制の適用を受けるが，特定個人情報は，個人番号の悉皆性，唯一無二性のため特定個人の識別性がきわめて高く，また法定された目的の範囲内とはいえ，データマッチングが行われるから，現行の個人情報保護法制による規律のみでは個人情報保護として十分とはいえない。そこで，本法は，個人番号，特定個人情報について独自の規制を設けたり，個人情報保護法の特例等を規定したりすることにより，個人番号，特定個人情報について特別の規律をすることとしているのである（本法における個人情報保護施策について，黛孝次「番号法における個人情報の管理と個人情報保護の仕組み」法律のひろば66巻9号〔2013年〕20頁以下，梅田健史「番号法による個人情報保護方策の事業者への影響と対応」法律のひろば66巻9号〔2013年〕27頁以下参照）。

（定義）
第2条①　この法律において「行政機関」とは，個人情報の保護に関する法律（以下「個人情報保護法」という。）第2条第8項に規定する行政機関をいう。
②　この法律において「独立行政法人等」とは，個人情報保護法第2条第9項に規定する独立行政法人等をいう。
③　この法律において「個人情報」とは，個人情報保護法第2条第1項に規定する個人情報をいう。
④　この法律において「個人情報ファイル」とは，個人情報保護法第60条第2項に規定する個人情報ファイルであって行政機関等（個人情報保護法第2条第11項に規定する行政機関等をいう。以下この項及び第5章第2節において同じ。）が保有するもの又は個人情報保護法第16条第1項に規定する個人情報データベース等であって行政機関等以外の者が保有するものをいう。
⑤　この法律において「個人番号」とは，第7条第1項又は第2項の規定により，住民票コード（住民基本台帳法（昭和42年法律第81号）第7条第13号に規定する住民票コードをいう。以下同じ。）を変換して得られる番号であって，当該住民票コードが記載された住民票に係る者を識別するために指定されるものをいう。
⑥　この法律において「本人」とは，個人番号によって識別される特定の個人をいう。

⑦　この法律において「個人番号カード」とは，次に掲げる事項が記載され，本人の写真が表示され，かつ，これらの事項その他主務省令で定める事項（以下「カード記録事項」という。）が電磁的方法（電子的方法，磁気的方法その他人の知覚によって認識することができない方法をいう。第18条において同じ。）により記録されたカードであって，この法律又はこの法律に基づく命令で定めるところによりカード記録事項を閲覧し，又は改変する権限を有する者以外の者による閲覧又は改変を防止するために必要なものとして主務省令で定める措置が講じられたものをいう。

1　氏名
2　住所（国外転出者（住民基本台帳法第17条第3号に規定する国外転出者をいう。以下同じ。）にあっては，国外転出者である旨及びその国外転出届（同号に規定する国外転出届をいう。第17条第2項において同じ。）に記載された転出の予定年月日）
3　生年月日
4　性別
5　個人番号
6　その他政令で定める事項

⑧　この法律において「特定個人情報」とは，個人番号（個人番号に対応し，当該個人番号に代わって用いられる番号，記号その他の符号であって，住民票コード以外のものを含む。第7条第1項及び第2項，第8条並びに第48条並びに附則第3条第1項から第3項まで及び第5項を除き，以下同じ。）をその内容に含む個人情報をいう。

⑨　この法律において「特定個人情報ファイル」とは，個人番号をその内容に含む個人情報ファイルをいう。

⑩　この法律において「個人番号利用事務」とは，行政機関，地方公共団体，独立行政法人等その他の行政事務を処理する者が第9条第1項から第3項までの規定によりその保有する特定個人情報ファイルにおいて個人情報を効率的に検索し，及び管理するために必要な限度で個人番号を利用して処理する事務をいう。

⑪　この法律において「個人番号関係事務」とは，第9条第4項の規定により個人番号利用事務に関して行われる他人の個人番号を必要な限度で利用して行う事務をいう。

⑫　この法律において「個人番号利用事務実施者」とは，個人番号利用事務を

処理する者及び個人番号利用事務の全部又は一部の委託を受けた者をいう。
⑬ この法律において「個人番号関係事務実施者」とは，個人番号関係事務を処理する者及び個人番号関係事務の全部又は一部の委託を受けた者をいう。
⑭ この法律において「情報提供ネットワークシステム」とは，行政機関の長等（行政機関の長，地方公共団体の機関，独立行政法人等，地方独立行政法人（地方独立行政法人法（平成15年法律第118号）第2条第1項に規定する地方独立行政法人をいう。以下同じ。）及び地方公共団体情報システム機構（以下「機構」という。）並びに第19条第8号に規定する情報照会者及び情報提供者並びに同条第9号に規定する条例事務関係情報照会者及び条例事務関係情報提供者をいう。第7章を除き，以下同じ。）の使用に係る電子計算機を相互に電気通信回線で接続した電子情報処理組織であって，暗号その他その内容を容易に復元することができない通信の方法を用いて行われる第19条第8号又は第9号の規定による特定個人情報の提供を管理するために，第21条第1項の規定に基づき内閣総理大臣が設置し，及び管理するものをいう。
⑮ この法律において「法人番号」とは，第39条第1項又は第2項の規定により，特定の法人その他の団体を識別するための番号として指定されるものをいう。

(1) 「個人情報の保護に関する法律（以下「個人情報保護法」という。）第2条第8項に規定する行政機関」(1項)

　個人情報保護法2条8項の1号〜6号に列記されている。同項1号は，「法律の規定に基づき内閣に置かれる機関（内閣府を除く。）及び内閣の所轄の下に置かれる機関」である。「法律の規定に基づき内閣に置かれる機関（内閣府を除く。）」には，内閣法12条の規定に基づく内閣官房，内閣法制局設置法1条の規定に基づく内閣法制局，国家安全保障会議設置法1条の規定に基づく国家安全保障会議，デジタル社会形成基本法36条，デジタル庁設置法2条の規定に基づくデジタル庁，都市再生特別措置法3条の規定に基づく都市再生本部，知的財産基本法24条の規定に基づく知的財産戦略本部，構造改革特別区域法37条の規定に基づく構造改革特別区域推進本部，地球温暖化対策の推進に関する法律10条の規定に基づく地球温暖化対策推進本部，郵政民営化法10条の規定に基づく郵政民営化推進本部，地域再生法24条の規定に基づく地域再生

本部，中心市街地の活性化に関する法律66条の規定に基づく中心市街地活性化本部，道州制特別区域における広域行政の推進に関する法律20条の規定に基づく道州制特別区域推進本部，海洋基本法29条の規定に基づく総合海洋政策本部，宇宙基本法25条の規定に基づく宇宙開発戦略本部，総合特別区域法59条の規定に基づく総合特別区域推進本部，強くしなやかな国民生活の実現を図るための防災・減災等に資する国土強靱化基本法15条の規定に基づく国土強靱化推進本部，健康・医療戦略推進法20条の規定に基づく健康・医療戦略推進本部，サイバーセキュリティ基本法24条の規定に基づくサイバーセキュリティ戦略本部，持続可能な社会保障制度の確立を図るための改革の推進に関する法律7条の規定に基づく社会保障制度改革推進本部，まち・ひと・しごと創生法11条の規定に基づくまち・ひと・しごと創生本部，水循環基本法22条の規定に基づく水循環政策本部，アイヌの人々の誇りが尊重される社会を実現するための施策の推進に関する法律32条の規定に基づくアイヌ政策推進本部，ギャンブル等依存症対策基本法24条の規定に基づくギャンブル等依存症対策推進本部，新型インフルエンザ等対策特別措置法15条の規定に基づく新型コロナウイルス感染症対策本部，令和7年に開催される国際博覧会の準備及び運営のために必要な措置に関する法律2条の規定に基づく国際博覧会推進本部，持続可能な社会保障制度の確立を図るための改革の推進に関する法律18条の規定に基づく社会保障制度改革推進会議，復興庁設置法2条の規定に基づく復興庁，原子力基本法3条の3の規定に基づく原子力防災会議がある。

　内閣に置かれる機関であっても，法律の規定に基づかず閣議決定により設置された日本経済再生本部，消費税の円滑かつ適正な転嫁等に関する対策推進本部，農林水産業・地域の活力創造本部，国際組織犯罪等・国際テロ対策推進本部，障がい者制度改革推進本部，拉致問題対策本部等は含まれない。

　内閣府も内閣府設置法2条の規定に基づき内閣に置かれているが，個人情報保護法2条8項2号に規定することとし，同項1号からは除いている。

　「内閣の所轄の下に置かれる機関」とは内閣の下に置かれるが職権行使の独立性が保障された機関であり，現在では人事院がこれに当たる。

　同項2号は，「内閣府，宮内庁並びに内閣府設置法（平成11年法律第89号）第49条第1項及び第2項に規定する機関（これらの機関のうち第4号の政令で定める機関が置かれる機関にあっては，当該政令で定める機関を除く。）」で

ある。宮内庁は，内閣府に置かれているが，「庁」という名称にもかかわらず，外局ではないので，内閣府設置法49条1項に規定する機関ではなく，内閣府に置かれる特別な機関であるが（宇賀克也・行政法概説Ⅲ［第5版］〔有斐閣，2019年〕154頁参照），個人情報保護法では，独立の行政機関として取り扱っている。「内閣府設置法（平成11年法律第89号）第49条第1項……に規定する機関」とは，内閣府の外局として置かれる委員会および庁であり，具体的には，公正取引委員会，国家公安委員会，金融庁，消費者庁，個人情報保護委員会，カジノ管理委員会である（内閣府設置法64条）。「内閣府設置法（平成11年法律第89号）第49条……第2項に規定する機関」とは，法律で国務大臣をもってその長に充てることと定められている内閣府外局の委員会（いわゆる「大臣委員会」。宇賀・前掲・行政法概説Ⅲ［第5版］152頁，198頁参照）に，特に必要がある場合において置かれる委員会または庁であるが，現在，その例はない（かつては，大臣庁に特に必要があれば委員会または庁を置くことができ，旧防衛庁長官は国務大臣をもって充てられていたので，旧防衛庁に防衛施設庁が置かれていた）。

　個人情報保護法2条8項3号の機関は，「国家行政組織法（昭和23年法律第120号）第3条第2項に規定する機関（第5号の政令で定める機関が置かれる機関にあっては，当該政令で定める機関を除く。）」である。「国家行政組織法（昭和23年法律第120号）第3条第2項に規定する機関」は，省およびその外局として置かれる委員会および庁である。国家行政組織法3条に規定されているので，「3条機関」と称されることもある（内閣府外局の委員会，庁は，国家行政組織法3条2項ではなく，内閣府設置法49条1項の規定に基づき設置されるが，それも含めて，外局の委員会，庁全体を行政実務上「3条機関」と称することが多い）。具体的には，国家行政組織法別表第1に列記されている。

　個人情報保護法2条8項4号の機関は，「内閣府設置法第39条及び第55条並びに宮内庁法（昭和22年法律第70号）第16条第2項の機関並びに内閣府設置法第40条及び第56条（宮内庁法第18条第1項において準用する場合を含む。）の特別の機関で，政令で定めるもの」である。内閣府設置法39条の機関とは，内閣府本府に法律または政令の定めるところにより置かれる試験研究機関，文教研修施設（これらに類する機関および施設を含む）および作業施設のことである。同法55条の機関とは，内閣府外局の委員会および庁に，法律または政令の定めるところにより置かれる試験研究機関，文教研修施設（これらに

類する機関および施設を含む）および作業施設のことである。宮内庁法16条2項の機関とは，宮内庁に政令の定めるところにより置かれる文教研修施設（これに類する施設を含む）および作業施設である。内閣府設置法40条の特別の機関は内閣府本府に置かれる特別の機関であり，内閣府設置法56条の特別の機関は，内閣府外局の委員会または庁に置かれる特別の機関である。内閣府設置法56条が宮内庁法18条1項において準用されている場合を含むとされているので，宮内庁に置かれる特別の機関もここに含まれる。

　個人情報保護法2条8項4号に基づき政令で定められた機関は，同項2号の機関からは除かれることになる（同号かっこ書）。内閣府や宮内庁に属しているが，施設等機関や特別の機関の中で，当該機関の独立性や組織の実態に照らして，個人情報の管理や組織単位の面で，内閣府，その外局，宮内庁と同等に取り扱うことが適当なものについては，政令により「行政機関」として位置づけることが適切という判断による。実際には，内閣府設置法56条の規定に基づき内閣府の外局である国家公安委員会に置かれる特別の機関である警察庁が政令で指定されている（個人情報保護法施行令3条1項）。警察庁は，国家公安委員会の庶務を処理する（警察法13条）のみならず，自ら警察法5条4項に定める事務を司る（同法17条）独立性の高い行政組織であるからである。

　個人情報保護法2条8項5号の機関は，「国家行政組織法第8条の2の施設等機関及び同法第8条の3の特別の機関で，政令で定めるもの」である。「国家行政組織法第8条の2の施設等機関」とは，国の行政機関に法律または政令で定めるところにより置かれる試験研究機関，検査検定機関，文教研修施設（これらに類する機関および施設を含む），医療更生施設，矯正収容施設および作業施設のことである。「同法第8条の3の特別の機関」とは，国の行政機関に，法律の定めるところにより置かれるものであり，審議会等，施設等機関以外のものを総称する。

　個人情報保護法2条8項5号の規定に基づき政令で定められた機関は，同項3号の機関から除かれる（同号かっこ書）。国家行政組織法8条の2の施設等機関，8条の3の特別の機関の中には，その置かれている行政機関からの独立性や組織の実態に即して，個人情報保護事務を処理する独立の単位として位置づけることが適切なものがあるので，そのような機関を政令で定めることにより，独立の「行政機関」として取り扱うことを可能にするためである。実際には，

法務省の特別の機関である検察庁が政令で指定されている（個人情報保護法施行令3条2項）。

　個人情報保護法2条8項6号の機関は、会計検査院である。会計検査院が行政機関であるか否かについては、学説上は議論があるが（宇賀・前掲・行政法概説Ⅲ［第5版］250頁以下参照）、実定法上は、行政機関として位置づけられている。なお、会計検査院は内閣から独立した機関であるため、会計検査院が会計検査により取得した特定個人情報については、内閣府に置かれる個人情報保護委員会は監督権限を行使できないこととされている（本法36条）。

⑵　「個人情報保護法第2条第9項に規定する独立行政法人等」(2項)
　独立行政法人通則法2条1項に規定する独立行政法人および個人情報保護法別表第1に掲げる法人である。これらは、国とは独立の法人であるが、実質的に政府の一部を構成する法人である。独立行政法人通則法2条1項に規定する独立行政法人は、すべて対象法人となる。国立大学法人法に基づく国立大学法人、大学共同利用機関法人は個人情報保護法別表第1により、すべて対象法人とされている。特殊法人、認可法人の一部も同法別表第1に列記されている。

⑶　「個人情報保護法第2条第1項に規定する個人情報」(3項)
　生存する個人に関する情報であって、当該情報に含まれる氏名、生年月日その他の記述等により特定の個人を識別することができるもの（他の情報と容易に照合することができ、それにより特定の個人を識別することができることとなるものを含む）および個人識別符号が含まれるもののことである。死者に関する情報は含まない。

⑷　「個人情報ファイル」(4項)
　本項で定義する個人情報ファイルは、個人情報の部分集合であり、個人情報は生存する個人に関する情報であるから、個人情報ファイルは死者の情報を含まない。

⑸　「個人情報保護法第60条第2項に規定する個人情報ファイルであって行政機関等……が保有するもの」(4項)

保有個人情報（行政機関等の職員〔独立行政法人等および地方独立行政法人にあっては，その役員を含む。以下同じ〕が職務上作成し，または取得した個人情報であって，当該行政機関等の職員が組織的に利用するものとして，当該行政機関等が保有しているもののうち，行政文書〔行政機関情報公開法2条2項に規定する行政文書をいう〕，法人文書〔独立行政法人等情報公開法2条2項に規定する法人文書をいう〕または地方公共団体等行政文書〔地方公共団体の機関または地方独立行政法人の職員が職務上作成し，または取得した文書，図画および電磁的記録であって，当該地方公共団体の機関または地方独立行政法人が組織的に用いるものとして，当該地方公共団体の機関または地方独立行政法人が保有しているものであって，行政機関情報公開法2条2項各号に掲げるものとして政令で定めるものを除いたものをいう〕に記録されているもの）を含む情報の集合物であって，(i)一定の事務の目的を達成するために特定の保有個人情報を電子計算機を用いて検索することができるように体系的に構成したもの，または(ii)以上のほか，一定の事務の目的を達成するために氏名，生年月日，その他の記述等により特定の保有個人情報を容易に検索することができるように体系的に構成したものを意味する。

(6) 「個人情報保護法第16条第1項に規定する個人情報データベース等であって行政機関等以外の者が保有するもの」(4項)

　個人情報を含む情報の集合物であって，(i)特定の個人情報を電子計算機を用いて検索することができるように体系的に構成したもの（上記(5)と異なり，「一定の事務の目的を達成するために」という要件は課されていない），または(ii)以上のほか，個人情報を一定の規則に従って整理することにより特定の個人情報を容易に検索することができるように体系的に構成した情報の集合物であって，目次，索引その他検索を容易にするためのものを有するものを意味する。ただし，①不特定かつ多数の者に販売することを目的として発行されたものであって，かつ，その発行が法または法に基づく命令の規定に違反して行われたものでないこと，②不特定かつ多数の者により随時に購入することができ，またはできたものであること，③生存する個人に関する他の情報を加えることなくその本来の用途に供しているものであること，のいずれにも該当するものを除く（個人情報保護法施行令4条1項）。「行政機関等以外の者」には，民間事業者のみならず国の立法機関，司法機関も含まれる。

第2条（定義）

(7) 「個人番号」（5項）

　住民票コード（11桁）を変換して得られる番号（11桁の住民票コードから作成されるため技術的に11桁以上である必要があり，無作為の11桁の数字に検査用数字〔チェックデジット〕を加え12桁とされている）であって，当該住民票コードが記載された住民票に係る者を識別するために指定されるものをいう。個人番号には死者の番号を含む。死亡届が出され住民登録が抹消されても，また住民登録が抹消された住民票の除票の保存期間が満了しても，死者の個人番号が廃止されたり，他の個人に付番されたりすることはない。個人番号利用事務等実施者は死者の個人番号についても安全管理措置義務を負い（本法12条），何人も，本法19条各号のいずれかに該当する場合を除き，死者の個人番号の提供を求めてはならない（同15条）。また，死者の個人番号の不正な利益を図る目的での提供・盗用（同49条），詐欺・暴行等による死者の個人番号の取得（同51条）は処罰の対象になる。

(8) 「この法律において「本人」とは，個人番号によって識別される特定の個人」（6項）

　個人番号は悉皆性，唯一無二性を有するので，個人番号が付番された特定の個人について高度の識別機能を有する。個人番号は死者の番号を含むので，本項の「本人」には死者も含む。しかし，本法の「本人」は，実際には，死者は想定されないものが多い（本法14条1項，16条，19条1号・3号・15号）。

(9) 「次に掲げる事項が記載され」（7項）

　次に掲げる事項は，(i)氏名，(ii)住所（国外転出者〔住民基本台帳法第17条第3号に規定する国外転出者をいう。以下同じ〕にあっては，国外転出者である旨およびその国外転出届〔同号に規定する国外転出届をいう〕に記載された転出の予定年月日），(iii)生年月日，(iv)性別，(v)個人番号，(vi)その他政令で定める事項である。本項の政令で定める事項は，個人番号カードの有効期間が満了する日および本人に係る住民票に住民基本台帳法施行令30条の13に規定する旧氏が規定されているときは当該旧氏，本人に係る住民票に住民基本台帳法施行令30条の16第1項に規定する通称が記載されているときは当該通称である（本法施行令1条）。

本論　本法の逐条解説／第1章　総　則

⑽　「本人の写真が表示され」（7項）
　住民基本台帳カードについては，顔写真が貼付されるものとされないものを本人が選択することが可能であったが，個人番号カードには必ず顔写真を貼付しなければならない。これは，個人番号カードが本人確認の有力な手段として単独で用いられることとされているからである（本法16条参照）。

⑾　「これらの事項その他主務省令で定める事項（以下「カード記録事項」という。）が電磁的方法（電子的方法，磁気的方法その他人の知覚によって認識することができない方法をいう。第18条において同じ。）により記録されたカードであって」（7項）
　主務省令で定める事項は，住民票コードである（カード等命令17条）。個人番号カードはICカードであり，マイナポータルにログインするために用いられる。マイナポータルでは公的個人認証システムによる本人確認が行われるため，個人番号カードには，氏名，住所，生年月日，性別，個人番号，個人番号カードの有効期間が満了する日，住民票コードのほか，電子証明書も電磁的方法で記録される。

⑿　「個人番号……をその内容に含む個人情報」（8項）
　特定個人情報は個人情報の部分集合であるが，個人情報は生存する個人に関する情報に限定され，死者の情報は含まないため，特定個人情報も死者の情報を含まないことになる。

⒀　「個人番号に対応し，当該個人番号に代わって用いられる番号，記号その他の符号であって，住民票コード以外のものを含む」（8項かっこ書）
　個人番号該当性については，その生成の由来から個人番号に代わって用いられることを本来の目的としているか否かの観点を総合的に勘案して判断され，したがって，個人番号の一部のみを用いたものや，不可逆に変換したものであっても，個人番号の唯一無二性や悉皆性等の特性を利用して個人の特定に用いている場合等は，個人番号に該当すると判断されることがあるという見解を個人情報保護委員会は採用している。たとえば，すべての個人番号の最後に0を付すだけで個人番号，特定個人情報に係る規制を潜脱できてしまうことは不合

理である。そのため，これらを含むものとして個人番号を定義している。個人番号は住民票コードを変換して得られるものであるから（本法8条2項2号），住民票コードは個人番号と1対1の関係にあり，「個人番号に代わって用いられる番号，記号その他の符号」に当たるといえるが，本項の個人番号に該当しない。住民基本台帳法による住民票コードの保護と本法による個人番号の保護を比較すると，全面的に一方が他方より保護が厚いとはいえない。なお，地方公共団体が使用している宛名番号は，「個人番号に対応し，当該個人番号に代わって用いられる番号」ではないので，個人番号ではなく，したがって，宛名番号を付して管理されている個人情報は特定個人情報ではない。

(14)　「第7条第1項及び第2項，第8条並びに第48条並びに附則第3条第1項から第3項まで及び第5項を除き，以下同じ」(8項かっこ書)
　これらの場合には，本法2条5項が定義する個人番号のみを意味する。

(15)　「個人番号をその内容に含む個人情報ファイル」(9項)
　本条4項で定義する個人情報ファイルに個人番号が付されたものが特定個人情報ファイルとなる。

(16)　「行政機関」(10項)
　国の行政機関を意味する。

(17)　「地方公共団体」(10項)
　普通地方公共団体のみならず特別地方公共団体を含む。

(18)　「独立行政法人等」(10項)
　個人情報保護法2条9項に規定する法人を意味する。

(19)　「その他の行政事務を処理する者」(10項)
　国，地方公共団体，独立行政法人等以外のものであっても，個人番号利用事務を行うことが認められる場合がある。本法9条1項の規定に基づき個人番号利用事務を行うことができる者と事務は，本法別表第1に列記されており，そ

本論 本法の逐条解説／第 1 章 総　　則

こでは健康保険組合等が行う健康保険給付の支給または保険料等の徴収に関する事務等であって主務省令で定めるものを処理する場合（第 2 の項），社会福祉協議会が社会福祉法による生計困難者に対して無利子または低利で資金を融通する事業の実施に関する事務であって主務省令で定めるものを処理する場合（第 26 の項），確定給付企業年金法 29 条 1 項に規定する事業主等が確定給付企業年金法による年金である給付または一時金の支給に関する事務であって主務省令で定める事務を処理する場合（第 105 の項），確定拠出年金法 3 条 3 項 1 号に規定する事業主が確定拠出年金法による企業型記録関連運営管理機関への通知，企業型年金加入者等に関する原簿の記録および保存または企業型年金の給付もしくは脱退一時金の支給に関する事務であって主務省令で定める事務を処理する場合（第 106 の項）等には，国，地方公共団体，独立行政法人等のいずれにも該当しない者が行政事務を処理する者とされている（主務省令は「行政手続における特定の個人を識別するための番号の利用等に関する法律別表第一の主務省令で定める事務を定める命令」〔平成 26 年内閣府・総務省令第 5 号〕）。

⑳ 「第 9 条第 1 項から第 3 項までの規定によりその保有する特定個人情報ファイルにおいて個人情報を効率的に検索し，及び管理するために必要な限度で個人番号を利用して処理する事務をいう」（10 項）

　本法 9 条 1 項は，本法別表第 1 の上欄に掲げる者が同表の下欄に掲げる事務の処理に関して保有する特定個人情報ファイルにおいて個人情報を効率的に検索し，および管理するために必要な限度で個人番号を利用することを認めている。また，同条 2 項は，地方公共団体の長その他の執行機関が，社会保障，地方税または防災に関する事務その他これらに類する事務であって条例で定めるものの処理に関して保有する特定個人情報ファイルにおいて個人情報を効率的に検索し，および管理するために必要な限度で個人番号を利用することを認めている。同条 3 項は，戸籍関係情報の副本に記録されている情報の電子計算機処理等を行うことにより作成することができる戸籍または除かれた戸籍の副本に記録されている戸籍等記録者についての他の戸籍等記録者との間の親子関係の存否その他の身分関係の存否に関する情報，婚姻その他の身分関係の形成に関する情報のうち，本法 19 条 8 号または 9 号の規定により提供するものとして法務省令で定めるものであって，情報提供用個人識別符号の提供に関する事

務の処理に関して保有する特定個人情報ファイルにおいて個人情報を効率的に検索し，および管理するために必要な限度で情報提供用個人識別符号を利用することを認めている。個人番号利用事務は，これらの事務を総称するものである。

(21) 「第9条第4項の規定により個人番号利用事務に関して行われる他人の個人番号を必要な限度で利用して行う事務」(11項)

従業員の源泉徴収票・給与支払報告書の提出義務者として税務署長に法定調書を提出するために従業員の個人番号を記載する場合（整備法による改正後の国税通則法124条1項）のように，個人番号利用事務を処理する者に対して各種の届出等を行うために個人番号を利用する事務のことである。

(22) 「個人番号利用事務を処理する者」(12項)

本法9条1項の個人番号利用事務を処理する者は本法別表第1の上欄に記されている。同条2項の個人番号利用事務を処理する者は条例で定められる執行機関である。同条3項の個人番号利用事務を処理する者は法務大臣である。

(23) 「個人番号利用事務の全部又は一部の委託を受けた者」(12項)

個人番号利用事務の全部または一部の事務を委託することは禁じられていないので，委託が行われる可能性がある。委託を受けた者にも「個人番号利用事務を処理する者」と同様に個人番号を保護する義務を課す必要があるので，個人番号利用事務実施者に含めている。

(24) 「個人番号関係事務を処理する者及び個人番号関係事務の全部又は一部の委託を受けた者」(13項)

個人番号関係事務もその全部または一部の事務を委託することは禁じられていないので，委託が行われる可能性がある。委託を受けた者にも「個人番号関係事務を処理する者」と同様に個人番号を保護する義務を課す必要があるので，個人番号関係事務実施者に含めている。

本論 本法の逐条解説／第1章　総　則

⑸　「地方公共団体情報システム機構」(14項)

　地方公共団体情報システム機構法に基づき2014年4月1日に設置された法人（宇賀・前掲・行政法概説Ⅲ［第5版］330頁）であり、住民基本台帳法に基づく指定情報処理機関であった財団法人地方自治情報センター（LASDEC）(1970年設置）を改組したもの（財団法人地方自治情報センターは同日に解散）。令和3年法律第37号による改正により、国と地方公共団体が共同管理する法人となったが、それまでは地方共同法人であった。地方共同法人としては、競馬法に基づく地方競馬全国協会、地方公務員災害補償法に基づく地方公務員災害補償基金、日本下水道事業団法に基づく日本下水道事業団、地方公共団体金融機構法に基づく地方公共団体金融機構、地方税法に基づく地方税共同機構がある（各地方共同法人について、宇賀・前掲・行政法概説Ⅲ［第5版］333頁以下参照）。地方公共団体情報システム機構は、住民基本台帳ネットワーク、総合行政ネットワークに関する財団法人地方自治情報センターの業務を継承するのみならず、マイナンバー制度に関する業務を行うほか、財団法人自治体衛星通信機構（LAS-COM）が指定認証機関として行ってきた公的個人認証制度に関する業務も行うことになった。

　地方公共団体情報システム機構は、2014年4月1日、住民基本台帳法に基づく指定情報処理機関、「電子署名に係る地方公共団体の認証業務に関する法律」に基づく指定認証機関に指定されることになるが、2015年10月には、指定情報処理機関ではなくなり、本法に基づく個人番号生成機関となった。さらに、2016年1月には、指定認証機関ではなくなり、「電子署名等に係る地方公共団体情報システム機構の認証業務に関する法律」に基づき、署名用電子証明書および利用者証明用電子証明書を発行することになった。

　令和3年法律第37号による改正前の地方公共団体情報システム機構は、地方公共団体によるガバナンスが強化された組織となっており、地方3団体（全国知事会、全国市長会、全国町村会）が設立委員を選任し（地方公共団体情報システム機構法制定附則2条）、総務大臣が設立を認可した（同法制定附則3条2項）。令和3年法律第37号による改正で、国および地方公共団体が共同して運営する組織となり、国の関与が強化された。地方公共団体情報システム機構には、主務大臣またはその指名する職員、地方代表者、有識者を構成員とする代表者会議（同法8条）が置かれ、定款の変更、予算・決算、事業計画等を議決する

第 2 条（定義）

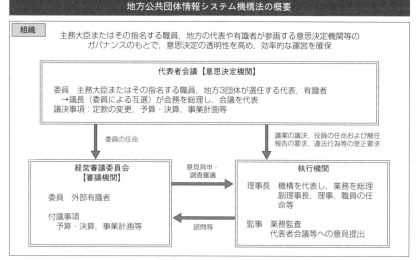

出典：総務省ホームページを基に作成

（同法 9 条）。さらに，外部有識者を構成員とする経営審議委員会（同法 24 条），本人確認情報保護委員会（同法 25 条），認証業務情報保護委員会（同法 26 条）も設置されている。地方公共団体情報システム機構に対する監督権限を有するのは内閣総理大臣および総務大臣であり，定款の認可権限（同法 5 条 2 項），役員任命の認可権限（同法 13 条 1 項），役員解任の認可権限（同法 16 条 1 項），報告を求める権限および立入検査権限（同法 35 条），違法行為の是正要求権限（同法 36 条）等を有する。

(26) 「行政機関の長……第 7 章を除き，以下同じ」（14 項かっこ書）

　本項，本法 28 条，本法 29 条の 2，本法制定附則 2 条においては，「行政機関の長等」は，行政機関の長，地方公共団体の機関，独立行政法人等，地方独立行政法人および地方公共団体情報システム機構ならびに本法 19 条 8 号に規定する情報照会者および情報提供者ならびに同条 9 号に規定する条例事務関係情報照会者および条例事務関係情報提供者を意味するが，本法 7 章（法人番号）においては「行政機関の長等」は，行政機関の長，地方公共団体の機関または独立行政法人等のみを意味することに留意する必要がある（本法 40 条参照）。

⑵⑺ 「第19条第8号に規定する情報照会者及び情報提供者」（14項かっこ書）

　特定個人情報の授受のうち，本法別表第2に定める法定事務として情報提供ネットワークシステムを用いるものについては，本法19条8号の規定に基づき，同法別表第2の第1欄に掲げる者（情報照会者）から同表の第3欄に掲げる者（情報提供者）に同表の第2欄に掲げる事務を処理するために必要な同表の第4欄に掲げる特定個人情報の提供を求めることができる。

⑵⑻ 「同条第9号に規定する条例事務関係情報照会者及び条例事務関係情報提供者」（14項かっこ書）

　「条例事務関係情報照会者」とは，本法9条2項の規定に基づき条例で定める事務のうち別表第2の第2欄に掲げる事務に準じて迅速に特定個人情報の提供を受けることによって効率化を図るべきものとして個人情報保護委員会規則で定めるものを処理する地方公共団体の長その他の執行機関であって個人情報保護委員会規則で定めるものを意味する。個人情報保護委員会規則では，地方公共団体が本法9条2項の規定に基づき条例で定める事務のうち，(i)当該条例で定める事務の趣旨または目的が，本法別表第2に定める法定事務の根拠となる法令の趣旨または目的と同一であること，(ii)その事務の内容が法定事務の内容と類似していること，(iii)その事務を処理するために必要な特定個人情報を提供する者が，法定事務を処理するために必要な特定個人情報を提供する情報提供者と同一または当該情報提供者のいずれかに該当する者であり，かつ，その事務を処理するために必要な特定個人情報の範囲が，当該法定事務において提供を求める特定個人情報の範囲と同一またはその一部であることという要件を満たす事務（条例事務）を処理する地方公共団体の長その他の執行機関を「条例事務関係情報照会者」としている。条例事務関係情報照会者に対し条例事務を処理するために必要な特定個人情報を提供する者を「条例事務関係情報提供者」という。

⑵⑼ 「第21条第1項の規定に基づき内閣総理大臣が設置し，及び管理するもの」（14項）

　情報提供ネットワークシステムの運営に当たっては，情報提供ネットワークシステムに接続する情報照会者および情報提供者との種々の調整が必要になる。

本法制定当時，別表第2に115の事務が列記されていたが，国の機関等と地方公共団体の機関との間の授受が139，地方公共団体の機関相互間の授受が145存在し，地方公共団体が情報提供ネットワークシステムを使用した情報照会者または情報提供者になる場合が非常に多かった。そこで，地方公共団体相互間および地方公共団体と国の行政機関の間で本人確認情報の提供を行うための住民基本台帳ネットワークを約10年間（当時）安全に運用してきた実績を有し，かつ，地方自治制度を所管する総務省が情報提供ネットワークシステムを設置管理することとされた。

　平成27年法律第65号による改正の結果，本法9条2項の規定に基づく条例で定められた事務であって，個人情報保護委員会規則で定める要件を満たすものについても，情報提供ネットワークシステムを使用した情報連携が認められることになり，このことも，地方自治制度を所管する総務省が，情報提供ネットワークシステムを設置管理する根拠を補強することになったといえよう。しかし，令和3年法律第37号により，デジタル庁が設立されることになったことを受けて，情報提供ネットワークシステムの管理権限は，内閣総理大臣に移管されることになった。

⑶⓪　「第39条第1項又は第2項の規定により」(15項)
　本法39条1項の規定により指定される場合とは，法人等からの法人番号指定のための届出なしに指定する場合であり，同条2項の規定による場合とは，法人等から法人番号指定のための届出を受けて指定する場合である。

⑶①　「特定の法人その他の団体を識別するための番号」(15項)
　法人番号は分野横断的に用いられ悉皆性，唯一無二性を有する番号として，法人等について強度の識別機能を有する。

(基本理念)
第3条①　個人番号及び法人番号の利用は，この法律の定めるところにより，次に掲げる事項を旨として，行われなければならない。
　1　行政事務の処理において，個人又は法人その他の団体に関する情報の管

理を一層効率化するとともに，当該事務の対象となる者を特定する簡易な手続を設けることによって，国民の利便性の向上及び行政運営の効率化に資すること。
2　情報提供ネットワークシステムその他これに準ずる情報システムを利用して迅速かつ安全に情報の授受を行い，情報を共有することによって，社会保障制度，税制その他の行政分野における給付と負担の適切な関係の維持に資すること。
3　個人又は法人その他の団体から提出された情報については，これと同一の内容の情報の提出を求めることを避け，国民の負担の軽減を図ること。
4　個人番号を用いて収集され，又は整理された個人情報が法令に定められた範囲を超えて利用され，又は漏えいすることがないよう，その管理の適正を確保すること。

②　個人番号及び法人番号の利用に関する施策の推進は，個人情報の保護に十分配慮しつつ，行政運営の効率化を通じた国民の利便性の向上に資することを旨として，社会保障制度，税制及び災害対策に関する分野における利用の促進を図るとともに，他の行政分野及び行政分野以外の国民の利便性の向上に資する分野における利用の可能性を考慮して行われなければならない。

③　個人番号の利用に関する施策の推進は，個人番号カードが第1項第1号に掲げる事項を実現するために必要であることに鑑み，行政事務の処理における本人確認の簡易な手段としての個人番号カードの利用の促進を図るとともに，カード記録事項が不正な手段により収集されることがないよう配慮しつつ，行政事務以外の事務の処理において個人番号カードの活用が図られるように行われなければならない。

④　個人番号の利用に関する施策の推進は，情報提供ネットワークシステムが第1項第2号及び第3号に掲げる事項を実現するために必要であることに鑑み，個人情報の保護に十分配慮しつつ，社会保障制度，税制，災害対策その他の行政分野において，行政機関，地方公共団体その他の行政事務を処理する者が迅速に特定個人情報の授受を行うための手段としての情報提供ネットワークシステムの利用の促進を図るとともに，これらの者が行う特定個人情報以外の情報の授受に情報提供ネットワークシステムの用途を拡大する可能性を考慮して行われなければならない。

第 3 条（基本理念）

(1) 「国民の利便性の向上及び行政運営の効率化に資すること」(1 項 1 号)

本法 1 条における「行政運営の効率化……を図り，かつ，これらの者に対し申請，届出その他の手続を行い，又はこれらの者から便益の提供を受ける国民が，手続の簡素化による負担の軽減……を得られるようにする」という目的に対応する。

(2) 「社会保障制度，税制その他の行政分野における給付と負担の適切な関係の維持に資すること」(1 項 2 号)

本法 1 条における「行政分野におけるより公正な給付と負担の確保を図」るという目的に対応する。

(3) 「個人又は法人その他の団体から提出された情報については，これと同一の内容の情報の提出を求めることを避け，国民の負担の軽減を図ること」(1 項 3 号)

本法 1 条における「これらの者に対し申請，届出その他の手続を行い，又はこれらの者から便益の提供を受ける国民が，手続の簡素化による負担の軽減……を得られるようにする」という目的をより具体化しており，情報提供ネットワークシステムを使用した特定個人情報の提供があった場合においては，他の法令の規定により当該特定個人情報と同一の内容の情報を含む書面の提出が義務づけられているときは，当該書面の提出があったものとみなされる（本法 22 条 2 項）。

(4) 「個人番号を用いて収集され，又は整理された個人情報が法令に定められた範囲を超えて利用され，又は漏えいすることがないよう，その管理の適正を確保すること」(1 項 4 号)

本法 1 条の「個人番号その他の特定個人情報の取扱いが安全かつ適正に行われるよう個人情報の保護に関する法律（平成 15 年法律第 57 号）の特例を定めること」を目的とする部分に対応する。

(5) 「個人情報の保護に十分配慮しつつ，行政運営の効率化を通じた国民の利便性の向上に資することを旨として」(2 項)

本条2項以下は旧マイナンバー法案にはなく、新法案で追加されている。特定個人情報に限らず個人情報全体の保護に十分配慮することとされていることに留意が必要である。個人情報保護法1条は「個人情報の有用性に配慮しつつ、個人の権利利益を保護することを目的とする」と規定している。これは、個人の権利利益の保護を唯一絶対の目的とするのではなく、個人情報の有用性も斟酌することを意味しているが、両者を対等に比較衡量するのではなく、個人の権利利益の保護が最重要の目的であることを表現している。これに対し、本項は「行政運営の効率化を通じた国民の利便性の向上に資すること」を最重要の目的と位置づけた上で、この目的を達成する上で個人情報の保護に十分配慮することを求めている。この点で本法は、個人情報保護法のように、個人情報保護を最重要の目的と位置づけた法律とは性格を異にする面があり、本法の名称に「番号の利用」という文言が用いられているのに対し、特定個人情報の保護は「等」の部分に含まれていることからも、本法が番号の利用による「行政運営の効率化を通じた国民の利便性の向上」を最重要視していることが窺われる。

(6) 「社会保障制度、税制及び災害対策に関する分野における利用の促進を図るとともに」(2項)

マイナンバー制度は、社会保障と税の一体改革の中で導入された経緯があり、主として社会保障制度、税制の分野で利用される。しかし、東日本大震災の経験を踏まえて、災害対策の分野でも利用されることになった。

(7) 「他の行政分野及び行政分野以外の国民の利便性の向上に資する分野における利用の可能性を考慮して行われなければならない」(2項)

旧マイナンバー法案にはなかった部分であり、旧マイナンバー法案の自公民3党による修正協議の過程で、個人番号の利用範囲を将来、社会保障制度、税制および災害対策に関する分野以外の他の行政分野に拡大し、さらには民間でも利用することも視野に入れて施策を推進すべきとされたことを受けて、本法に基本理念の1つとして規定された。したがって、情報システムの整備に当たり、上記3分野以外への拡張を視野に入れることが求められることになる。本法制定附則6条1項において、「政府は、この法律の施行後3年を目途として、この法律の施行状況等を勘案し、個人番号の利用……について検討を加え、必

第3条（基本理念）

要があると認めるときは，その結果に基づいて，国民の理解を得つつ，所要の措置を講ずるものとする」とされており，施行後3年を目途とした見直しの際に，個人番号の利用範囲の拡大の是非が政府において検討されることになった（ちなみに，オランダにおいては，1988年に社会保障と税の分野で導入された共通番号が，2007年に行政分野全般で利用される共通番号になっている）。本法施行後，個人番号および情報連携の範囲は，漸次，拡大されてきたが，その拡大は，社会保障制度，税制および災害対策に関する分野の範囲内で行われてきた。

(8)「個人番号カードが第1項第1号に掲げる事項を実現するために必要であることに鑑み，行政事務の処理における本人確認の簡易な手段としての個人番号カードの利用の促進を図る」（3項）

本条1項1号において，「当該事務の対象となる者を特定する簡易な手続を設けることによって，国民の利便性の向上及び行政運営の効率化に資すること」とされていることを受けている。個人番号カードには，氏名，住所，生年月日，性別，個人番号のほか，本人の顔写真が表示されるため，それのみで本人確認が可能である（本法16条）。

(9)「行政事務以外の事務の処理において個人番号カードの活用が図られるように行われなければならない」（3項）

個人番号カードの民間利用は政令で定めれば可能である（本法18条2号）。自公民3党の協議により，当面は民間利用を認める政令は制定しないこととしていたが，その後，本法施行令18条2項4号で「国民の利便性の向上に資するものとして内閣総理大臣及び総務大臣が定める事務を処理する民間事業者（当該事務およびカード記録事項の安全管理を適切に実施することができるものとして内閣総理大臣及び総務大臣が定める基準に適合する者に限る。）」が個人番号カードを利用することが認められている。

(10)「社会保障制度，税制，災害対策その他の行政分野において」（4項）

情報提供ネットワークシステムの利用は，当面は，社会保障制度，税制，災害対策の3分野に限られるが，将来的にはそれ以外の行政分野での利用も視野に入れて行われるべきことを意味する。したがって，情報提供ネットワークシ

ステムを整備するに当たり，上記3分野以外への拡張を視野に入れることが求められることになる。

⑾　「行政機関，地方公共団体その他の行政事務を処理する者が」（4項）

情報提供ネットワークシステムの利用範囲の拡大に伴う特定個人情報の漏えいの危険にも配慮して，情報提供ネットワークシステムを利用可能な主体については，行政事務を処理する者に限定している。

⑿　「迅速に特定個人情報の授受を行うための手段としての情報提供ネットワークシステム」（4項）

情報提供ネットワークシステムにおいては，特定個人情報の情報照会が法律で認められた適法なものであるか否かをシステム上瞬時に判別可能なため，迅速に特定個人情報を授受することが可能である。

⒀　「これらの者が行う特定個人情報以外の情報の授受に情報提供ネットワークシステムの用途を拡大する可能性を考慮して行われなければならない」（4項）

本法は，情報提供ネットワークシステムの利用は特定個人情報の授受に限定しているが（本法19条8号・9号），将来は，特定個人情報以外の情報の授受にまで用途を拡大する可能性を考慮に入れて，システムの設計を行うことにより，用途拡大の際に過大な支出を要しないようにすること等を念頭に置いている。実際，情報提供ネットワークシステムは，個人番号ではなく符号（リンクコード）により情報連携を行うこととしており，個人番号の有無を問わずに情報連携が可能になり，特定個人情報以外の情報の授受も視野に入れられている。

（国の責務）
第4条①　国は，前条に定める基本理念（以下「基本理念」という。）にのっとり，個人番号その他の特定個人情報の取扱いの適正を確保するために必要な措置を講ずるとともに，個人番号及び法人番号の利用を促進するための施策を実施するものとする。

第4条（国の責務）

> ②　国は，教育活動，広報活動その他の活動を通じて，個人番号及び法人番号の利用に関する国民の理解を深めるよう努めるものとする。

(1) 「前条に定める基本理念（以下「基本理念」という。）にのっとり」（1項）

　本項の規定に基づく国の責務を履行する際の指針となるのが，本法3条に定める基本理念であることを明確にしている。本条の国の責務規定は，本法5条の地方公共団体の責務，本法6条の事業者の努力規定と同様，旧マイナンバー法案にはなかったもので，新法案に追加されたものである。

(2) 「個人番号その他の特定個人情報の取扱いの適正を確保するために必要な措置を講ずるとともに」（1項）

　特定個人情報は個人番号を含み，個人番号を検索キーとしたデータマッチングを可能にするため，これが適正に行われないと，重大なプライバシー侵害をもたらすおそれがある。そこで，国に特定個人情報の取扱いの適正を確保するために必要な措置を講ずる責務を課している。主として本法3条1項4号の基本理念に対応する。

(3) 「個人番号及び法人番号の利用を促進するための施策を実施するものとする」（1項）

　主として，本法3条1項1号・2号，2項〜4項の基本理念に対応する。

(4) 「教育活動，広報活動その他の活動を通じて，個人番号及び法人番号の利用に関する国民の理解を深めるよう努めるものとする」（2項）

　本法案を審議した衆参両院の内閣委員会においても，政府が，本法施行後も引き続き，教育活動，広報活動その他の活動を通じて個人番号および法人番号の利用に関する国民の理解を深めるよう努めるとともに，利用範囲に関する検討を進めるに当たって，そのメリット等について国民にわかりやすく積極的に情報提供を行うことが附帯決議されている（2013年4月26日衆議院内閣委員会附帯決議，同年5月23日参議院内閣委員会附帯決議）。政府は，全国47都道府県で

「マイナンバーシンポジウム」を開催し，議事録をHPで公開するとともに，会議を政府インターネットテレビで配信してきた。

> **（地方公共団体の責務）**
> 第5条　地方公共団体は，基本理念にのっとり，個人番号その他の特定個人情報の取扱いの適正を確保するために必要な措置を講ずるとともに，個人番号及び法人番号の利用に関し，国との連携を図りながら，自主的かつ主体的に，その地域の特性に応じた施策を実施するものとする。

「地方公共団体は，基本理念にのっとり……国との連携を図りながら，自主的かつ主体的に，その地域の特性に応じた施策を実施するものとする」

　地方公共団体も基本理念にのっとって，特定個人情報，個人番号，法人番号に関する施策を進める必要があることは国と同じであるが，国との連携を図りながら，自主的かつ主体的に，地域の特性に応じた施策を講ずることが期待される。そのため，本法は，条例で定めるところにより，(i)地方公共団体の長その他の執行機関が個人番号を利用すること（9条2項），(ii)市区町村の機関が個人番号カードを地域住民の利便性の向上に資する事務に利用すること（18条1号），(iii)地方公共団体の機関が他の機関に，その事務を処理するために必要な限度で特定個人情報を提供すること（19条11号）を認めている。

> **（事業者の努力）**
> 第6条　個人番号及び法人番号を利用する事業者は，基本理念にのっとり，国及び地方公共団体が個人番号及び法人番号の利用に関し実施する施策に協力するよう努めるものとする。

(1)　「個人番号……を利用する事業者」

　事業者の中には，個人番号利用事務を行うものもあるが，多くの場合は，個人番号関係事務を行うことになる。

(2)　「法人番号を利用する事業者」

　個人番号と異なり，法人番号の利用可能な分野は限定されていないので，社

会保障制度，税制，災害対策以外の分野でも法人番号を利用することが可能である。

第2章　個人番号

(指定及び通知)
第7条① 市町村長（特別区の区長を含む。以下同じ。）は，住民基本台帳法第30条の3第2項の規定により住民票に住民票コードを記載したときは，政令で定めるところにより，速やかに，次条第2項の規定により機構から通知された個人番号とすべき番号をその者の個人番号として指定し，その者に対し，当該個人番号を通知しなければならない。
② 市町村長は，当該市町村（特別区を含む。以下同じ。）が備える住民基本台帳に記録されている者の個人番号が漏えいして不正に用いられるおそれがあると認められるときは，政令で定めるところにより，その者の請求又は職権により，その者の従前の個人番号に代えて，次条第2項の規定により機構から通知された個人番号とすべき番号をその者の個人番号として指定し，速やかに，その者に対し，当該個人番号を通知しなければならない。
③ 市町村長は，前二項の規定による通知をするときは，当該通知を受ける者が個人番号カードの交付を円滑に受けることができるよう，当該交付の手続に関する情報の提供その他の必要な措置を講ずるものとする。
④ 前三項に定めるもののほか，第1項又は第2項の規定による通知に関し必要な事項は，総務省令で定める。

(1) 「市町村長（特別区の区長を含む。以下同じ。）は……個人番号として指定し，その者に対し，当該個人番号を通知しなければならない」(1項)

　個人番号の付番自体を市区町村長が行うこととされたのは，市区町村長が，住民に関する記録の管理が適正に行われるように必要な措置を講ずる責務を負い（住民基本台帳法3条1項），個人を特定して住民の基本4情報（氏名・住所・生年月日・性別）を住民基本台帳に記載する事務を行っていることから，付番を市区町村長の事務とすることが効率的であるからである。令和元年法律第16号による改正前は，個人番号の通知は通知カードで行うこととされていたが，同改正により，通知カードは廃止された。住民票に記載されている者であ

れば個人番号が指定されるから，日本国民に限らず，2013年7月8日から住民票コードが住民票に記載されることとなった外国人住民（中長期在留者，特別永住者，一時庇護許可者，仮滞在許可者，経過滞在者）も付番されることになる（住民基本台帳法30条の45）。

　中長期在留者（在留カード交付対象者）とは，日本に在留資格をもって在留する外国人であって，3月以下の在留期間が決定された者および短期滞在・外交・公用の在留資格が決定された者等以外の者を意味する。特別永住者とは，「日本国との平和条約に基づき日本の国籍を離脱した者等の出入国管理に関する特例法」による特別永住者を意味する。一時庇護許可者とは，船舶等に乗っている外国人であって，難民認定の可能性がある場合等の要件を満たすとして一時庇護のための上陸許可を受けた者を意味する。仮滞在許可者とは，不法滞在者であって，難民認定申請を行い，一定の要件を満たすとして仮にわが国に滞在することを許可された者を意味する。経過滞在者とは，出生または日本国籍の喪失によりわが国に在留することになった外国人を意味し，当該事由が生じた日から60日以内に限り，在留資格を有することなく，本邦に滞在することができる。令和元年法律第16号による改正で，国外転出者も，戸籍の附票を用いて，海外で個人番号カードを利用することが可能になった。

(2) 「住民基本台帳法第30条の3第2項の規定により住民票に住民票コードを記載したときは」（1項）

　市区町村長は，出生届等が出され，新たにその市区町村の住民基本台帳に記録されるべき者につき住民票の記載をする場合において，その者がいずれの市区町村においても住民基本台帳に記録されたことがない者であるときは，その者に係る住民票に地方公共団体情報システム機構から指定された住民票コードの束のうちから選択する1の住民票コードを記載する。この場合において，市区町村長は，当該記載に係る者以外の者に係る住民票に記載した住民票コードと異なる住民票コードを選択して記載しなければならない。

(3) 「政令で定めるところにより，速やかに，次条第2項の規定により機構から通知された個人番号とすべき番号をその者の個人番号として指定し」（1項）

第7条（指定及び通知）

　地方公共団体情報システム機構は，市区町村長からの求めに応じて個人番号とすべき番号を生成し，速やかに市区町村長にそれを通知するものとされている。本項の規定による個人番号の指定は，本法8条2項の規定により，市区町村長が，地方公共団体情報システム機構から個人番号とすべき番号の通知を受けた時に行われたものとされている（本法施行令2条）。整備法による改正後の住民基本台帳法7条8号の2の規定に基づき，個人番号は住民票に記載されることになるため，個人番号は最新の基本4情報と関連づけられることになる。

　国または地方公共団体の機関，本人等以外の者が交付請求できる住民票の写しは，個人番号の記載を省略したものに限られる（住民基本台帳法12条の2第1項，12条の3第1項・7項）。他方，本人等からの住民票の写しの交付請求があった場合には，特別の請求がない限り，個人番号の記載を省略した写しを交付することができるとされているので（同法12条5項），個人番号を記載した写しの交付も請求できることになる。したがって，住民票の写しの交付申請書および交付する住民票の写しの様式に個人番号欄を追加する措置が講じられた。

(4)　「当該個人番号を通知しなければならない」（1項）

　旧マイナンバー法案には通知カードについての規定はなく，書面により通知することとされていたが，自公民3党による旧マイナンバー法案の修正協議において，紙製の通知カードによる個人番号の通知を行うこととされた。これは個人番号を記載した書面の紛失のおそれ，個人番号の申請書等への記入の便宜の観点から，カードによる通知が望ましいと判断されたためである。しかし，通知カードの記載事項の変更届は国民にとって負担であり，また，変更を行う市区町村にとっても負担であり，手続の簡素化による国民の負担の軽減や行政運営の効率化という本法の目的に反する結果をもたらしているという指摘があったこと，通知カードには顔写真は掲載されないので，それ単独では本人確認ができず，本人確認のためには運転免許証等を併せて提示する必要があり，本人確認の簡易な手段としての国民の利便性の向上につながらないという指摘があったこと，個人番号カードの取得を促進するためには通知カード制度を廃止するほうがよいと判断されたこと等を踏まえて，令和元年法律第16号による改正で，通知カード制度は廃止された。

⑸　「個人番号が漏えいして不正に用いられるおそれがあると認められるときは……その者の従前の個人番号に代えて，次条第2項の規定により機構から通知された個人番号とすべき番号をその者の個人番号として指定し」（2項）

　住民票コードは任意に変更できるが（住民基本台帳法30条の4第1項），個人番号は視認性を有する番号として「民－民－官」で流通するため，行政手続における過誤等を回避するため，可能な限り変更をしないことが望ましいこと，任意に変更を認めた場合に発生する行政コスト，システムへの負荷等も考慮して，個人番号の任意の変更は認めないこととしている。個人番号は原則として生涯不変であるが，個人番号が漏えいして不正に用いられるおそれがあると認められるときは，個人番号を変更しなければならない。個人番号カードを紛失した場合には，個人番号が漏えいして不正に用いられるおそれがあると認められるときに該当する。

　個人番号が変更されても，変更後の個人番号は変更前の個人番号と紐づけて管理するため，住民票コードを変更する必要はない。また，住民票コードが変更されても，従前の住民票コードから生成された個人番号を変更する必要はない。地方公共団体情報システム機構は，住民票コードの変更履歴を管理しているため，変更後の住民票コードと個人番号を紐づけることができるからである。

⑹　「その者の請求又は職権により」（2項）

　本人からの請求がない場合であっても，迅速に個人番号の変更を行わないと対策が遅れてしまうおそれがあるので，職権による変更も可能にしている。

⑺　「当該通知を受ける者が個人番号カードの交付を円滑に受けることができるよう，当該交付の手続に関する情報の提供その他の必要な措置を講ずるものとする」（3項）

　個人番号カードは申請により取得することとされているため（本法17条1項），個人番号カードを所有することの利点や申請手続等について情報提供を行うことが望ましく，本項は市区町村長にこの情報提供を義務づけている。「その他の必要な措置」としては，1回の来庁で個人番号カードを取得することができるようにすること等が想定されている。

第8条（個人番号とすべき番号の生成）

(8)「前三項に定めるもののほか，第1項又は第2項の規定による通知に関し必要な事項は，総務省令で定める」(4項)

　令和元年法律第16号による改正前の本項は，「前各項に定めるもののほか，通知カードの様式その他通知カードに関し必要な事項は，総務省令で定める」と規定していた。通知カードによる個人番号の通知は，市区町村長が行う事務であったため，地方公共団体の組織および運営に関する制度の企画および立案を所掌事務とする総務省の省令で定めることとされた。これを受けて行政手続における特定の個人を識別するための番号の利用等に関する法律の規定による通知カード及び個人番号カード並びに情報提供ネットワークシステムによる特定個人情報の提供等に関する省令（平成26年総務省令第85号）が定められた。同省令は，デジタル庁が発足したことを受けて，総務省令からデジタル庁令・総務省令の共同命令になっている（以下「カード等命令」という）。しかし，同改正により，通知カード制度が廃止されたため，本項は，個人番号の通知に関し必要な事項を総務省令に委任する規定になった。

（個人番号とすべき番号の生成）

第8条①　市町村長は，前条第1項又は第2項の規定により個人番号を指定するときは，あらかじめ機構に対し，当該指定しようとする者に係る住民票に記載された住民票コードを通知するとともに，個人番号とすべき番号の生成を求めるものとする。

②　機構は，前項の規定により市町村長から個人番号とすべき番号の生成を求められたときは，政令で定めるところにより，次項の規定により設置される電子情報処理組織を使用して，次に掲げる要件に該当する番号を生成し，速やかに，当該市町村長に対し，通知するものとする。

1　他のいずれの個人番号（前条第2項の従前の個人番号を含む。）とも異なること。

2　前項の住民票コードを変換して得られるものであること。

3　前号の住民票コードを復元することのできる規則性を備えるものでないこと。

③　機構は，前項の規定により個人番号とすべき番号を生成し，並びに当該番号の生成及び市町村長に対する通知について管理するための電子情報処理組

織を設置するものとする。

(1) 「前条第1項又は第2項の規定により個人番号を指定するときは」(1項)

　前条第1項の規定により個人番号を指定するときとは、新たにその市区町村の住民基本台帳に記録されるべき者につき住民票の記載をするときである。前条第2項の規定により個人番号を指定するときとは、個人番号が漏えいして不正に用いられるおそれがあると認められるときに、その者の請求または職権により、その者の従前の個人番号を変更するとするときである。

(2) 「あらかじめ機構に対し……個人番号とすべき番号の生成を求めるものとする」(1項)

　地方公共団体情報システム機構は、住民基本台帳ネットワークシステムにおいて指定情報処理機関として都道府県知事の委任を受けて住民票コードの割振りや本人確認情報提供業務を行ってきた財団法人地方自治情報センターを基礎として、地方公共団体情報システム機構法に基づき設立される法人である。財団法人地方自治情報センターを改組した地方公共団体情報システム機構に個人番号の生成を行わせることとしたのは、地方自治情報センターが個人番号の基礎になる住民票コードの指定について専門性と十分な経験を有するので、マイナンバー制度の効率的かつ安定的な運用のためには、地方自治情報センターの蓄積した知見を活用することが適切と考えられたためである。

(3) 「機構は、前項の規定により市町村長から個人番号とすべき番号の生成を求められたときは……番号を生成し、速やかに、当該市町村長に対し、通知するものとする」(2項柱書)

　個人番号とすべき番号の生成の求めを市区町村長から受けて、地方公共団体情報システム機構が個人番号とすべき番号を通知するコール＆レスポンス方式がとられている。地方公共団体情報システム機構は、個人番号の生成と市区町村長への通知を行うのみならず、住民票コードの指定および市区町村長への通知（住民基本台帳法30条の2第1項）ならびに国の機関等への本人確認情報の提供等の事務も行う（同法30条の9～30条の12）。すなわち、整備法による住民基本台帳法の改正前は、住民票コードの指定および市区町村長への通知ならびに

第 8 条（個人番号とすべき番号の生成）

国の機関等への本人確認情報の提供等の事務は、原則として都道府県知事が自治事務として行うこととされていたが（整備法による改正前の住民基本台帳法30条の7第1項、3項～6項）、住民基本台帳ネットワークシステムは、マイナンバー制度の基盤にある重要なインフラとしても位置づけられることになるので、整備法による改正後の住民基本台帳法においては、原則として、地方公共団体情報システム機構の事務とされることになった（整備法による改正後の住民基本台帳法30条の2第1項、30条の9～30条の12）。「個人番号とすべき番号」という表現になっているのは、個人番号の指定は市区町村長の権限であり、地方公共団体情報システム機構が生成し市区町村長に通知しても、市区町村長による指定がなければ個人番号にならないことを意味するとともに、地方公共団体情報システム機構が通知した番号と異なる番号を個人番号として指定するものでないことを明確にする意味も有する。

(4) 「政令で定めるところにより」（2項柱書）

　本項の規定により生成される個人番号とすべき番号は、地方公共団体情報システム機構が本条3項の規定により設置される電子情報処理組織を使用して、作為が加わらない方法により生成する11桁の番号およびその後に付された1桁の検査用数字（チェックデジット。個人番号を電子計算機に入力するときに誤りのないことを確認することを目的として、当該11桁の番号を基礎として定める算式により算出される0から9までの整数をいう）により構成されるものであって、(i)住民票コードを変換して得られるものであること、(ii)当該住民票コードを復元することのできる規則性を備えるものでないこと、(iii)他のいずれの個人番号（本法7条2項の従前の個人番号および個人番号とすべき番号を含む）を構成する検査用数字以外の11桁の番号とも異なることの各要件を満たすものとされている（本法施行令8条）。

　本項の規定による個人番号とすべき番号の市区町村長に対する通知は、電子計算機の操作によるものとし、地方公共団体情報システム機構の使用に係る電子計算機から電気通信回線を通じて当該市区町村長の使用に係る電子計算機に当該個人番号とすべき番号および本法施行令7条の規定により送信された住民票コードを送信する方法により行うものとされている（同9条）。

(5)「他のいずれの個人番号(前条第2項の従前の個人番号を含む。)とも異なること」(2項1号)

個人番号は悉皆性のみならず、各人に付される個人番号が他のいずれの個人番号とも異なるという唯一無二性(一意性)を具備していなければ、特定の個人を識別する機能を持つことはできない。そこで地方公共団体情報システム機構が生成する個人番号は他のいずれの個人番号とも異なるものでなければならないこととされている。そのため、地方公共団体情報システム機構は、変更された個人番号を含め、過去に生成した個人番号をすべて管理する必要がある。「前条第2項の従前の個人番号」とは、個人番号が不正に用いられるおそれがあると認められるため変更された従前の個人番号であるから、それとも異なる個人番号を指定しなければならないことをかっこ書で確認的に規定している。

(6)「前項の住民票コード」(2項2号)

市区町村長が個人番号の生成を求めて地方公共団体情報システム機構に通知した住民票コードである。

(7)「住民票コードを変換して得られるものであること」(2項2号)

個人番号に何を用いるかについて、基礎年金番号、住民票コード、住民票コードを変換して得られる番号の3つが候補として検討されたが、基礎年金番号は悉皆性という点、最新の住所情報との関連付けの点で難がある。住民票コードは悉皆性、唯一無二性、最新の住所情報との関連付けの要件を具備しており、住民基本台帳法を改正して、住民票コードを「民-民-官」の関係で利用可能な視認性を持つ番号とすることにより、個人番号として使用する立法政策も考えられないわけではない。しかし、住民票コード自体ではなく、それを変換した番号を個人番号としていれば、個人番号が不正使用された場合においても、住民票コード自体が漏えいするわけではなく、当該住民票コードから新たな番号を生成することが可能であること、住民票コードはデータマッチングの検索キーとしての利用は想定していないため、これを個人番号として利用する場合には運用の大幅な改変が必要になること、パブリック・コメントの多数意見が新たな番号を利用することを支持したこと、情報連携の符号(リンクコード)は住民票コードから生成されるので、住民票コードは視認性のない番号にしない

第9条（利用範囲）

と情報提供ネットワークシステムを通じた情報連携に懸念が生ずること等から，本法は，住民票コードは個人番号や情報提供ネットワークシステムの情報連携符号の生成のために用いるものの個人番号としては用いず，住民票コードを変換して得られる新たな番号を個人番号とすることとしている。住民票コードは11桁であるが，個人番号は12桁である。

(8)　「前号の住民票コードを復元することのできる規則性を備えるものでないこと」(2項3号)

　個人番号が住民票コードを復元できる規則性を備えたものであれば，個人番号を住民票コードとしないことの意義が没却されるので，個人番号は住民票コードを復元することのできる規則性を備えたものでないことが要件とされており，乱数を用いて不可逆変換されている。

(9)　「機構は，前項の規定により個人番号とすべき番号を生成し，並びに当該番号の生成及び市町村長に対する通知について管理するための電子情報処理組織を設置するものとする」(3項)

　本項でいう電子情報処理組織は，地方公共団体情報システム機構の使用に係る電子計算機（入出力装置を含む。以下同じ）と市区町村の使用に係る電子計算機とを電気通信回線で接続したものであり，個人番号を生成し，市区町村長に通知するために用いられるので，高度のセキュリティ対策を施したものでなければならない。

（利用範囲）
第9条①　別表第1の上欄に掲げる行政機関，地方公共団体，独立行政法人等その他の行政事務を処理する者（法令の規定により同表の下欄に掲げる事務の全部又は一部を行うこととされている者がある場合にあっては，その者を含む。第4項において同じ。）は，同表の下欄に掲げる事務の処理に関して保有する特定個人情報ファイルにおいて個人情報を効率的に検索し，及び管理するために必要な限度で個人番号を利用することができる。当該事務の全部又は一部の委託を受けた者も，同様とする。
②　地方公共団体の長その他の執行機関は，福祉，保健若しくは医療その他の

社会保障，地方税（地方税法（昭和25年法律第226号）第1条第1項第4号に規定する地方税をいう。以下同じ。）又は防災に関する事務その他これらに類する事務であって条例で定めるものの処理に関して保有する特定個人情報ファイルにおいて個人情報を効率的に検索し，及び管理するために必要な限度で個人番号を利用することができる。当該事務の全部又は一部の委託を受けた者も，同様とする。

③ 法務大臣は，第19条第8号又は第9号の規定による戸籍関係情報（戸籍又は除かれた戸籍（戸籍法（昭和22年法律第224号）第119条の規定により磁気ディスク（これに準ずる方法により一定の事項を確実に記録することができる物を含む。）をもって調製されたものに限る。以下この項及び第45条の2第1項において同じ。）の副本に記録されている情報の電子計算機処理等（電子計算機処理（電子計算機を使用して行われる情報の入力，蓄積，編集，加工，修正，更新，検索，消去，出力又はこれらに類する処理をいう。）その他これに伴う政令で定める措置をいう。以下同じ。）を行うことにより作成することができる戸籍又は除かれた戸籍の副本に記録されている者（以下この項において「戸籍等記録者」という。）についての他の戸籍等記録者との間の親子関係の存否その他の身分関係の存否に関する情報，婚姻その他の身分関係の形成に関する情報その他の情報のうち，第19条第8号又は第9号の規定により提供するものとして法務省令で定めるものであって，情報提供用個人識別符号（同条第8号又は第9号の規定による特定個人情報の提供を管理し，及び当該特定個人情報を検索するために必要な限度で第2条第5項に規定する個人番号に代わって用いられる特定の個人を識別する符号であって，同条第8項に規定する個人番号であるものをいう。以下同じ。）をその内容に含むものをいう。以下同じ。）の提供に関する事務の処理に関して保有する特定個人情報ファイルにおいて個人情報を効率的に検索し，及び管理するために必要な限度で情報提供用個人識別符号を利用することができる。当該事務の全部又は一部の委託を受けた者も，同様とする。

④ 健康保険法（大正11年法律第70号）第48条若しくは第197条第1項，相続税法（昭和25年法律第73号）第59条第1項，第3項若しくは第4項，厚生年金保険法（昭和29年法律第115号）第27条，第29条第3項若しくは第98条第1項，租税特別措置法（昭和32年法律第26号）第9条の4の2第2項，第29条の2第6項若しくは第7項，第37条の11の3第7項，第37条の14第31項，第70条の2の2第17項若しくは第70条の2の3第

16項，国税通則法（昭和37年法律第66号）第74条の13の2若しくは第74条の13の3，所得税法（昭和40年法律第33号）第225条から第228条の3の2まで，雇用保険法（昭和49年法律第116号）第7条又は内国税の適正な課税の確保を図るための国外送金等に係る調書の提出等に関する法律（平成9年法律第110号）第4条第1項若しくは第4条の3第1項，預貯金者の意思に基づく個人番号の利用による預貯金口座の管理等に関する法律（令和3年法律第39号）第6条第1項その他の法令又は条例の規定により，別表第1の上欄に掲げる行政機関，地方公共団体，独立行政法人等その他の行政事務を処理する者又は地方公共団体の長その他の執行機関による第1項又は第2項に規定する事務の処理に関して必要とされる他人の個人番号を記載した書面の提出その他の他人の個人番号を利用した事務を行うものとされた者は，当該事務を行うために必要な限度で個人番号を利用することができる。当該事務の全部又は一部の委託を受けた者も，同様とする。

⑤　前項の規定により個人番号を利用することができることとされている者のうち所得税法第225条第1項第1号，第2号及び第4号から第6号までに掲げる者は，激甚災害に対処するための特別の財政援助等に関する法律（昭和37年法律第150号）第2条第1項に規定する激甚災害が発生したときその他これに準ずる場合として政令で定めるときは，デジタル庁令で定めるところにより，あらかじめ締結した契約に基づく金銭の支払を行うために必要な限度で個人番号を利用することができる。

⑥　前各項に定めるもののほか，第19条第13号から第17号までのいずれかに該当して特定個人情報の提供を受けた者は，その提供を受けた目的を達成するために必要な限度で個人番号を利用することができる。

(1) 「別表第1の上欄に掲げる行政機関，地方公共団体，独立行政法人等その他の行政事務を処理する者……は，同表の下欄に掲げる事務の処理に関して保有する特定個人情報ファイルにおいて個人情報を効率的に検索し，及び管理するために必要な限度で個人番号を利用することができる」（1項前段）

　本法は，個人番号の持つ高度の個人識別機能を利用して行政運営の効率化および国民の負担軽減ならびに公正な給付と負担の確保を図ることを主目的とするが，個人番号が広範に利用されれば，個人番号と紐づいた個人情報が漏えいしたり，不正使用されたりしたときのプライバシー侵害は深刻になる。そこで，

本論 本法の逐条解説／第2章 個人番号

本法における個人番号の利用範囲		
社会保障分野	年金分野	⇒年金の資格取得・確認，給付を受ける際に利用。 ○国民年金法，厚生年金保険法による年金である給付の支給に関する事務 ○国家公務員共済組合法，地方公務員等共済組合法，私立学校教職員共済法による年金である給付の支給に関する事務 ○確定給付企業年金法，確定拠出年金法による給付の支給に関する事務 ○独立行政法人農業者年金基金法による農業者年金事業の給付の支給に関する事務　　　等
	労働分野	⇒雇用保険等の資格取得・確認，給付を受ける際に利用。ハローワーク等の事務等に利用。 ○雇用保険法による失業等給付の支給，雇用安定事業，能力開発事業の実施に関する事務 ○労働者災害補償保険法による保険給付の支給，社会復帰促進等事業の実施に関する事務　　等
	福祉・医療・その他分野	⇒医療保険等の保険料徴収等の医療保険者における手続，福祉分野の給付，生活保護の実施等低所得者対策の事務等に利用。 ○児童扶養手当法による児童扶養手当の支給に関する事務 ○母子及び父子並びに寡婦福祉法による資金の貸付け，母子家庭自立支援給付金，父子家庭自立支援給付金の支給に関する事務 ○障害者総合支援法による自立支援給付の支給に関する事務 ○特別児童扶養手当法による特別児童扶養手当等の支給に関する事務 ○生活保護法による保護の決定，実施に関する事務 ○介護保険法による保険給付の支給，保険料の徴収に関する事務 ○健康保険法，船員保険法，国民健康保険法，高齢者の医療の確保に関する法律による保険給付の支給，保険料の徴収に関する事務 ○独立行政法人日本学生支援機構法による学資の貸与に関する事務 ○公営住宅法による公営住宅，改良住宅の管理に関する事務　　　等
税分野		⇒国民が税務当局に提出する確定申告書，届出書，調書等に記載。当局の内部事務等に利用。
災害対策分野		⇒被災者生活再建支援金の支給に関する事務等に利用。 ⇒被災者台帳の作成に関する事務に利用
上記のほか，社会保障，地方税，防災に関する事務その他これらに類する事務であって地方公共団体が条例で定める事務に利用。		

出典：内閣官房ホームページを基に作成

　本法は，個人番号の利用を社会保障，税，災害対策の3分野に限定し，個人番号を利用できる場合をポジティブリスト方式で定め，その範囲内においてのみ，個人番号の利用を可能にしている。具体的には，別表第1の上欄に掲げる者がその下欄に掲げる事務を処理するために必要な限度で個人番号を利用することができるとしている。したがって，職員の個人番号を出退勤管理に用いることができないことはいうまでもない。別表第1に掲げられている事務は，健康保険法による保険給付の支給，保険事業もしくは福祉事業の実施または保険料等の徴収（第2の項），労働者災害補償保険法による保険給付の支給または社会復帰促進等事業の実施（第5の項），予防接種法による予防接種の実施，給付の支給または実費の徴収（第14の項），厚生年金保険法による年金である保険給付もしくは一時金の支給または保険料その他徴収金の徴収（第36の項），雇用保

第9条（利用範囲）

険法による失業等給付の支給もしくは育児休業給付の支給または雇用安定事業もしくは能力開発事業の実施（第82の項）のように社会保障の分野の事務が非常に多い。税の分野では，地方税法その他の地方税に関する法律およびこれらの法律に基づく条例による地方税の賦課徴収または地方税に関する調査（第24の項），国税通則法その他の国税に関する法律による国税の納付義務の確定，納税の猶予，担保の提供，還付または充当，附帯税の減免，調査，不服審査その他の国税の賦課または徴収（第56の項）等で利用できることとされている。災害対策分野での利用としては，都道府県知事が災害救助法による救助または扶助金の支給に関する事務に用いる場合（第6の項），都道府県知事が被災者生活再建支援法による被災者生活再建支援金の支給に関する事務に用いる場合（第103の項）等がある。「必要な限度で」とは，当該事務の処理に関して保有する特定個人情報ファイルにおいて個人情報を効率的に検索し，および管理するために必要最小限の範囲でという意味である。「個人番号を利用する」とは，申請・届出書に個人番号を記載して行政庁等に提出する行為，行政庁等における当該書類の受付，個人番号を用いた特定個人の検索，特定個人情報の保存，他の書類への個人番号の転記，情報提供ネットワークシステムを使用した情報照会の際の個人番号の入力，行政相談における個人番号による特定個人情報の検索等を意味する。別表第1の事務は，いずれも主務省令で定めるものとされており，詳細は主務省令に委任されている。本項に基づく個人番号の利用は目的内利用となる。また，「個人番号を利用することができる」と規定されているため，別表第1に定める場合に，個人番号の利用が義務づけられているわけではない（主務省令は「行政手続における特定の個人を識別するための番号の利用等に関する法律別表第一の主務省令で定める事務を定める命令」〔平成26年内閣府・総務省令第5号〕）。

(2) 「行政事務を処理する者」(1項前段)

「行政事務を処理する者」には，国の機関，独立行政法人等も含まれるが，地方公共団体の機関が多く，本法公布時において，本法別表第1に列記された93事務のうち，都道府県の機関が主体になるものが32，市区町村の機関が主体となるものが32にのぼる。国の機関，独立行政法人等，地方公共団体の機関以外にも健康保険組合，社会福祉協議会のような公的性格の強い団体が含ま

れているが，例外的に民間企業も含まれている。健康保険組合は，健康保険法による保険給付の支給，保健事業もしくは福祉事業の実施または保険料等の徴収に関する事務であって主務省令で定めるもの（本法別表第1の第2の項）のために，特定個人情報ファイルにおいて個人情報を効率的に検索し，および管理するために必要な限度で個人番号を利用することができる。そして，厚生労働大臣からの照会に応じて，医療に関する給付の支給または保険料の徴収に関する情報であって主務省令で定めるものを厚生労働大臣に提供する義務を負う（本法別表第2の第1の項）。また，確定給付企業年金法29条1項に規定する事業主等が確定給付企業年金法による年金である給付または一時金の支給に関する事務であって主務省令で定めるものを処理する場合（本法別表第1の第105の項），確定拠出年金法3条3項1号に規定する事業主が確定拠出年金法による企業型記録関連運営管理機関への通知，企業型年金加入者等に関する原簿の記録および保存または企業型年金の給付もしくは脱退一時金の支給に関する事務であって主務省令で定めるものを処理する場合（本法別表第1の第106の項）には，民間事業者が個人番号利用事務を実施することになり，対象者から個人番号の告知を受けて，加入・給付の記録に個人番号を付して管理することになる。また，これらの事務を行う者は，本法別表第2の第131の項，第132の項で情報照会者として位置づけられているので，情報提供ネットワークシステムを介して厚生労働大臣および日本年金機構に対し，年金給付関係情報であって主務省令で定めるものを照会することができる。これは，企業年金が，高齢者の所得の確保を支援し国民生活の安定と福祉の向上に寄与する点で公的年金に準ずるものとしての性格を有し，これらの事務を行う者は，日本年金機構に代行して，行政事務を処理する者と位置づけられるからである（主務省令は「行政手続における特定の個人を識別するための番号の利用等に関する法律別表第一の主務省令で定める事務を定める命令」〔平成26年内閣府・総務省令第5号〕，行政手続における特定の個人を識別するための番号の利用等に関する法律別表第二の主務省令で定める事務及び情報を定める命令〔平成26年内閣府・総務省令第7号〕）。

(3)　「法令の規定により同表の下欄に掲げる事務の全部又は一部を行うこととされている者がある場合にあっては，その者を含む」(1項前段かっこ書)

本法別表第1に明記されていなくても，法令の規定により同表の下欄に掲げ

る事務の全部または一部を行うこととされている者がある場合には，個人番号の利用は個人番号を利用できる事務とそれを利用できる者を法令で明記した場合に限るという趣旨に照らし，本法別表第1の上欄に掲げられている者と同視してよいので，これを含むこととしている。生活保護法に基づく保護の決定および実施に関する都道府県知事，市区長および福祉事務所を管理する町村長の権限が福祉事務所長に委任されたり（同法19条4項），雇用保険法に基づく厚生労働大臣の権限が都道府県労働局長に委任され（同法81条1項），さらに公共職業安定所長に再委任されている場合がある（同条2項）。

(4)「地方公共団体の長その他の執行機関は，福祉，保健若しくは医療その他の社会保障，地方税（地方税法（昭和25年法律第226号）第1条第1項第4号に規定する地方税をいう。以下同じ。）又は防災に関する事務その他これらに類する事務であって条例で定めるものの処理に関して保有する特定個人情報ファイルにおいて個人情報を効率的に検索し，及び管理するために必要な限度で個人番号を利用することができる」（2項前段）

本法は，地方公共団体が，自主的かつ主体的に，その地域の特性に応じた施策を実施する責務を負うとしている（5条）。これらの事務は，法律において事務を特定して別表第1に記載することは困難である。そこで，地方公共団体の執行機関は，本条1項に定める場合以外であっても，条例で定めることにより，特定個人情報ファイルにおいて個人情報を効率的に検索し，および管理するために必要な限度で個人番号を利用することができるとしている。たとえば，地方公共団体が独自事務として行っている乳幼児医療補助制度に関する事務において，条例で定めるところにより，個人番号を利用する場合が考えられる。また，災害対策の分野では，避難行動要支援者名簿に個人番号を付して管理することが考えられる。

本条1項の規定に基づく個人番号の利用により課税証明書の添付が不要になっても，地方公共団体の上乗せ給付部分の申請のために，結局，課税証明書を添付せざるを得ないのでは，「手続の簡素化による負担の軽減」（本法1条）という本法の目的が実現されないことになる。そこで，かかる場合，条例で定めるところにより，税務部局の課税に係る特定個人情報ファイルを個人番号を用いて検索し，福祉部局の社会保障給付のために利用することが可能となる。こ

の例のように，地方公共団体の同一機関内（首長部局等）で個人番号を用いる場合には，本法でいう内部での「利用」であって，外部への提供とはされていないため，特定個人情報の提供を列記する17の場合に限定した本法19条の規定の適用を受けないことになる。上乗せ給付の場合に限らず，行政運営の効率化および行政分野におけるより公正な給付と負担の確保を図り，国民負担の軽減を図るために，条例に基づき個人番号を利用することは，「自主的かつ主体的に，その地域の特性に応じた施策を実施するもの」（本法5条）として奨励されている。

　国と比較した場合，地方公共団体の特性は，首長部局において社会保障，地方税，防災に関する事務を行っていることにあり，国においては情報提供ネットワークシステムを使用した情報連携が必要になる場合であっても，地方公共団体においては同一の執行機関内の庁内連携が可能であることにある。したがって，本法別表第1に列記されている事務であっても，地方公共団体が首長部局において特定個人情報の授受を必要とする場合には，本項の規定に基づく条例でその旨を規定しておくことにより，それを可能にすることができる。その場合，個人番号の利用主体，利用事務，利用される特定個人情報を条例で明記することが必要になる。本項の規定に基づく条例の形式としては，各事務に係る既存の個別条例を改正する形式をとることも考えられるし，包括的な個人番号利用条例を新たに制定する形式も考えられる。

　執行機関が利用するにもかかわらず，執行機関の規則ではなく，条例で定めることとしたのは，個人番号の利用が適正に行われなければプライバシー侵害の危険があるので，議会が制定する条例という形式をとることにより，二元代表制の下で，団体の意思として，個人番号の独自利用を認める必要があると考えられたこと，本条1項に規定された事務が国会が定める法律で規定されていることとの均衡を図る必要があることによる。

　社会保障，地方税または防災に関する事務のほか，これらに類する事務についても，個人番号の利用が認められたのは，社会保障，地方税または防災に関する事務の外延は必ずしも明確ではないし（別表第1においては，住宅地区改良法による改良住宅の管理に関する事務〔第51の項〕のように，社会保障行政に分類することには疑義がありうるが，低所得者支援としての意味も持ち社会保障に類する事務も含まれている），地方公共団体が条例という形式で定める以上，社会保障，地方

第9条（利用範囲）

税または防災に関する事務に分類しうるか多少の疑義があっても，類似の事務も含めて個人番号の利用を可能にし，地方公共団体における行政運営の効率化と住民負担の軽減等を図ることは，本法5条の定める地方公共団体の責務規定の趣旨に適合すると考えられるからである。

(5) 「当該事務の全部又は一部の委託を受けた者も，同様とする」（2項後段）

個人番号利用事務（本法2条10項）の全部または一部を委託することが必要ないし望ましい場合がありうるので，これを可能にするために，本項前段の地方公共団体の長その他の執行機関から条例で定める個人番号利用事務の処理を委託された者も当該事務の処理に関して特定個人情報ファイルにおいて個人情報を効率的に検索し，および管理するために必要な限度で個人番号を利用することができることとされている。再委託を受けた者，再々委託を受けた者等，あらゆる段階の受託者が，本項後段に該当する（本法10条2項参照）。

(6) 「法務大臣は」（3項前段）

法務大臣は，戸籍関係情報の連携システムを構築し，戸籍関係情報を整備して管理する主体となる（戸籍の正本の管理主体が市区町村長であることに変わりはない）。法務大臣が，戸籍関係情報の作成主体，すなわち情報提供者となるのは，第1に，戸籍関係情報を作成するための新システムの基礎となる戸籍副本データ管理システムを運用していること，第2に，戸籍事務は第1号法定受託事務（宇賀克也・地方自治法概説［第9版］〔有斐閣，2021年〕137頁参照）であり，法務大臣が戸籍の再製または補完に係る指示を行い（戸籍法11条および11条の2），管轄法務局長等が戸籍訂正に係る許可を行うこと（同法24条2項），戸籍または除かれた戸籍が磁気ディスクをもって調製されているときは，市区町村長は，戸籍または除かれた戸籍に記録された後遅滞なく，当該戸籍の副本（電磁的記録に限る）を電気通信回線を通じて法務大臣の使用に係る電子計算機に送信しなければならないこととされ（戸籍法施行規則75条1項），管轄法務局等が戸籍の副本を管理していること（同法8条2項），法務局等において保管する届書の記載事項証明書の発行を行っていること（同法48条2項）等に照らし，戸籍または除かれた戸籍に関する情報を集約して戸籍関係情報を作成する主体は法務大臣とすることが適切と考えられたためである。

(7) 「第 19 条第 8 号又は第 9 号の規定による戸籍関係情報……の提供に関する事務」（3 項前段）

　本法 19 条 8 号・9 号は，情報提供ネットワークを使用した特定個人情報の情報連携を定めている。本項は，令和元年法律第 17 号により設けられたが，その経緯は，以下のとおりである。

　戸籍は，日本国民の親子関係，夫婦関係等の身分関係等を登録し公証することを目的とする公簿であり，社会保障分野等の諸種の行政手続において，申請者・届出者の身分関係等を確認するための添付書類として，戸籍謄本等の提出が義務づけられている。戸籍謄本の発行件数はきわめて多く，そのため，マイナンバー法制定過程においては，戸籍事務についても個人番号を利用することが検討された。すなわち，戸籍謄本等の提出が必要になる場合，通常，国民は，その都度，市区町村の窓口に赴き，その交付を受けることになるが，複数の窓口で申請手続をしなければならない場合もあり，国民の負担が大きいのみならず，戸籍謄本等を交付する市区町村長や戸籍謄本等の提出を受ける行政機関等にとっても，大量の紙の書類を扱うことの事務負担が大であるため，国民と行政の双方にとって，負担軽減が望ましいと考えられたのである。しかし，当時は，戸籍事務の電子計算機処理が完了していない市区町村があること等に鑑み，立法化は先送りされた。しかし，本法制定附則 6 条 1 項の規定に基づく本法施行後 3 年を目途とした見直しにおいて，行政運営の効率化と国民の利便性の向上を図るため，情報連携の対象として，戸籍等の情報をはじめとして聖域を設けずに検討すべきことが全国知事会から要請された。そして，「日本再興戦略 2014」（2014 年 6 月 24 日閣議決定），「世界最先端 IT 国家創造宣言工程表」（IT 総合戦略本部決定 2014 年 6 月 24 日改定）において，戸籍事務等の公共性の高い分野を中心に個人番号の利用拡大の方向性を明らかにすることが提言され，同年 10 月 29 日から，法務省民事局の「戸籍制度に関する研究会」で，この問題が制度面から検討された。また，法務省民事局内に，「戸籍システム検討ワーキンググループ」が設置され，2015 年 6 月 3 日から，同ワーキンググループにおいて，システム面の検討が行われた。そして，「日本再興戦略 2015」（2015 年 6 月 30 日閣議決定），「世界最先端 IT 国家創造宣言」（2015 年 6 月 30 改定），「世界最先端 IT 国家創造宣言工程表」（IT 総合戦略本部決定 2015 年 6 月 30 日改定）においても，戸籍事務を処理するためのシステムの在り方等と併せて検討

第9条（利用範囲）

するために立ち上げた有識者らによる研究会において，必要な論点の洗い出し，整理等の個別具体的な検討を進め，2019年通常国会を目途に必要な法制上の措置を講ずることとされた。「世界最先端IT国家創造宣言・官民データ活用推進基本計画」（2017年5月30日閣議決定）では，戸籍事務へのマイナンバー制度の導入については，2019年度までに必要な法整備等を実施することとされ，「経済財政運営と改革の基本方針2017」（2017年6月9日閣議決定）においても，戸籍事務等の公共性の高い分野におけるマイナンバーの利用範囲の拡大を進めることとされた。そして，法務省民事局の「戸籍システム検討ワーキンググループ」が同年7月，「戸籍制度に関する研究会」が翌8月に最終とりまとめを公表している。これらの研究成果を踏まえて，同年9月，法務大臣から法制審議会に，この問題に関する諮問が行われ（法制審議会に対する諮問第105号），これを受けて，翌月，法制審議会に戸籍法部会が設置されて，国民の利便性の向上および行政運営の効率化の観点から，戸籍謄本等に記載されている情報を情報連携の対象とし，国民が行政機関等に対する申請，届出その他の手続を行う際に戸籍謄本等の添付を省略することを可能にする方策について審議が行われた。「経済財政運営と改革の基本方針2018」（2018年6月15日閣議決定），未来投資戦略2018（2018年6月15日閣議決定）において，戸籍事務等の公共性の高い事業について，マイナンバー制度の利活用のあり方等の検討結果を踏まえ，結論を得て，必要な法制上の措置については国民の理解を得つつ，次期通常国会への法案提出を目指すこととされた。法制審議会は，2019年2月14日に「戸籍法の改正に関する要綱」を採択し，戸籍に係る情報を情報提供ネットワークシステムを使用した情報連携の対象とすべき旨の答申が法務大臣に対して行われた。

第198回国会（2019年通常国会）には，「情報通信技術の活用による行政手続等に係る関係者の利便性の向上並びに行政運営の簡素化及び効率化を図るための行政手続等における情報通信の技術の利用に関する法律等の一部を改正する法律案」（以下「デジタル手続法案」という）とともに「戸籍法の一部を改正する法律案」が提出され，同年5月24日に「デジタル手続法案」とともに「戸籍法の一部を改正する法律案」が可決・成立し，同月31日に，前者は令和元年法律第16号として，後者は令和元年法律第17号として公布された。戸籍に関する情報に係る情報連携は，戸籍制度の見直しと密接な関連を有するため，

59

本論 本法の逐条解説／第2章　個人番号

「デジタル手続法案」とは別に「戸籍法の一部を改正する法律案」により対応することとされたのである。これによって本項が設けられた。その骨子は，既存の戸籍副本データ管理システムに記録されている情報を利用して，親子関係の存否その他の身分関係の存否を識別する情報を戸籍関係情報として作成し，新システムに蓄積し，従前の戸籍謄本等による戸籍の情報の証明手段に加えて，本法の情報提供ネットワークシステムを通じて戸籍関係情報を確認する手段も提供可能にするというものである。

　戸籍に関する情報をネットワーク連携させる方法について，法務省民事局の「戸籍システム検討ワーキンググループ」においては，①既存の市区町村ごとの戸籍情報システムを維持したまま，戸籍情報システムの正本情報を用いてネットワーク連携を行う案，②市区町村の戸籍情報システムを集約し，法務省で一元化したシステムを構築して管理運用し，このシステムの正本情報を用いてネットワーク連携を行う案，③既存の市区町村ごとの戸籍情報システムおよび正本情報を維持したまま，法務省の副本データ管理システムの仕組みを利用した連携システムを構築し，このシステムの連携情報を用いてネットワーク連携を行う案，の3案の比較検討が行われた。

　このうち，②については，市区町村により戸籍情報システムのリプレース時期が異なるので，法務省による一元化システムの運用開始までに長期間を要することに加えて，ベンダーが異なる戸籍情報システム間のデータ移行のコストが大きくなると見積もられること等に照らし，フィージビリティが低いと判断され，①③が，主たる検討対象になった。両者は，(i)情報連携の実現性の観点，(ii)システム整備の観点から比較検討された。(i)について，①では，複数の市区町村にまたがった親子関係等の親族関係についての情報連携が困難であり，個人の統合についても，各市区町村の範囲にとどまるため，連携対象となる手続が限定されるのに対して，③では，個人の統合が可能であり，親子関係等の親族関係についての情報連携も可能であるため，戸籍証明書の主たる利用目的である年金，児童扶養手当等の手続や戸籍の届出についての情報連携が可能であり，相続関係手続についても，親子関係等の情報を蓄積することにより，将来的には，法定相続人等の情報を連携することも可能と考えられた。(ii)については，①では，既存の中間サーバプラットフォーム等を活用できるので，新規システム構築の要する経費は抑制できるものの，各市区町村が，既存の戸籍情

第9条（利用範囲）

報システムを改修することが必要になることが判明した。他方，③の場合，ネットワーク連携のための中間サーバや親族的身分関係情報を管理する新システムを構築する必要があり，各市区町村および法務省の既存システムの改修もタイミングを合わせて実施する必要があることが判明した。また，①③のいずれも，既存の戸籍情報システムの運用経費にネットワーク連携のための経費が追加されることが想定されるので，システム全体に要する経費が従前よりも増加することは避けられないことも明らかになった。

以上の点を総合的に評価した結果，個人を統合した情報連携によって諸種の手続のネットワーク連携が可能である③を選択肢として，経費の削減のための検討を進めることになった。そして，令和元年法律第17号による改正により，戸籍関係情報を情報提供ネットワークシステムを用いて，連携させるための法改正が行われた。

情報連携の対象になるのは，戸籍謄本等（戸籍法10条1項）や除籍謄本等（同法12条の2第1項）ではなく，戸籍関係情報である。その理由は，第1に，戸籍は夫婦およびこれと氏を同じくする子を単位として編成されるのが原則である（同法6条）のに対して，本法の情報連携は，個人ごとに指定された個人番号と紐づけられた個人単位の特定個人情報を照会・提供する仕組みとなっているため，戸籍または除かれた戸籍の副本のデータに基づく個人単位の情報である戸籍関係情報を整備し，これを情報連携の対象とすることが必要と考えられたことである。第2は，個人情報保護の観点からのものであり，情報提供ネットワークシステムにおける情報連携の対象となる特定個人情報には，氏名，生年月日，性別および住所（基本4情報）のような特定の個人を識別できる情報を含めない運用がされており，戸籍謄本等や除籍謄本等を情報連携の対象とすることは，プライバシー侵害のおそれがあるからである。そこで，既存の戸籍副本データ管理システムを利用した新システムを整備し，戸籍の副本データを基礎として個人単位の情報として整備された戸籍関係情報を情報連携の対象とすることになったのである。なお，戸籍副本データ管理システムを利用した情報連携を行うに当たり，市区町村の戸籍情報システムを一元化することについては，移行対象のデータの形式，字形の変更，中間標準レイアウトに包含されないデータの取扱い等，一朝一夕では解決困難な問題があり，令和元年法律第17号による改正時点では断念されている。法務大臣が整備する戸籍関係情

本論 本法の逐条解説／第2章 個人番号

報は，既存の副本情報とは内容が異なり，戸籍の正本情報が滅失した場合の再製資料等として，正本の写しである副本情報を保持することの必要性は失われないので，既存の戸籍副本データ管理システムは維持される。

　戸籍副本データ管理システムは，東日本大震災において，宮城県の女川町，南三陸町および岩手県の陸前高田市，大槌町の4市町の戸籍の正本が滅失したものの，管轄法務局で保存されていた戸籍の副本データおよび戸籍の届書により正本を速やかに作成することができたところ，市町と管轄法務局は近接していたので，宮城県南三陸町で戸籍の正本と副本（仙台法務局気仙沼支局保存）とが同時に滅失する危険が切迫した事例があったことに鑑み，管轄法務局等において保存する（同法8条2項）戸籍の副本のバックアップのための保存を遠隔地で行うために2013年の戸籍法施行規則の改正により導入されたシステムである。すなわち，市区町村長は，戸籍の記録をした後遅滞なく，総合行政ネットワーク（LGWAN）を使用して1日1回で戸籍データを管轄法務局等に副本データを送信することとされている。これにより，東日本の法務局および地方法務局が保存する市区町村の戸籍の副本は西日本，西日本の法務局および地方法務局が保存する市町村の戸籍の副本は東日本でバックアップされている。1994年の戸籍法改正により，戸籍事務の電子計算機処理が可能になったものの，従前は，各市区町村の戸籍事務を取り扱うシステムは独立しており，ネットワーク化は原則として行われていなかった。令和元年法律第17号では，戸籍の副本について管轄法務局等において保存する旨を規定する戸籍法8条2項の規定の特例として，磁気ディスクをもって調製された戸籍または除かれた戸籍の副本は，法務大臣が保存するものとし（同法119条の2），「電子情報処理組織」を法務大臣の使用に係る電子計算機と市区町村長の使用に係る電子計算機とを電気通信回線で接続したものと定義し，市区町村長は，戸籍事務を「電子情報処理組織」により取り扱うこととされた（同法118条1項）。なお，同改正前の同法118条は，紙の戸籍を原則とした規定になっており，電算化された戸籍は，特例として規定されていたところ，すでにほぼすべての市区町村において，戸籍の電算化が行われており，さらに，戸籍関係情報の連携を志向するのであれば，戸籍事務の電子計算機処理を原則とし，改製原戸籍やデータ以外の形式で保管している副本等を例外として位置づけるべきであるので，同改正により，そのことが明確にされた（同条1項）。

第9条（利用範囲）

　本法19条8号は，情報提供ネットワークシステムを使用した情報連携の主体，事務，特定個人情報を別表第2で定めることとしている。戸籍関係情報を情報連携の対象とするためには，別表第2において，これらの事項を定める必要がある。行政運営の効率化および国民負担の軽減の必要性，関係府省からの要望，関係機関のシステム対応の可否等を検討し，令和元年法律第17号においては，別表第2に規定された120個の項のうち45個の項において，戸籍関係情報が法務大臣を情報提供者とする情報連携の対象とされた。別表第2においては，特定個人情報を利用可能な行政事務は主務省令で定めることとされている。主務省令で定めることが予定されているのは，健康保険の被扶養者の認定・検認に関する事務（1の項），公営住宅の優先入居の要件の確認（42の項），厚生年金の未支給年金の支給に関する事務（48の項），国民年金の被扶養者の認定・検認に関する事務（64の項），児童扶養手当の認定に関する事務（73の項），独立行政法人日本学生支援機構法による学資の貸与および支給に関する事務（140の項）等である。

(8)　「戸籍関係情報（戸籍又は除かれた戸籍（戸籍法（昭和22年法律第224号）第119条の規定により磁気ディスク（これに準ずる方法により一定の事項を確実に記録することができる物を含む。）をもって調製されたものに限る。以下この項及び第45条の2第1項において同じ。）の副本に記録されている情報の電子計算機処理等（電子計算機処理（電子計算機を使用して行われる情報の入力，蓄積，編集，加工，修正，更新，検索，消去，出力又はこれらに類する処理をいう。）その他これに伴う政令で定める措置をいう。以下同じ。）を行うことにより作成することができる戸籍又は除かれた戸籍の副本に記録されている者（以下この項において「戸籍等記録者」という。）」（3項前段）

　令和元年法律第17号による改正前，戸籍または除かれた戸籍の副本は，正本が滅失したとき，または滅失のおそれがあるときの再生または補完（戸籍法11条）に用いられ，また，市区町村の戸籍事務に対する国の関与（同法11条）に必要な範囲で用いられていた。戸籍関係情報を作成するためには，現行の戸籍のみならず除かれた戸籍に記録されている者（死亡した者のみならず婚姻や転籍により戸籍から除かれた者も含む）の情報も一元的に集約し，個人単位で整理

する必要があるので、戸籍または除かれた戸籍の副本を利用することとされた。法務大臣が、戸籍または除かれた戸籍の副本に記録された情報を使用して戸籍関係情報を作成することが、戸籍事務といえるかには疑義があり、保有個人情報の目的外利用に当たるのではないかと考えられるので、令和元年法律第17号により戸籍法121条の3の規定が設けられ、法務大臣が、本法19条8号または9号の規定による提供の用に供する戸籍関係情報を作成するため、戸籍法119条の規定により磁気ディスクをもって調製された戸籍または除かれた戸籍の副本に記録されている情報を利用することができることが明確にされた。

　戸籍関係情報は、電子計算機処理が可能となっている戸籍または除かれた戸籍の副本に記録された情報に基づいて作成される。その理由は、第1に、戸籍関係情報は、情報提供ネットワークシステムにより情報連携されるので、電子計算機処理が可能なものであることが必要であること、第2に、戸籍関係情報は全国民を対象とするものであり、届出等によって親族に係る身分関係に変動が生じた都度、戸籍関係情報にその内容を正確かつ迅速に反映させる必要があるところ、そのためには、電子計算機による効率的処理が不可欠であることである。

　戸籍または除かれた戸籍のうち、戸籍事務の電子計算機処理が始まる前の古い除籍や改製原戸籍については、一般に、システム上画像データとして保存され、テキストデータ化されていないので、名寄せして戸籍関係情報と紐づけることは困難であり、現状においては、戸籍または除かれた戸籍のすべてが戸籍関係情報の作成に用いられるわけではない。具体例を挙げると、親子関係があっても、同一の戸籍が編製されているとは限らず、親子関係の確認のために除かれた戸籍を確認する必要がある場合がありうるところ、除かれた戸籍がテキストデータ化されていなければ、情報提供ネットワークを使用した情報連携により親子関係を確認することはできないことになる。また、戸籍に記載されている者の氏名に、各市区町村の戸籍情報システムでは使用されない文字が含まれていることにより、電子計算機処理に適合しない改製不適合戸籍も、電子計算機で使用される文字により戸籍に記録することに本人の了解が得られない限り、情報連携の対象にならないことになる。

　さらに、本法施行（2015年10月）以前に逝去した者には、個人番号が付番されていないので、個人番号と紐づけられた戸籍関係情報も存在しないことにな

第9条（利用範囲）

り，情報連携の対象にならないことになる。

　このように，情報連携の対象を，市区町村において電算化されている戸籍および除籍（画像データを除く）に限定した場合，過去の戸籍が必要な相続手続に利用できない可能性があるが，児童扶養手当，老齢年金，年金分割等の年金・社会保険関係手続については，一般に利用可能と考えられるので，費用対効果の観点から，かかる限定は正当化されると考えられた。

　戸籍関係情報の情報連携に係る規定は，令和元年法律第17号の公布の日（2019年5月31日）から起算して5年を超えない範囲内において政令で定める日に施行されることとされており，その時点までに，テキストデータ化のニーズとコスト等を勘案して，優先順位が高いもののテキストデータ化を行うことが計画されている。具体的には，児童扶養手当の受給申請に係る事務においては，比較的若い年齢層の親子関係の存否を確認する必要があるため，2023年1月1日時点で未成年である子については，除かれた戸籍および改製原戸籍の情報をすべてテキストデータ化し，親子関係記号の作成を可能にすることが予定されている。

(9)　「他の戸籍等記録者との間の親子関係の存否その他の身分関係の存否に関する情報，婚姻その他の身分関係の形成に関する情報その他の情報のうち，第19条第8号又は第9号の規定により提供するものとして法務省令で定めるもの」（3項前段）

　「身分関係」とは，夫婦，親子その他の親族関係を意味し（人事訴訟法2条），民法4編1章〜3章に規定する身分関係を指す。「身分関係の存否に関する情報」とは，かかる身分関係の存否に関する情報であり，親子関係，婚姻関係等の親族関係の情報を意味する（小野瀬厚＝岡健太郎・一問一答　新しい人事訴訟制度〔商事法務，2004年〕21頁）。法務省令に委任がなされているのは，戸籍関係情報の作成は電子計算機処理を行うことにより作成することができる戸籍または除かれた戸籍の副本に記録されている者を対象とするが，電算化に必要な予算または技術の観点から，ある程度，法務省の裁量に委ねる必要があること，また，戸籍関係情報の提供については社会的な受容性を考慮する必要があり，この点についても，ある程度，法務省の判断に委ねる必要があると考えられたことによる。法務省令（令和元年法務省令第3号）では，①親子関係の存否および

本論 本法の逐条解説／第2章 個人番号

形成に関する情報，②婚姻関係の存否および形成に関する情報，③未成年後見関係の存否および形成に関する情報，④死亡の事実に関する情報，⑤国籍の存否に関する情報，⑥戸籍の異動に関する情報が，戸籍関係情報とされた。③は後見人，被後見人双方の個人番号を把握していることが情報照会の前提となるが，④⑤⑥は，当該特定の者の個人番号を把握していれば照会が可能である。戸籍関係情報について法務省令に委任しているのは，戸籍により確認すべき事項は多岐にわたるところ，具体的にいかなる戸籍関係情報を作成しうるかについては，戸籍制度を所管する法務省の判断に委ねることが適切なこと，将来，情報連携の対象とする戸籍関係情報を臨機応変に追加できるようにすることが望ましいことによる。なお，法務省令で定められた事項について，直ちに情報連携が可能になるわけではなく，情報照会者または条例関係事務情報照会者の事務処理のニーズ，情報提供ネットワークシステムにおいて情報連携を行うことが技術的に可能なことを確認した上で，「行政手続における特定の個人を識別するための番号の利用等に関する法律別表第2の主務省令で定める事務及び情報を定める命令」において，個別具体的に情報連携の対象が定められることになるので，国会によるチェックなしに情報連携の対象が拡大するわけではない。

　本法に基づく情報連携の仕組みにおいては，特定の者の個人番号を用いて他者の情報を連鎖的に取得することはできない。そこで，特定の二者間にある身分関係が存在するか否かについての情報である①〜③の「存否」に関する情報については，具体的には，かかる関係にある者の両方に，かかる関係にあることを示す同一の記号（たとえば親子関係であれば親子関係記号）を付し，情報照会者は，記号を突合することによって，当該二者間にかかる関係があるかを確認する仕組みが予定されている。したがって，情報照会者が双方の個人番号を把握していることが，身分関係の存否に関する照会の前提となる。

　①〜③の身分関係の「形成」に関する情報とは，これらの関係の積極的形成（婚姻等）または消極的形成（離婚等）の発生原因事実およびその年月日に関する情報を意味する。①〜③の「形成」に関する情報は，「存否」に関する情報と異なり，特定の個人に関する情報として作成され，当該関係の相手方が誰であるかについての情報は含まれない予定である。したがって，情報照会者が「形成」に関する情報を照会するに際しては，当該個人の個人番号のみがあれ

第 9 条（利用範囲）

ば目的を達することになる。たとえば，児童扶養手当の支給額の認定を行う場合，申請者が未婚のひとり親であれば，地方税法上の寡婦または寡夫とみなして所得割額が算定される（児童扶養手当法施行令 4 条 2 項 3 号）。かかる場合，当該個人がいつ婚姻または離婚をしたかの婚姻歴が分かれば足り，婚姻または離婚の相手方を知る必要はないので，相手の個人番号は不要なのである。

④については死亡の事実および死亡の年月日に関する情報，⑤については日本国籍の有無，国籍取得の原因および国籍取得の年月日が想定されている。

⑽ 「情報提供用個人識別符号（同条第 8 号又は第 9 号の規定による特定個人情報の提供を管理し，及び当該特定個人情報を検索するために必要な限度で第 2 条第 5 項に規定する個人番号に代わって用いられる特定の個人を識別する符号であって，同条第 8 項に規定する個人番号であるものをいう。以下同じ。）をその内容に含むものをいう。以下同じ。）の提供に関する事務の処理に関して保有する特定個人情報ファイルにおいて個人情報を効率的に検索し，及び管理するために必要な限度で情報提供用個人識別符号を利用することができる」（3 項前段）

情報提供ネットワークシステムを使用した情報連携においては，「民―民―官」で広範に流通する「見える番号」である狭義の個人番号を識別子として直接用いることにセキュリティ上の懸念があるので，情報提供ネットワークシステムのみで用いる情報提供用個人識別符号を識別子として使用することにしている。

情報提供用個人識別符号については，従前は，本法施行令 20 条 1 項で規定されていたが，令和元年法律第 17 号による改正で本法で規定されることになったため，本法で最初にこの用語が用いられる本項で，その定義がなされている。情報提供用個人識別符号は，デジタル庁の長である内閣総理大臣が地方公共団体情報システム機構から通知を受けた住民票コードを変換して得られるものであり，住民票コードを復元することのできる規則性を備えるものでなく，当該情報照会者等が取得した他のいずれの情報提供用個人識別符号とも異なる唯一無二性を有するものである。

「第 2 条第 5 項に規定する個人番号」とは，住民票コードを変換して得られる番号であって，当該住民票コードに記載された住民票に係る者を識別するた

めに指定されるものを意味する（狭義の個人番号）。他方，「同条第8項に規定する個人番号」とは，狭義の個人番号に対応し，狭義の個人番号に代わって用いられる番号，記号その他の符号であって，住民票コード以外のものを意味する（広義の個人番号）。広義の個人番号についても，狭義の個人番号と同様，本法の規制が適用される。

　情報提供用個人識別符号は，情報提供ネットワークシステムを使用した情報連携に当たり，個人情報保護の観点から，狭義の個人番号に代わって用いられる広義の個人番号であり，行政機関ごとに異なる。情報提供用個人識別符号は，狭義の個人番号に対応しており，かつ，情報提供ネットワークシステムを使用した情報連携に当たり，特定の個人を識別するために狭義の個人番号に代わって用いられるものであり，広義の個人番号に当たる。情報提供用個人識別符号が広義の個人番号である理由を明確にするため，「特定個人情報の提供を管理し，及び当該特定個人情報を検索するために必要な限度で第2条第5項に規定する個人番号に代わって用いられる」と規定している。法務大臣は，他の個人番号利用事務実施者とは異なり，狭義の個人番号を情報連携に利用することはできず，法務大臣が，戸籍関係情報の提供に関する事務処理に関して利用できるのは，狭義の個人番号ではなく，情報提供用個人識別符号のみである。戸籍関係情報は，情報提供用個人識別符号をその内容に含むものであるので，特定個人情報に当たり，本法の特定個人情報に係る規律の適用を受ける。

　広義の個人番号についても，その利用範囲は，本法9条に規定する範囲に限定されるので，本項において，法務大臣が，本法19条8号または9号の規定による戸籍関係情報の提供に関する事務の処理に関して保有する特定個人情報ファイルを効率的に検索し，および管理するために必要な限度で情報提供用個人識別符号を利用することの根拠を設けている。個人番号を利用する主体および事務は，本法9条1項の規定に基づく別表第1において列記されているが，同項においては，狭義の個人番号と広義の個人番号の双方を含む個人番号の利用を前提としているところ，法務大臣は，狭義の個人番号を利用しないので，本法9条1項の規定に基づく別表第1に法務大臣を位置づけると狭義の個人番号も利用できることになってしまうため，別表第1に法務大臣を位置づけるのではなく，本項を設けて，広義の個人番号である情報提供用個人識別符号のみを利用することを認める規定としている。本項は，個人番号利用事務の内容を

第 9 条（利用範囲）

定める本条1項・2項と個人番号関係事務の内容を定める本条4項の間に置かれている。法務大臣が本法9条3項に基づき行う事務は，個人番号利用事務であり（本法2条10項），この場合の法務大臣は，個人番号利用事務実施者に当たる（同条12項）。

　戸籍関係情報の作成を含む戸籍関係情報の提供に関する事務の処理に関して，狭義の個人番号を利用しないこととしたのは，以下の理由による。

　第1に，戸籍事務自体においては，狭義の個人番号を利用する必要はないことである。すなわち，戸籍は，夫婦および子ごとに編成されるのが原則であり，筆頭者の氏名および本籍地をもって個々の戸籍を表示する仕組みがとられており，戸籍の特定は，筆頭者の氏名および本籍地をもって行う運用が定着している。戸籍内の各人については，各人の氏名，生年月日および性別が記載されているので，個人を特定することができる。また，新しい戸籍が編成される場合や，ある戸籍から他の戸籍に編入される者が存在する場合には，入籍に関する事項および従前の戸籍の表示を戸籍に記載するので，入籍している戸籍が変動しても，出生から死亡までの戸籍を追跡することができる仕組みになっている。このように，戸籍事務においては，固有の方法で特定の個人を識別することができるので，狭義の個人番号を使用する必要はないのである。さらに，戸籍事務自体においては，情報照会者として，他の行政機関が保有する情報の提供を求める情報連携を必要としない。したがって，戸籍事務自体において不要な狭義の個人番号を，行政手続の都度国民から提供させることは，不要な個人情報を保有しないという個人情報保護の基本原則に照らして適切でないと考えられたのである。

　第2の理由は，法制審議会戸籍法部会等における検討過程において，戸籍に関する情報には，センシティブ情報が含まれており，戸籍に関する情報に係る情報連携において，戸籍と狭義の個人番号を紐づけることには個人情報保護の観点から懸念が示されたことに配慮したからである。

　第3の理由は，故人と同居していなかった遺族が死亡届を出すような場合，遺族が故人の個人番号を知らないというようなことも生じうるので，戸籍法上の届出に当たり個人番号を記載させることには困難なケースもあり，筆頭者の氏名および本籍地をもって個々の戸籍を表示する仕組みのほうが適切なことも挙げられる（杉浦直紀「戸籍行政をめぐる現下の諸問題」戸籍時報781号〔2020年〕

本論 本法の逐条解説／第2章 個人番号

12頁参照)。

　そこで、戸籍事務においては狭義の個人番号を保有せず、戸籍関係情報は、戸籍または除かれた戸籍の副本に記録されている情報を情報連携の用に供することができるように個人単位で整備し、これを情報提供用個人識別符号と紐づけることとされたのである。

　児童扶養手当の申請手続を例にとると、申請者が情報照会者に申請時に個人番号を通知すると、当該個人番号に対応するAにおける情報提供用個人識別符号Aを用いて情報提供ネットワークシステムに照会がなされる。情報提供ネットワークシステムのコアシステムにおいて、照会がなされた情報提供用個人識別符号Aに対応する法務大臣における情報提供用個人識別符号Bによって法務大臣に情報照会の通知がなされる。照会を受けた法務大臣は、情報提供用個人識別符号Bに対応する戸籍関係情報を情報照会者に直接通知することになる。

　以上のような情報連携を可能にするためには、バックアップ機能のみを有する従前の戸籍副本データ管理システムを発展させ、戸籍の副本を利用して戸籍関係情報を作成する機能、機関別の符号を取得し利用する機能、戸籍関係情報を提供する機能を具備するようにする必要がある。このように、戸籍関係情報の情報連携を実施するためには、戸籍関係情報を作成するためのシステムを開発する必要があるのみならず、情報提供用個人識別符号の利用および取得を行うためのシステムも開発する必要がある。さらに、開発されたシステムを用いて、実際に、戸籍関係情報を作成し、情報提供用個人識別符号を取得しておかなければならない。それに加えて、情報照会者となる他の行政機関においても情報連携のためのシステムの整備が必要になる。その上で、改修されたシステムのテストを行うための期間も見積もらなければならない。プログラムの開発後、上記のような準備期間に2年程度を要すると見込まれた。

　また、市区町村が、戸籍の副本の情報を参照して、本籍地以外での戸籍証明書の交付請求等を行うことができるようにするためには、法務大臣の管理するシステム整備のみでは足りず、各市区町村の戸籍情報システムの改修も不可欠である。以上のように、戸籍副本データ管理システムの仕組みを活用して新たに整備しなければならないシステムは少なくなく、かかるシステムを正確かつ安全に運用することを確保するためには、全体で5年の準備期間を見積もる必

第9条（利用範囲）

要があると考えられた。そこで，戸籍副本データ管理システムの仕組みを活用した新システムの稼働を前提とする規定については，令和元年法律第17号の公布の日から起算して5年を超えない範囲内において政令で定める日から施行することとされた（令和元年法律第17号附則1条5号）。

(11) 「当該事務の全部又は一部の委託を受けた者も，同様とする」（3項後段）

戸籍関係情報の作成・提供を行うための情報システムの設置・管理に当たり，外部の事業者に委託を行うことが想定されるので，本法9条1項の規定に基づく個人番号利用事務を行う個人番号利用事務と同様，法務大臣から委託を受けた者についても，本項前段の規定が適用されることとしている。

(12) 「健康保険法（大正11年法律第70号）第48条若しくは第197条第1項」（4項前段）

健康保険法48条は，同法3条3項の適用事業所の事業主が，被保険者の資格の取得および喪失ならびに報酬月額および賞与額に関する事項を保険者等に届け出る義務について定めており，同法197条1項は，保険者が被保険者を使用する事業主に，同法48条に規定する事項以外の事項に関し報告をさせ，または文書を提示させ，その他同法の施行に必要な事務を行わせる権限について定めている。

(13) 「相続税法（昭和25年法律第73号）第59条第1項，第3項若しくは第4項」（4項前段）

相続税法59条1項は，保険会社等が支払った保険金（退職手当金等に該当するものを除く）に関する受取人別の調書，退職手当金等を支給した者が支給した退職手当金等に関する受取人別の調書を営業所等の所在地の所轄税務署長に提出する義務について定めている。同条3項は，信託の効力が生じたこと（当該信託が遺言によりされた場合にあっては，当該信託の引受けがあったこと），受益者等が変更されたこと（受益者等が存するに至った場合または存しなくなった場合を含む），信託が終了したこと（信託に関する権利の放棄があった場合等を含む），信託に関する権利の内容に変更があったことを，信託の受託者が受益者別の調書を営業所等の所在地の所轄税務署長に提出する義務について定めている。同条4

項は，同法の施行地に営業所または事業所を有する法人が，相続税または贈与税の納税義務者または納税義務があると認められる者について税務署長の請求があった場合において，これらの者の財産または債務について当該請求に係る調書を作成して提出する義務について定めている。

(14) 「厚生年金保険法（昭和29年法律第115号）第27条，第29条第3項若しくは第98条第1項」(4項前段)

　厚生年金保険法27条は，適用事業所の事業主または適用事業所以外の事業所に使用される70歳未満の者が厚生労働大臣の認可を受けて厚生年金保険の被保険者となることに同意した事業主が，被保険者の資格の取得および喪失ならびに報酬月額および賞与額に関する事項を厚生労働大臣に届け出る義務について定めている。同法29条3項は，被保険者が被保険者の資格を喪失した場合において，その者の所在が明らかでないため，被保険者の資格を喪失することに係る厚生労働大臣の認可があった旨の通知をすることができないときに，事業主が厚生労働大臣にその旨を届け出る義務について定めている。同法98条1項は，事業主が，前記の同法27条に規定する事項を除くほか，厚生労働省令の定める事項を厚生労働大臣に届け出る義務について定めている。

(15) 「租税特別措置法（昭和32年法律第26号）第9条の4の2第2項，第29条の2第6項若しくは第7項，第37条の11の3第7項，第37条の14第31項，第70条の2の2第17項若しくは第70条の2の3第16項」(4項前段)

　租税特別措置法9条の4の2第2項は，償還金等の支払をする者が，上場証券投資信託等の償還金等の支払調書を当該支払をする者の本店または主たる事務所の所在地の所轄税務署長に提出する義務について定めている。同法29条の2第6項は，付与決議に基づく契約により取締役等または権利承継相続人または特定従事者に特定新株予約権等を与える株式会社が，特定新株予約権等の付与に関する調書を税務署長に提出する義務について定めている。同条7項は，特定株式または承継特定株式につき振替口座簿への記載もしくは記録をし，または保管の委託を受け，もしくは管理等信託を引き受けている金融商品取引業者等が，特定株式等の異動状況に関する調書を税務署長に提出する義務につい

て定めている。同法37条の11の3第7項は，金融商品取引業者等が，その年において当該金融商品取引業者等に開設されていた特定口座がある場合には，上場株式等の配当等の額その他の財務省令で定める事項を記載した報告書を当該金融商品取引業者等の当該特定口座を開設する営業所の所在地の所轄税務署長に提出する義務について定めている。同法37条の14第31項は，金融商品取引業者等が，その年において当該金融商品取引業者等の営業所に開設されていた非課税口座で非課税管理勘定等が設けられていたものがある場合には，当該非課税口座を開設した居住者または恒久的施設を有する非居住者の氏名および住所，その年中に当該非課税口座において処理された上場株式等の譲渡の対価の額，当該非課税口座に係る非課税口座内上場株式等の配当等の額その他の財務省令で定める事項を記載した報告書を所轄税務署長に提出する義務について定めている。同法70条の2の2第7項は，教育資金非課税報告書または追加教育資金非課税報告書を提出しようとする受贈者は，これらの申告書の提出に代えて，これらの規定に規定する取扱金融機関の営業所等に対し，これらの申告書に記載すべき事項を電磁的方法により提供することができると定めている。同法70条の2の3第16項は，結婚・子育て資金非課税申告書は，受贈者がすでに結婚・子育て資金非課税報告書を提出している場合（すでに提出した結婚・子育て資金非課税報告書に係る結婚・子育て資金管理契約が(i)当該契約に係る信託財産の価額が零となった場合，(ii)当該契約に係る預金もしくは貯金の額が零となった場合または(iii)当該合意に基づき保管されている有価証券の価額が零となったにおいて，受贈者と取扱金融機関との間で当該契約を終了させる合意に基づき終了している場合を除く）には，提出することができないものとし，結婚・子育て資金非課税報告書に同条1項本文の規定の適用を受けるものとして記載された金額が1000万円を超えるものである場合または追加結婚・子育て資金非課税申告書に係る結婚・子育て資金管理契約についてすでに受理された金額を合計した金額が1000万円を超えるものである場合には，取扱金融機関は，これらの申告書を受理することができないと定めている。

⒃ 「国税通則法（昭和37年法律第66号）第74条の13の2若しくは第74条の13の3」（4項前段）

平成27年法律第65号による本法改正により，金融機関等（預金保険法2条1

項各号〔定義〕に掲げる者および農水産業協同組合貯金保険法2条1項〔定義〕に規定する農水産業協同組合をいう）は，預貯金者等情報を当該預貯金者等の番号（個人番号または法人番号）により検索することができる状態で管理しなければならないこととされた。平成31年法律第6号による改正で，口座管理機関は，加入者情報を当該口座管理機関が保有する当該加入者の番号により検索することができる状態で管理する義務を負うことになった。

⒄　「所得税法（昭和40年法律第33号）第225条から第228条の3の2まで」（4項前段）

所得税法225条は，利子等，配当等，報酬，料金，契約金もしくは賞金，給付補塡金，利息，利益もしくは差益または匿名組合契約等の利益の分配，生命保険契約に基づく保険金その他これに類する給付で政令で定めるもの，損害保険契約に基づく給付その他これに類する給付で政令で定めるもの，生命保険契約・損害保険契約その他これらに類する共済に係る契約の締結の代理への報酬，割引債の償還金，不動産等の貸付もしくは譲渡に係る対価または不動産等の売買もしくは貸付のあっせんに係る手数料，株式等の譲渡の対価等，信託受益権・金地金等の譲渡の対価等に係る支払調書を税務署長に提出する義務について定めている。同法226条は，給与等，退職手当等または公的年金等に係る源泉徴収票の税務署長への提出義務について定めている。同法227条は，信託の計算書の税務署長への提出義務について定めている。同法227条の2は，有限責任事業組合等に係る組合員所得に関する計算書の税務署長への提出義務について定めている。同法228条は，名義人受領の配当所得等の調書の税務署長への提出義務について定めている。同法228条の2は，新株予約権の行使に関する調書の税務署長への提出義務について定めている。同法228条の3は，株式無償割当てに関する調書の税務署長への提出義務について定めている。同法228条の3の2は，外国親会社等が国内の役員等に供与等をした経済的利益に関する調書の税務署長への提出義務について定めている。

⒅　「雇用保険法（昭和49年法律第116号）第7条」（4項前段）

雇用保険法7条は，事業主が，その雇用する労働者に関し，当該事業主の行う適用事業に係る被保険者となったこと，当該事業主の行う適用事業に係る被

第9条（利用範囲）

保険者でなくなったことその他厚生労働省令で定める事項を厚生労働大臣に届け出る義務について定めている。

⑲　「内国税の適正な課税の確保を図るための国外送金等に係る調書の提出等に関する法律（平成9年法律第110号）第4条第1項若しくは第4条の3第1項」（4項前段）

　内国税の適正な課税の確保を図るための国外送金等に係る調書の提出等に関する法律4条1項は，顧客に係る国外送金等調書の所轄税務署長への金融機関の提出義務について定めている。同法4条の3第1項は，顧客からの依頼により国外証券移管等をしたときは，その国外証券移管等ごとに，その顧客の氏名または名称，住所および個人番号または法人番号，その国外証券移管等をした有価証券の種類および銘柄その他の財務省令で定める事項を記載した調書を，その国外証券移管等をした日の属する月の翌月末日までに，当該国外証券移管等を行った金融商品取引業者等の営業所等の所在地の所轄税務署長に提出する義務を金融商品取引業者等に課している。

⑳　「預貯金者の意思に基づく個人番号の利用による預貯金口座の管理等に関する法律（令和3年法律第39号）第6条第1項」（4項前段）

　金融機関は，預貯金者の意思に基づく個人番号の利用による預貯金口座の管理等に関する法律3条3項後段の規定により預貯金者から個人番号の提供を受けた場合または同条4項もしくは5条3項の規定により預金保険機構から個人番号の通知を受けた場合には，当該個人番号に係る預貯金者を名義人とする預貯金口座について，当該預貯金者の本人特定事項その他預貯金の内容に関する事項であって主務省令で定めるものを当該個人番号により検索することができる状態で管理しなければならない。

㉑　「その他の法令又は条例の規定により」（4項前段）

　「その他の法令」という表現により，その前に列記された法律の規定が例示であり，それに限定されるわけではないことが示されている。「条例の規定により」と規定されているのは，本条2項の事務が条例で定められるからである。

⑵⑵ 「別表第 1 の上欄に掲げる行政機関，地方公共団体，独立行政法人等その他の行政事務を処理する者……による第 1 項……に規定する事務」（4 項前段）

本条 1 項の規定に基づく個人番号利用事務を意味する。

⑵⑶ 「地方公共団体の長その他の執行機関による第 1 項又は第 2 項に規定する事務」（4 項前段）

本条 1 項の規定に基づき本法別表第 1 が定める個人番号利用事務および本条 2 項の規定に基づき条例で定める個人番号利用事務を意味する。

⑵⑷ 「第 1 項又は第 2 項に規定する事務の処理に関して必要とされる他人の個人番号を記載した書面の提出その他の他人の個人番号を利用した事務」（4 項前段）

本条 1 項または 2 項までに規定する個人番号利用事務（本法 2 条 10 項）のために他人の個人番号を記載した法定調書等を提出するために他人の個人番号を利用する個人番号関係事務（同条 11 項）を意味する。本項に基づく個人番号の利用は目的内利用となる（法定調書の例については，水町雅子「番号法による民間企業への実務上の影響(上)」商事法務 2006 号〔2013 年〕49 頁以下参照）。

⑵⑸ 「当該事務を行うために必要な限度で個人番号を利用することができる」（4 項前段）

個人番号関係事務を行う者であっても，自由に他人の個人番号を利用できるわけではなく，あくまで当該個人番号関係事務に必要な限度でのみ利用することができるのが原則であり，それ以外の目的で利用する目的外利用は，厳格に限定されている。

⑵⑹ 「当該事務の全部又は一部の委託を受けた者も，同様とする」（4 項後段）

個人番号関係事務（本法 2 条 11 項）の全部または一部を委託することが必要ないし望ましい場合がありうるので，これを可能にするために，本項前段の個人番号関係事務の処理を委託された者も当該事務の処理に関して他人の個人番号を利用することができることとされている。

第9条（利用範囲）

⑵⁷　「前項の規定により個人番号を利用することができることとされている者のうち所得税法第225条第1項第1号，第2号及び第4号から第6号までに掲げる者は」(5項)

　本条4項の規定により個人番号関係事務を行う者すべてではなく，所得税法225条1項1号，2号および4号から6号までに掲げる者に対象が限定されている。所得税法225条1項1号は預金取扱金融機関による利子等の支払，同項2号は証券会社による配当等の支払，同項4号は生命保険会社による生命保険契約に基づく保険金等の支払，同項5号は損害保険会社による損害保険契約に基づく給付等の支払，同項6号は生命保険会社，損害保険会社またはこれに類する業務を行う共済による生命保険契約，損害保険契約その他これらに類する共済に係る契約の締結の代理をする者への報酬の支払に関する規定である。

⑵⁸　「激甚災害に対処するための特別の財政援助等に関する法律（昭和37年法律第150号）第2条第1項に規定する激甚災害」(5項)

　国民経済に著しい影響を及ぼし，かつ，当該災害による地方財政の負担を緩和し，または被災者に対する特別の助成を行うことが特に必要と認められる災害として政令で指定するものを意味する。

⑵⁹　「その他これに準ずる場合として政令で定めるときは」(5項)

　災害対策基本法63条1項その他デジタル庁令で定める法令の規定により一定の区域への立入りを制限され，もしくは禁止され，または当該区域からの退去を命ぜられた場合である（本法施行令10条）。本条の委任を受けたデジタル庁令で定める法令の規定は，(i)消防法23条の2，(ii)災害対策基本法63条2項または同条3項において準用する同条1項，(iii)大規模地震対策特別措置法26条1項において準用する災害対策基本法63条1項または2項，(iv)原子力災害対策特別措置法27条の6第1項もしくは2項または同法28条2項の規定により読み替えて適用される災害対策基本法63条1項（同条3項において準用する場合を含む）もしくは2項，(v)武力攻撃事態等における国民の保護のための措置に関する法律102条7項（同法183条において準用する場合を含む）または114条（同法183条において準用する場合を含む）である（「激甚災害が発生したとき等においてあらかじめ締結した契約に基づく金銭の支払を行うために必要な限度で行う個人番号

77

の利用に関する内閣府令」〔平成27年内閣府令第74号〕1条）。

(30)　「デジタル庁令で定めるところにより」（5項）

　本条の規定に基づき個人番号を利用する者は，あらかじめ締結した契約に基づく金銭の支払を行うために必要な限度で個人番号を利用するために，本人から個人番号の提供を受けるときは，その者から，個人番号カードの提示または(i)住民基本台帳法12条1項に規定する住民票の写し，または住民票記載事項証明書であって，氏名，出生の年月日，男女の別，住所および個人番号が記載されたもののいずれか，および(ii)前記(i)に掲げる書類に記載された氏名および出生の年月日または住所（以下「個人識別事項」という）が記載された運転免許証，運転経歴証明書（交付年月日が2012年4月1日以降のものに限る），旅券，身体障害者手帳，精神障害者保健福祉手帳，療育手帳，在留カードまたは特別永住者証明書その他官公署から発行され，または発給された書類その他これに類する書類であって，写真の表示その他の当該書類に施された措置によって，当該書類の提示を行う者が当該個人識別事項により識別される特定の個人と同一の者であることを確認することができるものとして本項が規定する個人番号利用者が適当と認めるもののいずれかの提示を受けなければならない（「激甚災害が発生したとき等においてあらかじめ締結した契約に基づく金銭の支払を行うために必要な限度で行う個人番号の利用に関するデジタル庁令」2条1項）。

　本項が規定する個人番号利用者は，あらかじめ締結した契約に基づく金銭の支払を行うために必要な限度で個人番号を利用するために，本人の代理人から個人番号の提供を受けるときは，その者から，(i)個人識別事項が記載された書類であって，当該個人識別事項により識別される特定の個人が本人の代理人として個人番号の提供をすることを証明するものとして，(ア)本人の代理人として個人番号の提供をする者が法定代理人である場合には，戸籍謄本その他その資格を証明する書類，(イ)本人の代理人として個人番号の提供をする者が法定代理人以外の者である場合には，委任状のいずれかのもの，および(ii)個人番号カードまたは運転免許証，運転経歴証明書（交付年月日が2012年4月1日以降のものに限る），旅券，身体障害者手帳，精神障害者保健福祉手帳，療育手帳，在留カードまたは特別永住者証明書その他官公署から発行され，または発給された書類その他これに類する書類であって，写真の表示その他の当該書類に施され

第9条（利用範囲）

た措置によって，当該書類の提示を行う者が当該個人識別事項により識別される特定の個人と同一の者であることを確認することができるものとして本項が規定する個人番号利用者が適当と認めるもののいずれか，(ⅲ)本人に係る個人番号カードまたは住民基本台帳法12条1項に規定する住民票の写し，もしくは住民票記載事項証明書であって，氏名，出生の年月日，男女の別，住所および個人番号が記載されたもののいずれか，またはこれらの写しの提示を受けなければならない（「激甚災害が発生したとき等においてあらかじめ締結した契約に基づく金銭の支払を行うために必要な限度で行う個人番号の利用に関するデジタル庁令」2条2項）。

　ただし，本人の代理人が法人であるときは，同項1号（(ア)本人の代理人として個人番号の提供をする者が法定代理人である場合には，戸籍謄本その他その資格を証明する書類，(イ)本人の代理人として個人番号の提供をする者が法定代理人以外の者である場合には，委任状のいずれかのもの），および同項2号（個人番号カードまたは運転免許証，運転経歴証明書〔交付年月日が2012年4月1日以降のものに限る〕，旅券，身体障害者手帳，精神障害者保健福祉手帳，療育手帳，在留カードまたは特別永住者証明書その他官公署から発行され，または発給された書類その他これに類する書類であって，写真の表示その他の当該書類に施された措置によって，当該書類の提示を行う者が当該個人識別事項により識別される特定の個人と同一の者であることを確認することができるものとして本項が規定する個人番号利用者が適当と認めるもの）の書類に代えて，当該法人から，当該法人の商号または名称および本店または主たる事務所の所在地の記載がある書類であって，(i)(ア)本人の代理人として個人番号の提供をする者が法定代理人である場合には，戸籍謄本その他その資格を証明する書類，(イ)本人の代理人として個人番号の提供をする者が法定代理人以外の者である場合には，委任状，(ⅱ)登記事項証明書その他の官公署から発行され，または発給された書類および現に個人番号の提供をする者と当該法人との関係を証する書類その他これらに類する書類であって本項の定める個人番号利用者が適当と認めるものの提示を受けなければならない（「激甚災害が発生したとき等においてあらかじめ締結した契約に基づく金銭の支払を行うために必要な限度で行う個人番号の利用に関するデジタル庁令」2条3項）。

(31)　「あらかじめ締結した契約に基づく金銭の支払を行うために必要な限度

本論 本法の逐条解説／第2章 個人番号

で個人番号を利用することができる」(5項)

　激甚災害が発生したときその他これに準ずる場合として政令で定めるときは，金融機関等は税務署長に提出する支払調書に記載する等の目的で保有する個人番号を顧客データベースの検索キーとして用いて，当該顧客が保有する金融資産や契約内容等を迅速かつ正確に把握し，契約に基づく金銭（預金，生命保険・損害保険およびそれに類する共済の保険金等）の支払をすることができるようにしている。顧客が被災者であることも，当該金融機関が被災地域に所在することも要件とはされていない。これは，東日本大震災で預金通帳，キャッシュカード，印鑑，運転免許証等の本人確認書類，保険証書等を紛失し，預金の引出しや保険金の受領等が円滑に行われない例があった経験を踏まえたものである。たとえば，保険会社等は，保険金等の支払をした場合等において法定調書を税務署長等に提出する事務において，個人番号関係事務実施者として個人番号を利用することができるが，保険料の徴収，保険金の支払等の自己の事業のために個人番号を利用することは，本条1項に基づく別表第1で認められておらず，個人番号利用事務実施者ではない。しかし，例外的に，本項の場合には，保険金等の支払のために個人番号を目的外利用することが認められていることになる。なお，本項については，本条1項から4項までとは異なり，全部または一部の委託を受けた者による利用は含まれていない。

⑶² 「前各項に定めるもののほか，第19条第13号から第17号までのいずれかに該当して特定個人情報の提供を受けた者」(6項)

　本法19条は特定個人情報の提供を原則禁止し，同条1号から17号までに列記された場合に限り提供を認めている。同条13号は，個人情報保護委員会の調査権限に基づく調査に応じて，求められた特定個人情報を個人情報保護委員会に提供する場合である。同条14号は，総務大臣が，機構処理事務の適正な実施を確保するために必要があると認めるときに，地方公共団体情報システム機構に対し，機構処理事務の実施の状況に関し，必要な報告もしくは資料の提出を求め，またはその職員に，地方公共団体情報システム機構の事務所に立ち入らせ，機構処理事務の実施の状況に関し質問させ，もしくは帳簿書類その他の物件を検査させる権限を行使して，特定個人情報を総務大臣に提供させるときである。同条15号は，各議院もしくは各議院の委員会もしくは参議院の調

第9条（利用範囲）

査会が国会法104条1項（「各議院又は各議院の委員会から審査又は調査のため，内閣，官公署その他に対し，必要な報告又は記録の提出を求めたときは，その求めに応じなければならない」。同法54条の4第1項において参議院の調査会に準用する場合を含む）もしくは「議院における証人の宣誓及び証言等に関する法律」1条の規定により行う審査もしくは調査，訴訟手続その他の裁判所における手続，裁判の執行，刑事事件の捜査，租税に関する法律の規定に基づく犯則事件の調査または会計検査院の検査が行われるとき，その他政令で定める公益上の必要があるときに特定個人情報を提供する場合である。本法19条16号は，人の生命，身体または財産の保護のために必要がある場合において，本人の同意があり，または本人の同意を得ることが困難であるときに特定個人情報を提供する場合である。同条17号は，その他これらに準ずるものとして個人情報保護委員会規則で定めるときに特定個人情報を提供する場合である。「行政手続における特定の個人を識別するための番号の利用等に関する法律第19条第17号に基づき同条第15号に準ずるものとして定める特定個人情報の提供に関する規則」（平成27年特定個人情報保護委員会規則第1号）は，(ⅰ)行政書士法13条の22第1項の規定による立入検査または同法14条の3第2項の規定による調査が行われるとき，(ⅱ)税理士法55条1項の規定による報告の徴取，質問または検査が行われるとき，(ⅲ)社会保険労務士法24条1項の規定による報告の求めまたは立入検査が行われるとき，(ⅳ)条例の規定に基づき地方公共団体の機関がした開示決定等（行政機関情報公開法10条1項に規定する開示決定等または個人情報保護法78条4号，94条1項もしくは102条1項に規定する開示決定等，訂正決定等もしくは利用停止決定等に相当するものをいう）または開示請求等（行政機関情報公開法4条1項に規定する開示請求または個人情報保護法76条2項，90条2項もしくは98条2項に規定する開示請求，訂正請求もしくは利用停止請求に相当するものをいう）に係る不作為について行政不服審査法上の審査請求があった場合において，条例の規定に基づき当該審査請求に対する裁決をすべき当該地方公共団体の機関による諮問が行われるとき，が定められている。本法19条13号から17号までのいずれかに該当して特定個人情報の提供を受けた者は，その提供を受けた目的を達成するために個人番号を利用する必要があるので，それを認めるとともに，当該目的達成に必要な限度でのみ利用しうることを明確にしている。本項に基づく個人番号の利用は目的内利用となる。なお，本項については，本条1項から4

項までとは異なり，全部または一部の委託を受けた者による利用は含まれていない。

> **（再委託）**
> **第10条①** 個人番号利用事務又は個人番号関係事務（以下「個人番号利用事務等」という。）の全部又は一部の委託を受けた者は，当該個人番号利用事務等の委託をした者の許諾を得た場合に限り，その全部又は一部の再委託をすることができる。
> **②** 前項の規定により個人番号利用事務等の全部又は一部の再委託を受けた者は，個人番号利用事務等の全部又は一部の委託を受けた者とみなして，第2条第12項及び第13項，前条第1項から第4項まで並びに前項の規定を適用する。

(1) 「個人番号利用事務」（1項）

　行政機関，地方公共団体，独立行政法人等その他の行政事務を処理する者が本法9条1項から3項までの規定によりその保有する特定個人情報ファイルにおいて個人情報を効率的に検索し，および管理するために必要な限度で個人番号を利用して処理する事務を意味する（本法2条10項）。

(2) 「個人番号関係事務」（1項）

　本法9条4項の規定により個人番号利用事務に関して行われる他人の個人番号を必要な限度で利用して行う事務を意味する（本法2条11項）。

(3) 「（以下「個人番号利用事務等」という。）」（1項）

　個人番号利用事務と個人番号関係事務を総称する必要がある場合が多いので，「個人番号利用事務等」という略称を用いることとしている。

(4) 「委託を受けた者は，当該個人番号利用事務等の委託をした者の許諾を得た場合に限り，その全部又は一部の再委託をすることができる」（1項）

　個人情報保護法25条は，個人情報取扱事業者に委託先の監督義務を課しており，委託先が再委託を行う場合に，委託先が再委託先に対して必要かつ適切

第10条（再委託）

な監督を行っているかを監督することも，同条の個人情報取扱事業者の監督義務に含まれる。しかし，再委託の禁止や再委託を個人情報取扱事業者の承認にかからしめることを委託契約に規定しておかない限り，委託元の承認なしに再委託が行われること自体は，直ちに委託契約に違反するとは一般的にはいい難い。個人情報保護法66条2項1号は，行政機関等から委託を受けた者が受託業務を行う場合に安全管理措置を講ずる義務について定めており，個人情報の安全管理を適切に行えない者に再委託することは受託者の安全管理義務に違反するともいえるが，個人情報保護法66条1項に基づく行政機関等による安全管理措置義務から当然に再委託の事前承認制まで導かれるとはいい切れない面がある。

　他方，実際には，再委託，再々委託等（以下「再委託等」という）が行われることは稀でなく，大量の個人情報が漏えいした宇治市住民基本台帳データ漏えい事件（宇賀克也・個人情報の保護と利用〔有斐閣，2019年〕329頁以下，宇賀克也監修・プライバシーの保護とセキュリティ──その制度・システムと実効性〔地域科学研究会，2004年〕217頁以下［木村修二執筆］参照）は，再々委託先のアルバイトの従業員が住民基本台帳データを不正にコピーして名簿販売業者に販売した事件である。個人番号がデータマッチングに使用されうることを考慮すると，再委託等についても事前に慎重な監督を行うべきと考えられる。そこで，本法は，個人番号利用事務等の委託を受けた者は，委託をした者の許諾なしに再委託をすることができないこととしている。個人番号利用事務等の委託をした者は，再委託を受けようとする者が，特定個人情報を保護するための十分な措置を講じているか（過去に個人情報の漏えい事故を起こしている場合には十分な改善策を講じているか）を慎重に検討する必要がある。最初に委託を行う場合に，委託契約において，再委託の条件をできる限り具体的に明記しておくことが望ましい。再委託の承認制の先例としては，銀行法52条の36第3項（銀行代理業の再委託），長期信用銀行法16条の5第4項（長期信用銀行代理業の再委託）がある。無許諾で再委託を行った者に対する直罰規定は設けられていないが，個人情報保護委員会は，違反行為の中止その他違反を是正するために必要な措置をとるべき旨を勧告することができ（本法34条1項），勧告を受けた者が正当な理由がなくてその勧告に係る措置をとらなかったときは，その勧告に係る措置をとるべきことを命ずることができ（同条2項），この命令に違反した者は，2年以

下の懲役または50万円以下の罰金に処せられる（本法53条）。無許諾の再委託が行われた場合において，個人の重大な権利利益を害する事実があるため緊急に措置をとる必要があると認めるときは，勧告を経ずに命令をすることができ（本法34条3項），この命令違反に対しても罰則が適用される（本法53条）。

(5)　「再委託を受けた者は，個人番号利用事務等の全部又は一部の委託を受けた者とみなして」(2項)

個人番号利用事務等の全部または一部の委託を受けた者についてのみ規制をしても，再委託を受けた者について規制をしなければ，再委託により規制が形骸化するおそれがある。そこで，本項は，再委託を受けた者についても委託を受けた者とみなして，委託を受けた者と同様の規制を行うこととしている。

(6)　「第2条第12項及び第13項，前条第1項から第4項まで並びに前項の規定を適用する」(2項)

本法2条12項は，「個人番号利用事務実施者」を個人番号利用事務を処理する者および個人番号利用事務の全部または一部の委託を受けた者をいうと定義している。再委託を受けた者にもこの規定が適用されるため，個人番号利用事務実施者の権利義務についての規定が再委託を受けた者にも適用されることになる。同条13項は，「個人番号関係事務実施者」を個人番号関係事務を処理する者および個人番号関係事務の全部または一部の委託を受けた者をいうと定義している。再委託を受けた者にもこの規定が適用されるため，個人番号関係事務実施者の権利義務についての規定が再委託を受けた者にも適用されることになる。再委託を受けた者が個人番号利用事務等実施者（個人番号利用事務実施者または個人番号関係事務実施者）とみなされることにより，再委託を受けた者は，具体的には，個人番号の安全管理（本法12条），本人確認（同16条），特定個人情報ファイルの作成制限（同29条）等の義務を負い，個人情報保護委員会による指導・助言の対象になる（同33条）。

本法9条1項は，本法別表第1の上欄に掲げる者（法令の規定により同表の下欄に掲げる事務の全部または一部を行うこととされている者がある場合にあっては，その者を含む）から同表の下欄に掲げる事務の全部または一部の委託を受けた者も，当該事務の処理に関して保有する特定個人情報ファイルにおいて個人情報

第 10 条（再委託）

を効率的に検索し、および管理するために必要な限度で個人番号を利用することができるとしている。この規定が再委託を受けた者にも適用されるため、再委託を受けた者も、当該事務の処理に関して保有する特定個人情報ファイルにおいて個人情報を効率的に検索し、および管理するために必要な限度で個人番号を利用することができることになる。同条 2 項は、地方公共団体の長その他の執行機関から、社会保障、地方税または防災に関する事務その他これらに類する事務であって条例で定めるものの全部または一部の委託を受けた者も、当該事務の処理に関して保有する特定個人情報ファイルにおいて個人情報を効率的に検索し、および管理するために必要な限度で個人番号を利用することができるとしている。この規定が再委託を受けた者にも適用されるため、再委託を受けた者も、当該事務の処理に関して保有する特定個人情報ファイルにおいて個人情報を効率的に検索し、および管理するために必要な限度で個人番号を利用することができることになる。同条 3 項は、情報提供ネットワークシステムを通じて戸籍関係情報を確認する手段を提供可能にする事務の全部または一部の委託を受けた者も、特定個人情報ファイルにおいて個人情報を効率的に検索し、および管理するために必要な限度で情報提供用個人識別符号を利用することができるとしているので、再委託を受けた者も、その限度で情報提供用個人識別符号を利用することができることになる。同条 4 項は、個人番号利用事務の処理に関して必要とされる他人の個人番号を記載した書面の提出その他の他人の個人番号を利用した事務を行うものとされた者から当該個人番号関係事務の全部または一部の委託を受けた者も、当該事務を行うために必要な限度で個人番号を利用することができることとしている。この規定が再委託を受けた者にも適用されるため、再委託を受けた者も、当該事務を行うために必要な限度で個人番号を利用することができることになる。

　また、本条 1 項は、個人番号利用事務等の全部または一部の委託を受けた者は、当該個人番号利用事務等の委託をした者の許諾を得た場合に限り、その全部または一部の再委託をすることができるとしており、この規定が再委託を受けた者にも適用されるため、再委託を受けた者も、その全部または一部の再々委託を無許諾ですることはできないことになる。A が B に委託し、B が C に再委託し、C が D に再々委託する場合、再委託について A の承認を得なければならず、再々委託についても B ではなく最初の委託元の A の承認を得なけ

ればならない（宇賀克也＝水町雅子＝梅田健史・完全対応　自治体職員のための番号法解説〔第一法規，2013 年〕103 頁［梅田健史執筆］，水町雅子「番号法による民間企業への実務上の影響(下)」商事法務 2008 号〔2013 年〕48 頁，番号法実務研究会編著・番号法で変わる自治体業務〔ぎょうせい，2013 年〕118 頁参照）。

> **（委託先の監督）**
> **第 11 条**　個人番号利用事務等の全部又は一部の委託をする者は，当該委託に係る個人番号利用事務等において取り扱う特定個人情報の安全管理が図られるよう，当該委託を受けた者に対する必要かつ適切な監督を行わなければならない。

(1) 「個人番号利用事務等の全部又は一部の委託をする者は」

　個人情報保護法 66 条 1 項は，「行政機関の長は，保有個人情報の漏えい，滅失又は毀損の防止その他の保有個人情報の適切な管理のために必要な措置を講じなければならない」（1 項）と定め，同項の規定は，「行政機関等から個人情報の取扱いの委託を受けた者が受託した業務を行う場合について準用する」（2 項 1 号）と定めている。行政機関の長等の安全管理義務の中には，委託を受けた者を監督する義務が包含されるし，行政機関等から委託を受けた者の安全管理義務の中には，再委託を行った場合に再委託先に対する監督義務も含まれる。再委託を受けた者が再々委託を行った場合においては，再委託先は，再委託を受けた業務について安全管理措置義務を負い（同項 4 号），再委託元は，自らの安全管理措置義務の一環として，再委託先を監督することになる。

　個人情報保護法 23 条は，個人データに係る個人情報取扱事業者の安全管理措置義務について定めている。この安全管理措置義務にも，委託先に対する監督義務が含まれるが，同法は，個人情報取扱事業者の委託先に対する監督義務について確認的規定を設けている。すなわち，個人情報保護法 25 条は，「個人情報取扱事業者は，個人データの取扱いの全部又は一部を委託する場合は，その取扱いを委託された個人データの安全管理が図られるよう，委託を受けた者に対する必要かつ適切な監督を行わなければならない」と定めている。個人情報取扱事業者から委託を受けた受託者が個人情報取扱事業者である場合は，当該受託者が再委託を行ったときに再受託者に対する監督義務を同法 23 条，25

条により負うことになる。再受託者が個人情報取扱事業者の場合も同様である。他方、委託、再委託等を行う者が個人情報取扱事業者でない場合、同法23条、25条の射程外になる。

　これに対し、本条は、「個人番号利用事務等の全部又は一部の委託をする者」が個人情報取扱事業者であることを要件としていないため、受託者が個人情報取扱事業者でなくても、委託先の監督義務を負うことになる。さらに、複数回委託が行われる場合にも、各委託者は各委託先の監督義務を負うことになる。AがBに委託し、BがCに再委託した場合、本条によりAはBを、BはCを監督する義務を負う。もっとも、BがCを適切に監督しているかの監督は、AのBに対する監督の内容に含まれる。なお、整備法による住民基本台帳法の改正により、本人確認情報の電子計算機処理についても、最初に委託を受けた者のみならず、2段階目以降の委託を受けた者も含めて、安全管理措置義務や秘密保持義務を課すこととされている（同法30条の24第3項、30条の26第4項、30条の27第2項、30条の28第2項、30条の30第3項、30条の31）。

(2) 「当該委託に係る個人番号利用事務等において取り扱う特定個人情報の安全管理が図られるよう、当該委託を受けた者に対する必要かつ適切な監督を行わなければならない」

　「必要かつ適切な監督」とは、秘密保持義務、事業所内作業原則（特定個人情報の事業所からの持出し禁止）、事業終了後の特定個人情報の返却またはシュレッダー等復元不能な方法による廃棄等を委託契約で受託者に義務づけること、契約内容の遵守状況について定期的に報告を受けたり、不定期に立入検査を行うこと等が考えられる。委託先の監督義務に違反したことを理由とする直罰規定は設けられていないが、個人情報保護委員会の命令（本法34条2項・3項）の対象になり、この命令違反を理由とする間接罰が定められている（本法53条）。

（個人番号利用事務実施者等の責務）
第12条　個人番号利用事務実施者及び個人番号関係事務実施者（以下「個人番号利用事務等実施者」という。）は、個人番号の漏えい、滅失又は毀損の防止その他の個人番号の適切な管理のために必要な措置を講じなければなら

ない。

(1) 「個人番号利用事務実施者」

個人番号利用事務を処理する者および個人番号利用事務の全部または一部の委託を受けた者をいう（本法2条12項）。したがって，受託者も委託元と同様に安全管理措置義務を負う。

(2) 「個人番号関係事務実施者」

個人番号関係事務を処理する者および個人番号関係事務の全部または一部の委託を受けた者をいう（同条13項）。したがって，受託者も委託元と同様に安全管理措置義務を負う。

(3) 「（以下「個人番号利用事務等実施者」という。）」

個人番号利用事務実施者と個人番号関係事務実施者を総称する必要がある場合があるので，個人番号利用事務等実施者という略称を用いることとしている。

(4) 「個人番号の漏えい，滅失又は毀損の防止その他の個人番号の適切な管理のために必要な措置を講じなければならない」

個人番号の漏えいは，その本人のプライバシー侵害やなりすましによる財産被害をもたらすおそれがあり，また，個人番号の滅失または毀損は，個人番号を利用することによる添付書類の削減等の行政情報化の恩恵を享受する機会を剥奪することになりうる。そこで，本条は，個人番号利用事務等実施者に個人番号の安全管理措置義務を課している。本条が対象としているのは特定個人情報ではなく個人番号であることに留意が必要である。個人情報保護法は，個人情報の安全管理措置義務について定めており，個人番号も死者の番号を除き個人情報の一種であるが，個人情報保護法における個人情報は死者の情報を含まないのに対し，個人番号は死者の番号を含むので，この点で創設的意味を有する。また，個人情報保護法の適用対象外の者（国会，裁判所，地方公共団体の議会等）についても創設的意義を有する。これは，死者の個人番号が漏えいし，検索キーとしてデータマッチングが行われた場合または死者の個人番号を滅失または毀損したために特定個人情報が改ざんされた場合，死者の名誉や遺族等

第12条（個人番号利用事務実施者等の責務）

の権利利益を侵害するおそれが，一般の個人情報の場合よりも大きいと考えられることを考慮したからである。また，相続税や遺族年金の手続等において，個人番号利用事務等実施者が死者の個人番号を利用することがあり，この点からも，死者の個人番号の安全管理措置義務を課しておく必要があるのである。なお，令和3年法律第37号による改正前，普通地方公共団体および特別区は，すべて個人情報保護条例を制定しており，個人情報保護条例においては，個人情報の安全管理措置義務が実施機関に課されていたが，個人情報に死者の情報を含まない個人情報保護条例を有する地方公共団体にとっては，本条は死者の個人番号の安全管理措置義務を課す点において創設的意義を有した（個人情報保護条例の中には，大阪府個人情報保護条例2条1号，新潟県個人情報保護条例2条1号，横浜市個人情報の保護に関する条例2条2項，川崎市個人情報保護条例2条2号，三鷹市個人情報保護条例2条2号等のように，「個人情報」に死者を含めるものが少なくなかった。宇賀克也・個人情報保護の理論と実務〔有斐閣，2009年〕273頁以下参照）。令和3年法律第37号による改正後は，地方公共団体において，個人情報に死者の情報を含めることはできなくなったが，個人情報と別に死者の情報を条例で保護することは妨げられない。

　本法3条1項4号において，「個人番号を用いて収集され，又は整理された個人情報が法令に定められた範囲を超えて利用され，又は漏えいすることがないよう，その管理の適正を確保すること」が基本理念として規定されており，本条は，それを具体化したものといえる。特定個人情報は個人番号を含むので，個人番号の安全管理措置義務は，すなわち，特定個人情報の安全管理措置義務ともいえる。

　「必要な措置」としては，物理的措置として個人番号を保管する場所の施錠，入室制限，技術的措置として個人番号のデータベースへのファイアウォールの設定，ID・パスワードの設定等のアクセス制御，情報の暗号化，組織的措置として安全管理の責任者の設置，職員研修等が考えられる。安全管理措置の具体的内容については，個人情報保護委員会が指針を示している（「特定個人情報の適正な取扱いに関するガイドライン〔事業者編〕，「特定個人情報の適正な取扱いに関するガイドライン〔行政機関等・地方公共団体等編〕）。

> **第13条** 個人番号利用事務実施者（第9条第3項の規定により情報提供用個人識別符号を利用する者を除く。次条第2項及び第19条第1号において同じ。）は，本人又はその代理人及び個人番号関係事務実施者の負担の軽減並びに行政運営の効率化を図るため，同一の内容の情報が記載された書面の提出を複数の個人番号関係事務において重ねて求めることのないよう，相互に連携して情報の共有及びその適切な活用を図るように努めなければならない。

(1) 「個人番号利用事務実施者……は」

本条の主語は，「個人番号利用事務実施者」であって個人番号利用事務等実施者ではないから，個人番号関係事務実施者は含まれない。本条は，個人番号利用事務実施者が個人番号関係事務実施者に支払調書等の提出を求めるに当たり，同一の内容の情報が記載された書面の提出を重ねて求めないように努力義務を課すものであるからである。

(2) 「第9条第3項の規定により情報提供用個人識別符号を利用する者を除く」（かっこ書）

本法9条3項の規定により情報提供用個人識別符号を利用する法務大臣は，他の個人番号利用事務実施者に対する情報提供を行うのみであり，手続において添付書類を求めることは想定されないので，複数の個人番号関係事務において同一内容の書面を求めないように相互連携を図る努力義務を定める本条の趣旨は妥当しないことになる。そこで，本条の個人番号利用事務実施者から，本法9条3項の法務大臣を除外している。

(3) 「本人又はその代理人及び個人番号関係事務実施者の負担の軽減……を図るため」

個人番号利用事務実施者が個人番号関係事務実施者に同一の内容の情報が記載された書面の提出を複数の個人番号関係事務において重ねて求めないことにより，個人番号関係事務実施者が本人またはその代理人に同一の内容の情報が記載された書面の提出を重ねて求めないことにつながる場合もあるから，本人またはその代理人の負担の軽減になることもある。そのため，「本人又はその代理人」の負担の軽減についても規定されている。なお，デジタル手続法2条

第13条（個人番号利用事務実施者等の責務）

2号においても、「民間事業者その他の者から行政機関等に提供された情報については、行政機関等が相互に連携した情報システムを利用した当該情報の共有を図ることにより、当該情報と同一の内容の情報の提供を要しないものとすること」と規定されている。

(4) 「行政運営の効率化を図るため」
　個人番号利用事務実施者が相互に連携して情報の共有およびその適切な活用を図ることは、管理する書類の減少等、行政運営の効率化を図ることにもつながるため、これも目的とされている。

(5) 「相互に連携して情報の共有及びその適切な活用を図るように努めなければならない」
　統計法4条の規定に基づき2009年3月13日に閣議決定された基本計画（第Ⅰ期）においては、統計作成機関は、所要の統計調査に活用できる行政記録情報を具体的に調査し、統計法に規定する行政記録情報の提供要請等の法的仕組みも活用した上で、積極的に行政記録情報を活用していくことが必要であるとされている。さらに、2018年の改正で設けられた統計法3条の2第3項において、基幹統計を作成する行政機関以外の行政機関の長、地方公共団体の長その他の執行機関、独立行政法人等その他の関係者またはその他の個人もしくは法人その他の団体は、当該基幹統計を作成する行政機関の長から必要な資料の提供、調査、報告その他の協力を求められたときは、その求めに応じる努力義務を課された。本条も、行政がすでに保有している情報を共有することにより国民負担の軽減、行政運営の効率化を企図する点において、統計法3条の2の規定に基づく行政記録情報の活用方針と共通する面を有する。具体例としては、従業者の被扶養者が増加した場合、事業者を通じて個人番号利用事務実施者である健康保険組合および日本年金機構にその旨を届け出なければならないが、健康保険組合および日本年金機構は、被扶養者の増加という同一内容の情報を別個独立に事業者や従業者に求めるのではなく、健康保険組合および日本年金機構が相互に連携して情報の共有を行い、事業者や従業者の負担軽減を図る努力義務を負うことになる。

(提供の要求)
第14条① 個人番号利用事務等実施者(第9条第3項の規定により情報提供用個人識別符号を利用する者を除く。以下この項及び第16条において同じ。)は,個人番号利用事務等を処理するために必要があるときは,本人又は他の個人番号利用事務等実施者に対し個人番号の提供を求めることができる。

② 個人番号利用事務実施者(政令で定めるものに限る。第19条第5号において同じ。)は,個人番号利用事務を処理するために必要があるときは,住民基本台帳法第30条の9から第30条の12まで又は第30条の44から第30条の44の5までの規定により,機構に対し同法第30条の7第4項に規定する機構保存本人確認情報又は同法第30条の42第4項に規定する機構保存附票本人確認情報(第19条第5号及び第48条において「機構保存本人確認情報等」という。)の提供を求めることができる。

(1) 「個人番号利用事務等実施者」(1項)
個人番号利用事務実施者および個人番号関係事務実施者である(本法12条)。

(2) 「第9条第3項の規定により情報提供用個人識別符号を利用する者を除く」(1項かっこ書)
本法9条3項の法務大臣は,狭義の個人番号を利用しないので,本人または他の個人番号利用事務実施者から個人番号の取得を許容する必要がないため,適用除外としている。

(3) 「個人番号利用事務等」(1項)
個人番号利用事務または個人番号関係事務を意味する(本法10条1項)。

(4) 「本人……に対し個人番号の提供を求めることができる」(1項)
本人に個人番号の提供を求める場合としては,個人番号関係事務実施者である企業が従業員の給与等についての源泉徴収票に個人番号を記載するために,本人に個人番号の提供を求める場合,個人番号利用事務実施者である国税庁長官(本法別表第1の第56の項)の下級行政庁である税務署長が,確定申告を行う

第14条(提供の要求)

者に申告書に個人番号を記載するよう求める場合等が考えられる。本人から直接に個人番号の提供を受ける主たる方法としては、個人番号カードの両面の写しを提出させることが考えられる。

(5) 「他の個人番号利用事務等実施者に対し個人番号の提供を求めることができる」(1項)

　国税庁長官の下級行政庁である税務署長が、個人番号関係事務実施者である企業に対して、提出する源泉徴収票に個人番号を記載するよう求める場合等が考えられる。たとえば、株式売買に係る源泉徴収義務者である証券会社に、投資家から告知を受けた個人番号を、税務署長に提出する法定調書に記載させることによって提供させる場合等である。国税庁長官の下級行政庁である税務署長が、個人番号の記載された公的年金等の源泉徴収票を日本年金機構から受け取る場合にも、他の個人番号利用事務等実施者から個人番号の提供を受ける場合に該当する(日本年金機構は、個人番号利用事務実施者として年金支給事務を行う一方、個人番号関係事務実施者として公的年金等の源泉徴収票を個人番号利用事務実施者に提出していることになる)。

(6) 「個人番号利用事務実施者(政令で定めるものに限る。第19条第5号において同じ。)」(2項)

　本項は、地方公共団体情報システム機構に対して個人番号を含む機構保存本人確認情報の提供を求めることができるとする規定であるから、本条1項と異なり、個人番号利用事務実施者全般ではなく、政令で定めるものに限り、かかる権限を認めている。なお、本項の個人番号利用事務実施者には、本法9条3項の規定により情報提供用個人識別符号を利用する者は含まれない(本法13条かっこ書)。本法9条3項の法務大臣は、狭義の個人番号を利用しないので、個人番号利用事務を処理するために、地方公共団体情報システム機構に対して機構保存本人確認情報の提供を求める必要はない。したがって、本条の趣旨は妥当しないことになるので、除外している。

(7) 「住民基本台帳法第30条の9から第30条の12まで又は第30条の44から第30条の44の5までの規定により、機構に対し同法第30条の7第4

本論 本法の逐条解説／第2章　個 人 番 号

項に規定する機構保存本人確認情報又は同法第30条の42第4項に規定する機構保存附票本人確認情報（第19条第5号及び第48条において「機構保存本人確認情報等」という。）の提供を求めることができる」（2項）

　住民基本台帳法30条の6第1項により，住民基本台帳ネットワークの本人確認情報（氏名，住所，生年月日，性別，住民票コードおよびこれらの変更情報）に個人番号が追加された（市区町村は，既存の住民基本台帳電算処理システムからコミュニケーションサーバに通知している本人確認情報に個人番号を追加するためのシステム修正を行う必要があった）。これは，地方公共団体情報システム機構が個人番号の重複付番の有無を最終的に確認できるようにする必要に加え，国の行政機関等に対する基本4情報（氏名，住所，生年月日，性別）の提供の際に用いる検索キーを住民票コードから個人番号に変えるためである。そのため，住民票コードは，住民基本台帳ネットワークシステムの内部管理番号としての性格を強め（住民の転出転入等に伴う地方公共団体間における事務処理は，従前と同様に，住民票コードおよび住民基本台帳ネットワークシステムを使用して行うこととされている），また，個人番号および情報提供ネットワークシステムを使用した情報連携の符号（リンクコード）生成の基礎になる番号にその機能を変化させ，本人確認情報としては提供されないことになる。ただし，従前から住民票コードの利用が認められてきた機関においては，システムへの影響等に配慮して，当分の間，住民票コードを利用することが認められている（整備法22条参照）。

　そして，国の行政機関等が本条1項の方法で個人番号を取得できないとき（初期突合作業として既存の地方税課税情報に個人番号を追記する必要がある場合等）や個人番号の真正性を確認したい場合，個人番号の変更履歴を確認したい場合において，その保有する個人に係る基本4情報を基に，地方公共団体情報システム機構に，住民基本台帳法30条の9から30条の12までの規定に基づき，個人番号の提供を求めることができることとしている。

　住民基本台帳法30条の9は，地方公共団体情報システム機構が，本法別表第1の上欄に掲げる国の機関または法人から同表の下欄に掲げる事務の処理に関し求めがあったときは，政令で定めるところにより，機構保存本人確認情報のうち住民票コード以外のものを提供するものとしている（ただし，個人番号については，当該別表第1の上欄に掲げる国の機関または法人が本法9条1項の規定により個人番号を利用することができる場合に限り，提供するものとされている）。すなわ

第14条（提供の要求）

ち，個人番号と基本4情報の提供を求めることができるのである。

　住民基本台帳法30条の9の2第1項では，地方公共団体情報システム機構は，デジタル庁から，情報提供ネットワークシステムに係る事務の処理に関して求めがあったときは，当該求めに係る者の住民票に記載された住民票コードを提供するものとされている。

　住民基本台帳法30条の10では，地方公共団体情報システム機構は，(i)本人確認情報を同法30条の7第1項の規定により通知した都道府県知事が統括する都道府県（以下「通知都道府県」という）の区域内の市区町村の市区町村長その他の執行機関であって同法別表第2の上欄に掲げるものから同表の下欄に掲げる事務の処理に関し求めがあったとき，(ii)通知都道府県の区域内の市区町村の市区町村長その他の執行機関から本法9条2項の規定に基づき条例で定める事務の処理に関し求めがあったとき，(iii)通知都道府県の区域内の市区町村長から本17条1項の規定に基づき国外転出者に係る個人番号カードの交付に関する事務の処理に関し求めがあったとき，(iv)通知都道府県の区域内の市区町村の市区町村長から住民基本台帳に関する事務の処理に関し求めがあったとき，のいずれかに該当する場合には，政令で定めるところにより，通知都道府県の区域内の市区町村の市区町村長その他の執行機関に対し，機構保存本人確認情報を提供する（(i)〜(iii)に掲げる場合にあっては住民票コードを除く。また，(i)に掲げる場合にあっては，個人番号については，当該市区町村長その他の市区町村の執行機関が本法9条1項の規定により個人番号を利用することができる場合に限り，提供する）ものとされている。

　住民基本台帳法30条の11第1項では，地方公共団体情報システム機構が，(i)通知都道府県以外の都道府県の都道府県知事その他の執行機関であって同法別表第3の上欄に掲げるものから同表の下欄に掲げる事務の処理に関し求めがあったとき，(ii)通知都道府県以外の都道府県の都道府県知事その他の執行機関から本法9条2項の規定に基づき条例で定める事務の処理に関し求めがあったとき，(iii)通知都道府県以外の都道府県の都道府県知事から住民基本台帳法30条の22第2項の規定による事務の処理に関し求めがあったときのいずれかに該当する場合には，政令で定めるところにより，通知都道府県以外の都道府県の都道府県知事その他の執行機関に対し，機構保存本人確認情報（(i)(ii)に掲げる場合にあっては，住民票コードを除く）を提供するものとされている（ただし，

(i)に掲げる場合にあっては、個人番号については、当該都道府県知事その他の都道府県の執行機関が本法9条1項の規定により個人番号を利用することができる場合に限り、提供するものとされている）。

住民基本台帳法30条の12第1項においては、地方公共団体情報システム機構が、(i)通知都道府県以外の都道府県の区域内の市区町村の市区町村長その他の執行機関であって同法別表第4の上欄に掲げるものから通知都道府県以外の都道府県の都道府県知事を経て同表の下欄に掲げる事務の処理に関し求めがあったとき、(ii)通知都道府県以外の都道府県の区域内の市区町村の市区町村長その他の執行機関から本法9条2項の規定に基づき条例で定める事務の処理に関し求めがあったとき、(iii)通知都道府県以外の都道府県の区域内の市区町村の市区町村長から本17条1項の規定に基づき国外転出者に係る個人番号カードの交付に関する事務の処理に関し求めがあったとき、(iv)通知都道府県以外の都道府県の区域内の市区町村の市区町村長から通知都道府県以外の都道府県の都道府県知事を経て住民基本台帳に関する事務の処理に関し求めがあったときのいずれかに該当する場合には、政令で定めるところにより、通知都道府県以外の都道府県の区域内の市町村の市町村長その他の執行機関に対し、機構保存本人確認情報を提供する（(i)〜(iii)に掲げる場合にあっては、住民票コードを除く。(i)に掲げる場合にあっては、個人番号については、当該市町村長その他の市町村の執行機関が本法9条1項の規定により個人番号を利用することができる場合に限り、提供する）ものとされている。

個人番号利用事務実施者が、地方公共団体情報システム機構に対して、個人番号と基本4情報（氏名、住所、生年月日、性別）の提供を求めることができることにより、個人番号利用事務実施者は、申請・届出等の際に告知された個人番号について、事前に地方公共団体情報システム機構から提供された個人番号と照合したり、本人から個人番号を告知された都度、地方公共団体情報システム機構に照会したりすることにより、個人番号の真正性を確認することができる。

令和元年法律第16号による改正で、国外転出者による個人番号カードおよび公的個人認証制度の利用を可能にするため、附票本人確認情報（戸籍の附票に記載された基本4情報および住民票コード）を利用する制度が設けられた。地方公共団体情報システム機構が保存する附票本人確認情報であって保存期間が経

第15条（提供の求めの制限）

過していないもの（機構保存附票本人確認情報）についても，本法別表第1の上
覧に掲げる国の機関または法人に住民票コード以外のものを提供すること（住
民基本台帳法30条の44），デジタル庁に住民票コードを提供すること（同法30条
の44の2），同法30条の42第1項の規定により附票本人確認情報を地方公共
団体情報システム機構に通知した都道府県知事が統括する都道府県（以下「附
票通知都道府県」という）の区域内の市区町村への機構保存附票本人確認情報
（住民票コードを除く）の提供（同法30条の44の3），附票通知都道府県以外の都
道府県の執行機関への機構保存附票本人確認情報（住民票コードを除く）の提供
（同法30条の44の4），附票通知都道府県以外の都道府県の区域内の市区町村の
執行機関への機構保存附票本人確認情報（住民票コードを除く）の提供（同法30
条の44の5）も認められている。

> （提供の求めの制限）
> 第15条　何人も，第19条各号のいずれかに該当して特定個人情報の提供を受
> けることができる場合を除き，他人（自己と同一の世帯に属する者以外の者
> をいう。第20条において同じ。）に対し，個人番号の提供を求めてはならな
> い。

(1)　「何人も，第19条各号のいずれかに該当して特定個人情報の提供を受け
ることができる場合を除き……個人番号の提供を求めてはならない」

　本法は，個人番号を検索キーとして利用したデータマッチングによるプライ
バシー侵害を防止するため，9条で個人番号の利用範囲を法定し，19条で特定
個人情報の提供を原則的に禁止し，同条1号から17号までに該当する場合に
限り，例外的に禁止を解除している。特定個人情報が本法19条各号に列記さ
れた場合以外に提供されないことを確保するために，本条は，19条各号のい
ずれかに該当する場合を除き，他人に対し，口頭であれ書面等であれ方法の如
何を問わず個人番号の提供を求めることを何人にも禁止している。したがって，
たとえば，民間企業が顧客の購買商品や購買額のデータベースを個人番号で管
理するために顧客の個人番号の提供を求めてはならない。また，地方公共団体
が，苦情を申し出た住民に，後日，再度，苦情を申し出たときに同一人物であ
ることを確認するために，個人番号の提供を求めることは許されない。この規

定の違反に対しては，直罰ではなく，個人情報保護委員会の命令違反（通常は勧告が命令に前置される）に対する間接罰の仕組みがとられている（本法34条2項・3項，53条）。なお，住民票コード，基礎年金番号についても，告知要求制限の規定が設けられている（住民基本台帳法30条の37，30条の38第1項・2項，国民年金法108条の4，108条の5）。

⑵　「他人（自己と同一の世帯に属する者以外の者をいう。第20条において同じ。）に対し」

　自己と同一の世帯に属する者に特定個人情報の提供を求めることは禁止されていないが，これは，親が幼児に特定個人情報の提供を求めるような場合を念頭に置いている。国勢調査令2条2項においては，「世帯」とは，住居および生計を共にする者の集まり，または独立して住居を維持する単身者をいうと定義されている。

（本人確認の措置）
第16条　個人番号利用事務等実施者は，第14条第1項の規定により本人から個人番号の提供を受けるときは，当該提供をする者から個人番号カードの提示を受けることその他その者が本人であることを確認するための措置として政令で定める措置をとらなければならない。

⑴　「個人番号利用事務等実施者は，第14条第1項の規定により本人から個人番号の提供を受けるときは……その者が本人であることを確認するための措置として政令で定める措置をとらなければならない」

　個人番号利用事務等実施者が本人から個人番号の提供を受けるときの本人確認はきわめて重要である。アメリカや韓国で共通番号の利用に係るなりすまし犯罪が多発した要因は，番号のみによる本人確認を行ったことにあるといわれており，わが国においても，個人番号のみによる本人確認を行えば，同様の被害が頻発するおそれがある。そこで，本法は，個人番号利用事務等実施者は，個人番号利用事務等を処理するために本人から個人番号の提供を受けるときは，個人番号のみで本人確認することを認めていない。なお，本条の「個人番号利用事務等実施者」には，本法9条3項の規定により情報提供用個人識別符号を

利用する者は含まれない（本法14条1項かっこ書）。情報提供用個人識別符号は行政機関内部でのみ利用されるものであり，本条の趣旨は妥当しないことになるので，除外しているのである。

(2) 「当該提供をする者から個人番号カードの提示を受けることその他その者が本人であることを確認するための措置として政令で定める措置」

　本人確認の方法として，(i)個人番号カードの提示を受けること，(ii)それに代わるべきその者が本人であることを確認するための措置として政令で定める措置をとること，のいずれかの方法をとらなければならない。(i)の場合，個人番号カードには氏名，住所，生年月日，性別が記載され，顔写真が貼付されるから（本法2条7項），これらによる本人確認が可能となる（なお，個人番号カードに社会保障，税，災害対策の分野の特定個人情報が記録されるわけではない）。個人番号カード制度の導入に伴い，住民基本台帳カードは廃止されるが，住民基本台帳カードには住民票コードが記載されなかったのに対し，個人番号が「見える番号」として「民-民-官」で流通するものであるため，個人番号カードには個人番号が記載される点，個人番号カードについては本人確認手段としての有用性が重視されているため，顔写真の掲載は必須とされているのに対し，住民基本台帳カードについては顔写真の掲載の有無を住民が選択可能であった点が，両者の大きな相違点である。なお，個人番号カードにはICチップが搭載され，電子証明書，アプリごとに暗証番号が設定されている。

　(ii)の政令で定める措置は，個人番号の提供を行う者から，(i)住民票の写しまたは住民票記載事項証明書であって，氏名，出生の年月日，男女の別，住所および個人番号が記載されたもの（本法施行令12条1項1号），(ii)前記(i)に掲げる書類に記載された氏名および出生の年月日または住所（以下「個人識別事項」という）が記載された書類であって，写真の表示その他の当該書類に施された措置によって，当該書類の提示を行う者が当該個人識別事項により識別される特定の個人と同一の者であることを確認することができるものとして主務省令で定めるものの提示を受けること（同項2号）その他これに準ずるものとして主務省令で定める措置（同項柱書）とされている。主務省令で定める書類は，①運転免許証，運転経歴証明書（交付年月日が2012年4月1日以降のものに限る），旅券，身体障害者手帳，精神障害者保健福祉手帳，療育手帳，在留カードまた

は特別永住者証明書，②以上のほか，官公署から発行され，または発給された書類その他これに類する書類であって，本法施行令12条1項1号に掲げる書類に記載された個人識別事項が記載され，かつ，写真の表示その他の当該書類に施された措置によって，当該書類の提示を行う者が当該個人識別事項により識別される特定の個人と同一の者であることを確認することができるものとして個人番号利用事務実施者が適当と認めるもの，のいずれかの書類とされている（本法施行規則1条）。また，本法施行令12条1項柱書にいう「その他これに準ずるものとして主務省令で定める措置」とは，住民票の写し等の提示を受けることが困難であると認められる場合等の本人確認の措置であり，本法施行規則2条に定められている。

なお，以上述べた本人確認義務は，個人番号利用事務等実施者が個人番号利用事務等を処理するために必要があるときに本人から個人番号の提供を受ける場合に課されるものであるので，個人情報保護委員会が本法違反の調査において個人番号の提供を受ける場合，機構処理事務の適正な実施を確保するために必要があると認めるときに主務大臣が個人番号の提供を受ける場合，捜査機関が本法違反の刑事事件の捜査において被疑者から個人番号の提供を受ける場合，裁判所が前記の刑事訴訟において被告人または証人から個人番号の提供を受ける場合には刑事訴訟法，国税に関する犯則調査において被調査者から個人番号の提供を受ける場合には国税通則法，会計検査院による検査において被検査者から個人番号の提供を受ける場合には会計検査院法に基づく権限により個人番号の提供が行われることになるので，本法に基づく本人確認義務の射程外になる。

第3章　個人番号カード

（個人番号カードの発行等）
第16条の2①　機構は，政令で定めるところにより，住民基本台帳に記録されている者の申請に基づき，その者に係る個人番号カードを発行するものとする。
②　機構は，個人番号カードに関して，個人番号カードの作成並びに個人番号

> カードの作成及び運用に関する状況の管理その他総務省令で定める事務を行うものとする。

(1)「機構は，政令で定めるところにより，住民基本台帳に記録されている者の申請に基づき，その者に係る個人番号カードを発行するものとする」（1項）

　従前，地方公共団体情報システム機構は，カード等命令35条1項の規定に基づき，市区町村長からの委任を受けて，①個人番号通知書，交付申請書の用紙およびこれらに関連する印刷物（以下「個人番号通知書等」という）の作成および発送（受取人の住所および居所が明らかでないことその他の理由により返送された個人番号通知書等の再度の発送を除く）（同項1号），②個人番号通知書の作成および発送等に関する状況の管理（同項2号），③交付申請書および再交付申請書の受付および保存（同項3号），④個人番号カードの作成（同項4号），⑤個人番号カード交付通知書の作成（同項5号），⑥個人番号カードを紛失した旨の電話による届出（個人番号カードの一時停止に係るものに限る）の受付（同項6号），⑦個人番号カードの作成および運用に関する状況の管理（同項7号），⑧個人番号通知書および個人番号カードに係る住民からの問合せへの対応（同項8号）の業務を行っていた。そして，①のうち，個人番号通知書の作成および発送，③④⑥は，地方公共団体情報システム機構が行い，市区町村長は行わないこととされていた（同条2項）。また，①のうち，交付申請書の作成および発送，②⑦についても，実際上，地方公共団体情報システム機構が実施し，市区町村長は行わないものとされていた。しかしながら，本法においては，個人番号カードの発行等に関する地方公共団体情報システム機構の事務および責任は明確には定められていなかった。

　「デジタル社会の実現に向けた改革の基本方針」（2020年12月25日閣議決定）等において，個人番号カードの発行・運営体制を強化するため，地方公共団体情報システム機構を地方共同法人から国と地方公共団体が共同管理する法人に組織替えすることとされ，国の関与が強化された。そして，2021年の通常国会で成立した「デジタル社会の形成を図るための関係法律の整備に関する法律」（以下「デジタル社会形成整備法」という）55条による改正で本条が設けられ，

> 本論　本法の逐条解説／第3章　個人番号カード

それまで市区町村から委任を受けて地方公共団体情報システム機構が個人番号カードを発行してきたが，地方公共団体情報システム機構が個人番号カードの発行主体であると法律上位置づけられた。これは，デジタル社会形成整備法により，個人番号カードの発行・運営体制を抜本的に強化することを目的として，個人番号カードの発行等に係る機構処理事務について，計画→実施→評価→改善のPDCAサイクルを導入する等，当該事務に関する企画立案について国の責務を明示したことを受けて，中期目標等の対象となる地方公共団体情報システム機構の事務を本法に明記する必要があると判断され，省令により市区町村長からJ-LISに委任され，市区町村長が行っていない事務については，実態に合わせて地方公共団体情報システム機構の事務として位置づけることとし，本条の規定を設けて，地方公共団体情報システム機構が個人番号カードを発行するものとし，個人番号カードの発行に係る地方公共団体情報システム機構の責任と事務を明確化したものである。これまでも，すべての市区町村が共同で地方公共団体情報システム機構に個人番号カードの発行を委任していたので，実態が変化するわけではないが，地方公共団体情報システム機構の個人番号カード発行主体としての地位が法的に安定したものになったといえる。

　本法16条の2第1項は，個人番号カードに関して地方公共団体情報システム機構の権限を広く規定している。「個人番号カードを発行」は，作成した後，それを通用させることまで含意している（「発行」が「作成」を包含する意味で使用されている例として，東日本大震災の被災者に係る一般旅券の特例に関する法律施行令2条参照）。個人番号カードの発行は，同法17条の個人番号カードの交付に先行するので，同法17条の前に同法16条の2として，個人番号カードの発行等に関する規定が置かれた。

(2)　「機構は，個人番号カードに関して，個人番号カードの作成並びに個人番号カードの作成及び運用に関する状況の管理その他総務省令で定める事務を行うものとする」（2項）

　本項は，本条1項で与えられた権能に基づき，地方公共団体情報システム機構が具体的に処理する事務を定めている。カード等命令35条1項が定めていた事務のうち，④および⑦を例示し，その他の個人番号通知書・個人番号関連事務については主務省令で定める方針が採用された。具体的には，①のうち，

第 17 条（個人番号カードの交付等）

個人番号通知書および交付申請書の作成および発送，②〜④，⑥⑦は地方公共団体情報システム機構が行う事務とされ，①のうち，上記以外の事務，⑤⑧は地方公共団体情報システム機構または市区町村長が行う事務と整理された。

当該事務は，本法の規定に基づき地方公共団体情報システム機構が処理する機構処理事務（同法 38 条の 2 第 1 項）であって，個人番号カードの作成等の事務を実施するためには，機構保存本人確認情報を利用することが必要になる。そこで，地方公共団体情報システム機構が機構保存本人確認情報を利用可能なマイナンバー法の規定を定める住民基本台帳法 30 条の 15 第 4 項を改正して，マイナンバー法 16 条の 2 第 2 項の規定に基づく事務についても，J-LIS が機構保存本人確認情報を利用できるようにする改正がなされた。

従前から，地方公共団体情報システム機構は，個人番号カードの作成ならびに個人番号カードの作成および運用に関する状況の管理を行ってきたので，実態が変化するわけではないが，地方公共団体情報システム機構の所掌事務を法律上明確にすることにより，地方公共団体情報システム機構の地位を法的に安定的なものにする意義を有するといえる。

(個人番号カードの交付等)
第 17 条① 市町村長は，政令で定めるところにより，当該市町村が備える住民基本台帳に記録されている者又は当該市町村が備える戸籍の附票に記録されている者（国外転出者である者に限る。）に対し，前条第 1 項の申請により，その者に係る個人番号カードを交付するものとする。この場合において，当該市町村長は，その者が本人であることを確認するための措置として政令で定める措置をとらなければならない。
② 個人番号カードの交付を受けている者は，住民基本台帳法第 22 条第 1 項の規定による届出又は国外転出届をする場合には，これらの届出と同時に，当該個人番号カードを市町村長に提出しなければならない。
③ 前項の規定により個人番号カードの提出を受けた市町村長は，当該個人番号カードについて，カード記録事項の変更その他当該個人番号カードの適切な利用を確保するために必要な措置を講じ，これを返還しなければならない。
④ 第 2 項の場合を除くほか，個人番号カードの交付を受けている者は，カード記録事項に変更があったときは，その変更があった日から 14 日以内に，

その旨をその者が記録されている住民基本台帳を備える市町村の長（次項及び第7項並びに第18条の2第3項において「住所地市町村長」という。）に届け出るとともに，当該個人番号カードを提出しなければならない。この場合においては，前項の規定を準用する。

⑤　個人番号カードの交付を受けている者は，当該個人番号カードを紛失したときは，直ちに，その旨を住所地市町村長に届け出なければならない。

⑥　個人番号カードは，その有効期間が満了した場合その他政令で定める場合には，その効力を失う。

⑦　個人番号カードの交付を受けている者は，当該個人番号カードの有効期間が満了した場合その他政令で定める場合には，政令で定めるところにより，当該個人番号カードを住所地市町村長に返納しなければならない。

⑧　国外転出者に対する第4項，第5項及び前項の規定の適用については，第4項中「その変更があった日から14日以内に」とあるのは「速やかに」と，「住民基本台帳」とあるのは「戸籍の附票」と，「住所地市町村長」とあるのは「附票管理市町村長」と，第5項及び前項中「住所地市町村長」とあるのは「附票管理市町村長」とする。

⑨　前各項に定めるもののほか，個人番号カードの再交付の手続その他個人番号カードに関し市町村長及び個人番号カードの交付を受けている者が行う手続に関し必要な事項（以下この項において「再交付等に関する事項」という。）は総務省令で，個人番号カードの様式及び個人番号カードの有効期間その他個人番号カードに関し必要な事項（再交付等に関する事項を除く。）は，主務省令で定める。

(1)　「市町村長は，政令で定めるところにより，当該市町村が備える住民基本台帳に記録されている者又は当該市町村が備える戸籍の附票に記録されている者（国外転出者である者に限る。）に対し……その者に係る個人番号カードを交付するものとする」（1項前段）

市区町村長は，個人番号を通知する事務を行い（本法7条1項），また，個人番号カードの交付に当たり厳格な本人確認が必要になるため，住民に身近な基礎自治体である市区町村長が個人番号カードの交付事務も行うこととされた。

本項前段による委任を受けて，政令では，個人番号カードの交付について，以下のように定められている。個人番号カードの交付を受けようとする者（以

第 17 条（個人番号カードの交付等）

下「交付申請者」という）は、総務省令で定めるところにより、その交付を受けようとする旨その他総務省令で定める事項を記載し、かつ、交付申請者の写真を添付した交付申請書を、地方公共団体情報システム機構に提出しなければならない（本法施行令 13 条 1 項）。この場合において、交付申請者は、住所地市区町村長を経由して交付申請書を提出することができ、住所地市区町村長以外の市区町村長を経由して交付申請書を提出することが当該交付申請者の利便および迅速な個人番号カードの交付に資するものとして総務省令で定める事情があるときは、当該市区町村長（以下「経由市区町村長」という）を経由して、交付申請書を提出することができる（同条 2 項）。交付申請書に添付する写真は、申請前 6 月以内に撮影した無帽、正面、無背景のものとされている（カード等命令 21 条）。本法施行令 13 条 1 項の委任を受けて、総務省令では、交付申請書の記載事項は、交付申請者の氏名、住所ならびに個人番号または生年月日および性別（地方公共団体情報システム機構が個人番号通知書・個人番号カード関連事務の委任を受けている場合には、交付申請者の氏名、住所および個人番号〔交付申請者が個人番号通知書とともに発送される交付申請書の用紙を用いる場合には、交付申請者の氏名、住所、生年月日および性別〕）とされている（カード等命令 20 条）。

　地方公共団体情報システム機構は、交付申請書の提出を受けたときは、総務省令で定めるところにより、個人番号カードを発行し、当該個人番号カードを住所地市区町村長に送付する（本法施行令 13 条 3 項）。住所地市区町村長は、個人番号カードの送付を受けたときは、交付申請者に対し、当該市区町村の事務所への出頭を求めて、個人番号カードを交付するものとされているが、交付申請者が、交付申請書の提出を、住所地市区町村長が指定する場所に出頭してしたときは、当該交付申請者が確実に受領することができるものとして総務省令で定める方法により、当該事務所への出頭を求めることなく、個人番号カードを交付することができる（同条 4 項）。この総務省令で定める方法は、(i)本人限定受取郵便等により送付する方法、(ii)交付申請者に係る住民票に記載されている住所にあてて、書留郵便等により、転送不要郵便物として送付する方法（当該交付申請者が当該方法により確実に交付を受けることができる旨を住所地市区町村長の申し出た場合に限る）、(iii)病院への入院その他のやむを得ない理由により、前記(i)(ii)の方法により交付することが困難であると認められる場合には、交付申請者の所在地にあてて、書留郵便等により、転送不要郵便物として送付する方

本論 本法の逐条解説／第3章　個人番号カード

法（当該交付申請者が当該方法により確実に交付を受けることができる旨を住所地市区町村長の申し出た場合に限る）とされている（カード等命令23条の2）。

　住所地市区町村長は、病気、身体の障害その他のやむを得ない理由により交付申請者の出頭が困難であると認められるときは、例外措置として、当該交付申請者の指定した者の出頭を求めて、その者に対し、個人番号カードを交付することができる。この場合において、住所地市区町村長は、その者から、当該交付申請者の出頭が困難であることを疎明するに足りる資料および(i)個人識別事項が記載された書類であって、当該個人識別事項により識別される特定の個人が当該交付申請者の依頼により、または法令の規定により当該交付申請者の代理人として個人番号カードの交付を受けることを証明するものとして主務省令で定めるもの、(ii)前記(i)に掲げる書類に記載された個人識別事項が記載された書類であって、写真の表示その他の当該書類に施された措置によって、当該書類の提示を行う者が当該個人識別事項により識別される特定の個人と同一の者であることを確認することができるものとして主務省令で定めるもの、(iii)当該交付申請者の個人識別事項が記載され、および当該交付申請者の写真が表示された書類であって主務省令で定めるもの、(iv)個人番号カードの交付の申請について、交付申請者が本人であること、および当該申請が交付申請者の意思に基づくものであることを確認するため、郵便その他住所地市区町村長が適当と認める方法により交付申請者に対して文書で照会したその回答書（ただし、交付申請者の代理人として個人番号カードの交付を受ける者が法定代理人である場合には、住所地市区町村長が必要と認める場合に限る）の提示を受けなければならない（本法施行令13条5項）。

　交付申請書の提出は、代理人を通じてすることができる（同条6項、3条6項）。

(2)　「又は当該市町村が備える戸籍の附票に記録されている者（国外転出者である者に限る。）」（1項前段）

　従前は、市区町村の住民基本台帳に記録されている者が国外に転出すると住民票は消除され、その者の最新の基本4情報や個人番号を管理することができなくなるので、国外転出時に個人番号カードおよび公的個人認証は失効することになった。100万人を超える在外邦人が個人番号カードおよび公的個人認証

第 17 条（個人番号カードの交付等）

を利用できない状態の解消は，本法制定時から課題として認識されており，「日本再興戦略改訂 2015——未来への投資・生産者革命」（2015 年 6 月 30 日閣議決定）をはじめ，累次の閣議決定等において，その解決が要請されてきた。そして，「世界最先端 IT 国家創造宣言・官民データ活用推進基本計画」（2018 年 6 月 15 日閣議決定）では，国外転出後の個人番号カードの公的認証サービスの継続利用を可能とするため，公的個人認証法等の制度面や関連システム等の運用面について，2019 年度中を目途として改正法案の国会提出を目指し，法改正後速やかなサービスの開始に向け，地方公共団体その他の関係機関との調整を実施することとされた。そして，総務省の「住民生活のグローバル化や家族形態の変化に対応する住民基本台帳制度のあり方に関する研究会」が 2018 年 5 月に公表した最終報告において，国外転出者については住民票に代えて，国外転出後も利用可能な戸籍の附票を台帳として使用することにより本人確認を可能とし，個人番号カードや公的個人認証の利用を実現することが提言された。戸籍の附票とは，住民票と戸籍を連携させる帳票として，市区町村が，当該市区町村の区域内に本籍を有する者について，当該戸籍を単位として作成するものであり，その者の住所地ではなく本籍地の市区町村が備えている（住民基本台帳法 16 条 1 項）。そのため，国外転出により転出前の最終住所地の住民票は消除されても，本籍地において戸籍の附票は存続していることになる。

　そこで，令和元年法律第 16 号による改正で，①戸籍の附票に，従前から記載されている氏名および住所に加えて，性別，生年月日，住民票コードを追記することにより，最新の基本 4 情報と個人番号を管理し公証する台帳とし（同法 17 条），②戸籍の附票に記載された基本 4 情報および住民票コード（以下，両者を併せて「附票本人確認情報」という）を，都道府県および地方公共団体情報システム機構に通知し（同法 30 条の 41 第 1 項，30 条の 42 第 1 項），地方公共団体情報システム機構は，国の機関や地方公共団体の執行機関からの求めに応じて，国外転出者の附票本人確認情報のうち住民票コード以外のものの提供を可能とし（同法 30 条の 44，30 条の 44 の 3〜30 条の 44 の 5），③国外転出者の本人確認情報の照会・提供機能と，地方公共団体情報システム機構の個人番号カード管理システムおよび公的個人認証システムを連携することによって，戸籍の附票の記載と連動した個人番号カードおよび公的個人認証の発行・失効を実施可能とする仕組みを構築することになった。

⑶ 「前条第1項の申請により」（1項前段）

　個人番号カードを取得するためには，顔写真等による厳格な本人確認のために市区町村の事務所に出頭することが不可欠と考えられ，個人番号カードの取得を強制することは，市区町村の事務所への出頭を強制することになり，個人番号カードの取得を希望しない者や必要としない者に出頭を強制してまで取得を義務づけることは適切でないと考えられたため，申請により取得することとしている（申請のための来庁は1回で済むこととされている）。もっとも，個人番号利用事務等実施者が本人から個人番号の提供を受けるときに本人確認の措置をとることが義務づけられており（本法16条），個人番号カードを提示することにより，本人確認および個人番号の真正性の確認が可能となるので，個人番号カードの普及率は，住民基本台帳カードのそれと比較して，かなり高くなるものと思われる。個人番号カードの交付を受けても，それを常時携帯する義務はない。

⑷ 「この場合において，当該市町村長は，その者が本人であることを確認するための措置として政令で定める措置をとらなければならない」（1項後段）

　個人番号カードは本人確認と個人番号の真正性の確認に用いられるので，個人番号カードの交付時の本人確認は，きわめて重要である。デジタル社会形成整備法により，本項の規定が改正され，本人確認のための措置が，「第16条の政令で定める措置」から，「その者が本人であることを確認するための措置として政令で定める措置」という表現になった。その理由は，以下のとおりである。本法16条は，個人番号利用事務等実施者が本人から個人番号の提供を受けるときの本人確認のための具体的措置を政令（同法施行令12条1項）に委任している。他方，本項は，市区町村長が住民に個人番号カードを交付するときの本人確認のための具体的措置を政令（同法施行令12条2項）に委任している。両者の間では，本人確認のために講ずる必要がある具体的措置が異なるため，本項で，「第16条の政令で定める措置」と規定することは，ミスリーディングである。そこで，上記のような改正がなされたのである。

　なお，住民基本台帳カードを保有している者は，個人番号カードの交付を受ける際に住民基本台帳カードを返納することになるが，個人番号カードの交付

第17条（個人番号カードの交付等）

を受けない場合には、住民基本台帳カードの有効期間（10年）が満了するまで、それを使用することができる。ただし、住民基本台帳カードに格納された署名用電子証明書の有効期間は5年であり、この期間満了後、住民基本台帳カードの有効期間が残っていても、改めて同カードに署名用電子証明書を格納することはできず、引き続き署名用電子証明書を使用したい場合には、個人番号カードへの切替えが必要になる。

(5) 「個人番号カードの交付を受けている者は、住民基本台帳法第22条第1項の規定による届出又は国外転出届をする場合には、これらの届出と同時に、当該個人番号カードを市町村長に提出しなければならない」（2項）

個人番号カードの交付を受けている者が転入届をする場合または国外転出届をする場合に、カード記録事項の変更等の措置をとる必要があるため、市区町村長に個人番号カードの提出を義務づけている。

(6) 「前項の規定により個人番号カードの提出を受けた市町村長は、当該個人番号カードについて、カード記録事項の変更その他当該個人番号カードの適切な利用を確保するために必要な措置を講じ、これを返還しなければならない」（3項）

具体的には、ICチップ内の券面事項確認利用領域に記録された住所の書換え等が行われる。住所変更等、個人番号カード記録事項の変更その他、本人確認と個人番号の真正性確保の手段としての個人番号カードの適切な利用を確保する措置を講じた上で、当該カードを本人に返還することを義務づけている。

(7) 「第2項の場合を除くほか、個人番号カードの交付を受けている者は、カード記録事項に変更があったときは、その変更があった日から14日以内に、その旨をその者が記録されている住民基本台帳を備える市町村の長（次項及び第7項並びに第18条の2第3項において「住所地市町村長」という。）に届け出るとともに、当該個人番号カードを提出しなければならない。この場合においては、前項の規定を準用する」（4項）

他の市区町村に転入した場合を除くほか、個人番号カードの交付を受けている者は、カード記録事項に変更があったとき（結婚・離婚・養子縁組・改名等に

より氏名の変更があった場合，同一市区町村内での転居による住所変更があった場合等）は，その変更があった日から14日以内に，その旨を住所地市区町村長に届け出るとともに，当該個人番号カードを提出しなければならない。14日以内という期間は，住民基本台帳カードの記載事項の変更があった場合の届出期間（整備法による改正前の住民基本台帳法30条の44第7項），転入の届出期間（住民基本台帳法22条1項）に合わせて定められたものである。この場合においては，個人番号カードの提出を受けた市区町村長は，当該個人番号カードについて，カード記録事項の変更その他当該個人番号カードの適切な利用を確保するために必要な措置を講じ，これを返還しなければならない。

(8) 「個人番号カードの交付を受けている者は，当該個人番号カードを紛失したときは，直ちに，その旨を住所地市町村長に届け出なければならない」（5項）

個人番号カードの交付を受けている者は，当該個人番号カードを紛失したときは，なりすまし等による悪用を防止するため，直ちに，その旨を住所地市区町村長に届け出なければならない。個人番号カードを窃取することは窃盗罪になり，本人を欺いて個人番号カードを詐取すれば詐欺罪になる。

(9) 「個人番号カードは，その有効期間が満了した場合……には，その効力を失う」（6項）

個人番号カードが効力を有するということの意味は，個人番号カードの券面表示事項（個人番号，氏名，住所，性別，生年月日，顔写真等）について，発行者である市区町村長が有効期間内はその真正性を証明することである（住民基本台帳カードに顔写真を貼付するか否かは申請者が選択できるが，個人番号カードには必ず顔写真が貼付される）。したがって，有効期間内の個人番号カードを提示させ，提示者と顔写真を照合することにより，本人確認を行うことができ，本人の物と確認された個人番号カードに記載された個人番号を真正なものと確認できることを意味する。また，個人番号カード内に公的個人認証サービスに係る電子証明書が格納されるため，電子的な本人確認のために用いることができる。さらに，個人番号カードは，住民基本台帳カードの機能を代替するため，住民基本台帳法の転入転出届の特例としての付記転出届（事前に郵送で付記転出届を行

第17条（個人番号カードの交付等）

うことにより転出証明書の添付を省略して転入手続が行える制度）も，個人番号カードの有効期間中は行うことが可能になる。それに加えて，条例で個人番号カードの独自利用について定めている場合には，当該個人番号カードの有効期間中は，当該独自利用を行うことができることになる。

　個人番号カードに有効期間が設けられるのは，以下の理由による。第1は，個人番号カードに顔写真が貼付されるが，年月の経過とともに容貌も変化し，本人確認のための身分証明書としての有効性が低減せざるを得ないため，一定期間経過によりカードを失効させ，できる限り近い時期に撮影された顔写真を貼付したカードに更新する必要があるからである。第2は，なりすまし対策であり，ひとたびなりすましにより個人番号カードが発行されると，本来の個人番号カードの名義人に多大な損害が発生するおそれがあり，一定期間経過によりカードを失効させ，本人確認の機会を設ける必要性が大きいからである。第3は，個人番号カードのセキュリティ措置が新技術の開発により陳腐化し，保護措置の有効性が低下するおそれがあるため，一定期間経過によりカードを失効させ，かかるセキュリティへの脅威に対応した保護措置を講ずる必要があるからである。第4は，個人番号カードへの記録方法についても，日進月歩の技術の進展を反映できるよう，一定期間経過によりカードを失効させ，進歩した記録方法により個人番号カードを作成することを可能にするためである。

⑽　「その他政令で定める場合」（6項）

　その他政令で定める場合とは，⒤個人番号カードの交付を受けている者が国外に転出をしたとき，ⅱ個人番号カードの交付を受けている者が転出届をした場合において，その者が最初の転入届（住民基本台帳法24条の2第1項に規定する最初の転入届をいう。以下同じ）を行うことなく，当該転出届により届け出た転出の予定年月日から30日を経過し，または転入をした日から14日を経過したとき，ⅲ個人番号カードの交付を受けている者が転出届をした場合において，その者が当該転出届に係る最初の転入届を受けた市区町村長に当該個人番号カードの提出を行うことなく，最初の転入届をした日から90日を経過し，またはその者が当該市区町村長の統括する市区町村から転出をしたとき，ⅳ個人番号カードの交付を受けている者が死亡したとき，ⅴ個人番号カードの交付を受けている者が住民基本台帳法の適用を受けない者となったとき，ⅵ個人番号カ

本論　本法の逐条解説／第3章　個人番号カード

ードの交付を受けている者に係る住民票が消除されたとき（転出届〔国外への転出に係るものを除く〕に基づき当該住民票が消除されたとき，住民基本台帳法施行令8条の2〔日本国籍の取得または喪失による住民票の記載および消除〕の規定により当該住民票が消除されたとき，および(i)(iv)または(v)に該当したことにより当該住民票が消除されたときを除く），(vii)個人番号カードの交付を受けている者に係る住民票に記載されている住民票コードについて記載の修正が行われたとき，(viii)請求または職権により，従前の個人番号に代えて新たな個人番号を指定するため返納を求められた個人番号カードにあっては，当該個人番号カードが返納されたとき，または当該個人番号カードの返納を求められた者に係る住民票に記載されている個人番号について記載の修正が行われたときのいずれか早いとき，(ix)本法施行令15条4項の規定により返納された個人番号カードにあっては，当該個人番号カードが返納されたとき，(x)個人番号カードの交付・返還が錯誤に基づき，または過失によってされた場合において，当該個人番号カードを返納させる必要があると認められて返納を命ぜられた個人番号カードにあっては，当該個人番号カードの返納を命ずる旨を通知し，または公示したときである（本法施行令14条）。

(11) 「個人番号カードの交付を受けている者は，当該個人番号カードの有効期間が満了した場合その他政令で定める場合には，政令で定めるところにより，当該個人番号カードを住所地市町村長に返納しなければならない」（7項）

　個人番号カードの所有権は市区町村にあり，それを住民に貸与しているので，有効期間が満了した場合等においては，市区町村長に返納しなければならないとしている。有効期間満了前に個人番号カードを返納しなければならない場合としては，(i)個人番号カードの交付を受けている者が転出届をした場合において，その者が当該転出届に係る最初の転入届を受けた市区町村長に当該個人番号カードの提出を行うことなく，最初の転入届をした日から90日を経過し，またはその者が当該市区町村長の統括する市区町村から転出をしたとき，(ii)個人番号カードの交付を受けている者に係る住民票に記載されている住民票コードについて記載の修正が行われたとき，(iii)請求または職権により，従前の個人番号に代えて新たな個人番号を指定するため，従前の個人番号カードの返納を

命じられた場合，(iv)個人番号カードの交付・返還が錯誤に基づき，または過失によってされた場合において，当該個人番号カードを返納させる必要があると認められ，当該個人番号カードの返納を命じられた場合が定められている（本法施行令15条1項）。個人番号カードの交付を受けている者は，個人番号カードの有効期間が満了した場合または前記(i)～(iv)のいずれかに該当する場合には，個人番号カードを返納する理由その他総務省令で定める事項（個人番号カードの交付を受けている者の氏名および住所。カード等命令31条）を記載した書面を添えて，当該個人番号カードを，住所地市区町村長に遅滞なく返納しなければならない（本法施行令15条2項）。また，個人番号カードの交付を受けている者は，(i)個人番号カードの交付を受けている者が国外に転出をしたとき，(ii)個人番号カードの交付を受けている者が転出届をした場合において，その者が最初の転入届を行うことなく，当該転出届により届け出た転出の予定年月日から30日を経過し，または転入をした日から14日を経過したとき，(iii)個人番号カードの交付を受けている者が住民基本台帳法の適用を受けない者となったとき，(iv)個人番号カードの交付を受けている者に係る住民票が消除されたとき（転出届〔国外への転出に係るものを除く〕に基づき当該住民票が消除されたとき，住民基本台帳法施行令8条の2〔日本国籍の取得または喪失による住民票の記載および消除〕の規定により当該住民票が消除されたとき，および(i)または個人番号カードの交付を受けている者が死亡したときもしくは(iii)に掲げる場合に該当したことにより当該住民票が消除されたときを除く）のいずれかに該当した場合には，個人番号カードを返納する理由その他総務省令で定める事項（個人番号カードの交付を受けている者の氏名および住所。カード等命令31条）を記載した書面を添えて，当該個人番号カードを，その者につき直近に住民票の記載をした市区町村長に遅滞なく返納しなければならない（本法施行令15条3項）。

(12) 「国外転出者に対する第4項，第5項及び前項の規定の適用については，第4項中「その変更があった日から14日以内に」とあるのは「速やかに」と，「住民基本台帳」とあるのは「戸籍の附票」と，「住所地市町村長」とあるのは「附票管理市町村長」と，第5項及び前項中「住所地市町村長」とあるのは「附票管理市町村長」とする」（8項）

令和元年法律第16号により，国外転出者も，個人番号カードの使用を継続

することができることになった。そこで，本項において，必要な読替えを行っている。本条4項の規定の読替えの結果，個人番号カードの交付を受けている国外転出者は，カード記録事項に変更があったときは，速やかに，その旨をその者が記載されている戸籍の附票を備える附票管理市区町村長に届け出るとともに，当該個人番号カードを提出しなければならず，この場合において，個人番号カードの提出を受けた附票管理市区町村長は，当該個人番号カードについて，カード記録事項の変更その他当該個人番号カードの適切な利用を確保するために必要な措置を講じ，これを返還しなければならないことになる。また，本条5項の規定の読替えの結果，個人番号カードの交付を受けている国外転出者は，当該個人番号カードを紛失したときは，直ちに，その旨を附票管理市区町村長に届け出なければならないことになる。

⒀　「前各項に定めるもののほか，個人番号カードの再交付の手続その他個人番号カードに関して市町村長及び個人番号カードの交付を受けている者が行う手続に関し必要な事項（以下この項において「再交付等に関する事項」という。）は総務省令で，個人番号カードの様式及び個人番号カードの有効期間その他個人番号カードに関し必要な事項（再交付等に関する事項を除く。）は，主務省令で定める」（9項）

　住所地市区町村長は，個人番号カードに本法2条7項の規定により記載することとされている事項を記載し，または同項に規定するカード記録事項を電磁的方法により記録するには，本人に係る住民票に記載されている事項を記載するものとされている（カード等命令18条）。住所地市区町村長は，本条1項の規定により交付した個人番号カードに係る交付申請書を，その受理した日から15年間保存するものとされている（カード等命令23条）。個人番号カードの交付を受けている者は，当該個人番号カードが有効な限り，重ねて個人番号カードの交付を受けることができない（同24条）。ただし，個人番号カードの交付を受けている者は，当該個人番号カードの有効期間が満了する日までの期間が3月未満となった場合または追記欄の余白がなくなった場合その他住所地市区町村長が特に必要と認める場合には，住所地市区町村長に対し，当該個人番号カードの有効期間内においても当該個人番号カードを提示して，新たな個人番号カードの交付を求めることができる（同29条1項）。住所地市区町村長は，

第17条（個人番号カードの交付等）

この求めがあった場合には、その者に対し、その者が現に有する個人番号カードと引換えに新たな個人番号カードを交付しなければならない（同条2項）。

個人番号カードにはICチップ（半導体集積回路）が格納され、ICチップ内に氏名、住所、生年月日、性別、住民票コード、個人番号等が記録され、顔写真も画像データとして記録される。また、マイナポータルへのログインを公的個人認証サービスで行うこととされており、そのための電子証明書もICチップ内に格納される（整備法による改正後の電子署名等に係る地方公共団体情報システム機構の認証業務に関する法律3条4項、22条4項）。個人番号カードの有効期間は、カード発行日から申請者の10回目（ただし、18歳未満の場合は5回目）の誕生日までとされている（カード等命令26条1項）。個人番号カードの交付を受ける者の誕生日が2月29日である場合における個人番号カードの有効期間に係る規定の適用については、その者のうるう年以外の年における誕生日は2月28日であるものとみなされる（同条2項）。住民基本台帳カードの有効期間が年齢を問わず一律に10年であったのに対して、個人番号カードの有効期間が20歳未満の場合は5年間とされたのは、個人番号カードが、顔写真の貼付を必須とするものであり、また、個人番号を確認する機会が多くなるため、容姿が大きく変化する未成年期に取得することも少なくないと思われることから、一般旅券の例に倣った有効期間に合わせるのが適切と考えられたからである。

住民基本台帳法30条の45に規定する外国人住民（中長期在留者〔出入国管理及び難民認定法（以下「入管法」という）19条の3に規定する中長期在留者をいう〕のうち入管法別表第1の2の表の上欄の高度専門職の在留資格〔同表の高度専門職の項の下欄第2号に係るものに限る〕をもって在留する者〔以下「高度専門職第2号」という〕および入管法別表第2の上欄の永住者の在留資格をもって在留する者〔以下「永住者」という〕ならびに特別永住者〔日本国との平和条約に基づき日本の国籍を離脱した者等の出入国管理に関する特例法に規定する特別永住者をいう〕を除く。以下同じ）に対し交付される個人番号カードの有効期間については、以下のように特例が定められている。すなわち、(i)中長期在留者（高度専門職第2号および永住者を除く）にあっては、個人番号カードの発行の日から入管法19条の3に規定する在留カード（「出入国管理及び難民認定法及び日本国との平和条約に基づき日本の国籍を離脱した者等の出入国管理に関する特例法の一部を改正する等の法律」附則7条1項に規定する出入国在留管理庁長官が中長期在留者に対し、出入国港において在留カード

本論 本法の逐条解説／第3章　個人番号カード

を交付することができない場合にあっては，同項の規定により後日在留カードを交付する旨の記載がされた旅券）に記載されている在留期間の満了の日まで，(ⅱ)住民基本台帳法30条の45の表に規定する一時庇護許可者または仮滞在許可者にあっては，個人番号カードの発行の日から入管法18条の2第4項に規定する上陸期間または入管法61条の2の4第2項に規定する仮滞在許可書に記載されている仮滞在期間を経過する日まで，(ⅲ)住民基本台帳法30条の45の表に規定する出生による経過滞在者または国籍喪失による経過滞在者にあっては，個人番号カードの発行の日から出生した日または日本の国籍を失った日から60日を経過する日までが有効期間とされている（カード等命令27条1項）。

　ただし，個人番号カードの交付を受けた後に，以下に掲げる場合に該当することとなった外国人住民は，住所地市区町村長に対し，当該個人番号カードを提示して，当該個人番号カードの有効期間について，以下に定める期間とすることを求めることができる。すなわち，①入管法20条の規定による在留資格の変更，入管法21条の規定による在留期間の更新または入管法22条の2の規定による在留資格の取得等により適法に本邦に在留できる期間が延長された場合にあっては，個人番号カードの発行の日から延長された適法に本邦に在留できる期間の満了の日まで，②入管法20条6項（入管法21条4項において準用する場合を含む）の規定により在留期間の満了後も引き続き本邦に在留することができることとなった場合にあっては，個人番号カードの発行の日から入管法20条6項の規定により在留することができる期間の満了の日までの期間とすることを求めることが可能とされている（カード等命令27条2項）。

　個人番号カードの交付を受けている者は，個人番号カードを紛失し，焼失し，もしくは著しく損傷した場合または個人番号カードの機能が損なわれた場合には，住所地市区町村長に対し，個人番号カードの再交付を受けようとする旨およびその事由ならびに当該個人番号カードの交付を受けている者の氏名，住所ならびに個人番号または生年月日および性別（カード等命令35条1項の規定により同項3号に掲げる事務を地方公共団体情報システム機構が行う場合には，個人番号カードの再交付を受けようとする旨およびその事由ならびに当該個人番号カードの交付を受けている者の氏名，住所および個人番号）を記載し，かつ，その者の写真を添付した再交付申請書を提出して，個人番号カードの再交付を求めることができる（カード等命令28条1項）。個人番号カードの再交付を受けようとする者は，現

第 17 条（個人番号カードの交付等）

に交付を受けている個人番号カードを紛失し，または焼失した場合を除き，当該個人番号カードを返納の上，再交付を求めなければならない（同条 2 項）。個人番号カードの再交付を受けようとする者は，現に交付を受けている個人番号カードを紛失し，または焼失した場合には，再交付申請書に，当該個人番号カードを紛失し，または焼失した事実を疎明するに足りる資料を添付しなければならない（同条 3 項）。個人番号カードを紛失し，焼失し，もしくは著しく損傷した場合または個人番号カードの機能が損なわれた場合には，当該個人番号カードは，個人番号カードの再交付の求めがあったときに，その効力を失う（同条 4 項）。個人番号カードの再交付を受けた者は，紛失した個人番号カードを発見した場合には，その旨ならびにその者の氏名および住所を記載した書面を添えて，発見した個人番号カードを，住所地市区町村長に遅滞なく返納しなければならない（同条 5 項）。

　再交付申請書に添付する写真は，申請前 6 月以内に撮影した無帽，正面，無背景のものでなければならない（同条 7 項。同 21 条）。住所地市区町村長は，再交付した個人番号カードに係る交付申請書を，その受理した日から 15 年間保存するものとされている（同 28 条 7 項，23 条）。個人番号カードの紛失届をした者は，紛失した個人番号カードを発見したとき（同 28 条 5 項に規定する場合に該当して発見した個人番号カードを返納したときを除く）は，遅滞なく，その旨を住所地市区町村長に届け出なければならない（同 30 条）。市区町村長は，本法施行令 15 条 3 項の規定により個人番号カードの返納を受けた場合（同令 14 条 1 号に該当して個人番号カードの返納を受けた場合に限る）においては，これに国外への転出により返納を受けた旨を表示し，当該個人番号カードを返納した者に還付するものとされ（カード等命令 32 条 1 項），市区町村長が個人番号カードを還付したときは，本法施行令 17 条の規定により当該個人番号カードを廃棄したものとみなされる（カード等命令 32 条 2 項）。本法施行令 13 条 2 項本文または 3 項の規定により交付申請者またはその法定代理人が個人番号カードの交付を受けるときは，当該交付申請者またはその法定代理人は，当該個人番号カードに 4 桁の数字からなる暗証番号（以下「暗証番号」という）を設定しなければならない（カード等命令 33 条 1 項）。本法施行令 13 条 2 項ただし書の規定により交付申請者が個人番号カードの交付を受けるときは，当該交付申請者は，暗証番号を住所地市区町村長（当該交付申請者が同条 1 項後段の規定により交付申請

書を提出する場合にあっては，同項後段に規定する経由市町区村長を経由して住所地市区町村長）に届け出なければならず，この場合において，住所地市区町村長は，当該個人番号カードに当該暗証番号を設定するものとされている（カード等命令33条2項）。本法施行令13条3項の規定により交付申請者の指定した者（当該交付申請者の法定代理人を除く。以下同じ）が個人番号カードの交付を受けるときは，当該交付申請者の指定した者は，暗証番号を住所地市区町村長に届け出なければならず，この場合において，住所地市区町村長は，当該個人番号カードに当該暗証番号を設定するものとされている（カード等命令33条3項）。個人番号カードの交付を受けている者は，個人番号カードを利用するに当たり，住所地市区町村長その他の市区町村の執行機関から暗証番号の入力を求められたとき，または住所地市区町村長以外の市区町村長その他の市区町村の執行機関，都道府県知事その他の都道府県の執行機関もしくは住民基本台帳法別表第1の上欄に掲げる国の機関もしくは法人から同法に規定する事務もしくはその処理する事務であって同法の定めるところにより当該事務の処理に関し本人確認情報の提供を求めることができることとされているものの遂行のため必要がある場合において暗証番号の入力を求められたときは，入力装置に暗証番号を入力しなければならない（同33条4項）。個人番号カードに格納される署名用電子証明書，利用者証明用電子証明書の有効期間については，暗号の危殆化等に対応するため，発行日から5回目の誕生日までを基本としている（電子署名等に係る地方公共団体情報システム機構の認証業務に関する法律5条・同法施行規則13条，同法24条・同法施行規則49条）。また，15歳未満の者の場合には，利用者証明用電子証明書は格納できるが，署名用電子証明書は原則として発行されない。

> （個人番号カードの利用）
> 第18条　個人番号カードは，第16条の規定による本人確認の措置において利用するほか，次の各号に掲げる者が，条例（第2号の場合にあっては，政令）で定めるところにより，個人番号カードのカード記録事項が記録された部分と区分された部分に，当該各号に定める事務を処理するために必要な事項を電磁的方法により記録して利用することができる。この場合において，これらの者は，カード記録事項の漏えい，滅失又は毀損の防止その他のカード記録事項の安全管理を図るため必要なものとして内閣総理大臣及び総務大

臣（第38条の8から第38条の11まで及び第38条の13において「主務大臣」という。）が定める基準に従って個人番号カードを取り扱わなければならない。
1 市町村の機関　地域住民の利便性の向上に資するものとして条例で定める事務
2 特定の個人を識別して行う事務を処理する行政機関，地方公共団体，民間事業者その他の者であって政令で定めるもの　当該事務

(1) 「個人番号カードのカード記録事項が記録された部分と区分された部分に」（柱書前段）

　個人番号カードはICカードとされ，ICチップ内は領域ごとにアプリケーションを搭載する仕様になっている。個人番号カードについては，個人番号等の個人情報が記録された領域における個人情報保護に支障が生じないように，独自利用する領域は，個人番号等の個人情報が記録された領域と厳格に区分することとされている。旧マイナンバー法案では，このことは明示されていなかった。

(2) 「内閣総理大臣及び総務大臣（第38条の8から第38条の11まで及び第38条の13において「主務大臣」という。）が定める基準」（柱書後段）

　「通知カード及び個人番号カードに関する技術的基準」（平成27年総務省告示第314号）で定められている。デジタル庁設置法附則41条による改正で，内閣総理大臣と総務大臣の共管事項になった。

(3) 「市町村の機関　地域住民の利便性の向上に資するものとして条例で定める事務」（1号）

　住民基本台帳カードのICチップ内の空き領域を利用した独自の住民サービスが市区町村条例で定めるところにより認められており（整備法による改正前の住民基本台帳法30条の44第12項），すでに，公共施設の予約，自動交付機による証明書の交付，地元商店街のポイントカード，地域通貨の電子マネーカード，図書の貸出し，職員出退勤管理，健康相談の申込み・結果の照会等に住民基本台帳カードを利用している例がある中で，2016年1月の個人番号カード制度

の導入に伴い，住民基本台帳カード制度は廃止され（ただし，住民基本台帳カード発行停止日以前に発行された住民基本台帳カードは，有効期間〔発行から10年間〕内は使用できる），個人番号カードは，住民基本台帳カードの機能を代替することになるので，従前，住民基本台帳カードにより可能であった転出証明書の省略，証明書のコンビニ交付等のほか，市区町村が条例で定めるところにより住民基本台帳カードを活用して行ってきた住民サービスも，個人番号カード制度の下でも実現可能にする必要があり（ただし，整備法20条1項により，住民基本台帳カードの有効期間中は使用可能である），本号は，そのために設けられたものである。条例で定めるところによることとされたのは，個人番号カードには個人番号等の個人情報が記載されているので，個人番号カードを本人確認以外の用途に用いることを認める場合には，個人情報保護の観点から，首長の賛同のみならず議会での可決も要件とすることにより，二元代表制の下で，地方公共団体の団体としての意思決定によらしめることが適切と考えられたからである。

(4) 「特定の個人を識別して行う事務を処理する行政機関，地方公共団体，民間事業者その他の者であって政令で定めるもの　当該事務」(2号)

本条2号の利用は，住民基本台帳カードでは認められていなかったもので，個人番号カードの本人確認手段としての利用価値を高め，マイナンバー制度導入に伴う国民生活への利便性を高めるとともに，個人番号カードの普及を促進させるために規定されたものである。本条1号の機関は市区町村の機関に限られているので，都道府県の機関による利用は，本号により政令で定める場合に認められることになる。本号の政令で定める者は，(i)国民の利便性の向上に資するものとして内閣総理大臣および総務大臣が定める事務を処理する行政機関，独立行政法人等または地方公共団体情報システム機構，(ii)地方公共団体に対し申請，届出その他の手続を行い，または地方公共団体から便益の提供を受ける者の利便性の向上に資するものとして条例で定める事務（本条1号に定める事務を除く）を処理する地方公共団体の機関，(iii)地方独立行政法人に対し申請，届出その他の手続を行い，または地方独立行政法人から便益の提供を受ける者の利便性の向上に資するものとして条例で定める事務を処理する地方独立行政法人，(iv)国民の利便性の向上に資するものとして内閣総理大臣および総務大臣が定める事務を処理する民間事業者（当該事務およびカード記録事項の安全管理を適

第18条の2（個人番号カードの発行に関する手数料）

切に実施することができるものとして内閣総理大臣および総務大臣が定める基準に適合する者に限る）である（本法施行令18条2項）。これらの者が，本条の規定により個人番号カードを利用するときは，あらかじめ，当該個人番号カードの交付を受けている者にその利用の目的を明示し，その同意を得なければならない（本法施行令18条1項）。民間事業者による利用の例としては，民間事業者が指定管理者になった場合に，公の施設の利用予約に用いることなどが想定される。

> （個人番号カードの発行に関する手数料）
> 第18条の2① 機構は，第16条の2第1項の規定による個人番号カードの発行に係る事務に関し，機構が定める額の手数料を徴収することができる。
> ② 機構は，前項に規定する手数料の額を定め，又はこれを変更しようとするときは，総務大臣の認可を受けなければならない。
> ③ 機構は，第1項の手数料の徴収の事務を住所地市町村長又は第17条第8項の規定により読み替えて適用される同条第4項に規定する附票管理市町村長に委託することができる。

(1) 「機構は，第16条の2第1項の規定による個人番号カードの発行に係る事務に関し，機構が定める額の手数料を徴収することができる」（1項）

整備法による改正前において，個人番号カードの最初の発行手数料に相当する経費については，国から個人番号カード事業費補助金が交付されていたが，個人番号カードの再発行手数料に相当する経費については，発行主体側のミスによってICチップが破損した場合等，個人番号カードの交付申請者の責に帰すことができないと認められる場合を除き，国庫補助の対象とされていなかったため，個人番号カードの発行を行う市区町村において，必要があると認める場合には，手数料条例に所要の規定を設けて再発行手数料を徴収していた（地方自治法227条，228条1項）。しかし，デジタル社会形成整備法による改正により，J-LISが個人番号カードの発行主体となったため，J-LISが再発行手数料を徴収することができるようにする必要が生じた。そこで，本項が設けられた。

(2) 「機構は，前項に規定する手数料の額を定め，又はこれを変更しようとするときは，総務大臣の認可を受けなければならない」（2項）

デジタル社会形成整備法による改正により，地方公共団体情報システム機構は，従前の地方共同法人としての位置づけから，国と地方公共団体が共同で管理する法人に組織変更され，国によるガバナンスが強化された。その一環として，個人番号カードの発行手数料の額についても大臣の認可制とされた。

(3) 「機構は，第1項の手数料の徴収の事務を住所地市町村長又は第17条第8項の規定により読み替えて適用される同条第4項に規定する附票管理市町村長に委託することができる」(3項)

電子証明書の再発行手数料について，発行主体であるJ-LISは，総務大臣の認可を受けた手数料を徴収することができるところ，当該徴収事務を住所地市区町村長に委託することができるとされている（公的個人認証法67条）。個人番号カードの発行についても，地方公共団体情報システム機構が，すべての市区町村から手数料を徴収する事務を行うことは困難であるので，住所地地区町村長または附票管理市区町村長に委託することができるようにしている。

第4章　特定個人情報の提供

第1節　特定個人情報の提供の制限等

（特定個人情報の提供の制限）
第19条　何人も，次の各号のいずれかに該当する場合を除き，特定個人情報の提供をしてはならない。
1　個人番号利用事務実施者が個人番号利用事務を処理するために必要な限度で本人若しくはその代理人又は個人番号関係事務実施者に対し特定個人情報を提供するとき（個人番号利用事務実施者が，生活保護法（昭和25年法律第144号）第29条第1項，厚生年金保険法第100条の2第5項その他の政令で定める法律の規定により本人の資産又は収入の状況についての報告を求めるためにその者の個人番号を提供する場合にあっては，銀行その他の政令で定める者に対し提供するときに限る。）。
2　個人番号関係事務実施者が個人番号関係事務を処理するために必要な限

第 19 条（特定個人情報の提供の制限）

度で特定個人情報を提供するとき（第 12 号に規定する場合を除く。）。
3 本人又はその代理人が個人番号利用事務等実施者に対し，当該本人の個人番号を含む特定個人情報を提供するとき。
4 一の使用者等（使用者，法人又は国若しくは地方公共団体をいう。以下この号において同じ。）における従業者等（従業者，法人の業務を執行する役員又は国若しくは地方公共団体の公務員をいう。以下この号において同じ。）であった者が他の使用者等における従業者等になった場合において，当該従業者等の同意を得て，当該一の使用者等が当該他の使用者等に対し，その個人番号関係事務を処理するために必要な限度で当該従業者等の個人番号を含む特定個人情報を提供するとき。
5 機構が第 14 条第 2 項の規定により個人番号利用事務実施者に機構保存本人確認情報等を提供するとき。
6 特定個人情報の取扱いの全部若しくは一部の委託又は合併その他の事由による事業の承継に伴い特定個人情報を提供するとき。
7 住民基本台帳法第 30 条の 6 第 1 項の規定その他政令で定める同法の規定により特定個人情報を提供するとき。
8 別表第 2 の第 1 欄に掲げる者（法令の規定により同表の第 2 欄に掲げる事務の全部又は一部を行うこととされている者がある場合にあっては，その者を含む。以下「情報照会者」という。）が，政令で定めるところにより，同表の第 3 欄に掲げる者（法令の規定により同表の第 4 欄に掲げる特定個人情報の利用又は提供に関する事務の全部又は一部を行うこととされている者がある場合にあっては，その者を含む。以下「情報提供者」という。）に対し，同表の第 2 欄に掲げる事務を処理するために必要な同表の第 4 欄に掲げる特定個人情報（情報提供者の保有する特定個人情報ファイルに記録されたものに限る。）の提供を求めた場合において，当該情報提供者が情報提供ネットワークシステムを使用して当該特定個人情報を提供するとき。
9 条例事務関係情報照会者（第 9 条第 2 項の規定に基づき条例で定める事務のうち別表第 2 の第 2 欄に掲げる事務に準じて迅速に特定個人情報の提供を受けることによって効率化を図るべきものとして個人情報保護委員会規則で定めるものを処理する地方公共団体の長その他の執行機関であって個人情報保護委員会規則で定めるものをいう。第 26 条において同じ。）が，政令で定めるところにより，条例事務関係情報提供者（当該事務の内容に

応じて個人情報保護委員会規則で定める個人番号利用事務実施者をいう。以下この号及び同条において同じ。）に対し，当該事務を処理するために必要な同表の第4欄に掲げる特定個人情報であって当該事務の内容に応じて個人情報保護委員会規則で定めるもの（条例事務関係情報提供者の保有する特定個人情報ファイルに記録されたものに限る。）の提供を求めた場合において，当該条例事務関係情報提供者が情報提供ネットワークシステムを使用して当該特定個人情報を提供するとき。

10　国税庁長官が都道府県知事若しくは市町村長に又は都道府県知事若しくは市町村長が国税庁長官若しくは他の都道府県知事若しくは市町村長に，地方税法第46条第4項若しくは第5項，第72条の58，第317条，第325条又は第739条の5第7項の規定その他政令で定める同法若しくは森林環境税及び森林環境譲与税に関する法律（平成31年法律第3号）又は国税（国税通則法第2条第1号に規定する国税をいう。以下同じ。）に関する法律の規定により国税又は地方税若しくは森林環境税に関する特定個人情報を提供する場合において，当該特定個人情報の安全を確保するために必要な措置として政令で定める措置を講じているとき。

11　地方公共団体の機関が，条例で定めるところにより，当該地方公共団体の他の機関に，その事務を処理するために必要な限度で特定個人情報を提供するとき。

12　社債，株式等の振替に関する法律（平成13年法律第75号）第2条第5項に規定する振替機関等（以下この号において単に「振替機関等」という。）が同条第1項に規定する社債等（以下この号において単に「社債等」という。）の発行者（これに準ずる者として政令で定めるものを含む。）又は他の振替機関等に対し，これらの者の使用に係る電子計算機を相互に電気通信回線で接続した電子情報処理組織であって，社債等の振替を行うための口座が記録されるものを利用して，同法又は同法に基づく命令の規定により，社債等の振替を行うための口座の開設を受ける者が第9条第4項に規定する書面（所得税法第225条第1項（第1号，第2号，第8号又は第10号から第12号までに係る部分に限る。）の規定により税務署長に提出されるものに限る。）に記載されるべき個人番号として当該口座を開設する振替機関等に告知した個人番号を含む特定個人情報を提供する場合において，当該特定個人情報の安全を確保するために必要な措置として政令で定める措置を講じているとき。

第19条（特定個人情報の提供の制限）

13　第35条第1項の規定により求められた特定個人情報を個人情報保護委員会（以下「委員会」という。）に提供するとき。
14　第38条の7第1項の規定により求められた特定個人情報を総務大臣に提供するとき。
15　各議院若しくは各議院の委員会若しくは参議院の調査会が国会法（昭和22年法律第79号）第104条第1項（同法第54条の4第1項において準用する場合を含む。）若しくは議院における証人の宣誓及び証言等に関する法律（昭和22年法律第225号）第1条の規定により行う審査若しくは調査，訴訟手続その他の裁判所における手続，裁判の執行，刑事事件の捜査，租税に関する法律の規定に基づく犯則事件の調査又は会計検査院の検査（第36条において「各議院審査等」という。）が行われるとき，その他政令で定める公益上の必要があるとき。
16　人の生命，身体又は財産の保護のために必要がある場合において，本人の同意があり，又は本人の同意を得ることが困難であるとき。
17　その他これらに準ずるものとして個人情報保護委員会規則で定めるとき。

(1)　「何人も，次の各号のいずれかに該当する場合を除き，特定個人情報の提供をしてはならない」（柱書）

　特定個人情報の提供は，提供先において個人番号と個人情報を紐づけて管理することを可能にするため，本法は，正当な理由があるとして法定された場合を除き，特定個人情報の提供を禁止している。個人情報保護法27条1項柱書は，「個人情報取扱事業者は，次に掲げる場合を除くほか，あらかじめ本人の同意を得ないで，個人データを第三者に提供してはならない」と定め，個人データの第三者提供を制限しているが，特定個人情報は個人番号を含むものであり，個人番号は，悉皆性，唯一無二性，視認性を有し，「民−民−官」で流通するものであるため，より厳格に第三者提供を制限しなければ，不正なデータマッチングが行われる蓋然性が高い。したがって，本人であっても，本条各号が特に認める場合を除き，特定個人情報の提供を禁止されている。また，本条柱書が禁止しているのは提供一般であり，第三者への提供に限定されていないから，本人への提供も，本条各号が特に認める場合（本条1号・2号参照）を除き，禁止されている。すなわち，個人情報保護法が，本人への保有個人情報の提供を一般的に認めているのとは異なる立法政策がとられている（個人情報保護法

本論 本法の逐条解説／第 4 章　特定個人情報の提供

マイナンバー制度における個人情報の管理（分散管理）

✗ マイナンバー制度が導入されることで，各行政機関等が保有している個人情報を**特定の機関に集約**し，その集約した個人情報を各行政機関が閲覧することができる『**一元管理**』の方法をとるもの**ではない**。

○ マイナンバー制度が導入されても，従来どおり個人情報は**各行政機関等が保有**し，他の機関の個人情報が必要となった場合には，マイナンバー法別表第 2 で定められるものに限り，情報提供ネットワークシステムを使用して，情報の照会・提供を行うことができる『**分散管理**』の方法をとるもの**である**。

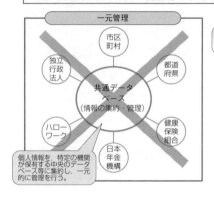
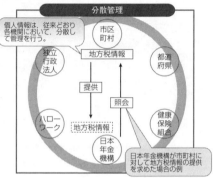

出典：デジタル庁ホームページ

69 条 2 項 1 号参照）。

　特定個人情報に含まれる個人番号に代えて，提供先において当該個人番号を特定可能な番号，記号その他の符号を含む個人情報を提供する場合を含む（本法 2 条 8 項）。たとえば，個人番号の「1，2，3，4，5」をひらがなの「あ，い，う，え，お」と読み替えるというルールに従い，個人番号を置き換えた符号を提供するような場合である。かかる提供は，提供先において個人番号と個人情報を紐づけて管理することを可能にすることに変わりはないからである。情報提供ネットワークシステムを使用する場合は，情報連携のキーとして個人番号を使用せず，情報保有機関ごとに異なる符号（リンクコード）が用いられるが，情報照会者においては，個人番号と符号を可逆暗号，対照テーブル等により対応させるため，特定個人情報の提供に該当することになる。

　本条各号に該当する場合の提供は正当な業務行為になるので，国家公務員法，地方公務員法，地方税法等の秘密保持義務規定に違反しない。なお，本条各号該当性は，個人番号の提供の求め（本法 15 条），特定個人情報の収集・保管（同 20 条）が許容される基準ともなっている。

第19条（特定個人情報の提供の制限）

(2) 「個人番号利用事務実施者が個人番号利用事務を処理するために必要な限度で本人若しくはその代理人……に対し特定個人情報を提供するとき」
（1号）

　本号の個人番号利用事務実施者には，本法9条3項の規定により情報提供用個人識別符号を利用するものを除かれる（本法13条かっこ書）。その理由は，本法9条3項の法務大臣は，本人もしくはその代理人または個人番号関係事務実施者に対して個人番号を提供する必要はないからである。本人または特定個人情報の受領等を準委任された代理人に特定個人情報を提供する必要がある場合には，不正な提供がなされるおそれはないので，本人もしくはその代理人への特定個人情報の提供は，情報提供ネットワークシステムを介さずに行うことができることとしている。具体例として，地方税の納付状況について本人から照会を受けた地方公共団体（個人番号利用事務実施者）が，個人番号を記載して回答する場合が考えられる。なお，本号の「代理人」には，特に制限は付されていないので，法定代理人に限られず，任意代理人も含む。

(3) 「個人番号利用事務実施者が個人番号利用事務を処理するために必要な限度で……個人番号関係事務実施者に対し特定個人情報を提供するとき」
（1号）

　個人番号利用事務実施者が個人番号関係事務実施者に対し特定個人情報を提供する場合の具体例としては，地方税の特別徴収（住民から徴収する税金を給与支払者に徴収させ納入させる制度）のために，市区町村が給与支払者に特別徴収税額を通知する必要がある場合（地方税法321条の4第1項等），介護保険料の特別徴収のために，市区町村が給与支払者に特別徴収保険料額を通知する必要がある場合（介護保険法136条1項），健康保険の保険料額の基礎となる標準報酬月額を保険者等が事業主に通知する場合（健康保険法49条1項。さらに事業主が本人に通知する〔同条2項〕）。労働保険，年金保険においても同様の仕組みが採用されている），健康保険の被保険者の資格の取得および喪失の確認を厚生労働大臣または健康保険組合が事業主に通知する場合（健康保険法49条1項および同法施行規則46条）がある。前記のような例は，特定個人情報の本来の利用目的に沿った提供といえるので，個人番号の本人にとっても想定内のものといえ，膨大な数にのぼる給与支払者に情報提供ネットワークシステムの使用を義務づける

ことは過大な負担を課すことになるので，情報提供ネットワークシステムを経由しない特定個人情報の提供を認めている。

(4)　「（個人番号利用事務実施者が，生活保護法（昭和25年法律第144号）第29条第1項，厚生年金保険法第100条の2第5項その他の政令で定める法律の規定により本人の資産又は収入の状況についての報告を求めるためにその者の個人番号を提供する場合にあっては，銀行その他の政令で定める者に対し提供するときに限る。）」（1号）

　個人番号利用事務実施者が個人番号利用事務として資力調査を行う場合であって，その実効性を確保するために，個人番号を付した照会をする場合には，照会先を実際に個人番号を保有していると考えられる者に限定する趣旨である。平成27年法律第65号による改正により，本人に個人番号の告知義務はないが，銀行等の金融機関は預金者に個人番号を付すことができることになった。生活保護申請があった場合の資産調査を行うとき，銀行等に個人番号を付した照会を行い，個人番号を利用して効率的に資産調査を行うことが可能になった。

　本号の「政令で定める法律の規定」は，(i)児童福祉法57条の4，(ii)生活保護法29条1項（「中国残留邦人等の円滑な帰国の促進並びに永住帰国した中国残留邦人等及び特定配偶者の自立の支援に関する法律」14条4項〔同法15条3項および「中国残留邦人等の円滑な帰国の促進及び永住帰国後の自立の支援に関する法律の一部を改正する法律」（平成19年法律第127号）附則4条2項において準用する場合を含む〕ならびに「中国残留邦人等の円滑な帰国の促進及び永住帰国後の自立の支援に関する法律の一部を改正する法律」〔平成25年法律第106号〕附則2条1項および2項の規定によりなお従前の例によるものとされた同法による改正前の「中国残留邦人等の円滑な帰国の促進及び永住帰国後の自立の支援に関する法律」14条4項の規定によりその例によるものとされる場合を含む），(iii)公営住宅法34条（住宅地区改良法29条1項において準用する場合を含む），(iv)厚生年金保険法100条の2第5項，(v)国民健康保険法113条の2第1項，(vi)国民年金法108条1項および2項，(vii)児童扶養手当法30条，(viii)老人福祉法36条，(ix)特別児童扶養手当等の支給に関する法律37条，(x)児童手当法28条（同法附則2条3項において準用する場合を含む），(xi)高齢者の医療の確保に関する法律138条1項および3項，(xii)介護保険法203条1項，(xiii)特定障害者に対する特別障害給付金の支給に関する法律29条，(xiv)障害者の日常

第 19 条（特定個人情報の提供の制限）

生活及び社会生活を総合的に支援するための法律 12 条，⒂子ども・子育て支援法 16 条，⒃難病の患者に対する医療等に関する法律 37 条である（本法施行令 18 条の 2 第 1 項）。

　また，本号の「政令で定める者」は，預金保険法 2 条 1 項に規定する金融機関，農水産業協同組合貯金保険法 2 条 1 項に規定する農水産業協同組合または所得税法 225 条 1 項の規定による支払に関する調書の提出もしくは同法 226 条 1 項から 3 項までの規定による源泉徴収票の提出をすることとされている者である（本法施行令 18 条の 2 第 2 項）。

⑸　「個人番号関係事務実施者が個人番号関係事務を処理するために必要な限度で特定個人情報を提供するとき（第 12 号に規定する場合を除く。）」（2 号）

　事業主が行政手続等の際に行政主体に特定個人情報を提供する場合等が念頭に置かれている。たとえば，事業主が源泉徴収や保険料納付の事務において，その従業者の個人番号を法定調書に記載して，税務署長，保険者等に提供する場合である。本号に基づく提供が本人またはその代理人に対して行われる場合もある。たとえば，保険料額の基礎となる標準報酬月額（特定個人情報）を保険者等が事業主に通知し，事業主が本人に通知する場合が考えられる。このような場合には，個人番号の本人にとっても想定内のものといえ，不正な情報提供は想定し難いし，かかる場合にまで情報提供ネットワークシステムの使用を義務づけることは，個人番号関係事務実施者に対して，行政手続等に係る過大な負担を課すこととなり，延いては事業主が申請等の行政手続等を行うことを断念する事態を招来しかねない。そこで，情報提供ネットワークシステムを使用しない特定個人情報の提供を認めている。

⑹　「本人又はその代理人が個人番号利用事務等実施者に対し，当該本人の個人番号を含む特定個人情報を提供するとき」（3 号）

　国民が行政手続等の際に事業者や行政主体に特定個人情報を提供する場合が念頭に置かれている。このような場合には，不正な情報提供は想定し難いし，かかる場合にまで情報提供ネットワークシステムの使用を義務づけることは，国民に対して，行政手続等に係る過大な負担を課すこととなり，延いては国民

が申請等の行政手続等を行うことを断念する事態を招来しかねない。そこで，情報提供ネットワークシステムを使用しない特定個人情報の提供を認めている。本人またはその代理人による提供であるので，「事務を処理するために必要な限度で」という制限は課されていないが，提供先は個人番号利用事務等実施者に限定されていることに留意が必要である。本人が個人番号利用事務実施者に特定個人情報を提供する場合としては，個人番号を記載した社会保障給付申請書を地方公共団体等に提出する場合が，そして本人が個人番号関係事務実施者に特定個人情報を提供する場合としては，本人が勤務先の事業者に個人番号を通知する場合が考えられる。従業者が給与所得者の扶養控除等申告書（整備法による改正後の所得税法194条参照）を提出するとき，被扶養者の個人番号の提出も必要になるが，その場合には，従業者は被扶養者の個人番号を記載した扶養控除等申告書を提出する義務を負っていることから個人番号関係事務実施者となる。このように，個人が個人番号関係事務実施者となる場合もある。

(7) 「一の使用者等（使用者，法人又は国若しくは地方公共団体をいう。以下この号において同じ。）における従業者等（従業者，法人の業務を執行する役員又は国若しくは地方公共団体の公務員をいう。以下この号において同じ。）であった者が他の使用者等における従業者等になった場合において」（4号）

従業者等が退職等により，雇用先を変更した場合である。本号で主として念頭に置かれているのは，従業者等が子会社やグループ会社に転籍する場合である。

(8) 「当該従業者等の同意を得て」（4号）

同意は任意に与えられたものでなければならず，また，一度与えた同意を撤回することも認められる。同意は，転職先を示して行われるものであるから，転職先が決定した後に与えられたものでなければならない。したがって，採用時に同意を取得することは認められないと考えられる。国会審議においては，同意が事実上強制されることへの懸念が示され，衆議院内閣委員会は2021年4月2日，参議院内閣委員会は同年5月11日に「転職者等について事業者間で特定個人情報の提供を行う場合には，本人の同意を事実上強制することにな

第19条（特定個人情報の提供の制限）

らないよう，また転職者等が不利にならないよう，十分に配慮すること」を附帯決議している。

(9) 「当該一の使用者等が当該他の使用者等に対し，その個人番号関係事務を処理するために必要な限度で当該従業者等の個人番号を含む特定個人情報を提供するとき」(4号)

　個人情報保護法は，個人データの第三者提供には，原則として本人同意を必要としており，退職者の転職先または転職予定先に当該退職者の個人データを提供する場合にも，本人の同意が必要である（「雇用管理に関する個人情報の適正な取扱いを確保するために事業者が講ずべき措置に関する指針（解説）」参考Ⅳ〔採用，出向・転籍，退職時点における個人情報の適正な取扱いを確保するための留意点〕参照）。これに対して，特定個人情報については，個人番号の悉皆性，唯一無二性，視認性のゆえに不正なデータマッチングを防止する必要性が大きいので，デジタル社会形成整備法による改正前は，本人同意があっても，本法19条各号のいずれかに該当しない限り，転職先への提供は認められていなかった。そのため，転職先の事業者は，転職者から改めて個人番号を取得しなければならず，転職者にとっても事業者にとっても負担となっており，改善が求められていた。

　すなわち，本条3号（「本人又はその代理人が個人番号利用事務等実施者に対し，当該本人の個人番号を含む特定個人情報を提供するとき」）の規定に基づき，個人番号関係事務実施者である使用者等は，その従業者等から法定調書に記載する個人番号の提供を受けることが認められていたものの，従業者等が子会社やグループ会社に転籍したり退職したりしても，本人同意の有無にかかわらず，使用者等の間での個人番号の提供は認められていなかったので，転籍後の使用者等は，従業者等から個人番号の提供を受けなければならなかった。そのため，2020年11月18日に開催された自由民主党行革推進本部役員会において，日本経済団体連合会から，特定個人情報については，法人格を超えた第三者提供が認められないため，グループ企業間で顧客のマイナンバーを共有できないばかりか，従業員に関しても，転籍による雇用先の変更や育児休業に伴う扶養状況の変更に際して再度マイナンバーの提供を受けなければならず，国民・事業者の負担はきわめて大きいとして，制度改正が要望された。2020年度第1回

規制改革ホットライン（同年3月17日），第5回規制改革ホットライン（同年10月26日）でも，同様の要望がなされた。これを受けて，従業者等の転籍・退職等があった場合において，当該従業者等の同意があるときは，転籍前の使用者等から転籍後の使用者等に対して，その個人番号関係事務を処理するのに必要な限度で，当該従業者等の特定個人情報を提供することを認めることとされたのである。「個人番号関係事務を処理するために必要な限度」という制約を課すことにより，不正なデータマッチングによるプライバシー侵害が惹起される蓋然性を低くしている。「その個人番号関係事務を処理するために必要な限度で」の提供であるから，社会保険の資格届，給与支払報告書等の提出等が対象となると考えられる。新たに設けられたこの例外は，マイナンバー法19条3号を補完するものと位置づけられるので，その後に4号として新設された。そして，その施行日は，使用者等および従業者等に対して一定の周知期間を設ける必要があると考えられるので，2021（令和3）年9月1日とされた。

⑽ 「機構が第14条第2項の規定により個人番号利用事務実施者に機構保存本人確認情報等を提供するとき」（5号）

個人番号利用事務実施者（政令で定めるものに限る）は，個人番号利用事務を処理するために必要があるとき（本人による個人番号カードの提示等の方法で個人番号を取得できないときや個人番号の真正性を確認したい場合が考えられる）は，住民基本台帳法30条の9から30条の12までまたは30条の44から30条の44の5までの規定により，地方公共団体情報システム機構に対し，同法30条の9に規定する機構保存本人確認情報または同法30条の42第4項に規定する機構保存附票本人確認情報の提供を求めることができる（本法14条2項）。これを受けて特定個人情報の提供を行う場合には，不正な提供は想定されないし，機構保存本人確認情報等の提供については安全管理措置が講じられているので，情報提供ネットワークシステムの使用を義務づける必要性に乏しく，もし，かかる場合にまで情報提供ネットワークシステムの使用を義務づければ，地方公共団体情報システム機構および個人番号利用事務実施者に過大な負担を課し，個人番号の真正性を確認する事務の円滑な遂行に支障を及ぼすおそれがある。さらに，情報提供ネットワークシステムにおいては，個人番号自体は流通させないことにしている。そのため，情報提供ネットワークシステムを使用しない

第19条（特定個人情報の提供の制限）

特定個人情報の提供を例外的に認めている。

⑾　「特定個人情報の取扱いの全部若しくは一部の委託又は合併その他の事由による事業の承継に伴い特定個人情報を提供するとき」（6号）

　委託や合併による特定個人情報の提供は正当な目的によるものである。個人情報保護法27条5項1号においても委託の場合には第三者提供の制限が課されないこととしている。保有個人情報の目的外利用・提供についての個人情報保護法69条には、委託のための提供が認められる旨の明文の規定はないが、これは当然のこととして規定されなかったものと思われる。本号により、国、独立行政法人等、地方公共団体等が個人番号利用事務等を委託し、当該事務処理のために個人番号を含むデータベースを提供すること、受託者が委託者に特定個人情報を返還することが可能になる。合併その他の事由による事業の承継に伴って個人データが第三者に提供される場合、第三者提供の制限がかからないことは、個人情報保護法27条5項2号に規定されている。「合併その他の事由」の「その他の事由」とは、個人情報保護法27条5項2号（個人データの第三者提供制限の例外）の場合と同じく、営業譲渡、分社化等である。これらの場合に、情報提供ネットワークシステムの使用を義務づけることは過度な負担を課すことになるので、情報提供ネットワークシステムを使用しない特定個人情報の提供を認めている。普通地方公共団体の廃置分合があった場合においては、その地域が新たに属した普通地方公共団体がその事務を承継するので（地方自治法施行令5条1項前段）、特定個人情報は本号により新たに属した普通地方公共団体に提供されたことになる。

⑿　「住民基本台帳法第30条の6第1項の規定その他政令で定める同法の規定により特定個人情報を提供するとき」（7号）

　整備法による住民基本台帳法改正により、住民票には個人番号が記載されることとなり（住民基本台帳法7条8号の2）、個人番号も本人確認情報として位置づけられることになる。そして、市区町村長から都道府県知事へ通知される本人確認情報にも個人番号が含まれることになる（同法30条の6第1項）。したがって、本人確認情報は特定個人情報となり、その提供が可能なのは、本条各号のいずれかに該当する場合に限られることなり、住民基本台帳法のみを根拠に

本人確認情報の提供を行うことはできなくなる。そこで，整備法による改正後の住民基本台帳法において本人確認情報の提供を行うこととしている場合については，それを可能にするために，本号が設けられている。この本人確認情報の提供は，安全管理措置を講じられ（同法36条の2），法的規制の下でなされるものであるので，情報提供ネットワークシステムを使用せずに特定個人情報を提供することが認められている。

　本号の政令で定める住民基本台帳法の規定は，同法12条5項（同法30条の51の規定により読み替えて適用する場合を含む），30条の7第1項または30条の32第2項の規定その他主務省令で定める同法の規定とされている（本法施行令19条）。ここでいう主務省令で定める住民基本台帳法の規定は，同法12条の4第3項もしくは4項（同法30条の51の規定により読み替えて適用する場合を含む），12条の5，13条，14条2項，15条の4第5項において準用する12条5項（同法30条の51の規定により読み替えて適用する場合を含む），22条2項，24条の2第4項，30条の8，30条の10第1項3号，30条の11第1項3号，30条の12第1項3号，30条の13，30条の14，30条の15第2項，30条の20第1項，30条の35または34条1項もしくは2項の規定とされている（本法施行規則18条）。

⑬　「別表第2の第1欄に掲げる者……が，政令で定めるところにより，同表の第3欄に掲げる者……に対し，同表の第2欄に掲げる事務を処理するために必要な同表の第4欄に掲げる特定個人情報（情報提供者の保有する特定個人情報ファイルに記録されたものに限る。）の提供を求めた場合において，当該情報提供者が情報提供ネットワークシステムを使用して当該特定個人情報を提供するとき」（8号）

　情報提供ネットワークシステムを使用して特定個人情報を提供するとき，すなわち，情報提供ネットワークシステムを使用して情報連携が行われる場合である。本法別表第2においては，個別に，特定個人情報の提供を求めることができる機関（情報照会者），照会に応じて特定個人情報を提供することができる機関（情報提供者），特定個人情報を利用することができる事務，提供される特定個人情報が具体的に法定されている。これは，社会保障，税，災害対策分野の個人情報が一般的にセンシティブ情報に当たるため，不正な情報連携が行わ

第 19 条（特定個人情報の提供の制限）

れないように，情報連携が可能な場合を厳格に法定する必要があると考えられたためである。本法公布時の別表第 2 に列記された 115 事務につき，都道府県の機関が情報照会者または情報提供者となるものが 179 場面，市区町村の機関が情報照会者または情報提供者となるものが 238 場面で予定されており，地方公共団体の機関が情報連携で果たす役割は大きい。別表第 2 の事務は，いずれも主務省令で定めるものとされており，詳細は主務省令に委任されている（行政手続における特定の個人を識別するための番号の利用等に関する法律別表第二の主務省令で定める事務及び情報を定める命令〔平成 26 年内閣府・総務省令第 7 号〕）。情報提供者となる機関は，既存の利用番号と個人番号の紐づけを行い，既存システムから照会に対する回答用のデータを抽出して格納し，利用番号と符号を紐づける機能を具備した中間サーバを整備し，情報提供ネットワークシステムと各機関を接合するインターフェイスシステムを設置する等のシステム面での対応が必要になる。

　内閣総理大臣は，情報照会者，情報提供者，情報照会者の処理する事務または当該事務を処理するために必要な特定個人情報の項目が本法別表第 2 に掲げるものに該当しないときは，情報提供ネットワークシステムの使用を許可しないので（本法 21 条 2 項 1 号），情報提供ネットワークシステムは，照会に係る情報提供が本法別表第 2 で法定されたものであることをシステム上確認できる機能を具備していなければならない。

　情報照会者および情報提供者は，情報提供ネットワークシステムを使用して情報連携を行ったときは，(i)情報照会者および情報提供者の名称，(ii)提供の求めの日時および提供があったときはその日時，(iii)特定個人情報の項目，(iv)以上のほかデジタル庁令で定める事項を情報提供ネットワークシステムに接続されたその者の使用する電子計算機に記録し，当該記録を政令で定める期間，保存しなければならない（本法 23 条 1 項）。また，内閣総理大臣ならびに情報照会者および情報提供者は，情報提供ネットワークシステムを使用した当該個人情報の提供の求めまたは提供に関する事務（以下「情報提供等事務」という）に関する秘密について，その漏えいの防止その他の適切な管理のために，情報提供ネットワークシステムならびに情報照会者および情報提供者が情報提供等事務に使用する電子計算機の安全性および信頼性を確保することその他の必要な措置を講じなければならない（同 24 条）。情報提供ネットワークシステムを設置

本論 本法の逐条解説／第4章 特定個人情報の提供

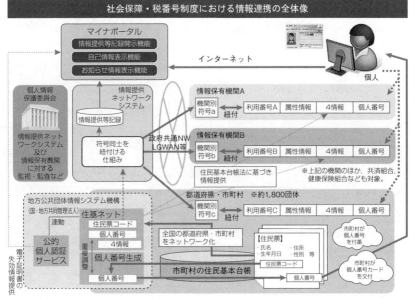

出典：デジタル庁ホームページを基に作成

管理するのは内閣総理大臣であるが，個人情報保護の観点からもきわめて重要なシステムであるので，内閣総理大臣は，個人情報保護委員会と協議して設置管理を行うことが義務づけられている（同21条1項）。

なお，本号の情報連携は，個人番号を直接に用いることなく，情報保有機関ごとに異なる符号を用いて行うこととされている。本法の下では，特定個人情報は分散管理されるが，個人番号を情報連携のキーとして直接に用いた場合（フラットモデル），情報提供ネットワークシステムを運用する職員が個人番号を検索キーとした不正なデータマッチングを行うおそれがある。そこで，住民票コードから生成された「見えない番号」である符号を情報保有機関ごとに作成し（符号の作成方法は，技術的事項として，本法には規定されていない），これを用いて情報提供等事務を行うこととしている（セクトラルモデル）。もっとも，情報連携を行うためには，情報提供ネットワークシステムにおいて，情報連携を許可し，符号同士を紐づける仕組みが必要であり，情報照会者の保有する符号Aと情報提供者の保有する符号Bが同一人のものであることを情報提供ネットワークシステムが確認することになる（この仕組みについて，阿部知明「情報提

第19条（特定個人情報の提供の制限）

供ネットワークシステム、マイ・ポータルなど番号法関連のシステムについて」ジュリスト1457号〔2013年〕51頁参照）。情報照会者による本号の規定による特定個人情報の提供の求めは、デジタル庁令で定めるところにより、情報照会者の使用に係る電子計算機から情報提供ネットワークシステムを使用して内閣総理大臣の使用に係る電子計算機に、当該特定個人情報に係る本人に係る情報提供用個人識別符号、当該特定個人情報の項目および当該特定個人情報を保有する情報提供者の名称その他デジタル庁令で定める事項を送付する方法により行うものとされている（本法施行令20条1項）。個々の情報提供等事務ごとに情報提供ネットワークシステムが情報連携を許可することになるので、許可のあった情報連携については、情報提供者が直接に情報照会者に送信し、情報提供ネットワークシステムの中核部分には特定個人情報自体を流通させない仕組みになっている。

⑭　「法令の規定により同表……に掲げる事務の全部又は一部を行うこととされている者がある場合にあっては、その者を含む」（8号かっこ書）

生活保護法に基づく保護の決定および実施に関する都道府県知事、市区長および福祉事務所を管理する町村長の権限が福祉事務所長に委任されたり（同法19条4項）、雇用保険法に基づく厚生労働大臣の権限が都道府県労働局長に委任され（同法81条1項）、さらに公共職業安定所長に再委任されている場合がある（同条2項）。

⑮　「条例事務関係情報照会者（第9条第2項の規定に基づき条例で定める事務のうち別表第2の第2欄に掲げる事務に準じて迅速に特定個人情報の提供を受けることによって効率化を図るべきものとして個人情報保護委員会規則で定めるものを処理する地方公共団体の長その他の執行機関であって個人情報保護委員会規則で定めるものをいう。第26条において同じ。)」（9号）

「条例事務」とは、本法9条2項の規定に基づき、地方公共団体の長その他の執行機関が、個人番号を独自利用するために条例で定める事務のうち、情報提供ネットワークシステムを使用した情報連携が可能な事務として本法別表第2の第2欄に掲げる事務（法定事務）に準じて迅速に特定個人情報の提供を受

本論 本法の逐条解説／第4章 特定個人情報の提供

けることによって効率化を図るべきものとして個人情報保護委員会規則で定めるものを意味する。本号の個人情報保護委員会規則で定める事務は，本法9条2項の規定に基づき条例で定める事務のうち，(i)本法9条2項の規定に基づき条例で定める事務の趣旨または目的が，法定事務の根拠となる法令の趣旨または目的と同一であることという要件を満たすもの，(ii)その事務の内容が，前記(i)の法定事務の内容と類似していることである（行政手続における特定の個人を識別するための番号の利用等に関する法律第19条第9号に基づく特定個人情報の提供に関する規則〔以下「平成28年規則5号」という〕2条1項）。本号の個人情報保護委員会規則で定める個人番号利用事務実施者は，当該法定事務またはそれ以外の法定事務のうちその事務の内容が当該条例事務の内容と類似しているものであって，①その事務において貸与または支給の対象となる費用が，条例事務において貸与または支給の対象となる費用と類似していること，②その事務において貸与し，または支給する物品が，条例事務において貸与し，または支給する物品と類似していること，③その事務において提供する役務が，条例事務において提供する役務と類似していること，のいずれかに該当するもの（以下「法定事務等」という）を処理するために必要な特定個人情報を提供する情報提供者と同一または当該情報提供者のいずれかに該当するもの（法令の規定により当該特定個人情報の利用または提供に関する事務の全部または一部を行うこととされている者がある場合にあっては，その者を含む）とされている。ただし，提供することができる特定個人情報の範囲が条例により限定されている地方公共団体の長その他の執行機関（以下「限定機関」という）が，行政手続における特定の個人を識別するための番号の利用等に関する法律第19条第9号の規定により提供することができる特定個人情報の範囲の限定に関する規則（以下「平成28年規則6号」という）2条1項の規定に基づきあらかじめその旨を個人情報保護委員会に申し出た場合において，条例により提供しないこととされた特定個人情報の範囲にあっては，限定機関は除かれる（平成28年規則5号2条3項）。本号の個人情報保護委員会規則で定める特定個人情報は，法定事務等において情報提供者に提供を求める特定個人情報の範囲と同一またはその一部である特定個人情報であるが，(ｱ)提供を求めた特定個人情報が地方税関係情報である場合において，当該地方税関係情報の提供を求めることについて本人の同意がない場合における当該地方税関係情報，(ｲ)限定機関が，平成28年規則6号2条1項の

第19条（特定個人情報の提供の制限）

規定に基づきあらかじめその旨を個人情報保護委員会に申し出た場合において，条例により提供しないこととされた特定個人情報の範囲における当該特定個人情報は除かれる（平成28年規則5号2条4項）。他の地方公共団体Aが制定した条例によって，別の地方公共団体Bが条例事務関係情報提供者として特定個人情報の提供義務を課されることになると，地方公共団体Bの住民の統制が及ぶことなく，Aの住民の意思により，Bが義務を課されることは適切でない。そこで，Bの条例により，特定個人情報の提供義務を負わないようにすることができるようにしている。

　以上のように，本号は，地方公共団体の長その他の執行機関が，本法9条2項の規定に基づく条例で個人番号を独自利用する事務を定めた場合にも，一定の要件の下に情報提供ネットワークシステムを使用した情報連携を可能にするために，平成27年法律第65号による改正で新設されたものである。情報提供ネットワークシステムを使用した情報連携を行うためには，特定の個人に係る個人番号を取得し，これを基に情報提供用個人識別符号（本法施行令20条1項）を取得することが必要になる。本法2条12項に規定する個人番号利用事務実施者は，住民基本台帳法30条の9から30条の12までの規定により，地方公共団体情報システム機構に対し機構保存本人確認情報の提供を求めることができ（本法14条2項），これにより，個人番号の真正性を確認することができる。他方，平成27年法律第65号による改正前の住民基本台帳法30条の10から30条の12までにおいては，本法9条2項の規定に基づく独自利用条例を定めた場合に，地方公共団体情報システム機構から機構保存本人確認情報を提供する根拠規定がなかった。しかし，本法9条2項の規定に基づく独自利用事務を実施したり，情報提供ネットワークシステムを使用した情報連携を行うために個人番号の確認を必要とする場合がありうる。たとえば，市区町村長が条例による固定資産税の減免事務を行うに当たり，住登外者の個人番号を確認したり，都道府県知事が高等学校等就学支援金の条例に基づく上乗せ給付を行うに当たり，県外から通学している学生の個人番号の確認を必要とする場合である。かかる場合に，本人確認情報の提供を行うために必要な条例をすべての地方公共団体が条例を制定することを期待することは，地方公共団体にとり過大な負担となることから，地方公共団体情報システム機構から本人確認情報の提供を受けることができるようにするための法改正が，地方公共団体から要望されてい

た。そこで，住民基本台帳法を改正して，本法9条2項の規定に基づき独自利用条例を定めた場合にも，地方公共団体情報システム機構から本人確認情報の提供を受けることができることとされた。

(16)　「国税庁長官が都道府県知事若しくは市町村長に又は都道府県知事若しくは市町村長が国税庁長官若しくは他の都道府県知事若しくは市町村長に，地方税法第46条第4項若しくは第5項，第72条の58，第317条，第325条又は第739条の5第7項の規定その他政令で定める同法若しくは森林環境税及び森林環境譲与税に関する法律（平成31年法律第3号）又は国税（国税通則法第2条第1号に規定する国税をいう。以下同じ。）に関する法律の規定により国税又は地方税若しくは森林環境税に関する特定個人情報を提供する場合において，当該特定個人情報の安全を確保するために必要な措置として政令で定める措置を講じているとき」（10号）

いわゆる国税連携および地方税連携であり，本法制定前からかかる連携が認められていた。すなわち，国税庁長官から都道府県知事，市区町村長に対して，国税電子申告・納税システム（e-Tax），全国の国税局・税務署をネットワーク化した国税総合管理（KSK）システムの所得税確定申告に係るデータが，地方税電子化協議会（一般社団法人）が管理する地方税ポータルシステム（eLTAX）を経由して配信されていた。本号は，個人番号を付加することにより，連携の正確性・効率性を向上させるために国税庁長官から都道府県知事・市区町村長に対して，および都道府県知事・市区町村長から国税庁長官・他の都道府県知事・市区町村長に対して，一定の場合に国税・地方税に関する特定個人情報の提供を認容している。本号の政令で定める地方税法または国税に関する法律の規定は，同法48条2項，72条の59もしくは294条3項の規定その他主務省令で定める同法の規定または外国居住者等の所得に対する相互主義による所得税等の非課税等に関する法律40条4項において準用する同法39条1項から3項までもしくは同法40条7項において準用する同法39条6項から9項まで（これらの規定を同法42条1項において準用する場合を含む）とされている（本法施行令21条）。同条の委任に基づく主務省令で定める地方税法の規定は，本法施行規則19条で定められている。

　従前から，国税連携・地方税連携の手段として，電子情報処理組織を使用す

第 19 条（特定個人情報の提供の制限）

る方法と書面による方法が併存している（地方税法 46 条 5 項，72 条の 59 第 1 項，325 条，354 条の 2，605 条，701 条の 55 第 1 項）。前者については，地方税法に基づく総務省令で定めるセキュリティの要件を満たすシステムがすでに存在し使用されているので，情報提供ネットワークシステムの使用を義務づける必要性はないし，あえて義務づければ二重のシステム投資の無駄を生じさせることになるため，情報提供ネットワークシステムを経由しない特定個人情報の提供を認めている。後者については，地方税法の体系の下で，セキュリティ確保の措置が講じられていないので，特定個人情報の安全を確保するために必要な措置として政令で定める措置を講じることを条件として，情報提供ネットワークシステムを経由しない特定個人情報の提供を認めている。本号の政令で定める措置は，(i)特定個人情報の提供を受ける者の名称，特定個人情報の提供の日時および提供する特定個人情報の項目その他主務省令で定める事項を記録し，ならびに当該記録を 7 年間保存すること，(ii)提供する特定個人情報が漏えいした場合において，その旨およびその理由を遅滞なく個人情報保護委員会に報告するために必要な体制を整備するとともに，提供を受ける者が同様の体制を整備していることを確認すること，(iii)以上のほか，特定個人情報の安全を確保するために必要な措置として主務省令で定める措置とされている（本法施行令 22 条）。(iii)の主務省令では，①前記(i)に規定する記録に係る特定の個人を識別すること，②特定個人情報の提供を受ける者に対し，特定個人情報を提供する者の名称，特定個人情報の提供の日時および提供を受ける特定個人情報の項目を記録し，当該記録に係る特定の個人を識別するとともに，当該記録を 7 年間保存するよう求めること，③国税庁長官または都道府県知事もしくは市区町村長の使用に係る電子計算機を相互に電気通信回線で接続した電子情報処理組織を使用して特定個人情報を提供する場合には，情報通信の技術の利用における安全性および信頼性を確保するために必要な基準として内閣総理大臣が定める基準（「行政手続における特定の個人を識別するための番号の利用等に関する法律施行規則第 20 条第 3 号の規定に基づき内閣総理大臣が定める基準」〔平成 27 年内閣府告示第 447 号〕）に従って行うこと，④以上のほか，特定個人情報の安全を確保するために必要な措置として内閣総理大臣が定める措置（「行政手続における特定の個人を識別するための番号の利用等に関する法律施行規則第 20 条第 4 号の規定に基づき内閣総理大臣が定める措置」〔平成 27 年内閣府告示第 448 号〕）とされている（本法施行規則 20

本論 本法の逐条解説／第4章 特定個人情報の提供

条）。

⑰ 「地方公共団体の機関が，条例で定めるところにより，当該地方公共団体の他の機関に，その事務を処理するために必要な限度で特定個人情報を提供するとき」（11号）

　地方公共団体では，執行機関単位で個人情報を管理することになっているが，当該地方公共団体の他の執行機関に条例の根拠に基づき行われる特定個人情報の提供の場合には，不正な提供は想定し難いので，条例で定めれば，情報提供ネットワークシステムを使用せずに特定個人情報を提供することを認めている。地方公共団体の教育委員会の求めに応じ，同一の地方公共団体の首長部局の税務担当課が地方税に係る特定個人情報を提供する場合には，異なる執行機関間の特定個人情報の提供であるので，本号に基づく条例の制定が必要になる。条例には，特定個人情報の提供を求める機関，特定個人情報を利用する事務，特定個人情報を提供する機関，提供する特定個人情報を明確にすべきであろう。

⑱ 「社債，株式等の振替に関する法律（平成13年法律第75号）第2条第5項に規定する振替機関等……が同条第1項に規定する社債等……の発行者（これに準ずる者として政令で定めるものを含む。）又は他の振替機関等に対し，これらの者の使用に係る電子計算機を相互に電気通信回線で接続した電子情報処理組織であって，社債等の振替を行うための口座が記録されるものを利用して，同法又は同法に基づく命令の規定により，社債等の振替を行うための口座の開設を受ける者が第9条第4項に規定する書面（所得税法第225条第1項（第1号，第2号，第8号又は第10号から第12号までに係る部分に限る。）の規定により税務署長に提出されるものに限る。）に記載されるべき個人番号として当該口座を開設する振替機関等に告知した個人番号を含む特定個人情報を提供する場合において，当該特定個人情報の安全を確保するために必要な措置として政令で定める措置を講じているとき」（12号）

　上場株式の発行会社が株式配当に係る支払調書に記載する株主の氏名・住所等の情報を配当金の支払の都度株主から直接に入手せずに，社債，株式等の振替に関する法律に基づく振替制度を利用して証券会社から入手している実態を

第 19 条（特定個人情報の提供の制限）

踏まえ，株主の個人番号も振替制度を利用して入手することが可能になるようにすることにより，マイナンバー制度の円滑な導入および運用を企図したものである。たとえば，上場株式の発行会社が株式配当金支払に係る法定調書を税務署長に提出するに当たり，投資家の個人番号を記載する必要があるため，証券会社が当該投資家の口座開設時に告知を受けた個人番号を同法 3 条 1 項の規定に基づき主務大臣により指定を受けた振替機関である証券保管振替機構を経由して提供を受ける場合である。本号の政令で定める者は，(i)投資信託及び投資法人に関する法律 2 条 1 項に規定する委託者指図型投資信託の受託者または同法 166 条 2 項 8 号に規定する投資主名簿等管理人，(ii)協同組織金融機関の優先出資に関する法律 25 条 2 項に規定する優先出資者名簿管理人，(iii)資産の流動化に関する法律 42 条 1 項 3 号に規定する優先出資社員名簿管理人，(iv)会社法 123 条に規定する株主名簿管理人または同法 683 条に規定する社債原簿管理人，(v)信託法 188 条に規定する受益権原簿管理人である（本法施行令 23 条）。

　特定個人情報の安全を確保するために必要な措置として政令で定める措置を講じていることが要件となっているため，セキュリティは確保されることが前提になっている。本号の政令で定める措置は，①特定個人情報を提供する者の使用に係る電子計算機に特定個人情報の提供を受ける者の名称，特定個人情報の提供の日時および提供する特定個人情報の項目その他主務省令で定める事項を記録し，ならびに当該記録を 7 年間保存すること，②提供する特定個人情報が漏えいした場合において，その旨およびその理由を遅滞なく個人情報保護委員会に報告するために必要な体制を整備するとともに，提供を受ける者が同様の体制を整備していることを確認すること，③以上のほか，特定個人情報の安全を確保するために必要な措置として主務省令で定める措置である（本法施行令 24 条）。この主務省令で定める措置は，(ア)前記①に規定する記録に係る特定の個人を識別すること，(イ)特定個人情報の提供を受ける者に対し，その使用に係る電子計算機に特定個人情報を提供する者の名称，特定個人情報の提供の日時および提供を受ける特定個人情報の項目を記録し，当該記録に係る特定の個人を識別するとともに，当該記録を 7 年間保存するよう求めること，(ウ)情報通信の技術の利用における安全性および信頼性を確保するために必要な基準として内閣総理大臣が定める基準（「行政手続における特定の個人を識別するための番号の利用等に関する法律施行規則第 21 条第 3 号の規定に基づき内閣総理大臣が定める基

準」(平成27年内閣府告示第449号))に従って特定個人情報を提供することである(本法施行規則21条)。

(19) 「第35条第1項の規定により求められた特定個人情報を個人情報保護委員会……に提供するとき」(13号)

個人情報保護委員会による行政調査に応じて特定個人情報を個人情報保護委員会に提出する場合である。このような場合には,緊急に特定個人情報の提供を行う必要があり,情報提供ネットワークシステムの使用を義務づけることとすると,特定個人情報の適正な取扱いを確保するという個人情報保護委員会の責務の履行に支障を及ぼすおそれがあるため,情報提供ネットワークシステムを介しない特定個人情報の提供を認めている。

(20) 「第38条の7第1項の規定により求められた特定個人情報を総務大臣に提供するとき」(14号)

「第38条の7第1項の規定」は,総務大臣が,機構処理事務の適正な実施を確保するため必要があると認めるときに,地方公共団体情報システム機構に対して,機構処理事務の実施の状況に関し,必要な報告または資料の提出を求め,またはその職員に,地方公共団体情報システム機構の事務所に立ち入らせ,機構処理事務の実施の状況に関し質問させ,もしくは帳簿書類その他の物件を検査させることができると定めている。この規定は,地方公共団体情報システム機構に対する国の監督を可能にするために,「地方公共団体情報システム機構法等の一部を改正する法律(平成29年法律第36号)」で設けられたものである。本法38条の7第1項の規定による調査では,特定個人情報の記載された資料の提供を受けたり,特定個人情報の掲載されたパソコン画面を閲覧したりする場合のように,地方公共団体情報システム機構から特定個人情報の提供を受ける必要がありうるからである。総務大臣による行政調査に応じて特定個人情報を総務大臣に提供する場合には,緊急に特定個人情報を提供する必要があり,情報提供ネットワークシステムの使用を義務づけることとすると,特定個人情報の適正な取扱いを確保するという総務大臣の責務の履行に支障を及ぼすおそれがあるため,情報提供ネットワークシステムを介しない特定個人情報の提供を認めている。

第 19 条（特定個人情報の提供の制限）

なお，本人確認情報処理事務の適正な実施を確保するために，総務大臣が地方公共団体情報システム機構に対して報告徴収および立入検査を実施する場合（住民基本台帳法 30 条の 20 第 1 項）についても本法 19 条 7 号に特定個人情報の提供制限の例外とすることが規定されている（他方，公的個人認証法では特定個人情報を取り扱わないため，公的個人認証法 43 条の規定に基づき，総務大臣が地方公共団体情報システム機構に対して報告徴収および立入検査を実施する場合については，本法 19 条で特定個人情報の提供制限の例外として位置づけられていない）。

(21)「各議院若しくは各議院の委員会若しくは参議院の調査会が国会法（昭和 22 年法律第 79 号）第 104 条第 1 項（同法第 54 条の 4 第 1 項において準用する場合を含む。）若しくは議院における証人の宣誓及び証言等に関する法律（昭和 22 年法律第 225 号）第 1 条の規定により行う審査若しくは調査，訴訟手続その他の裁判所における手続，裁判の執行，刑事事件の捜査，租税に関する法律の規定に基づく犯則事件の調査又は会計検査院の検査（第 36 条において「各議院審査等」という。）が行われるとき，その他政令で定める公益上の必要があるとき」(15 号)

　国会法 104 条 1 項は，「各議院又は各議院の委員会から審査又は調査のため，内閣，官公署その他に対し，必要な報告又は記録の提出を求めたときは，その求めに応じなければならない」と定めており，同法 54 条の 4 第 1 項は，参議院の調査会にこの規定を準用している。「議院における証人の宣誓及び証言等に関する法律」1 条は，「各議院から，議案その他の審査又は国政に関する調査のため，証人として出頭及び証言又は書類の提出（提示を含むものとする。以下同じ）を求められたときは，この法律に別段の定めのある場合を除いて，何人でも，これに応じなければならない」と定めている。

　これらの場合には，特定個人情報の提供の必要性が大きい一方，不正な情報提供は想定し難いという理由で，情報提供ネットワークシステムを介しない特定個人情報の提供が認められている。

　「その他政令で定める公益上の必要があるとき」とは，以下の通りである。(i)恩赦法 4 条の特赦，同法 6 条の減刑（同条に規定する特定の者に対するものに限る），同法 8 条の刑の執行の免除または同法 9 条の復権（同条に規定する特定の者に対するものに限る）が行われるとき，(ii)独占禁止法 47 条 1 項の規定による処

本論 本法の逐条解説／第4章　特定個人情報の提供

分または同法101条1項に規定する犯則事件の調査が行われるとき，(ⅲ)地方自治法100条1項の規定による調査が行われるとき，(ⅳ)金融商品取引法の規定による報告もしくは資料の提出の求め，もしくは検査（同法6章の2の規定による課徴金に係る事件についてのものに限る），同法177条の規定による処分，同章2節の規定による審判手続，同法187条（投資信託及び投資法人に関する法律26条7項〔同法54条1項において準用する場合を含む〕，60条3項，219条3項および223条3項において準用する場合を含む）の規定による処分（金融商品取引法187条1項の規定による処分にあっては，同法192条の規定による申立てについてのものに限る）または同法210条1項（犯罪による収益の移転防止に関する法律32条において準用する場合を含む）に規定する犯則事件の調査が行われるとき，(ⅴ)公認会計士法33条1項（同法34条の21の2第7項において準用する場合を含む）の規定による処分（同法31条の2第1項または34条の21の2第1項の規定による課徴金に係る事件についてのものに限る）または同法5章の5の規定による審判手続が行われるとき，(ⅵ)検察審査会法2条1項1号に規定する審査が行われるとき，(ⅶ)少年法6条の2第1項または3項の規定による調査が行われるとき，(ⅷ)租税に関する法律またはこれに基づく条例の規定による質問，検査，提示もしくは提出の求め，または協力の要請が行われるとき，(ⅸ)破壊活動防止法11条の規定による処分の請求，同法22条1項の規定による審査，同法27条の規定による調査または同法28条1項（無差別大量殺人行為を行った団体の規制に関する法律30条において準用する場合を含む）の規定による書類および証拠物の閲覧の求めが行われるとき，(ⅹ)租税条約等の実施に伴う所得税法，法人税法及び地方税法の特例等に関する法律8条の2第1項の規定による情報の提供が行われるとき，(ⅺ)国際捜査共助等に関する法律1条1号に規定する共助（同条4号に規定する受刑者証人移送を除く）または同法18条1項の協力が行われるとき，(ⅻ)暴力団員による不当な行為の防止等に関する法律33条1項の規定による報告もしくは資料の提出の求め，または立入検査が行われるとき，(ⅹⅲ)麻薬特例法21条の規定による共助が行われるとき，(ⅹⅳ)行政機関情報公開法19条1項の規定による諮問が行われるとき，(ⅹⅴ)不正アクセス行為の禁止等に関する法律9条1項の規定による申出が行われるとき，(ⅹⅵ)組織犯罪処罰法59条1項または2項の規定による共助が行われるとき，(ⅹⅶ)無差別大量殺人行為を行った団体の規制に関する法律7条1項，14条1項もしくは29条の規定による調査，同法7条2項もしくは14条2

第19条（特定個人情報の提供の制限）

項の規定による立入検査または同法12条1項の規定による処分の請求が行われるとき，(xviii)独立行政法人等情報公開法19条1項の規定による諮問が行われるとき，(xix)個人情報保護法105条1項の規定による諮問，同法143条1項の規定による報告もしくは資料の提出の求めもしくは立入検査，同法153条の規定による資料の提出および説明の求めもしくは実地調査，同法156条の規定による報告の求めまたは同法162条1項の規定による報告の求めが行われるとき，(xx)犯罪被害財産等による被害回復給付金の支給に関する法律6条1項に規定する犯罪被害財産支給手続または同法37条1項に規定する外国譲与財産支給手続が行われるとき，(xxi)犯罪による収益の移転防止に関する法律8条1項の規定による届出，同条4項もしくは5項の規定による通知，同法13条1項もしくは14条1項の規定による提供，同法13条2項の規定による閲覧，謄写もしくは写しの送付の求め，同法15条もしくは19条2項の規定による報告もしくは資料の提出の求め，または同法16条1項もしくは19条3項の規定による立入検査が行われるとき，(xxii)国際刑事裁判所に対する協力等に関する法律2条4号に規定する証拠の提供，同条10号に規定する執行協力または同法52条1項に規定する管轄刑事事件の捜査に関する措置が行われるとき，(xxiii)更生保護法85条1項に規定する更生緊急保護が行われるとき，(xxiv)公文書等の管理に関する法律8条1項，11条4項もしくは14条2項の規定による移管または同法21条4項の規定による諮問が行われるとき（本法施行令25条，同別表）。

⑵⑵ 「人の生命，身体又は財産の保護のために必要がある場合において，本人の同意があり，又は本人の同意を得ることが困難であるとき」(16号)

特定個人情報の提供の必要性が高く，情報提供ネットワークシステムを使用する暇がないほどの緊急の必要があると認められる場合であるので，情報提供ネットワークシステムの使用を義務づけていない。なお，個人情報保護法27条1項2号は，「人の生命，身体又は財産の保護のために必要がある場合であって，本人の同意を得ることが困難であるとき」には，個人データの第三者提供を認めている。また，かかる場合は，個人情報保護法69条2項4号の「本人以外の者に提供することが明らかに本人の利益になるとき」に当たると解される（個人情報保護法69条2項4号に該当する場合においても，「本人又は第三者の権利利益を不当に侵害するおそれがあると認められるとき」には，目的外利用・提供を認

めていないが，本号には，かかる限定はない)。災害が発生しようとし，または発生しているときに，要支援者を優先的に避難させるために必要があり本人の同意を得ることが困難である場合において，市区町村が，他の市区町村(介護保険者)から個人番号を付した介護関係情報(特定個人情報)の提供を受けることは，本号に該当する。なお，特定個人情報について，人の生命，身体または財産の保護のために必要がある場合において，本人の同意があり，または本人の同意を得ることが困難である場合には，市区町村の福祉部局が保有している要介護者の特定個人情報を当該市町村の防災部局に利用させ，優先的に避難させることができるように，目的外利用が認められる。

⒇ 「その他これらに準ずるものとして個人情報保護委員会規則で定めるとき」(17号)

特定個人情報の提供は法律で明確に規定することが望ましいが，すべての場合を予想して網羅的に規定することは困難であることから，臨機応変に対応するために，個人情報保護委員会の判断で例外を認めることとしている。個人情報保護委員会規則では，(i)行政書士法13条の22第1項の規定による立入検査または同法14条の3第2項の規定による調査が行われるとき，(ii)税理士法55条1項の規定による報告の徴取，質問または検査が行われるとき，(iii)社会保険労務士法24条1項の規定による報告の求め，または立入検査が行われるとき，(iv)条例の規定に基づき地方公共団体の機関がした開示決定等(行政機関情報公開法10条1項に規定する開示決定等または個人情報保護法78条4号，94条1項もしくは102条1項に規定する開示決定等，訂正決定等もしくは利用停止決定等に相当するものをいう)または開示請求等(行政機関情報公開法4条1項に規定する開示請求または個人情報保護法76条2項，90条2項もしくは98条2項に規定する開示請求，訂正請求もしくは利用停止請求に相当するものをいう)に係る不作為について審査請求があった場合において，当該審査請求に対する裁決をすべき当該地方公共団体の機関による諮問が行われるときが定められている(「行政手続における特定の個人を識別するための番号の利用等に関する法律第19条第17号に基づき同条第15号に準ずるものとして定める特定個人情報の提供に関する規則」〔平成27年特定個人情報保護委員会規則第1号〕)。

（収集等の制限）
第20条 何人も，前条各号のいずれかに該当する場合を除き，特定個人情報（他人の個人番号を含むものに限る。）を収集し，又は保管してはならない。

(1) 「前条各号のいずれかに該当する場合を除き」

本条は，何人に対しても，特定個人情報（他人の個人番号を含むものに限る）を収集し，または保管する行為を原則として禁止しているが，本法19条各号のいずれかに該当する場合には，特定個人情報の提供が認められており，提供を受ける者が特定個人情報を収集・保管することに正当な理由があると考えられるので，禁止の例外としている。なお，本法19条各号により提供を受けた特定個人情報であっても，無制限に保管できるわけではなく，利用目的の達成に必要な範囲において保管が許される（個人情報保護法18条1項，61条2項参照）。

(2) 「他人の個人番号を含むものに限る」（かっこ書）

本人が自分の特定個人情報を収集・保管することには問題がないため，他人の個人番号を含む特定個人情報に限定して収集等を禁止している。ここでいう「他人」とは，自己と同一の世帯に属する者以外の者をいう（本法15条）。したがって，親が同居している自分の幼児の特定個人情報を収集・保管することは禁じられていない。

(3) 「何人も……特定個人情報……を収集し，又は保管してはならない」

「収集」とは，集める意思をもって自己が所持する状態に移すことを意味し，人からUSBメモリの交付を受ける場合，個人番号を記載したメモを受け取る場合，聞き取った個人番号をメモする場合のように人から収集する場合に限らず，自己のUSBメモリに複写して自宅に持ち帰る場合，電子計算機を操作して個人番号を画面上に表示させ，その個人番号をメモする場合，電子計算機を操作して個人番号を画面上に表示させ，プリントアウトする場合のように人の手を介さない場合も含む。しかし，単に閲覧をして特定個人情報の内容を知ったとしても特定個人情報を所持したとはいえず，収集には当たらない。「保管」とは，自己の支配下に保持することを意味し，特定個人情報が記録された文書または電磁的記録を個人番号利用事務等実施者の職員が無断で自宅に持ち帰れ

ば，当該職員は特定個人情報の「保管」制限にも違反したことになる。

　特定個人情報の収集等の制限の対象の典型的な場合として想定されるのは，個人番号利用事務等実施者の職員が，当該事務に必要な範囲を超えて，他人に譲渡する目的で特定個人情報を収集・保管する行為であるが，レンタルビデオ店の店員が，会員登録の際の本人確認のため，個人番号カードを提示された際に，顔写真で本人確認するにとどまらず，個人番号をメモし保管する行為等も想定されるため，何人に対しても禁止することとしている。個人番号カードの裏面に個人番号が記載されるが，本人確認の際，個人番号の記載された裏面をコピーして保存することは，本条に違反する。住民から出された申請書の中に添付書類として不要な住民票が紛れ込んでおり，それに個人番号が記載されていた場合，そのことを職員が認識した後，速やかに特定個人情報の違法な保管状態を解消する措置を講ずる必要がある。具体的には，当該住民票を当該住民に返還したり，当該住民の同意を得て，当該住民票を廃棄したり個人番号を黒塗りしたりする方法が考えられる。

　特定個人情報の収集・保管は，提供・盗用の前提となる行為であり，提供・盗用が行われれば，データマッチングによりプライバシーが侵害されるおそれがあるので，これを禁止しているが，一般的には，直罰の対象とはしておらず，個人情報保護委員会による命令（通常は勧告前置）違反に対し刑事罰を科すこととしている。ただし，国の機関，地方公共団体の機関もしくは地方公共団体情報システム機構の職員または独立行政法人等もしくは地方独立行政法人の役員もしくは職員が，その職権を濫用して，専らその職務の用以外の用に供する目的で個人の秘密に属する特定個人情報が記録された文書，図画または電磁的記録を収集したときは，2年以下の懲役または100万円以下の罰金に処することとしている（本法52条）。個人情報保護法181条は，個人の秘密に属する個人情報を職権を濫用して収集する行為に対し，1年以下の懲役または50万円以下の罰金を定めているが，本法は，刑罰の上限を2倍に引き上げている。それは，特定個人情報が個人番号を含み，データマッチングに使用されるおそれがあるからである。

第2節　情報提供ネットワークシステムによる特定個人情報の提供

> **（情報提供ネットワークシステム）**
> **第21条①**　内閣総理大臣は，委員会と協議して，情報提供ネットワークシステムを設置し，及び管理するものとする。
> ②　内閣総理大臣は，情報照会者から第19条第8号の規定により特定個人情報の提供の求めがあったときは，次に掲げる場合を除き，政令で定めるところにより，情報提供ネットワークシステムを使用して，情報提供者に対して特定個人情報の提供の求めがあった旨を通知しなければならない。
> 1　情報照会者，情報提供者，情報照会者の処理する事務又は当該事務を処理するために必要な特定個人情報の項目が別表第2に掲げるものに該当しないとき。
> 2　当該特定個人情報が記録されることとなる情報照会者の保有する特定個人情報ファイル又は当該特定個人情報が記録されている情報提供者の保有する特定個人情報ファイルについて，第28条（第3項及び第5項を除く。）の規定に違反する事実があったと認めるとき。

(1)　「内閣総理大臣は，委員会と協議して，情報提供ネットワークシステムを設置し，及び管理するものとする」(1項)

　本法制定時には，地方公共団体相互間および地方公共団体と国の行政機関の間で本人確認情報の提供を行うための住民基本台帳ネットワークを約10年間（当時）安全に運用してきた実績を有し，かつ，地方自治制度を所管する総務省が情報提供ネットワークシステムを設置管理することとされたが，デジタル庁設置法附則41条により，内閣総理大臣が情報提供ネットワークシステムの管理者となった。情報提供ネットワークシステムは，大量の特定個人情報の授受が行われる情報システムであり，セキュリティに不備があったり，不正に用いられたりすれば，重大なプライバシー侵害を招くおそれがあるので，設置管理に当たっては，個人情報保護委員会と協議することを義務づけている。設置のみならず管理についても個人情報保護委員会と協議する必要があるから，運用やシステム改修も協議の対象になる。なお，2013年5月24日にマイナンバー関係4法の1つとして成立した「内閣法等の一部を改正する法律」附則2項

においては，内閣官房に内閣情報通信政策監が置かれたことを踏まえ，情報通信技術の活用により国民の利便性の向上および行政運営の改善を図る観点から，強化された内閣官房の総合調整機能を十全に発揮して，情報提供ネットワークシステムを効率的に整備するための方策について総合的かつ一体的に検討を加え，その結果に基づいて必要な措置を講ずることが政府に義務づけられた。2021年9月1日にデジタル庁が設置され，デジタル庁にデジタル監が置かれたことに伴い，内閣情報通信政策監の職は廃止され，また，情報提供ネットワークシステムについてデジタル庁が所管することになった。情報提供ネットワークシステムについては，国の行政機関間については霞が関WAN，国の行政機関と地方公共団体間および地方公共団体相互間についてはLGWANという専用回線を利用した整備がなされている。

(2) 「内閣総理大臣は，情報照会者から第19条第8号の規定により特定個人情報の提供の求めがあったときは，次に掲げる場合を除き，政令で定めるところにより，情報提供ネットワークシステムを使用して，情報提供者に対して特定個人情報の提供の求めがあった旨を通知しなければならない」（2項柱書）

本法19条8号の規定に基づく情報照会については，本法別表第2に，情報提供ネットワークシステムを使用した情報連携が認められる情報照会者，事務，情報提供者，特定個人情報が具体的に法定されているので，システム上，法定された情報連携に該当するか否かを判断し，通知が行われることになる。情報照会者による本法19条8号の規定による特定個人情報の提供の求めは，デジタル庁令で定めるところにより，情報照会者の使用に係る電子計算機から情報提供ネットワークシステムを使用して内閣総理大臣の使用に係る電子計算機に，当該特定個人情報に係る本人に係る情報提供用個人識別符号，当該特定個人情報の項目および当該特定個人情報を保有する情報提供者の名称その他デジタル庁令で定める事項を送信する方法により行うものとされている（本法施行令20条1項）。

(3) 「情報照会者，情報提供者，情報照会者の処理する事務又は当該事務を処理するために必要な特定個人情報の項目が別表第2に掲げるものに該当

第21条の2（情報提供用個人識別符号の取得）

しないとき」（2項1号）

　情報照会者，情報提供者，情報照会者の処理する事務または当該事務を処理するために必要な特定個人情報の項目が別表第2に掲げるものに該当しないときは，情報提供ネットワークシステムを使用した情報連携は認められないので，かかる場合には，内閣総理大臣から情報提供者への情報照会の通知は行われず，情報連携は行われないことになる。

(4)　「当該特定個人情報が記録されることとなる情報照会者の保有する特定個人情報ファイル又は当該特定個人情報が記録されている情報提供者の保有する特定個人情報ファイルについて，第28条（第3項及び第5項を除く。）の規定に違反する事実があったと認めるとき」（2項2号）

　本法28条は，特定個人情報保護評価について定めている。情報提供ネットワークシステムを使用した情報連携が行われる特定個人情報が記録されることになる情報照会者の保有する特定個人情報ファイルまたは当該特定個人情報が記録されている情報提供者の保有する特定個人情報ファイルについて，特定個人情報保護評価の手続が遵守されていない場合には，情報提供ネットワークシステム全体に負の影響を発生させるおそれがある。そこで，特定個人情報保護評価の手続が遵守されていなければ，情報提供ネットワークシステムを使用した情報連携は認めないこととしている。本法28条3項，5項は，特定個人情報ファイルを保有しようとする情報照会者または情報提供者が遵守すべき手続に係る規定ではないため，本号で除かれている。

（情報提供用個人識別符号の取得）
第21条の2①　情報照会者又は情報提供者（以下この条において「情報照会者等」という。）は，情報提供用個人識別符号を内閣総理大臣から取得することができる。
②　前項の規定による情報提供用個人識別符号の取得は，政令で定めるところにより，情報照会者等が取得番号（当該取得に関し割り当てられた番号であって，当該情報提供用個人識別符号により識別しようとする特定の個人ごとに異なるものとなるように割り当てられることにより，当該特定の個人を識別できるもののうち，個人番号又は住民票コードでないものとしてデジタル

庁令で定めるものをいう。以下この条において同じ。）を，機構（第9条第3項の法務大臣である情報提供者にあっては，当該個人の本籍地の市町村長及び機構）を通じて内閣総理大臣に対して通知し，及び内閣総理大臣が当該取得番号と共に当該情報提供用個人識別符号を，当該情報照会者等に対して通知する方法により行うものとする。

③　情報照会者等，内閣総理大臣，機構及び前項の市町村長は，第1項の規定による情報提供用個人識別符号の取得に係る事務を行う目的の達成に必要な範囲を超えて，取得番号を保有してはならない。

④　前項に規定する者は，同項に規定する目的以外の目的のために取得番号を自ら利用してはならない。

⑤　第19条（第6号及び第13号から第17号までに係る部分に限る。）の規定は，第3項に規定する者による取得番号の提供について準用する。この場合において，同条中の「次の」とあるのは「第21条の2第2項の規定による通知を行う場合及び次の」と，同条第13号中「第35条第1項」とあるのは「第21条の2第8項において準用する第35条第1項」と読み替えるものとする。

⑥　前項（次項において準用する場合を含む。）において準用する第19条（第6号及び第13号から第17号までに係る部分に限る。）の規定により取得番号の提供を受けた者は，その提供を受けた目的の達成に必要な範囲を超えて，当該取得番号を保有してはならない。

⑦　第4項及び第5項の規定は，前項に規定する者について準用する。この場合において，第4項中「同項に規定する」とあるのは，「その提供を受けた」と読み替えるものとする。

⑧　第6章の規定は，取得番号の取扱いについて準用する。この場合において，第33条中「個人番号利用事務等実施者」とあるのは「第21条の2第3項又は第6項に規定する者」と，第36条中「第19条第15号」とあるのは「第21条の2第5項（同条第7項において準用する場合を含む。）において準用する第19条第15号」と読み替えるものとする。

⑴　「情報照会者又は情報提供者（以下この条において「情報照会者等」という。）は，情報提供用個人識別符号を内閣総理大臣から取得することができる」（1項）

本条は，令和元年法律第17号の「戸籍法の一部を改正する法律」附則12条

第 21 条の 2（情報提供用個人識別符号の取得）

で新設された。広義の個人番号のうち，情報提供用個人識別符号に限り，法務大臣が利用できるようにする必要があるので，本法 9 条 3 項に，法務大臣が，本法 19 条 8 号または 9 号の規定による戸籍関係情報の提供に関する事務の処理に関して保有する特定個人情報ファイルにおいて個人情報を効率的に検索し，および管理するために必要な限度で情報提供用個人識別符号を利用することができる旨が規定され，情報提供用個人識別符号の定義も本法 9 条 3 項でなされた。そこで，これと併せて情報提供用個人識別符号の取得の手続についても，本法施行令 20 条（令和元年政令第 25 号による改正前のもの）において規定されていた事項を法律において規定するとともに，当該手続で使用される取得番号について，個人情報保護のために，目的外利用の制限や罰則に関する規定が整備された（本法 21 条の 2 第 3 項から第 8 項まで，53 条の 2，55 条の 2）。本項が条例事務関係情報照会者および条例事務関係情報提供者について定めていないのは，これらについては，本法 26 条において，本条の規定が準用されているからである。令和 3 年法律第 37 号によりデジタル庁設置法附則 41 条の規定に基づき，情報提供ネットワークシステムの管理者が総務大臣から内閣総理大臣に変更になった。

　本法の情報提供ネットワークシステムを使用した情報連携の対象となる情報は，情報提供用個人識別符号と紐づけて整理されている必要があるので，情報照会者もしくは情報提供者または条例事務関係情報照会者もしくは条例事務関係情報提供者は，情報提供用個人識別符号を内閣総理大臣から取得することができるとされている。

(2)　「前項の規定による情報提供用個人識別符号の取得は，政令で定めるところにより，情報照会者等が取得番号（当該取得に関し割り当てられた番号であって，当該情報提供用個人識別符号により識別しようとする特定の個人ごとに異なるものとなるように割り当てられることにより，当該特定の個人を識別できるもののうち，個人番号又は住民票コードでないものとしてデジタル庁令で定めるものをいう。以下この条において同じ。）を，機構（第 9 条第 3 項の法務大臣である情報提供者にあっては，当該個人の本籍地の市町村長及び機構）を通じて内閣総理大臣に対して通知し，及び内閣総理大臣が当該取得番号と共に当該情報提供用個人識別符号を，当該

> 本論 　本法の逐条解説／第4章　特定個人情報の提供

情報照会者等に対して通知する方法により行うものとする」（2項）

　本法施行令20条2項（令和元年政令第25号による改正前のもの）においては，情報照会者等は，情報提供用個人識別符号を取得しようとするときは，地方公共団体情報システム機構に対し，当該情報提供用個人識別符号により識別しようとする特定の個人の個人番号その他総務省令で定める事項（通知事項）を通知するものとされていた。そして，同条4項においては，地方公共団体情報システム機構は，情報照会者等から当該通知を受けたときは，総務大臣に対し，同条2項の特定の個人に係る住民票コードを通知するものとされていた。令和元年法律第17号により設けられた本項では，情報提供用個人識別符号を取得しようとするための基本的な仕組みを法律で定めている。なお，本項で用いられている「個人番号」は，本法2条8項の広義の個人番号である。

　詳細は政令に委任されているが，情報提供用個人識別符号の取得は，一般的には，①情報照会者等が狭義の個人番号および取得番号を地方公共団体情報システム機構に電気通信回線を通じて送信する方法または電磁的記録媒体を送付する方法により通知し（本法施行令27条1項・2項），②地方公共団体情報システム機構は，当該者の住民票コード（デジタル庁への住民票コードの提供について住民基本台帳法30条の9の2参照）および取得番号を電気通信回線を通じて送信する方法により内閣総理大臣に通知し（本法施行令27条3項・4項），③内閣総理大臣は，情報提供ネットワークシステムを使用して，当該者の住民票コードを変換して，住民票コードを復元することのできる規則性を備えるものではなく，当該情報照会者等が取得した他のいずれの情報提供用個人識別符号とも異なり，当該特定の個人について他のいずれの情報照会者等が取得した情報提供用個人識別符号とも異なるという要件に該当する情報提供用個人識別符号を生成し，当該情報提供用個人識別符号および取得番号を情報提供ネットワークシステムを使用して情報照会者等に通知し（本法施行令27条5項・6項），④情報照会者等は，当該個人に係る個人情報と情報提供用個人識別符号を紐づけるという方法によることになる。情報照会者等においては，①で通知した狭義の個人番号と③で提供を受けた情報提供用個人識別符号が同一人のものであることを確認できなければならない。

　そこで，①〜③の一連の通知において，各機関間の通知の処理を管理するために情報提供用個人識別符号の取得の対象となる特定の個人ごとに異なるもの

第21条の2（情報提供用個人識別符号の取得）

となるようにシステム上割り当てられた取得番号を付すこととされている（取得番号は，情報提供用個人識別符号の取得完了後，2か月程度，プロセスにおいてエラーが発生した場合に備えて，関係機関の間で検証を行うためのログとしても用いられるが，当該行政機関における固有の事務処理等に利用されるものではなく，検証用の保存期間経過後は消去される）。この仕組みの下では，情報照会者等が利用する取得番号により識別する特定の個人について，①については狭義の個人番号により，②については住民票コードにより特定の個人の識別性を維持しながら取得番号を順次通知するため，③において情報提供用個人識別符号と取得番号の対応関係が確保されることになる。

　もっとも，法務大臣は，狭義の個人番号を利用しないので，異なる仕組みを用いる必要がある。法務大臣が基本4情報（氏名，住所，生年月日，性別）を保有していれば，これを取得番号とともに地方公共団体情報システム機構に通知することにより，住民票コードと紐づけて基本4情報を管理している地方公共団体情報システム機構は，基本4情報から当該者の住民票コードを特定して，当該者の住民票コードおよび取得番号を内閣総理大臣に通知することが可能になる。しかし，法務大臣は，基本4情報のうち住所に係る情報を保有していない。他方において，国外転出者が個人番号カードを国外で利用できるようにし，国外転出者に係る情報連携を実施する基盤を整備するために，令和元年法律第16号により，本籍地の市区町村が備える戸籍の附票に生年月日および性別等を追記することになり，戸籍の附票により基本4情報を把握することができるようになっている（住民基本台帳法17条）。とはいえ，法務大臣は，戸籍の附票を保有しているわけではないので，やはり，住所情報を保有していないことになる。そこで，以下のような特別な仕組みをとることとされた。

　(i)法務大臣から，法務大臣の保存する戸籍または除かれた戸籍の副本に記録された情報に基づき特定の個人に係る戸籍基本5情報（本籍，筆頭者，氏名，実父母との続柄，生年月日）の文字コードおよび取得番号を本籍地市区町村長に対して通知し，(ii)本籍地市区町村長から，当該者に係る戸籍の附票に記載された基本4情報（氏名，住所，生年月日，性別）の文字コードおよび取得番号を地方公共団体情報システム機構に通知し（住民基本台帳法19条の3），(iii)地方公共団体情報システム機構は，住民票コードと基本4情報を紐づけて管理しているので，当該基本4情報に対応する住民票コードを特定し，地方公共団体情報シス

テム機構から、当該者に係る住民票コードおよび取得番号を内閣総理大臣に通知し、(iv)内閣総理大臣は当該住民票コードから当該者に係る情報提供用個人識別符号を生成し、当該情報提供用個人識別符号および取得番号を法務大臣に通知し、(v)法務大臣は、当該情報提供用個人識別符号および取得番号を情報照会者に通知する。

　すなわち、法務大臣が利用する取得番号により識別しようとする特定の個人について、(i)においては戸籍基本5情報により、(ii)においては基本4情報により、(iii)においては住民票コードにより、それぞれ特定個人識別性を確保しつつ、取得番号を順次通知することができ、それによって取得番号に対応した情報提供用個人識別符号を生成することが可能になるのである。情報提供用個人識別符号をすでに取得した者については、戸籍の記載事項に変動が生じても、当該情報提供用個人識別符号と紐づいている戸籍関係情報を更新すれば足りるため、改めて情報提供用個人識別符号を取得する必要はない。(ii)において、戸籍の附票を管理する市区町村長については、住民基本台帳法16条1項において定められているが、戸籍法1条1項の規定に基づき戸籍事務を管掌する市区町村長とは同一であるので、戸籍事務を管掌する市区町村長から戸籍の附票を管理する市区町村長への伝達規定は不要であり、設けられていない。

　戸籍関係情報の情報連携に先行して、法務大臣は、情報提供用個人識別符号を取得し、当該情報提供用個人識別符号を利用して戸籍関係情報を管理しておかなければならない。そのため、法務大臣が情報提供用個人識別符号を取得して戸籍関係情報を管理する前提となる規定については、令和元年法律第17号の公布の日から起算して3年を超えない範囲内において政令で定める日から施行することとされた（令和元年法律第17号附則1条3号）。法務大臣は、この施行日において戸籍に記載されているすべての者について、情報提供用個人識別符号を取得することとし、その後は、出生や帰化等によって新たに戸籍に記載された都度、情報提供用個人識別符号を取得することが想定されている。他方、本法の施行日（2015年10月5日）以後、日本国内に住所を有したことがなく、個人番号を保有していない者であった場合には、情報提供用個人識別符号を取得できないことになる。たとえば、国外で出生し、国内に住所を有しない日本国籍者についても戸籍および戸籍の附票は作成されるが、住民票は作成されないため、住民票コードおよびそれを変換した個人番号は生成されず、情報提供

第21条の2（情報提供用個人識別符号の取得）

ネットワークシステムを使用した情報連携の対象にはならない。そこで，これらの者については，(ii)について，本籍地市区町村長は，地方公共団体情報システム機構に対する通知を行わず，個人番号を保有していない旨および取得番号を法務大臣に通知することとしている。そして，個人番号を保有しない者が帰国して日本国内に住所を有するようになり個人番号の通知を受けた場合に，法務大臣は住所に関する情報を保有せず，そのことを認識できないので，市区町村長から法務大臣にその旨を通知し，それを受けて，法務大臣が情報提供用個人識別符号を取得する仕組みとすることが想定されている。

(3)「情報照会者等，内閣総理大臣，機構及び前項の市町村長は，第1項の規定による情報提供用個人識別符号の取得に係る事務を行う目的の達成に必要な範囲を超えて，取得番号を保有してはならない」(3項)

取得番号が，広義の個人番号に該当するのであれば，取得番号には本法の個人番号に係る規制が，取得番号を含む個人情報には本法の特定個人情報に係る規制が適用されることになる。取得番号は，内閣総理大臣が定めるところにより生成された取得番号とすべき番号のうち，情報照会者等が情報提供用個人識別符号により識別しようとする特定の個人ごとに異なるものとなるよう割り当てた番号であるが（カード等命令41条の2），広義の個人番号に当たるものとは解されていない。その理由は，以下のとおりである。

広義の個人番号に当たるものか否かは，(i)その生成の由来に照らして狭義の個人番号に対応するものと評価することが可能か，(ii)狭義の個人番号に代替して使用されることを本来の目的としているか，の双方の観点から総合的に判断される。本法制定時に広義の個人番号に当たるものとして想定されていたのは，(a)情報提供ネットワークシステムを使用した情報連携の際に用いられる符号または(b)狭義の個人番号を脱法的に変換したもの（狭義の個人番号の末尾に特定の数字を付加したもの等）であった。住民票コードは，住民基本台帳法に基づき住民票に記載されるものであり，(i)その生成の由来に照らして狭義の個人番号に対応するものと評価することはできず，(ii)狭義の個人番号に代替して使用されることを本来の目的としているとはいえないので，広義の個人番号に当たらない（本法2条8項かっこ書）。社会保障分野で使用される既存の記号・番号（医療保険・介護保険・労働保険等の被保険者番号および基礎年金番号等）も，同様に広義

本論 本法の逐条解説／第4章　特定個人情報の提供

の個人番号に当たらない。

　取得番号については，(i)その生成は，狭義の個人番号や住民票コードを基礎として行われるものではなく，その生成の由来に照らして狭義の個人番号に対応するものとは評価されないこと，(ii)情報提供用個人識別符号の取得に際して行われる一連の通知においては，取得番号も同時に送付されるものの，それとは別に，情報提供用個人識別符号の取得の対象となる特定の個人を識別する狭義の個人番号（一般の場合）または戸籍基本5情報（本法9条3項の法務大臣が情報提供者となる場合），戸籍の附票に記載された基本4情報（本法9条3項の法務大臣が情報提供者となる場合），住民票コード，情報提供用個人識別符号が通知されるのであり，取得番号自体を識別子として狭義の個人番号に代替して使用しているとはいえないことに鑑み，広義の個人番号に当たらないと解されているのである。

　しかし，取得番号が広義の個人番号に当たらないことは，取得番号に係る法的規律が不要なことを意味しない。取得番号は，個人ごとに異なるものとなるように付番され，各種の情報照会者等または本法9条3項の法務大臣が取得する情報提供用個人識別符号は，広義の個人番号であり，情報提供用個人識別符号の取得が完了した段階では，取得番号も特定個人の識別性を有するといえるからである。令和元年法律第17号による改正前，情報照会者等はすべて，情報提供用個人識別符号の取得に当たって通知した狭義の個人番号と一緒に管理していたので，全体として特定個人情報として位置づけられ，取得番号のみに着目した場合には，行政機関個人情報保護法（当時）等の一般の個人情報保護法制の適用を受けると解され，それを超える個人情報保護に係る規律を設ける必要は認められていなかった。しかし，取得番号は，情報照会者等または戸籍関係情報提供者が最初に通知する特定の個人に関する狭義の個人番号または戸籍関係5情報に対して，内閣総理大臣から通知を受けた情報提供用個人識別符号が当該特定の個人に係るものであることを確認し，情報提供用個人識別符号の取得を完結させるために不可欠なものである。そして，本法9条3項の法務大臣は，日本国籍を有するすべての者について戸籍関係情報を作成することになるので，取得番号も悉皆的に付番されるようになる。また，情報提供用個人識別符号の取得のプロセスにおいて，法務大臣から本籍地市区町村長には戸籍関係基本5情報，本籍地市区町村長から地方公共団体情報システム機構には基

第21条の2（情報提供用個人識別符号の取得）

本4情報が通知されることになり，狭義の個人番号が送付されるわけではないので，取得番号が名寄せに悪用されるおそれが高まるといえる。また，取得番号は，エラーが発生した場合の検証のために，各機関において視認性を有するものとして利用され，かつ，複数の機関にまたがって使用される。そこで，一般の個人情報保護法制による保護に委ねるのみでは足りず，その特則を定めることとされた。そして，各種の情報照会者等が情報提供用個人識別符号を取得する場合においても，すべての国民を対象とするものではないといえ，個人識別性の点で本法9条3項の法務大臣が用いる取得番号と異なるわけではないので，令和元年法律第17号による改正により，情報提供用個人識別符号の取得に当たり使用される取得番号一般について，本条で目的外利用の制限等の規律が設けられることになった。

各種のシステムで事務処理が行われる場合，当該事務処理を特定するために一定の番号が用いられることが一般的であり，それらと異なり，取得番号について特別の規律を設ける根拠についての説明が必要になる。この点については，情報提供用個人識別符号は，各行政機関において各個人について一つの番号として付番され，恒常的に保有されるのであり，その取得の際に付番される取得番号も，各人に一つの番号として付番され，個人識別性を有し，複数の事務において名寄せ可能な番号となりうること，取得番号は，エラーが発生した場合の検証において，各機関の職員が視認して利用しうるものであることに鑑み，一般の処理通番の場合と異なると考えられた。

取得番号は，個人情報保護法5章の規定が適用される(i)情報照会者等のうち行政機関，独立行政法人等，地方公共団体，地方独立行政法人，(ii)デジタル庁の長としての内閣総理大臣，(iii)本法9条3項の法務大臣，(iv)本籍地市区町村長により保有されるのみならず，同法4章の規定が適用される地方公共団体情報システム機構，情報照会者等のうち行政機関，独立行政法人等，地方公共団体，地方独立行政法人以外のものに保有される。同法4章，5章で共通に定められている事項のうち，利用目的の明示（21条，62条），安全管理措置（23条，66条），従事者の義務ないし監督（24条，67条）のように，両章に共通に規定されている事項については，取得番号に係る個人情報保護は，一般法である個人情報保護法の規律に委ねれば足りる。また，取得番号は，通常は，2か月程度保管した後廃棄されるので，個人情報ファイルの事前通知（個人情報保護法74条）

や個人情報ファイル簿の作成・公表（同法75条）の対象とはならない。また、地方公共団体情報システム機構が保有する取得番号は、同機構の判断で消去等を行うことができるわけではないので、保有個人データ（同法16条4項）に当たらず、保有個人データに係る規定も適用されない。そこで、本条3項〜8項で規律を定めるにとどめている。なお、本法30条は、特定個人情報の取扱いに関する個人情報保護法の特則について、個別に読替規定を置く方式を採用しているが、これは、特則が広範にわたることによるものであり、取得番号については、特則が限定されているので、読替表方式は用いず、住民基本台帳法30条の25〜30条の28を参考にして、直接に特則を定めている。

本項が定めるのは、情報提供用個人識別符号を取得する事務を行う目的の達成に必要な範囲を超えて取得番号を保有することの禁止である。取得番号は、情報提供用個人識別符号を取得するためのものであり、その取得後約2か月は、検証用のログとして保存されるが、その期間が経過したら廃棄しなければならない。本項は、行政機関個人情報保護法（当時）3条の規定を参考にして設けられたが、同条1項の利用目的の特定については、取得番号の場合、本法で特定されていること、同条3項の利用目的の変更制限は、取得番号の場合、利用目的の変更は想定されないことに照らし、同条2項の目的外保有制限のみが本項で規定された。

(4) 「前項に規定する者は、同項に規定する目的以外の目的のために取得番号を自ら利用してはならない」（4項）

取得番号が情報提供用個人識別符号を取得する目的以外の目的のために利用されることを認めれば、個人識別性の高い取得番号が違法な名寄せに悪用されるおそれがあるため、取得番号を目的外で利用することを禁止している。

(5) 「第19条（第6号及び第13号から第17号までに係る部分に限る。）の規定は、第3項に規定する者による取得番号の提供について準用する。この場合において、同条中の「次の」とあるのは「第21条の2第2項の規定による通知を行う場合及び次の」と、同条第13号中「第35条第1項」とあるのは「第21条の2第8項において準用する第35条第1項」と読み替えるものとする」（5項）

第21条の2（情報提供用個人識別符号の取得）

取得番号についても，特定個人情報に準じて，その提供を原則として禁止しつつ，例外的に提供可能な場合を列記することとしている。例外的に提供可能な場合については，本法19条各号で列記されているもののうち，委託に伴う提供（同項6号），個人情報保護委員会による報告徴収（同項13号），総務大臣による地方公共団体情報システム機構に対する報告徴収（同項14号），各議院審査等のための報告徴収（同項15号），人の生命，身体または財産の保護のために必要がある場合において，本人の同意があり，または本人の同意を得ることが困難であるとき（同項16号），その他これらに準ずるものとして個人情報保護委員会規則で定めるとき（同項17号）について，所要の読替えを行った上で，取得番号の提供を認めている。

(6)「前項（次項において準用する場合を含む。）において準用する第19条（第6号及び第13号から第17号までに係る部分に限る。）の規定により取得番号の提供を受けた者は，その提供を受けた目的の達成に必要な範囲を超えて，当該取得番号を保有してはならない」（6項）

本条5項の規定により取得番号の提供を受けた者についても，その提供を受けた目的の達成に必要な範囲を超えて，当該取得番号を保有することを明文で禁止している。

(7)「第4項及び第5項の規定は，前項に規定する者について準用する。この場合において，第4項中「同項に規定する」とあるのは，「その提供を受けた」と読み替えるものとする」（7項）

取得番号の提供を受けた者についても，取得番号による名寄せを防止するため，取得番号の目的外利用を禁止し，その提供についても制限する必要があるので，本条4項・5項の規定を準用している。

(8)「第6章の規定は，取得番号の取扱いについて準用する。この場合において，第33条中「個人番号利用事務等実施者」とあるのは「第21条の2第3項又は第6項に規定する者」と，第36条中「第19条第15号」とあるのは「第21条の2第5項（同条第7項において準用する場合を含む。）において準用する第19条第15号」と読み替えるものとする」（8項）

取得番号は広義の個人番号に該当しないものの，情報提供用個人識別符号を取得するに当たり，個人ごとに異なるものとなるように付番され，情報提供用個人識別符号の取得が完了した後には特定個人の識別性を有することになる。そこで，取得番号に関する監視監督は，同じく特定個人の識別性を有する広義の個人番号を含む特定個人情報の取扱いに関する監視監督を行う個人情報保護委員会が行うことが適切といえる。そこで，特定個人情報の取扱いに関する監視監督について定めている本法6章の規定を準用している。

　取得番号の取扱いに関する監視監督を個人情報保護委員会が所掌することに伴い，個人情報保護委員会の所掌事務を定める規定（個人情報保護法132条）に，その旨を追記する必要があるかが問題になる。取得番号の取扱いに関する監視監督は，特定個人情報の取扱いに関する監視監督（同条4号）に準ずるものであり，新たに所掌事務として追記するほどの業務量は想定されないことから，同条9号の「前各号に掲げるもののほか，法律（法律に基づく命令を含む。）に基づき委員会に属させられた事務」に当たるものとして位置づけられることになった（本法37条の規定による内閣総理大臣その他の関係行政機関の長に対する措置の要求，本法38条の規定による内閣総理大臣に対する意見の申出等も，個人情報保護法132条9号の所掌事務として位置づけられている）。

（特定個人情報の提供）
第22条①　情報提供者は，第19条第8号の規定により特定個人情報の提供を求められた場合において，当該提供の求めについて第21条第2項の規定による内閣総理大臣からの通知を受けたときは，政令で定めるところにより，情報照会者に対し，当該特定個人情報を提供しなければならない。
②　前項の規定による特定個人情報の提供があった場合において，他の法令の規定により当該特定個人情報と同一の内容の情報を含む書面の提出が義務付けられているときは，当該書面の提出があったものとみなす。

---

(1)　「情報提供者は，第19条第8号の規定により特定個人情報の提供を求められた場合において，当該提供の求めについて第21条第2項の規定による内閣総理大臣からの通知を受けたときは，政令で定めるところにより，情報照会者に対し，当該特定個人情報を提供しなければならない」（1項）

第22条（特定個人情報の提供）

　本法21条2項の規定による内閣総理大臣からの通知があった場合には，(i)情報照会者，情報提供者，情報照会者の処理する事務，当該事務を処理するために必要な特定個人情報の項目が別表第2に掲げるものに該当すること，および(ii)当該特定個人情報が記録されることとなる情報照会者の保有する特定個人情報ファイル，当該特定個人情報が記録されている情報提供者の保有する特定個人情報ファイルの両方について，本法28条（3項および5項を除く）の規定に違反する事実があったとは認められないことが確認されていることになる。したがって，情報提供者に対し，当該特定個人情報を提供することを義務づけることにより，本法1条が定める行政運営の効率化および行政分野におけるより公正な給付と負担の確保，手続の簡素化による国民負担の軽減等の目的を実現すべきと考えられたのである。情報提供者による本項の規定による特定個人情報の提供は，デジタル庁令で定めるところにより，情報提供者の使用に係る電子計算機から情報提供ネットワークシステムを使用して情報照会者の使用に係る電子計算機に，当該特定個人情報その他デジタル庁令で定める事項を送信する方法により行うものとされている（本法施行令28条）。

(2)　「前項の規定による特定個人情報の提供があった場合において，他の法令の規定により当該特定個人情報と同一の内容の情報を含む書面の提出が義務付けられているときは，当該書面の提出があったものとみなす」（2項）

　本法が，添付書類の削減等，「手続の簡素化による負担の軽減」（同1条）も目的としているため，情報連携により必要な特定個人情報が提供された以上，同内容の書面提出義務は解除すべきであるからである。被災者生活再建支援法に基づく支援金の支給に関する事務においては，同法5条，同法施行令4条1項，同法施行規則1条の規定に基づき，住民票等が添付書類の1つとして必要とされているが，都道府県知事が本条1項の規定により市区町村長から住民票関係情報を入手した場合，住民票の提出があったものとみなされることになる（総務省行政評価局は，2013年3月1日，被災者生活再建支援法に基づく支援金の支給申請において住民票等の添付を求めず，公用請求等で対応している地方公共団体の例を紹介しつつ，可能な限り住民票等の添付を省略するように内閣府に勧告していたが，住民票については，本法により，勧告に応じた措置が実現したことになる）。

本論　本法の逐条解説／第4章　特定個人情報の提供

> **（情報提供等の記録）**
> **第23条**① 情報照会者及び情報提供者は，第19条第8号の規定により特定個人情報の提供の求め又は提供があったときは，次に掲げる事項を情報提供ネットワークシステムに接続されたその者の使用する電子計算機に記録し，当該記録を政令で定める期間保存しなければならない。
> 1　情報照会者及び情報提供者の名称
> 2　提供の求めの日時及び提供があったときはその日時
> 3　特定個人情報の項目
> 4　前三号に掲げるもののほか，デジタル庁令で定める事項
> ② 前項に規定する事項のほか，情報照会者及び情報提供者は，当該特定個人情報の提供の求め又は提供の事実が次の各号のいずれかに該当する場合には，その旨を情報提供ネットワークシステムに接続されたその者の使用する電子計算機に記録し，当該記録を同項に規定する期間保存しなければならない。
> 1　個人情報保護法第78条第1項（個人情報保護法第125条第2項の規定によりみなして適用する場合を含む。次号において同じ。）に規定する不開示情報に該当すると認めるとき。
> 2　第31条第3項において準用する個人情報保護法第78条第1項に規定する不開示情報に該当すると認めるとき。
> ③ 内閣総理大臣は，第19条第8号の規定により特定個人情報の提供の求め又は提供があったときは，前二項に規定する事項を情報提供ネットワークシステムに記録し，当該記録を第1項に規定する期間保存しなければならない。

⑴ 「情報照会者及び情報提供者は，第19条第8号の規定により特定個人情報の提供の求め又は提供があったときは，次に掲げる事項を情報提供ネットワークシステムに接続されたその者の使用する電子計算機に記録し，当該記録を政令で定める期間保存しなければならない」（1項柱書）

マイナンバー制度の下では，社会保障・税分野を中心に多数の個人情報に個人番号が付されることになる。個人番号は悉皆性・唯一無二性を有するため，特定の個人の識別が容易に行えるようになり，本来は，組み合わせた利用が予定されていない特定個人情報を個人番号を検索キーとして名寄せ・突合されるおそれがある。そこで，わが国のマイナンバー制度においては，情報提供ネットワークシステムを使用した情報連携の仕組みを採用し，情報連携は情報保有

第23条（情報提供等の記録）

機関別の符号（リンクコード。情報提供用個人識別符号。本法21条の2第1項）を用いて行うこととすることにより，特定個人情報の保護に配慮しているが，不正な情報連携が行われるおそれが皆無とまではいい切れない。ひとたび，不正な情報連携が行われれば，流出した情報を完全に回収することは多くの場合，非常に困難であり，また，情報提供ネットワークシステムは，大量の特定個人情報がシステム上，ほぼ自動的に授受されるものであり，不正が発見されても，直ちに停止することに困難が伴うことも少なくないと考えられる。したがって，不正な情報連携を事前に抑止することが重要になる。そこで，不正な情報連携に対する抑止力を高め，かつ，本人や個人情報保護委員会が情報提供等の記録を随時確認し不正な情報連携を早期に発見できるようにするために，本項は，情報照会者および情報提供者は，情報連携のための特定個人情報の提供の求めまたは提供があったときは，(i)情報照会者および情報提供者の名称，(ii)提供の求めの日時および提供があったときはその日時，(iii)特定個人情報の項目，(iv)以上に掲げるもののほか，デジタル庁令で定める事項を情報提供ネットワークシステムに接続されたその者の使用する電子計算機に記録し，当該記録を政令で定める期間保存しなければならないこととされている。政令では，保存期間は7年間とされている（本法施行令29条）。情報照会者および情報提供者に情報提供等の記録・保存義務を課すことにより，特定個人情報の授受の有無を本人や個人情報保護委員会が確認することができるようにしている。

(2) 「特定個人情報の項目」（1項3号）

情報連携がされた特定個人情報の内容自体ではなく，いかなる項目の特定個人情報であるか（所得額等）である。

(3) 「前項に規定する事項のほか，情報照会者及び情報提供者は，当該特定個人情報の提供の求め又は提供の事実が次の各号のいずれかに該当する場合には，その旨を情報提供ネットワークシステムに接続されたその者の使用する電子計算機に記録し，当該記録を同項に規定する期間保存しなければならない」（2項柱書）

提供される特定個人情報ではなく当該特定個人情報の提供の求めまたは提供の事実が個人情報保護法の不開示情報に該当するときは，情報照会者および情

報提供者は、その旨を情報提供ネットワークシステムに接続されたその者の使用する電子計算機に記録し7年間保存する義務を負う。

(4) 「内閣総理大臣は、第19条第8号の規定により特定個人情報の提供の求め又は提供があったときは、前二項に規定する事項を情報提供ネットワークシステムに記録し、当該記録を第1項に規定する期間保存しなければならない」(3項)

内閣総理大臣も、本条1項、2項に規定する事項を情報提供ネットワークシステムに記録し、7年間保存する義務を負う。これにより、情報照会者および情報提供者による情報提供等の記録における改ざんの有無、記録の正確性を確認することが可能になるし、本人が、マイナポータルを通じて情報提供等の記録の開示請求を行うに当たり、個々の情報保有機関単位で開示請求を行わなくても、情報提供ネットワークシステムにおいて一覧可能な記録を包括的に開示請求することが可能になる。

> (秘密の管理)
> 第24条　内閣総理大臣並びに情報照会者及び情報提供者は、情報提供等事務（第19条第8号の規定による特定個人情報の提供の求め又は提供に関する事務をいう。以下この条及び次条において同じ。）に関する秘密について、その漏えいの防止その他の適切な管理のために、情報提供ネットワークシステム並びに情報照会者及び情報提供者が情報提供等事務に使用する電子計算機の安全性及び信頼性を確保することその他の必要な措置を講じなければならない。

(1) 「内閣総理大臣……は、情報提供等事務（第19条第8号の規定による特定個人情報の提供の求め又は提供に関する事務をいう。以下この条及び次条において同じ。）……について」

情報提供ネットワークシステムを運営するデジタル庁の職員が行う情報提供等事務の例としては、情報提供ネットワークシステムを稼働させるプログラムの作成・点検、情報提供ネットワークシステムに使用する符号の管理、情報提供ネットワークシステムを使用した情報の授受の仲介、アクセスログの確認等

第 24 条（秘密の管理）

がある。

(2)「情報照会者及び情報提供者は，情報提供等事務（第19条第8号の規定による特定個人情報の提供の求め又は提供に関する事務をいう。以下この条及び次条において同じ。）……について」

　情報照会者または情報提供者の業務に従事する者が行う情報提供等事務の例としては，情報連携に用いる符号（リンクコード）の管理，情報提供ネットワークシステムを稼働させるプログラムの作成・点検，特定個人情報の提供・受領，アクセスログの確認等がある。

(3)「情報提供等事務（第19条第8号の規定による特定個人情報の提供の求め又は提供に関する事務をいう。以下この条及び次条において同じ。）に関する秘密について」

　秘密は，一般に知られていないこと（非公知性），実質的にも秘密として保護に値するものであることを要件とする（宇賀・前掲・行政法概説Ⅲ［第5版］513頁以下参照）。本条は，システムの秘密を保護するものであり，システム上で取り扱われる情報を保護の対象とするものではない。本条で具体的に念頭に置かれている秘密は，情報提供ネットワークシステムの機器構成・設定等，暗号アルゴリズム，暗号・復号に必要な鍵情報等である。情報提供ネットワークシステムの機器構成・設定等が漏えいした場合には，システムの機器等の脆弱部分が明らかになり，その部分に対する攻撃で処理能力が低減する危険性，ネットワークの論理的破壊・不正アクセスが行われる危険性がある。暗号アルゴリズム，暗号・復号に必要な鍵情報等が漏えいした場合には暗号化処理機能が危殆化する危険性，復号化処理による漏えいの危険性がある。

(4)「その漏えいの防止その他の適切な管理のために，情報提供ネットワークシステム並びに情報照会者及び情報提供者が情報提供等事務に使用する電子計算機の安全性及び信頼性を確保することその他の必要な措置を講じなければならない」

　適切な管理のために講ずべき措置には，組織的保護措置（職員研修，安全管理者の設置等），物理的保護措置（保管庫の施錠，立入制限，防災対策等），技術的措

置（情報の暗号化等）がある。

> （秘密保持義務）
> 第25条　情報提供等事務又は情報提供ネットワークシステムの運営に関する事務に従事する者又は従事していた者は，その業務に関して知り得た当該事務に関する秘密を漏らし，又は盗用してはならない。

(1)　「情報提供等事務又は情報提供ネットワークシステムの運営に関する事務に従事する者又は従事していた者は」

　情報提供ネットワークシステムを運営するデジタル庁の職員，情報提供ネットワークシステムを使用する情報照会者および情報提供者の役員，職員，派遣労働者のみならず，さらに，これらの機関からの受託者，再受託者等やその役員，職員，派遣労働者も，本条の秘密保持義務を負うし，過去に従事していた者も同様である。

(2)　「その業務に関して知り得た当該事務に関する秘密を漏らし，又は盗用してはならない」

　本条の秘密保持義務の対象となる秘密は，「情報提供等事務又は情報提供ネットワークシステムの運営に関する事務」に従事する者または従事していた者が，「その業務に関して知り得た当該事務に関する秘密」であり，情報連携の対象となる特定個人情報は，「当該事務に関する秘密」に含まれない。しかし，特定個人情報の漏えいは，本法19条が定める特定個人情報の提供制限に違反し，本法48条または49条の規定が定める罰則の対象になる。

　情報提供ネットワークシステムの運営に関する事務に従事する者または従事していた者については，情報連携の際に使用される符号（リンクコード），情報提供ネットワークシステムの機器構成・設定，暗号・復号に係る鍵情報等の秘密保持が，情報照会者および情報提供者の事務に従事する者は，情報連携の際に使用される符号（リンクコード），暗号・復号に係る鍵情報等の秘密保持が義務づけられることになる。本条の秘密保持義務違反は，3年以下の懲役もしくは150万円以下の罰金に処せられ，または両者を併科される（本法50条）。

第25条（秘密保持義務）・第26条（第19条第9号の規定による特定個人情報の提供）

(3) 「秘密」

「秘密」とは非公知の事実であり，実質的にも秘密として保護に値するものをいう。

> （第19条第9号の規定による特定個人情報の提供）
> 第26条　第21条（第1項を除く。）から前条までの規定は，第19条第9号の規定による条例事務関係情報照会者による特定個人情報の提供の求め及び条例事務関係情報提供者による特定個人情報の提供について準用する。この場合において，第21条第2項第1号中「別表第2に掲げる」とあるのは「第19条第9号の個人情報保護委員会規則で定める」と，第22条第1項中「ならない」とあるのは「ならない。ただし，第19条第9号の規定により提供することができる特定個人情報の範囲が条例により限定されている地方公共団体の長その他の執行機関が，個人情報保護委員会規則で定めるところによりあらかじめその旨を委員会に申し出た場合において，当該提供の求めに係る特定個人情報が当該限定された特定個人情報の範囲に含まれないときは，この限りでない」と，同条第2項中「法令」とあるのは「条例」と，第24条中「情報提供等事務（第19条第8号」とあるのは「条例事務関係情報提供等事務（第19条第9号」と，「情報提供等事務に」とあるのは「条例事務関係情報提供等事務に」と，前条中「情報提供等事務」とあるのは「条例事務関係情報提供等事務」と読み替えるものとする。

(1) 「第21条（第1項を除く。）から前条までの規定」

本法21条（情報提供ネットワークシステム），21条の2（情報提供用個人識別符号の取得），22条（特定個人情報の提供），23条（情報提供等の記録），24条（秘密の管理），25条（秘密保持義務）の規定である。21条1項の規定が準用されていないのは，同項が，情報提供ネットワークシステムの設置・管理に関する規定であり，準用の必要がないからである。

(2) 「第19条第9号の規定による条例事務関係情報照会者による特定個人情報の提供の求め及び条例事務関係情報提供者による特定個人情報の提供について準用する」

本法21条〜25条は，本法19条8号の規定に基づく情報連携に関する規定

であるため，平成27年法律第65号による改正で新たに情報提供ネットワークシステムを使用した情報連携が認められるようになった条例事務について，これらの規定を準用している。

本法21条2項の規定の準用により，情報提供ネットワークシステムを使用した情報連携を認めてよいとの確認が行われることになる。本法21条の2の規定の準用により，条例事務についての情報連携も，情報提供用個人識別符号を取得して行われることになる。本法22条1項の規定の準用により，適法な情報提供の求めがあった旨の通知を内閣総理大臣から受けた条例事務関係情報提供者は，当該特定個人情報の提供義務を負うことになる。同条2項の規定の準用により，条例事務関係情報提供が行われた場合において，他の条例の規定により当該特定個人情報と同一の内容の情報を含む書面の提出が義務づけられているときは，当該書面の提出があったものとみなされることになる。本法23条の規定の準用により，条例事務関係情報についても，情報提供等の記録の作成・保存が義務づけられることになる。本法24条の規定の準用により，条例事務関係情報提供等事務についても，秘密の管理義務が課されることになる。本法25条の規定の準用により，条例事務関係情報提供等事務または情報提供ネットワークシステムの運営に関する事務に従事する者または従事していた者に秘密保持義務が課されることになる。

(3) 「この場合において，第21条第2項第1号中「別表第2に掲げる」とあるのは「第19条第9号の個人情報保護委員会規則で定める」と……読み替えるものとする」

法定事務の場合には，情報提供ネットワークシステムを使用した情報連携が可能な情報照会者の事務は，本法別表第2の第2欄に列記されているが，条例事務の場合には，情報提供ネットワークシステムを使用した情報連携が可能な条例事務関係情報照会者の事務は，本法19条9号の規定に基づく委任を受けて，個人情報保護委員会規則で定められるため，本法21条2項1号中「別表第2に掲げる」とあるのは「第19条第9号の個人情報保護委員会規則で定める」と読み替えることとしている。本法制定時は，本法9条2項の規定に基づき地方公共団体が独自利用条例を定め，他の特定個人情報保有機関から当該独自利用事務に必要な特定個人情報の提供を受ける場合については，平成27年

第 26 条（第 19 条第 9 号の規定による特定個人情報の提供）

法律第 65 号による改正前の本法 19 条 14 号の規定に基づき，特定個人情報保護委員会規則で定めることにより，これを可能とすることを想定していた。しかし，特定個人情報保護委員会は，検討の結果，セキュリティを確保するとともに，迅速かつ効率的な情報連携を実現するために，情報提供ネットワークシステムを使用した場合に限定して，地方公共団体の独自利用事務に関する情報連携を認める方針を採用した（2014 年 10 月 7 日特定個人情報保護委員会決定「独自利用事務に係る情報連携の検討の方向性について」）。そして，地方公共団体の独自利用事務について情報提供ネットワークシステムを使用させる場合を個人情報保護委員会規則で定めることが検討されたが，情報提供ネットワークシステムを使用して情報照会を受けた場合の情報提供義務や情報提供ネットワークシステムの使用に係る秘密保持義務を省令レベルの個人情報保護委員会規則で定めることには疑問があること，当該秘密保持義務違反の罰則について条例で定める場合，地方公共団体間で不均衡が生ずるおそれがあるし，条例で定めうる罰則には上限があるため，法定事務に係る秘密保持義務違反の場合との不均衡が生ずること，情報提供者の中には，条例で義務付けを行うことができないものが含まれうることを考慮し，本法に条例事務関係情報照会者，条例事務関係情報提供者に係る規定を設け，法定事務に係る情報連携に関する規定を準用することにより，法律により必要な規律を行うこととしたのである。

　なお，独自利用事務において情報提供ネットワークシステムを使用する地方公共団体には正確に個人情報が提供され，個人番号と個人情報が過誤なく紐づけられることが必要である。しかし，平成 27 年法律第 65 号による改正前の住民基本台帳法においては，条例で定める事務について，地方公共団体情報システム機構が保有する本人確認情報の提供を受けることを認める規定は存在せず，同法 30 条の 13 または同法 30 条の 14 の規定に基づき，都道府県または市区町村が条例を制定すれば，当該都道府県または市区町村が保有する本人確認情報を提供することが認められていた。したがって，ある地方公共団体がその独自利用事務のために本人確認情報を提供してもらうためには，提供依頼が想定されるすべての地方公共団体に提供を認める条例を制定してもらう必要があることになり，それは実際上実現困難である。そこで，住民基本台帳法を改正して，独自利用事務のために地方公共団体情報システム機構から本人確認情報の提供を受けることができることとされた。

(4) 「第22条第1項中「ならない」とあるのは「ならない。ただし、第19条第9号の規定により提供することができる特定個人情報の範囲が条例により限定されている地方公共団体の長その他の執行機関が、個人情報保護委員会規則で定めるところによりあらかじめその旨を委員会に申し出た場合において、当該提供の求めに係る特定個人情報が当該限定された特定個人情報の範囲に含まれないときは、この限りでない」と……読み替えるものとする」

条例事務関係情報提供者が、本条の規定により読み替えて準用する本法21条2項の規定により内閣総理大臣から特定個人情報の提供の求めがあった旨の通知を受けた場合には、(i)条例事務関係情報照会者、条例事務関係情報提供者、条例事務関係情報照会者の処理する事務、当該事務を処理するために必要な特定個人情報の項目が本法19条9号の規定に基づき定められた個人情報保護委員会規則に掲げるものに該当すること、および(ii)当該特定個人情報が記録されることとなる条例事務関係情報照会者の保有する特定個人情報ファイルおよび当該特定個人情報が記録されている条例事務関係情報提供者の保有する特定個人情報ファイルについて、本法28条（3項および5項を除く）の規定に違反する事実があったとは認められないことが確認されていることになる。したがって、条例事務関係情報提供者に対し、当該特定個人情報を提供することを義務づけることにより、本法1条が定める行政運営の効率化および行政分野における公正な給付と負担の確保、手続の簡素化による国民負担の軽減等の目的を実現することとしている。

ただし、本法19条9号の規定により提供することができる特定個人情報の範囲が条例により限定されている地方公共団体の長その他の執行機関が、個人情報保護委員会規則で定めるところによりあらかじめその旨を委員会に申し出た場合において、当該提供の求めに係る特定個人情報が当該限定された特定個人情報の範囲に含まれないときには、条例事務関係情報提供者に情報提供を義務づけるべきではないので、提供義務の例外としている。すなわち、条例事務関係情報照会者が独自利用事務に係る条例を制定し、当該事務のために特定個人情報の提供の求めを行うこととした場合、条例事務関係情報提供者に常に提供義務が生ずることとした場合、とりわけ条例事務関係情報提供者となる地方公共団体に過度の負担となるおそれがあるので、本法19条9号の規定により

第26条（第19条第9号の規定による特定個人情報の提供）

提供することができる特定個人情報の範囲が条例により限定されている地方公共団体の長その他の執行機関が，個人情報保護委員会規則で定めるところによりあらかじめ当該特定個人情報を提供しない旨を個人情報保護委員会に申し出た場合には，提供義務が生じないとすることにより，地方公共団体が提供を行うか否かを自主的に判断する余地を残したのである。

　本法19条9号の規定により提供することができる特定個人情報の範囲を条例で限定する必要があるとした理由は，(i)条例事務関係情報提供者となる地方公共団体が，個別の情報提供の求めに対して，特定個人情報を提供しない旨の申出を行うことを求めるのは効率的ではないこと，(ii)条例事務に係る特定個人情報の授受は情報提供ネットワークシステムを使用して行われ，申出の効果を実現するためにシステムの改修が必要になる場合もありうるので，ひとたび申出がなされた場合には，それが安易に撤回されないようにすることが条例事務関係情報提供等事務の安定的・効率的な運営の観点から望ましいこと，(iii)条例は公布されるので，特定の特定個人情報を条例事務関係情報提供等事務の対象としないという当該地方公共団体の意思を，条例事務関係情報照会者となる地方公共団体，さらには住民，国民一般に対して，明確にすることである。そこで，特定個人情報を提供しない旨の意思決定は，二元代表制の下で長と議会の双方が関与する条例制定により行うこととし，その意思を撤回する場合にも同様の手続をとることとしている。特定個人情報を提供しない旨の申出を行う手続は，個人情報保護委員会規則の定めるところによる。

(5)　「同条第2項中「法令」とあるのは「条例」と……読み替えるものとする」

　本法22条2項は，情報提供ネットワークシステムを介して情報照会者から特定個人情報の提供の求めを受けて提供が行われた場合，他の法令の規定により当該特定個人情報と同一の内容の情報を含む書面の提出が義務づけられているときは，国民負担を軽減するため，当該書面の提出があったものとみなすこととしている。条例事務についても，情報提供ネットワークシステムを使用して情報連携が行われた場合には，同様に書面提出を不要とすることが望ましい。たとえば，乳幼児医療費について，医療保険に関する各種法律で診療費の2割が自己負担とされているが，条例により，当該自己負担分を地方公共団体が独

自に支給して乳幼児の医療費を無料化したり，保護者の所得に応じて所得制限を設けた独自支給を行ったりしている。地方公共団体の独自支給を受けるためには，地方公共団体が発行する医療証の交付を受けて，受診機関の窓口で提示する必要があるが，他の地方公共団体から転居してきた場合には，転居前の地方公共団体から発行される所得証明書を添付しなければならない。情報提供ネットワークシステムを使用して，転居前の地方公共団体から所得情報を入手した場合には，重ねて所得証明書の提出を求める必要はないから，本法22条2項の「法令」を「条例」と読み替えることにより，条例に基づく書面の提出があったものとみなすこととしている。また，平成27年法律第65号による改正前は，高等学校等就学支援金支給法に基づく授業料補助事務については，個人番号の利用および情報提供ネットワークシステムの使用が認められており，課税証明書の添付を省略することが可能であったが，地方公共団体が条例に基づき独自事務として当該授業料補助の上乗せを行っている場合，情報提供ネットワークシステムを使用した情報連携は認められておらず，課税証明書の添付が必要であった。同改正により，地方公共団体の独自事務についても，情報提供ネットワークシステムを使用した情報連携が可能になり，課税証明書の添付が不要になる。

(6)　「第24条中「情報提供等事務（第19条第8号」とあるのは「条例事務関係情報提供等事務（第19条第9号」と，「情報提供等事務に」とあるのは「条例事務関係情報提供等事務に」と……読み替えるものとする」

　地方公共団体が独自利用事務について情報提供ネットワークシステムを使用する場合にも，本法19条9号の規定による特定個人情報の提供の求めまたは提供に関する事務（条例事務関係情報提供等事務）に関する秘密について，その漏えいの防止その他の適切な管理のために，情報提供ネットワークシステムならびに条例事務関係情報照会者および条例事務関係情報提供者が条例事務関係情報提供等事務に使用する電子計算機の安全性および信頼性を確保することその他の必要な措置を講ずる義務を負うこととすべきである。そこで，そのために必要な読替えを行っている。

(7)　「前条中「情報提供等事務」とあるのは「条例事務関係情報提供等事務」

第27条（特定個人情報ファイルを保有しようとする者に対する指針）

と読み替えるものとする」

　地方公共団体が特定個人情報の独自利用を条例で定め，当該事務に必要な特定個人情報を情報提供ネットワークシステムを使用して取得する場合においても，条例事務関係情報提供等事務または情報提供ネットワークシステムの運営に関する事務に従事する者または従事していた者に秘密保持義務を課す必要がある。そこで，そのために必要な読替えを行っている。

第5章　特定個人情報の保護

第1節　特定個人情報保護評価等

> （特定個人情報ファイルを保有しようとする者に対する指針）
> 第27条①　委員会は，特定個人情報の適正な取扱いを確保するため，特定個人情報ファイルを保有しようとする者が，特定個人情報保護評価（特定個人情報の漏えいその他の事態の発生の危険性及び影響に関する評価をいう。）を自ら実施し，これらの事態の発生を抑止することその他特定個人情報を適切に管理するために講ずべき措置を定めた指針（次項及び次条第3項において単に「指針」という。）を作成し，公表するものとする。
> ②　委員会は，個人情報の保護に関する技術の進歩及び国際的動向を踏まえ，少なくとも3年ごとに指針について再検討を加え，必要があると認めるときは，これを変更するものとする。

(1)　「委員会は」（1項）

　個人情報保護法130条1項の規定に基づき内閣府の外局として置かれる個人情報保護委員会である。

(2)　「特定個人情報の適正な取扱いを確保するため」（1項）

　本項は，特定個人情報の管理の適正確保という基本理念を具体化するものである。特定個人情報は個人番号を含むので（本法2条8項），個人番号を検索キーとした不正なデータマッチングが行われるおそれがあり，その適正な取扱い

を確保する必要性が特に大きいため，わが国の法律では初めて，プライバシー影響評価（Privacy Impact Assessment, PIA）制度（宇賀克也「プライバシー影響評価」マイナンバー法と情報セキュリティ〔有斐閣，2019年〕55頁以下参照）として特定個人情報保護評価制度が導入されることになった。個人情報が漏えいした場合，事後にそれを完全に回収することは困難なことが多く，プライバシー侵害に対する事後救済には大きな限界があることに鑑みれば，事前の予防措置がきわめて重要である。プライバシー・バイ・デザインの基本原則の1つとして，事後救済より事前予防を重視することがあるが，プライバシー影響評価は，この原則を実現する制度といえる。プライバシー影響評価は，情報セキュリティリスク（情報資産の機密性，完全性，可用性に対するリスク）分析とは視点が異なる（後者について国においては，政府統一基準群による対策がとられている。宇賀・前掲・マイナンバー法と情報セキュリティ87頁以下参照）。

(3) 「特定個人情報ファイル」（1項）

特定個人情報保護評価の対象は，特定個人情報全般ではなく，特定個人情報ファイルである。その理由は，特定個人情報ファイルは，検索可能になるように体系的に構成されているので，その適正な取扱いを確保しないとプライバシー侵害の危険性が大きいのに対し，特定個人情報ファイルに該当しない特定個人情報の場合には，検索が容易でないため，一般的にいって，かかる危険性が必ずしも大きいとはいえないからである。

(4) 「特定個人情報保護評価（特定個人情報の漏えいその他の事態の発生の危険性及び影響に関する評価をいう。）」（1項）

特定個人情報保護評価は，プライバシーへの影響を事前に評価するもので，諸外国でプライバシー影響評価と呼ばれているものであるが，本法がこの文言を用いず，特定個人情報保護評価という文言を用いたのは，わが国の実定法でプライバシーという文言が用いられたことはなく，この概念の法的意味についてなお議論があることを踏まえたものである。

(5) 「自ら実施し，これらの事態の発生を抑止することその他特定個人情報を適切に管理する」（1項）

特定個人情報保護評価は，特定個人情報ファイルを保有しようとする者が自ら実施し，評価結果を踏まえて，特定個人情報の漏えいその他の事態の発生を事前に抑止し，特定個人情報の管理の適正を期することを主目的とするものである。

(6) 「委員会は……指針（次項及び次条第3項において単に「指針」という。）を作成し，公表するものとする」(1項)

特定個人情報保護評価を実施するのは特定個人情報ファイルを保有しようとする者であるが，評価のための指針は個人情報保護委員会が作成し公表する。本項が定める指針が，特定個人情報保護評価指針（平成26年特定個人情報保護委員会告示第4号）である。

(7) 「委員会は，個人情報の保護に関する技術の進歩及び国際的動向を踏まえ，少なくとも3年ごとに指針について再検討を加え，必要があると認めるときは，これを変更するものとする」(2項)

プライバシー強化技術（Privacy Enhancing Technologies）は日進月歩であり，他方，ハッカーの技術も同様に急速に進歩することが予測されるから，特定個人情報保護評価指針も最新の技術動向を踏まえたものであるべきである。また，プライバシー影響評価は，先進国において拡大し進化しつつあるから，その動向を踏まえることも重要である。さらに，特定個人情報保護評価の実施状況を踏まえて，PDCAサイクルにより特定個人情報保護評価指針の改善を図っていく必要がある。このような観点から，本項は，特定個人情報保護評価指針の定期的見直しを義務づけている。

（特定個人情報保護評価）

第28条① 行政機関の長等は，特定個人情報ファイル（専ら当該行政機関の長等の職員又は職員であった者の人事，給与又は福利厚生に関する事項を記録するものその他の個人情報保護委員会規則で定めるものを除く。以下この条において同じ。）を保有しようとするときは，当該特定個人情報ファイルを保有する前に，個人情報保護委員会規則で定めるところにより，次に掲げ

る事項を評価した結果を記載した書面（以下この条において「評価書」という。）を公示し，広く国民の意見を求めるものとする。当該特定個人情報ファイルについて，個人情報保護委員会規則で定める重要な変更を加えようとするときも，同様とする。
1　特定個人情報ファイルを取り扱う事務に従事する者の数
2　特定個人情報ファイルに記録されることとなる特定個人情報の量
3　行政機関の長等における過去の個人情報ファイルの取扱いの状況
4　特定個人情報ファイルを取り扱う事務の概要
5　特定個人情報ファイルを取り扱うために使用する電子情報処理組織の仕組み及び電子計算機処理等の方式
6　特定個人情報ファイルに記録された特定個人情報を保護するための措置
7　前各号に掲げるもののほか，個人情報保護委員会規則で定める事項

② 　前項前段の場合において，行政機関の長等は，個人情報保護委員会規則で定めるところにより，同項前段の規定により得られた意見を十分考慮した上で評価書に必要な見直しを行った後に，当該評価書に記載された特定個人情報ファイルの取扱いについて委員会の承認を受けるものとする。当該特定個人情報ファイルについて，個人情報保護委員会規則で定める重要な変更を加えようとするときも，同様とする。

③ 　委員会は，評価書の内容，第35条第1項の規定により得た情報その他の情報から判断して，当該評価書に記載された特定個人情報ファイルの取扱いが指針に適合していると認められる場合でなければ，前項の承認をしてはならない。

④ 　行政機関の長等は，第2項の規定により評価書について承認を受けたときは，速やかに当該評価書を公表するものとする。

⑤ 　前項の規定により評価書が公表されたときは，個人情報保護法第74条第1項の規定による通知があったものとみなす。

⑥ 　行政機関の長等は，評価書の公表を行っていない特定個人情報ファイルに記録された情報を第19条第8号若しくは第9号の規定により提供し，又は当該特定個人情報ファイルに記録されることとなる情報の提供をこれらの規定により求めてはならない。

⑴　「行政機関の長等は」（1項柱書前段）

特定個人情報保護評価を義務づけられるのは，「行政機関の長等」であり，

第28条（特定個人情報保護評価）

本条でいう「行政機関の長等」とは，行政機関の長，地方公共団体の機関，独立行政法人等，地方独立行政法人および地方公共団体情報システム機構ならびに本法19条8号に規定する情報照会者および情報提供者ならびに同条9号に規定する条例事務関係情報照会者および条例事務関係情報提供者である（本法2条14項参照）。国，地方公共団体，独立行政法人等，地方独立行政法人は一般に行政主体として位置づけられており，プライバシー保護対策についての説明責任を果たし，国民の信頼を確保すべき主体であるので，特定個人情報保護評価の義務付けが正当化される。地方公共団体情報システム機構（宇賀・前掲・行政法概説Ⅲ［第5版］330頁以下参照）は国と地方公共団体が共同で管理する法人であり，国および地方公共団体に準ずる公的性格を有し，また，個人番号を生成し通知するという重要な所掌事務に照らし，特定個人情報保護評価の義務付けが正当化される。以上の主体については，情報提供等事務を行うか否かにかかわらず，特定個人情報保護評価の実施主体とされうる。個人番号利用事務等実施者の中には，個人番号関係事務を行う目的で個人番号を取り扱うものの，事業目的で個人番号を利用するわけではないものが多数を占める。このように事業目的では個人番号を利用しない者にまで特定個人情報保護評価を義務づけることは過度の負担を課すことになり適切ではない（もとより，任意にプライバシー影響評価を行うことを妨げるものではない）。他方，情報提供等事務を行う情報照会者および情報提供者ならびに条例事務関係情報提供等事務を行う条例事務関係情報照会者および条例事務関係情報提供者は，情報提供ネットワークシステムを使用した情報連携というマイナンバー制度の肝の部分に関与することになるので，その保有する特定個人情報ファイルが本人に与える影響も大きくなると思料され，かつ，情報照会者および情報提供者ならびに条例事務関係情報照会者および条例事務関係情報提供者としては一般に公的性格が強い事業者が想定されていることにも照らし，特定個人情報保護評価の義務付けが正当化される。

(2)　「特定個人情報ファイル……を保有しようとするときは」（1項柱書前段）
　本法2条4項においては，行政機関および独立行政法人等以外の者については，個人情報保護法2条4項に規定する個人情報データベース等を「個人情報ファイル」と定義している。

(3) 「（専ら当該行政機関の長等の職員又は職員であった者の人事，給与又は福利厚生に関する事項を記録するものその他の個人情報保護委員会規則で定めるものを除く。以下この条において同じ。）」（1項柱書前段かっこ書）

　特定個人情報ファイルであっても，専ら職員または職員であった者の人事，給与または福利厚生に関する事項を記録するものその他の個人情報保護委員会規則で定めるものは特定個人情報保護評価の義務付け対象から除外されている。これらの特定個人情報ファイルは，使用者・被用者間の内部的な人事管理に関するものであり，その存在，利用目的も職員または職員であった者に周知されていると考えられるため，プライバシーへの影響は大きくないとして，適用除外とされたのである。特定個人情報保護評価に関する規則（平成26年特定個人情報保護委員会規則第1号）4条では，以下のものが適用除外となっている。

　(i)個人情報保護法74条2項3号もしくは同法施行令19条3項に規定する個人情報ファイルであって行政機関もしくは独立行政法人等が保有するもの，または行政機関の長等（行政機関の長および独立行政法人等を除く）の役員もしくは職員もしくはこれらの職にあった者もしくはこれらの者の被扶養者もしくは遺族に係る個人情報保護法16条1項に規定する個人情報データベース等であって，専らその人事，給与もしくは福利厚生に関する事項もしくはこれらに準ずる事項を記録するもののうち，行政機関および独立行政法人等以外の者が保有するものに該当する特定個人情報ファイル，

　(ii)個人情報保護法60条2項2号に規定する個人情報ファイルであって行政機関もしくは独立行政法人等が保有するもの，または個人情報保護法16条1項2号に規定する個人情報データベース等であって行政機関等以外の者が保有するものに該当する特定個人情報ファイル，

　(iii)行政機関の長等が特定個人情報ファイル（(i)(ii)または(iv)から(vii)までのいずれかに該当するものを除く。以下(iii)において同じ）を取り扱う事務において保有するすべての特定個人情報ファイルに記録される本人の数の総数が1000人未満である場合における，当該特定個人情報ファイル，

　(iv)健康保険法11条1項の規定により設立された健康保険組合の保有する被保険者もしくは被保険者であった者またはその被扶養者の医療保険に関する事項を記録する特定個人情報ファイル，

　(v)国家公務員共済組合，国家公務員共済組合連合会，地方公務員共済組合，

第28条（特定個人情報保護評価）

全国市町村職員共済組合連合会，地方公務員共済組合連合会，厚生年金保険法等の一部を改正する法律（平成8年法律第82号）附則32条2項に規定する存続組合，同法附則48条1項の規定により指定された指定基金，地方公務員等共済組合法の一部を改正する法律（平成23年法律第56号）附則23条1項3号に規定する存続共済会または地方公務員災害補償基金の保有する組合員もしくは組合員であった者またはその被扶養者の共済に関する事項を記録する特定個人情報ファイル，

(vi)本法19条8号に規定する情報照会者（行政機関の長，地方公共団体の機関，独立行政法人等および地方独立行政法人を除く）の保有する特定個人情報ファイルであって，本法別表第2の第2欄に掲げる事務において保有するもの以外のもの，および本法19条8号に規定する情報提供者（行政機関の長，地方公共団体の機関，独立行政法人等および地方独立行政法人を除く）の保有する特定個人情報ファイルであって，当該情報提供者が個人番号を用いる事務において保有するもの（本法別表第2の第4欄に掲げる特定個人情報を記録するものに限る）以外のもの，ならびに本法19条9号に規定する条例事務関係情報提供者の保有する特定個人情報ファイルであって，当該条例事務関係情報提供者が個人番号を用いる事務において保有するもの以外のもの

(vii)会計検査院が検査上の必要により保有する特定個人情報ファイル，

(viii)行政機関の長等が，基礎項目評価書の公表を行った場合であって，当該基礎項目評価書に係る特定個人情報ファイルを取り扱う事務が，(イ)行政機関の長等が特定個人情報ファイル（(i)から(vii)のいずれかに該当するものを除く。以下(viii)において同じ）を取り扱う事務において保有するすべての特定個人情報ファイルに記録される本人の数の総数が1000人以上1万人未満であるとき，(ロ)行政機関の長等が特定個人情報ファイルを取り扱う事務において保有するすべての特定個人情報ファイルに記録される本人の数の総数が1万人以上10万人未満である場合であって，当該事務に従事する者の数が500人未満であるとき（当該行政機関の長等において過去1年以内に特定個人情報の漏えいその他の事故〔重大なものとして指針で定めるものに限る。以下「特定個人情報に関する重大事故」という〕が発生したとき，または当該行政機関の長等が過去1年以内に当該行政機関の長等における特定個人情報に関する重大事故の発生を知ったときを除く）のいずれかに該当するときにおける，当該基礎項目評価書に係る特定個人情報ファイル，

(ⅸ)行政機関の長等が，特定個人情報保護評価に関する規則6条3項の規定による重点項目評価書の公表および当該重点項目評価書に係る特定個人情報ファイルを取り扱う事務について同規則5条2項の規定による基礎項目評価書の公表を行った場合における，当該重点項目評価書および基礎項目評価書に係る特定個人情報ファイル，

(ⅹ)地方公共団体等が，特定個人情報保護評価に関する規則7条6項の規定による評価書の公表および当該評価書に係る特定個人情報ファイルを取り扱う事務について同規則5条2項の規定による基礎項目評価書の公表を行った場合における，当該評価書および基礎項目評価書に係る特定個人情報ファイル。

(4) 「当該特定個人情報ファイルを保有する前に」(1項柱書前段)

特定個人情報保護評価の時期は，プライバシーへの影響を事前に評価し，有効な対策を行うという制度の趣旨に照らし，特定個人情報ファイルを保有する前に行うこととしている。特定個人情報保護評価指針第6(特定個人情報保護評価の実施時期)1(新規保有時)(1)(システム用ファイルを保有しようとする場合の実施時期)によれば，システム用ファイルを保有しようとする場合，プログラミング開始前の適切な時期に特定個人情報保護評価を実施するものとされ，その他の電子ファイルを保有しようとする場合は，事務処理の検討段階で特定個人情報保護評価を実施するものとされている。

(5) 「個人情報保護委員会規則で定めるところにより」(1項柱書前段)

特定個人情報保護評価に関することは個人情報保護委員会の所掌事務とされており(個人情報保護法132条5号)，個人情報保護委員会は，専門性と独立性を兼備した行政委員会であるから，特定個人情報保護評価の在り方についても，個人情報保護委員会に広範な委任が行われており，個人情報保護委員会規則で定められる部分が少なくない。なお，特定個人情報保護評価指針によれば，本条に規定されている特定個人情報保護評価は，特定個人情報ファイルを保有しようとする場合のすべてにおいて必要になるわけではなく，一部が適用除外となるほか，しきい値判断の結果，①基礎項目評価のみで足りる場合，②重点項目評価が必要な場合，③厳格な評価(全項目評価)が必要な場合に応じた手続がとられることになる。本条が規定している特定個人情報保護評価は，このう

ちの全項目評価であり，基礎項目評価，重点項目評価については，特定個人情報保護評価に関する規則4条8号・9号で本条の定める特定個人情報保護評価から除外され，特定個人情報保護評価に関する規則5条・6条で手続が定められている。特定個人情報保護評価指針によれば，(i)特定個人情報ファイルの対象人数が30万以上の場合，(ii)特定個人情報ファイルの対象人数が10万以上30万未満であって，特定個人情報を取り扱う職員，外部委託先の人数が500人以上の場合，(iii)特定個人情報ファイルの対象人数が10万以上30万未満であって，特定個人情報を取り扱う職員，外部委託先の人数が500人未満であるが，過去1年以内に評価実施機関における特定個人情報に関する重大事故を発生させた場合に全項目評価を行うこととされている。また，同指針によれば，全項目評価書には，(i)特定個人情報保護評価の対象となる事務の詳細な内容，当該事務において使用するシステムの機能，当該事務において取扱う特定個人情報ファイルの名称，当該事務を対象とする特定個人情報保護評価の実施を担当する部署，当該事務において個人番号を利用することができる法令上の根拠等，当該事務において情報連携を行う場合にはその法令上の根拠，(ii)特定個人情報ファイルの種類，対象となる本人の数・範囲，記録される項目その他の特定個人情報保護評価の対象となる事務において取り扱う特定個人情報ファイルの概要，特定個人情報の入手方法および使用の方法，特定個人情報ファイルの取扱いの委託の有無および委託する場合にはその方法，特定個人情報の提供または移転の有無および提供または移転する場合にはその方法，特定個人情報の保管および消去の方法その他の特定個人情報ファイルを取り扱うプロセスの概要，(iii)特定個人情報ファイルを取り扱うプロセスにおいて個人のプライバシー等の権利利益に影響を与え得る特定個人情報の漏えいその他の事態を発生させる多様なリスクについての詳細な分析と，そのようなリスクを軽減するための措置（ただし，これらについては記載の推奨にとどめられている），自己点検・監査，従業者に対する教育・啓発等のリスク対策，リスクを軽減するための適切な措置を講じていることの宣言，(iv)国民からの意見の聴取の方法，主な意見の内容等，個人情報保護委員会による承認のために全項目評価書を個人情報保護委員会に提出した日，個人情報保護委員会による審査等（地方公共団体等の場合には，住民等からの意見の聴取および第三者点検の方法等），(v)特定個人情報の開示・訂正・利用停止請求，特定個人情報ファイルの取扱いに関する問合せ等を記載するこ

ととされている。

　行政機関の長等は，特定個人情報ファイルを保有しようとするとき，当該特定個人情報ファイルを保有する前に，基礎項目評価書を個人情報保護委員会に提出しなければならず，当該特定個人情報ファイルについて重要な変更を加えようとするときも同様である（特定個人情報保護評価に関する規則5条1項）。行政機関の長等は，基礎項目評価書を提出したときは，速やかに当該基礎項目評価書を公表しなければならない。ただし，当該評価書が犯罪の捜査，租税に関する法律の規定に基づく犯則事件の調査または公訴の提起もしくは維持のために保有する特定個人情報ファイルを取り扱う事務に係るものであるときは，その全部または一部を公表しないことができる（同条2項，同10条1項）。行政機関の長等は，特定個人情報ファイルを保有しようとする場合であって，当該特定個人情報ファイルを取り扱う事務が，(i)行政機関の長等が特定個人情報ファイルを取り扱う事務において保有するすべての特定個人情報ファイルに記録される本人の数の総数が1万人以上10万人未満である場合であって，当該事務に従事する者の数が500人以上であるとき，または当該行政機関の長等において過去1年以内に特定個人情報に関する重大事故が発生したとき，もしくは当該行政機関の長等が過去1年以内に当該行政機関の長等における特定個人情報に関する重大事故の発生を知ったとき，(ii)行政機関の長等が特定個人情報ファイルを取り扱う事務において保有するすべての特定個人情報ファイルに記録される本人の数の総数が10万人以上30万人未満である場合であって，当該事務に従事する者の数が500人未満であるとき（当該行政機関の長等において過去1年以内に特定個人情報に関する重大事故が発生したとき，または当該行政機関の長等が過去1年以内に当該行政機関の長等における特定個人情報に関する重大事故の発生を知ったときを除く），のいずれかに該当するときは，当該特定個人情報ファイルを保有する前に，重点項目評価書を個人情報保護委員会に提出するものとされている（同規則6条1項）。行政機関の長等は，重点項目評価書を提出したときは，速やかに当該重点項目評価書を公表しなければならない。ただし，当該公表に係る評価書が犯罪の捜査，租税に関する法律の規定に基づく犯則事件の調査または公訴の提起もしくは維持のために保有する特定個人情報ファイルを取り扱う事務に係るものであるときは，その全部または一部を公表しないことができ，その他，評価書に記載した事項を公表することにより，特定個人情報の適切な

第 28 条（特定個人情報保護評価）

　管理に著しい支障を及ぼすおそれがあると認めるときは，評価書に記載する事項の一部を公表しないことができる（同条3項，10条）。
　地方公共団体等は，特定個人情報ファイル（同規則4条1号から9号までのいずれかに該当するものを除く）を保有しようとするときは，当該特定個人情報ファイルを保有する前に，本項に規定する評価書を公示し，広く住民その他の者の意見を求めなければならず，同規則11条に規定する重要な変更を加えようとするときも，同様である。ただし，当該公示に係る評価書が犯罪の捜査，租税に関する法律の規定に基づく犯則事件の調査または公訴の提起もしくは維持のために保有する特定個人情報ファイルを取り扱う事務に係るものであるときは，その全部または一部を公示しないことができ，その他，評価書に記載した事項を公示することにより，特定個人情報の適切な管理に著しい支障を及ぼすおそれがあると認めるときは，評価書に記載する事項の一部を公示しないことができる（同規則7条3項，10条）。地方公共団体等は，広く住民その他の者から得られた意見を十分考慮した上で当該評価書に必要な見直しを行った後に，当該評価書に記載された特定個人情報ファイルの取扱いについて，個人情報の保護に関する学識経験のある者を含む者で構成される合議制の機関，当該地方公共団体等の職員以外の者で個人情報の保護に関する学識経験のある者その他特定個人情報保護評価指針に照らして適当と認められる者の意見を聴くものとされている。当該特定個人情報ファイルについて，同規則11条に規定する重要な変更を加えようとするときも，同様である（同規則7条4項）。地方公共団体等は，学識経験者等の意見を聴いた後に，当該評価書を個人情報保護委員会に提出し（同条5項），速やかに当該評価書を公表しなければならない。ただし，当該公表に係る評価書が犯罪の捜査，租税に関する法律の規定に基づく犯則事件の調査または公訴の提起もしくは維持のために保有する特定個人情報ファイルを取り扱う事務に係るものであるときは，その全部または一部を公表しないことができ，その他，評価書に記載した事項を公表することにより，特定個人情報の適切な管理に著しい支障を及ぼすおそれがあると認めるときは，評価書に記載する事項の一部を公表しないことができる（同条6項，10条）。行政機関の長等は，本項の規定による評価書の公示を行うに当たっては，特定個人情報保護評価指針で定めるところにより，当該評価書に係る特定個人情報ファイルが電子情報処理組織により取り扱われるものであるときは，当該特定個人情報

ファイルを取り扱うために使用する電子情報処理組織を構築する前に，当該評価書に係る特定個人情報ファイルが電子情報処理組織により取り扱われるものでないときは，当該特定個人情報ファイルを取り扱う事務を実施する体制その他当該事務の実施に当たり必要な事項の検討と併せて行うものとされ，同規則5条1項の規定による基礎項目評価書の提出，同規則6条1項の規定による重点項目評価書の提出および同規則7条1項の規定による評価書の公示を行う場合も，同様である（同規則9条1項）。ただし，災害その他やむを得ない事由により緊急に特定個人情報ファイルを保有する必要または特定個人情報ファイルに重要な変更を加える必要がある場合は，行政機関の長等は，当該特定個人情報ファイルを保有した後または当該特定個人情報ファイルに重要な変更を加えた後速やかに本項の規定による評価書の公示を行うものとされ，同規則5条1項の規定による基礎項目評価書の提出，同規則6条1項の規定による重点項目評価書の提出および同規則7条1項の規定による評価書の公示を行う場合も，同様である（同規則9条2項）。

(6) 「評価した結果を記載した書面（以下この条において「評価書」という。）を公示し，広く国民の意見を求めるものとする」（1項柱書前段）

　特定個人情報保護評価は専門技術的内容にわたる面があるし，また，セキュリティの観点から公示できない内容もある。さらに，個人情報保護委員会の審査が行われる以上，国民の意見聴取は不要ではないかという疑問も生じうる。しかし，評価実施者や個人情報保護委員会の委員長・委員以外の国民の中にも，情報システムについてのすぐれた知見を有する者が少なくなく，重要な論点や事実が国民の意見聴取手続を通じて提出されることはありうると思われる。また，何がプライバシーに当たるかは相対的な面があり，一般にはプライバシー性が低いと考えられている住所がストーカー被害者にとっては生死に関わる情報であることもあり，性同一性障害者にとっては性別が機微性のある情報でありうる。したがって，広く国民の意見を聴き，多様な意見を十分に考慮した上で評価書の見直しを行うこととしている。

(7) 「当該特定個人情報ファイルについて，個人情報保護委員会規則で定める重要な変更を加えようとするときも，同様とする」（1項柱書後段）

第28条（特定個人情報保護評価）

「個人情報保護委員会規則で定める重要な変更」は，本人として特定個人情報ファイルに記録される個人の範囲の変更その他特定個人情報の漏えいその他の事態の発生の危険性および影響が大きい変更として指針で定めるものである（同規則11条）。すでに特定個人情報保護評価書を作成している場合であっても，個人番号の利用，情報提供ネットワークシステムによる情報連携，特定個人情報ファイルの種類，特定個人情報ファイルの対象となる本人の範囲，特定個人情報ファイルに記録される主な項目，特定個人情報の入手元，特定個人情報の使用目的，特定個人情報ファイルの取扱いの委託の有無，特定個人情報ファイルの取扱いの再委託の有無，特定個人情報の保管場所，リスク対策（重大事故の発生を除く）の項目に，重要な変更を加えようとするときにおいても，特定個人情報保護評価が必要になる（何が重要な変更に当たるかは，特定個人情報保護評価指針別表で具体的に定められている）。

(8) 「前各号に掲げるもののほか，個人情報保護委員会規則で定める事項」（1項7号）

特定個人情報ファイルの取扱いにより個人の権利利益を害する可能性のある要因である（特定個人情報保護評価に関する規則12条）。

(9) 「前項前段の場合において，行政機関の長等は，個人情報保護委員会規則で定めるところにより，同項前段の規定により得られた意見を十分考慮した上で評価書に必要な見直しを行った後に」（2項前段）

行政機関の長等は，国民の意見聴取手続で国民から寄せられた意見を取り入れる義務はないが，それを十分考慮する義務はある。その上で，必要に応じ，評価書の見直しを行うことになる。

(10) 「当該評価書に記載された特定個人情報ファイルの取扱いについて委員会の承認を受けるものとする」（2項前段）

特定個人情報ファイルを保有しようとする者が，自ら特定個人情報保護評価を実施することで，プライバシー保護意識を高めるとともに，特定個人情報の取扱いについての説明責任を果たし国民の信頼を確保することに意義があることから，特定個人情報保護評価は自己評価とされている。しかし，特定個人情

報ファイルを保有しようとする者の自己評価のみでは評価の客観性，専門性，統一性が十分に確保されるとは必ずしもいえないので，個人情報保護委員会の承認を得ることを義務づけている。個人情報保護委員会は，評価に当たり必要があれば，本法35条1項の規定に基づき，報告を求めたり，立入検査を行ったりすることができる。個人情報保護委員会は内閣府の外局として置かれる委員会であり，分担管理事務として特定個人情報保護評価を行うので，この場合の内閣府は各省と組織法上，対等な関係にあるが，このような関係においても，承認，同意等が行われることがある（それについては，宇賀・前掲・行政法概説Ⅲ［第5版］74頁以下，187頁以下参照）。

⑾ 「当該特定個人情報ファイルについて，個人情報保護委員会規則で定める重要な変更を加えようとするときも，同様とする」（2項後段）

過去に特定個人情報保護評価書に記載された特定個人情報ファイルの取扱いについて個人情報保護委員会の承認を受けていても，当該特定個人情報ファイルについて，個人情報保護委員会規則で定める重要な変更を加えようとする場合には，それにより特定個人情報ファイルの取扱いに大きな変化が生ずることになりうるから，改めて個人情報保護委員会の承認を受けることを義務づけている。「個人情報保護委員会規則で定める重要な変更」は，本条1項柱書後段のそれと同じである（⑺の説明参照）。

⑿ 「委員会は，評価書の内容，第35条第1項の規定により得た情報その他の情報から判断して，当該評価書に記載された特定個人情報ファイルの取扱いが指針に適合していると認められる場合でなければ，前項の承認をしてはならない」（3項）

個人情報保護委員会の承認が得られないと情報提供ネットワークシステムを使用した情報連携ができないことになる（本条6項）。

⒀ 「行政機関の長等は，第2項の規定により評価書について承認を受けたときは，速やかに当該評価書を公表するものとする」（4項）

国民の意見聴取手続において公示した評価書は，国民の意見や個人情報保護評価委員会の意見を踏まえて修正されることが予定された中間段階の案にとど

第28条（特定個人情報保護評価）

まるので，個人情報保護委員会の承認を受けて確定した評価書を公表する必要性は否定されないのである。そのため，本項において個人情報保護委員会の承認を得た評価書の公表を行政機関の長等に義務づけている。評価書の公表は，特定個人情報保護への行政機関の長等の取組みを国民に説明し，その信頼を確保することも目的としている。一覧性を確保するため，個人情報保護委員会のウェブサイトでも公表されている。

(14)　「前項の規定により評価書が公表されたときは，……通知があったものとみなす」（5項）

　個人情報保護法に基づく個人情報ファイルの保有の通知制度と特定個人情報保護評価の関係をいかに整理するかという問題がある。本項は，両者の重複を回避するため，特定個人情報保護評価書の記載事項が個人情報ファイルの記載事項を包摂するようにし，特定個人情報保護評価書が公表された場合には，特定個人情報ファイルの保有の通知は不要としている。ただし，個人情報ファイル簿の作成・公表義務に係る個人情報保護法75条の規定の適用除外とはしていない。なぜならば，特定個人情報保護評価書が公表された個人情報ファイルについては個人情報ファイル簿が存在せず，公表していない個人情報ファイルについてのみ個人情報ファイル簿が存在するということになると，個人情報ファイル簿の一覧性が欠如することになるが，このことは，個人情報ファイル簿が，国民による開示請求等の便宜を図る機能を期待されていることに鑑み適切ではないからである。他方，独立行政法人等については，そもそも，個人情報ファイル簿の作成・公表義務はあるものの（個人情報保護法75条），独立行政法人等の自主性，自律性を尊重して，個人情報保護委員会への事前通知義務は課されていないので，特定個人情報保護評価書の公表と個人情報ファイル簿保有に当たっての事前通知との調整の問題は生じない。

(15)　「個人情報保護法第74条第1項の規定による通知」（5項）

　個人情報保護法74条1項は，行政機関（会計検査院を除く）が個人情報保護法ファイルを保有しようとするときは，当該行政機関の長は，あらかじめ，個人情報保護委員会に対し，同項各号に掲げる事項を通知することを義務づけている。

⑯ 「行政機関の長等は，評価書の公表を行っていない特定個人情報ファイルに記録された情報を第 19 条第 8 号若しくは第 9 号の規定により提供し，又は当該特定個人情報ファイルに記録されることとなる情報の提供をこれらの規定により求めてはならない」（6 項）

個人情報保護委員会の承認を得て公表されていない特定個人情報ファイルは，プライバシー侵害防止の方策が十分に講じられていないものと考えられるので，かかる特定個人情報ファイルが情報提供ネットワークシステムを通じて情報連携されると，適正な取扱いがなされている他の特定個人情報ファイル，他の情報照会者もしくは情報提供者または条例事務関係情報照会者もしくは条例事務関係情報提供者のシステム，さらには情報提供ネットワークシステム全体に負の影響を及ぼすおそれがあるためである。なお，地方公共団体が行う特定個人情報保護評価については個人情報保護委員会規則により本条全体の適用を除外した上で（特定個人情報保護評価に関する規則 4 条 10 号），同規則 7 条であらためて定められているので，本項の規定についても，地方公共団体には適用されないことになるが，同規則 7 条でほぼ同内容が規定されている。ただし，評価書案について，個人情報保護委員会の承認に代えて，学識経験を有する者による第三者点検を受けることとされている。

（特定個人情報ファイルの作成の制限）
第 29 条　個人番号利用事務等実施者その他個人番号利用事務等に従事する者は，第 19 条第 13 号から第 17 号までのいずれかに該当して特定個人情報を提供し，又はその提供を受けることができる場合を除き，個人番号利用事務等を処理するために必要な範囲を超えて特定個人情報ファイルを作成してはならない。

⑴ 「個人番号利用事務等実施者その他個人番号利用事務等に従事する者は……個人番号利用事務等を処理するために必要な範囲を超えて特定個人情報ファイルを作成してはならない」

個人番号を取り扱うことに正当な理由がある場合を超えて特定個人情報ファイルが作成された場合には，特定の個人が容易に検索され，プライバシー侵害の危険性が高まる。そこで，個人情報保護法においては，個人情報ファイルま

第29条（特定個人情報ファイルの作成の制限）

たは個人情報データベース等の作成自体は禁止されていないが，本法は，特定個人情報ファイルの作成を制限している。すなわち，個人番号利用事務等実施者その他個人番号利用事務等に従事する者には，原則として，個人番号利用事務等を処理するために必要な範囲を超えて特定個人情報ファイルの作成が禁止されている。したがって，個人番号関係事務実施者が，源泉徴収事務のために従業者の所得情報に係る特定個人情報ファイルを作成することは，個人番号利用事務等を処理するために必要な範囲として認められるが，従業者の勤務評定，出退勤時刻管理のためにその個人番号を利用して特定個人情報ファイルを作成することは，個人番号利用事務等を処理するために必要な範囲を超えており，認められない。なお，住民票コードの記録されたデータベースについても作成制限がある（住民基本台帳法30条の38第3項）。

　個人番号利用事務等実施者その他個人番号利用事務等に従事する者は，本法に基づき個人番号を取り扱うことが認められており，そのことを奇貨として不必要な特定個人情報ファイルを作成することを禁ずるものであり，個人番号利用事務等実施者の職員等であっても，かかる立場にない者の場合，本条の規定の適用を受けないが，特定個人情報の提供の求めを制限する本法15条，特定個人情報の収集，保管を制限する本法20条の規定により特定個人情報ファイルの作成を禁止されることになる。個人番号利用事務等に従事する者には，(i)個人番号利用事務等実施者である国の行政機関，独立行政法人等，地方公共団体および地方独立行政法人の役員，職員，(ii)個人番号利用事務等実施者である民間事業者の従業者，(iii)個人番号利用事務等実施者に派遣されている派遣労働者が含まれる。本条が規定する特定個人情報ファイルの作成制限に違反しても直罰が科されるわけではないが，個人情報保護評価委員会の命令（原則として勧告前置）に違反した場合に間接罰が科される仕組みになっている。

(2) 「個人番号利用事務等を処理するために必要な範囲を超えて」
　「個人番号利用事務等を処理するために必要な範囲」とは，法定調書提出義務を負う事業者が，税務署長に法定調書を提出するための事務に利用する目的で，従業者の特定個人情報ファイルを作成する場合等であり，この例の場合，仮に，親会社が子会社の従業者についても一体的に人事を管理しているのであれば，前記事務のために子会社の従業者の特定個人情報ファイルを作成するこ

とも認められる。

(3) 「第19条第13号から第17号までのいずれかに該当して特定個人情報を提供し，又はその提供を受けることができる場合を除き」

以上の当該個人情報ファイルの作成制限の例外として認められているのが，本法19条13号から17号までに該当する場合であり，かかる場合には，特定個人情報ファイル作成の必要性が認められ，かつ，特定個人情報ファイル作成による個人の権利利益侵害のおそれが認められないからである。したがって，特定個人情報ファイルを作成できる場合は，(i)個人番号利用事務等の処理に必要な場合，(ii)本法19条13号から17号までに該当する場合に限られることになる。

> （研修の実施）
> **第29条の2** 行政機関の長等は，特定個人情報ファイルを保有し，又は保有しようとするときは，特定個人情報ファイルを取り扱う事務に従事する者に対して，政令で定めるところにより，特定個人情報の適正な取扱いを確保するために必要なサイバーセキュリティ（サイバーセキュリティ基本法（平成26年法律第104号）第2条に規定するサイバーセキュリティをいう。第32条において同じ。）の確保に関する事項その他の事項に関する研修を行うものとする。

本条は，2015年に発生した日本年金機構からの年金情報大量漏えい事件を受けて，参議院内閣委員会における修正で追加された。この事件は，標的型攻撃で発生したものであり，改めて，サイバーテロ対策の重要性を認識させた。そこで，特定個人情報ファイルを保有し，または保有しようとするときは，特定個人情報ファイルを取り扱う事務に従事する者に対して，特定個人情報ファイルの適正な取扱いを確保するために必要なサイバーセキュリティの確保に関する事項等に関する研修を義務づけている。この規定は，2016年1月1日に施行された。研修の義務付けについて法律で定めている他の例としては，統計法53条，公文書等の管理に関する法律32条がある。サイバーセキュリティ基本法2条で定義する「サイバーセキュリティ」とは，「電子的方式，磁気的方

式その他人の知覚によっては認識することができない方式（以下この条において「電磁的方式」という。）により記録され，又は発信され，伝送され，若しくは受信される情報の漏えい，滅失又は毀損の防止その他の当該情報の安全管理のために必要な措置並びに情報システム及び情報通信ネットワークの安全性及び信頼性の確保のために必要な措置（情報通信ネットワーク又は電磁的方式で作られた記録に係る記録媒体（以下「電磁的記録媒体」という。）を通じた電子計算機に対する不正な活動による被害の防止のために必要な措置を含む。）が講じられ，その状態が適切に維持管理されていること」を意味する。

　研修の実施は，(i)研修の計画をあらかじめ策定し，これに沿ったものとすること，(ii)研修の内容は，特定個人情報の適正な取扱いを確保するために必要なサイバーセキュリティの確保に関する事項として，情報システムに対する不正な活動その他のサイバーセキュリティに対する脅威および当該脅威による被害の発生または拡大を防止するため必要な措置に関するものを含むものとすること，(iii)特定個人情報ファイルを取り扱う事務に従事する者のすべてに対して，おおむね1年ごとに研修を受けさせるものとすることが政令で定められている（本法施行令30条の2）。

（委員会による検査等）
第29条の3① 特定個人情報ファイルを保有する行政機関，独立行政法人等及び機構は，個人情報保護委員会規則で定めるところにより，定期的に，当該特定個人情報ファイルに記録された特定個人情報の取扱いの状況について委員会による検査を受けるものとする。
② 特定個人情報ファイルを保有する地方公共団体及び地方独立行政法人は，個人情報保護委員会規則で定めるところにより，定期的に，委員会に対して当該特定個人情報ファイルに記録された特定個人情報の取扱いの状況について報告するものとする。

---

(1) 「特定個人情報ファイルを保有する行政機関，独立行政法人等及び機構は，個人情報保護委員会規則で定めるところにより，定期的に，当該特定個人情報ファイルに記録された特定個人情報の取扱いの状況について委員会による検査を受けるものとする」（1項）

本論 本法の逐条解説／第5章 特定個人情報の保護

　本項は、2015年に発生した日本年金機構からの年金情報大量漏えい事件を受けて、参議院内閣委員会における修正で追加された。国の行政機関、独立行政法人等および地方公共団体情報システム機構については、特定個人情報ファイルに記録された特定個人情報の取扱いの状況について、定期的に個人情報保護委員会による検査を受けることが義務づけられた。本項は、2016年1月1日に施行された。本項の規定を受けて、「特定個人情報の取扱いの状況に係る行政機関等の定期的な検査に関する規則」（平成28年個人情報保護委員会規則第2号）が制定されている。

(2) 「特定個人情報ファイルを保有する地方公共団体及び地方独立行政法人は、個人情報保護委員会規則で定めるところにより、定期的に、委員会に対して当該特定個人情報ファイルに記録された特定個人情報の取扱いの状況について報告するものとする」(2項)

　本項も、2015年に発生した日本年金機構からの年金情報大量漏えい事件を受けて、参議院内閣委員会における修正で追加された。地方公共団体および地方独立行政法人についても、特定個人情報ファイルに記録された特定個人情報の取扱いの状況について、定期的に個人情報保護委員会の検査を受けることが望ましいが、個人情報保護委員会の定員・予算の現状に鑑みると、直ちに、かかる義務付けを行うことは困難である。そこで、定期的に報告を義務づけるにとどめている。本項は、2016年1月1日に施行された。本項の規定を受けて、「特定個人情報の取扱いの状況に係る地方公共団体等による定期的な報告に関する規則」（平成28年個人情報保護委員会規則第4号）が制定されている。

（特定個人情報の漏えい等に関する報告等）
第29条の4① 個人番号利用事務等実施者は、特定個人情報ファイルに記録された特定個人情報の漏えい、滅失、毀損その他の特定個人情報の安全の確保に係る事態であって個人の権利利益を害するおそれが大きいものとして個人情報保護委員会規則で定めるものが生じたときは、個人情報保護委員会規則で定めるところにより、当該事態が生じた旨を委員会に報告しなければならない。ただし、当該個人番号利用事務等実施者が、他の個人番号利用事務等実施者から当該個人番号利用事務等の全部又は一部の委託を受けた場合で

第29条の4（特定個人情報の漏えい等に関する報告等）

> あって，個人情報保護委員会規則で定めるところにより，当該事態が生じた旨を当該他の個人番号利用事務等実施者に通知したときは，この限りでない。
> ② 前項に規定する場合には，個人番号利用事務等実施者（同項ただし書の規定による通知をした者を除く。）は，本人に対し，個人情報保護委員会規則で定めるところにより，当該事態が生じた旨を通知しなければならない。ただし，本人への通知が困難な場合であって，本人の権利利益を保護するため必要なこれに代わるべき措置をとるときは，この限りでない。

(1)「個人番号利用事務等実施者は，特定個人情報ファイルに記録された特定個人情報の漏えい，滅失，毀損その他の特定個人情報の安全の確保に係る事態であって個人の権利利益を害するおそれが大きいものとして個人情報保護委員会規則で定めるものが生じたときは，個人情報保護委員会規則で定めるところにより，当該事態が生じた旨を委員会に報告しなければならない」（1項本文）

　本項本文は，2015年に発生した日本年金機構からの年金情報大量漏えい事件を受けて，参議院内閣委員会における修正で追加された。この事件では，基本的対応が担当者任せになっていた点，理事長・最高情報セキュリティ責任者（副理事長）への報告が適時に行われない場合があったこと等が問題として指摘された。これを受けて，特定個人情報ファイルに記録された特定個人情報の漏えいその他の特定個人情報の安全の確保に係る重大な事態が生じたときに個人情報保護委員会への報告を義務づけることとした。本条は，2016年1月1日に施行された。

　「特定個人情報ファイルに記録された特定個人情報の漏えい，滅失，毀損その他の特定個人情報の安全の確保に係る事態であって個人の権利利益を害するおそれが大きいものとして個人情報保護委員会規則で定めるもの」は，(i)情報提供ネットワークシステムおよびこれに接続された電子計算機に記録された特定個人情報，個人番号利用事務実施者が個人番号利用事務を処理するために使用する情報システムにおいて管理される特定個人情報（高度な暗号化その他の個人の権利利益を保護するために必要な措置を講じたものを除く。以下「行政手続における特定の個人を識別するための番号の利用等に関する法律第29条の4第1項及び第2項に基づく特定個人情報の漏えい等に関する報告等に関する規則」において同じ）また

は行政機関，地方公共団体，独立行政法人等および地方独立行政法人が個人番号関係事務を処理するために使用する情報システムならびに行政機関，地方公共団体，独立行政法人等および地方独立行政法人から個人番号関係事務の全部もしくは一部の委託を受けた者が当該個人番号関係事務を処理するために使用する情報システムにおいて管理される特定個人情報のいずれかが，漏えいし，滅失し，または毀損した事態，(ii)不正の目的をもって，行われたおそれがある特定個人情報の漏えい等が発生し，または発生したおそれがある事態，不正の目的をもって，特定個人情報が利用され，または利用されたおそれがある事態，不正の目的をもって，特定個人情報が提供され，または提供されたおそれがある事態，(iii)個人番号利用事務等実施者または個人番号関係事務等実施者の保有する特定個人情報ファイルに記録された特定個人情報が電磁的方法により不特定多数の者に閲覧され，または閲覧されるおそれがある事態，(iv)漏えい等が発生し，または発生したおそれがある特定個人情報，本法9条の規定に反して利用され，または利用されたおそれがある個人番号を含む特定個人情報，本法19条の規定に反して提供され，または提供されるおそれがある特定個人情報に係る本人の数が100人を超える事態を意味する（「行政手続における特定の個人を識別するための番号の利用等に関する法律第29条の4第1項及び第2項に基づく特定個人情報の漏えい等に関する報告等に関する規則」〔平成27年特定個人情報保護委員会規則第5号〕2条）。

　個人番号利用事務実施者（個人番号利用事務の全部または一部の委託を受けた者を除く）または個人番号関係事務等実施者は，本項本文の規定による報告をする場合には，同規則2条各号に定める事態を知った後，速やかに，その事態に関する①概要，②特定個人情報の項目，③特定個人情報に係る本人の数，④原因，⑤二次被害またはそのおそれの有無およびその内容，⑥本人への対応の実施状況，⑦公表の実施状況，⑧再発防止のための措置，⑨その他参考となる事項を個人情報保護委員会に報告しなければならない（同3条1項）。同規則3条1項により個人情報保護委員会に報告する場合において，個人番号利用事務等実施者は，当該事態を知った日から30日以内（当該事態が同規則2条2号に定めるものにあっては60日以内）に，当該事態に関する同規則3条1項各号に定める事項を報告しなければならない（同条2項）。本項本文の規定による報告は，個人情報保護委員会に対して，電子情報処理組織（個人情報保護委員会の使用に係

第 29 条の 4（特定個人情報の漏えい等に関する報告等）

る電子計算機と報告する者の使用に係る電子計算機とを電気通信回線で接続した電子情報処理組織をいう）を使用する方法（電気通信回線の故障，災害その他の理由により電子情報処理組織を使用することが困難であると認められる場合にあっては，別記様式による報告書を提出する方法）により行うものとされている（同条 3 項）。

(2)　「ただし，当該個人番号利用事務等実施者が，他の個人番号利用事務等実施者から当該個人番号利用事務等の全部又は一部の委託を受けた場合であって，個人情報保護委員会規則で定めるところにより，当該事態が生じた旨を当該他の個人番号利用事務等実施者に通知したときは，この限りでない」（1 項ただし書）

　令和 2 年法律第 44 号により個人情報保護法が改正され，漏えい等の報告制度が同法に新設された際に，それと平仄を合わせるために，同法附則で本条が改正され，本項ただし書が設けられた。受託者である個人番号利用事務等実施者が委託者である個人番号利用事務等実施者に漏えい等の報告をした場合，委託者を通じて個人情報保護委員会に通知されるから，受託者から重ねて個人情報保護委員会に通知することは不要とされている。本項ただし書の規定による通知をする場合には，行政手続における特定の個人を識別するための番号の利用等に関する法律第 29 条の 4 第 1 項及び第 2 項に基づく特定個人情報の漏えい等に関する報告等に関する規則 2 条各号に定める事態を知った後，速やかに，同規則 3 条 1 項各号に定める事項を通知しなければならない（同規則 4 条）。

(3)　「前項に規定する場合には，個人番号利用事務等実施者（同項ただし書の規定による通知をした者を除く。）は，本人に対し，個人情報保護委員会規則で定めるところにより，当該事態が生じた旨を通知しなければならない。ただし，本人への通知が困難な場合であって，本人の権利利益を保護するため必要なこれに代わるべき措置をとるときは，この限りでない」（2 項）

　令和 2 年法律第 44 号により個人情報保護法が改正され，漏えい等の際の本人への通知制度が同法に新設された際に，それと平仄を合わせるために，同法附則で本条が改正され，本項が設けられた。個人番号利用事務等実施者は，本項本文の規定による通知をする場合には，行政手続における特定の個人を識別

するための番号の利用等に関する法律第29条の4第1項及び第2項に基づく特定個人情報の漏えい等に関する報告等に関する規則2条各号に定める事態を知った後，当該事態の状況に応じて速やかに，当該本人の権利利益を保護するために必要な範囲において，概要，特定個人情報の項目，原因，二次被害またはそのおそれの有無およびその内容，本人への対応の実施状況およびその他参考となる事項を通知しなければならない（同規則5条）。

第2節　個人情報保護法の特例等

（個人情報保護法の特例）
第30条① 行政機関等（個人情報保護法第125条第2項の規定により個人情報保護法第2条第11項第3号に規定する独立行政法人等又は同項第4号に規定する地方独立行政法人とみなされる個人情報保護法第58条第1項各号に掲げる者（次条第1項において「みなし独立行政法人等」という。）を含む。）が保有し，又は保有しようとする特定個人情報（第23条（第26条において準用する場合を含む。）に規定する記録に記録されたものを除く。）に関しては，個人情報保護法第69条第2項第2号から第4号まで及び第88条の規定は適用しないものとし，個人情報保護法の他の規定の適用については，次の表の上欄に掲げる個人情報保護法の規定中同表の中欄に掲げる字句は，同表の下欄に掲げる字句とする。
　　〔表略 → 巻末資料参照〕
② 個人情報保護法第16条第2項に規定する個人情報取扱事業者（個人情報保護法第58条第2項の規定により個人情報保護法第16条第2項に規定する個人情報取扱事業者とみなされる個人情報保護法第58条第2項各号に掲げる者（次条第3項において「みなし個人情報取扱事業者」という。）を含む。）が保有し，又は保有しようとする特定個人情報（第23条第1項及び第2項（これらの規定を第26条において準用する場合を含む。以下同じ。）に規定する記録に記録されたものを除く。）に関しては，個人情報保護法第18条第3項第3号から第6号まで，第20条第2項及び第27条から第30条までの規定は適用しないものとし，個人情報保護法の他の規定の適用については，次の表の上欄に掲げる個人情報保護法の規定中同表の中欄に掲げる字句は，同表の下欄に掲げる字句とする。
　　〔表略 → 巻末資料参照〕

第30条（個人情報保護法の特例）

(1) 「行政機関等……が保有し，又は保有しようとする特定個人情報……に関しては」（1項）

特定個人情報も個人情報の一種であるので，既存の個人情報保護法制の規定の適用を受けることになり，行政機関等が保有し，または保有しようとする特定個人情報については，個人情報保護法の規定の適用を受けることになる。しかし，特定個人情報については，一般の個人情報以上に，厳格な保護措置が必要になる。そこで，本法は，読替規定等を置くこと等により，特定個人情報の保護のために規制を強化する特例を定めている。

(2) 「個人情報保護法第125条第2項の規定により個人情報保護法第2条第11項第3号に規定する独立行政法人等又は同項第4号に規定する地方独立行政法人とみなされる個人情報保護法第58条第1項各号に掲げる者（次条第1項において「みなし独立行政法人等」という。）を含む」（1項かっこ書）

個人情報保護法125条2項は，同法58条1項に掲げる者による個人情報または匿名加工情報の取扱いについては，同項1号に掲げる同法別表第2に掲げる法人を独立行政法人等と，同項2号に掲げる「地方独立行政法人のうち地方独立行政法人法第21条第1号に掲げる業務を主たる目的とするもの又は同条第2号若しくは第3号（チに係る部分に限る。）掲げる業務を目的とするもの」を地方独立行政法人と，それぞれみなして，同法5章（行政機関等の義務等）1節（総則），75条（個人情報ファイル簿の作成および公表），同章4節（開示，訂正および利用停止），5節（行政機関等匿名加工情報），124条2項（未整理大量情報の適用除外），127条（開示請求等をしようとする者に対する情報の提供等）および6章（個人情報保護委員会）から8章（罰則）まで（176条〔個人情報ファイル不正提供罪〕，180条〔保有個人情報不正提供等罪〕および181条〔職権濫用による個人の秘密収集罪〕）の規定を適用すると定めている。

令和3年法律第37号による改正で，学術研究や医療の分野では個人情報の共有を円滑に行うため，公的部門において学術研究や医療を行う法人は，原則として「行政機関等」に含めず，個人情報取扱事業者として扱われることになった（個人情報保護法2条11項3号かっこ書・4号かっこ書，16条2項3号・4号）。しかし，それらの法人であっても，例外的に公的部門の規律を適用することが

妥当な場合には，みなし独立行政法人等として公的部門の規律が適用されている。そこで，本項かっこ書は，みなし独立行政法人等も，「行政機関等」に含むこととしているのである。

(3) 「(第23条(第26条において準用する場合を含む。)に規定する記録に記録されたものを除く。)」(1項)

本法23条に規定する情報提供等の記録も特定個人情報であるが，次の31条で特例が定められているので，本条の特定個人情報からは除いている。本法26条において準用する場合とは，条例事務関係情報提供等事務に本法23条の情報提供等の記録の規定が準用される場合である。

(4) 「個人情報保護法第69条第2項第2号から第4号まで……の規定は適用しないものとし」(1項)

個人情報保護法69条は，個人情報の目的外利用・提供を原則として禁止した上で，例外的に法定された場合にこれを認めている。しかし，特定個人情報に関しては，データマッチングに伴うプライバシー侵害の危険性に鑑み，特定個人情報を利用・提供できる場合を厳格に法定している。特定個人情報の提供については，本法19条各号に定める場合に限定して認めることとし，個人情報保護法69条を目的外利用の規定に読み替えた上で，目的外利用が可能な場合を厳しく制限する特例を設けている。すなわち，個人情報保護法69条2項2号(「必要な限度で保有個人情報を内部で利用する場合であって，当該保有個人情報を利用することについて相当な理由のあるとき」)，同項3号(「保有個人情報を提供する場合において，保有個人情報の提供を受ける者が，法令の定める事務又は業務の遂行に必要な限度で提供に係る個人情報を利用し，かつ，当該個人情報を利用することについて相当な理由のあるとき」)，同項4号(「専ら統計の作成又は学術研究の目的のために保有個人情報を提供するとき，本人以外の者に提供することが明らかに本人の利益になるとき，その他保有個人情報を提供することについて特別の理由のあるとき」)のような概括的規定の適用を除外することとしている。

「専ら統計の作成又は学術研究の目的のために保有個人情報を提供するとき」について敷衍すれば，そもそも，専ら統計の作成または学術研究の目的のために個人番号が必要になることは通常想定し難いし，かかる場合に特定個人情報

の利用を認めると，利用・提供範囲が相当に広範になる可能性がある。統計の作成または学術研究の目的のために真に特定個人情報が必要な場合が存在するならば，本法において利用範囲を明確に定めてこれを認めるべきと考えられる。もとより，本法は，従前，個人情報保護法69条2項4号の規定により，統計の作成または学術研究の目的のために行われていた個人情報の提供を制限する趣旨ではないから，かかる個人情報に個人番号が追加されたとしても，当該個人番号を除外して特定個人情報ではない個人情報とした上で提供を継続することを妨げるものではない。

また，「明らかに本人の利益になるとき」には「人の生命，身体又は財産の保護のために必要がある場合」が包含されているが，「人の生命，身体又は財産の保護のために必要がある場合」であって，本人の同意があり，または本人の同意を得ることが困難であるときには，個人情報保護法69条2項1号の読替えにより目的外利用が認められている。「本人以外の者に提供することが明らかに本人の利益になるとき」の中には，叙勲等の選考のために本人の業績に関する情報を提供するような場合も含まれるが，かかる情報に個人番号を付して利用・提供することを認める必要性はないと考えられる。

(5) 「個人情報保護法……第88条の規定は適用しないものとし」(1項)

個人情報保護法88条は，他の法令で保有個人情報の開示が定められており，かつ，その開示の実施方法が個人情報保護法に基づく開示の実施方法と同一である場合には，個人情報保護法に基づく開示も並行して認める実益がないため，それを認めないこととしている。しかし，本法制定附則6条3項の規定に基づき設置された情報提供等記録開示システム（以下「マイナポータル」という）により，同条4項1号の規定に基づき特定個人情報の開示請求を行うことができるようになっている。このマイナポータルによる開示は，ほぼ即時に開示がなされるという利便性があり，他の法令で電磁的方法による開示が認められているとしても，マイナポータルによる開示の方が国民の便宜に資する以上，マイナポータルによる開示も認めることが望ましいと考えられるため，個人情報保護法88条の規定の適用を除外している。したがって，制度上は，他の法令による開示の実施方法と個人情報保護法に基づく開示の実施方法が同一であっても，両者による開示の実施方法が重複的に認められ，特定個人情報の本人は，

いずれかを選択できることになる。

(6)　「個人情報保護法の他の規定の適用については，次の表の上欄に掲げる個人情報保護法の規定中同表の中欄に掲げる字句は，同表の下欄に掲げる字句とする」（1項）

　行政機関が保有する特定個人情報についても個人情報保護法が一般法として適用されることを前提として，特定個人情報について特例を定めるための読替えをしている。

　(ｱ)　個人情報保護法69条1項の規定の読替え　　個人情報保護法69条1項は，「法令に基づく場合」に，目的外利用・提供の例外を認めているが，特定個人情報の提供は本法19条各号に規定する場合にのみ認められることとし，本法は，個人情報保護法69条1項を目的外利用禁止の規定に読み替えている（「自ら利用し，又は提供してはならない」を「自ら利用してはならない」に読替え）。個人情報保護法が保有個人情報の利用・提供の制限に関して同一の規制をしているのに対し，本法が特定個人情報の利用と提供について別個の規制をしたのは，マイナンバー制度が，特定個人情報のデータマッチングを本質とするものであり，特定個人情報の提供について特別の規制を行う必要があると考えられたことによる。そして，特定個人情報については厳格に目的外利用を制限する必要があるので，「法令に基づく場合」に一般的に目的外利用を可能とする例外を認めないこととしている（「法令に基づく場合を除き，利用目的」を「利用目的」に読替え）。なお，本法9条5項の規定に基づく目的外利用は，所得税法225条1項1号・2号・4号から6号までのいずれかに該当する場合にのみ認められるが，独立行政法人等にあっては，本法9条5項の規定に基づく場合に目的外利用が認められている。これは，独立行政法人等が金融機関として主体となる場合がありうるからである。そのことは，デジタル社会形成整備法による改正前の本法30条2項の規定に基づく読替えで定められていたが，同改正により同条が削除されたため，本条1項の規定に基づく読替えでそのことが定められた。

　(ｲ)　個人情報保護法69条2項柱書の規定の読替え　　特定個人情報の提供は本法19条各号に規定する場合にのみ認められることとし，個人情報保護法69条1項を目的外利用禁止の規定に読み替えているため，その例外を認める

同条2項柱書も，目的外利用禁止規定に読み替えている（「自ら利用し，又は提供する」を「自ら利用する」に読替え）。

　(ウ)　個人情報保護法69条2項1号の規定の読替え　　個人情報保護法69条2項1号は，「本人の同意があるとき，又は本人に提供するとき」に目的外利用・提供を認めている。本人の同意がある以上，プライバシーを中核とする個人の権利利益の保護のために目的外利用・提供を制限する必要はないという理由による。しかし，特定個人情報は，本人の利益に関わるのみならず，行政サービスの効率化の手段という社会的側面も併有するのであり，本人の同意がありさえすれば無制限にデータマッチングを認めると，マイナンバー制度全体への信頼が失墜しかねないし，詐欺・強迫等により同意がなされるおそれもある。そこで，本人の同意があっても，原則として，目的外利用は認めないこととし，「人の生命，身体又は財産の保護のために必要がある場合であって，本人の同意があり，又は本人の同意を得ることが困難であるとき」に限定して，目的外利用を認めることとしている。本人が人事不省になり，緊急に医療を受ける必要がある場合において，過去の治療状況が分かる記録であって個人番号が付されたものが必要になるような場合が考えられる。

　(エ)　個人情報保護法89条3項の規定の読替え　　個人情報保護法89条2項は，開示請求手数料の額を定めるに当たっては，できる限り利用しやすい額となるよう配慮しなければならないとしている。しかし，行政機関情報公開法16条3項のような経済的困難その他特別の理由があると認めるときの手数料の減免規定を設けていない。行政機関情報公開法の場合，一般に本人の情報以外のものが開示請求されるため，開示の実施手数料が多額になりうることを考慮して減免規定が設けられたが，個人情報保護法については，本人開示の場合，開示実施の費用は一般に僅少と考えられることから，実施手数料という範疇は設けず，開示請求手数料という形式のみで費用の一部の負担を請求者に求めることとしている。そのため，手数料減免規定は設けられなかったのである。他方，特定個人情報は，本人の意思に関わりなく個人番号が付された個人情報であり，データマッチングが行われるのであるから，不正な情報連携が行われていないか等，その取扱いに対する国民の懸念に応えるために，本人の経済的事情の如何にかかわらず，自己に係る特定個人情報の取扱いを確認できることが望ましいし，当面，特定個人情報の利用が予定されている社会保障，税，災害

対策の分野では，特定個人情報の正確性がきわめて重要であり，本人が経済的懸念なく自己に係る特定個人情報の正確性を確認できることが重要である。そこで，行政機関の長および地方公共団体の機関は，経済的困難その他特別の理由があると認めるときは，政令および条例で定めるところにより手数料の減免ができる旨の読替えをしている。

　(オ)　個人情報保護法89条5項の規定の読替え　　個人情報保護法89条5項は，独立行政法人等が開示請求者に対して課す手数料の額は，実費の範囲内において，かつ，行政機関の長に対する開示請求について政令で定める手数料の額を参酌して，独立行政法人等が定めることとしている。本項の表による読替えで，この場合において，独立行政法人等は，経済的困難その他特別の理由があると認めるときは，本項の規定により読み替えて適用する本法89条3項の規定の例により，当該手数料を減免できるとする旨が追加されている。

　(カ)　個人情報保護法89条8項の規定の読替え　　個人情報保護法89条8項は，地方独立行政法人が開示請求者に対して課す手数料の額は，実費の範囲内において，かつ，地方公共団体の機関に対する開示請求について条例で定める手数料の額を参酌して，地方独立行政法人が定めることとしている。本項の表による読替えで，この場合において，地方独立行政法人は，経済的困難その他特別の理由があると認めるときは，本項の規定により読み替えて適用する本法89条3項の規定の例により，当該手数料を減免できるとする旨が追加されている。

　(キ)　個人情報保護法98条1項1号の規定の読替え　　個人情報保護法98条1項は，利用停止請求の対象を，(i)利用目的を超えた保有制限に違反して保有されているとき，(ii)不適正な利用の禁止に違反して取り扱われているとき，(iii)当該保有個人情報を保有する行政機関の長等により適法に取得されたものでないとき，(iv)目的外利用・提供禁止規定に違反して利用・提供されているときに限定している。(i)～(iii)については，特定個人情報についても変わりはないが，(iv)については読替えが行われている。すなわち，個人情報保護法69条1項・2項の目的外利用制限規定については，本項の規定により読み替えて適用される個人情報保護法69条1項および2項（1号に係る部分に限る）とされていることに加え，本法の規定に違反した不適正な取扱いに対しても利用停止請求を認めるべきであるので，本法20条の規定に違反して収集され，または保管されて

いるとき，本法29条の規定に違反して作成された特定個人情報ファイルに記録されているときにも，利用停止請求を認めることとしている。利用停止請求の対象がすべての義務違反とされず限定されているのは，利用停止が義務違反に対する制裁ではなく，将来に向けて法令遵守を確保し個人情報の本人の救済を図るための手段であるからである。

(ク) 個人情報保護法98条1項2号の読替え　　個人情報保護法98条1項2号については，同法69条1項および2項が定める目的外提供制限または同法71条1項が定める外国にある第三者への提供の制限の規定を適用せず，本法19条の提供制限に読み替えている。

(ケ) 個人情報保護法125条3項の規定により読み替えて適用する同法98条1項1号の読替え　　個人情報保護法125条3項は，同法58条1項各号に掲げる者（①別表第2に掲げる法人および②地方独立行政法人のうち地方独立行政法人法21条1号に掲げる業務〔試験研究〕を主たる目的とするものまたは同条2号〔大学または大学および高等専門学校の設置および管理を行うことならびに当該大学または大学および高等専門学校における技術に関する研究の成果の活用を促進する事業であって政令で定めるものを実施する者に対し，出資を行うこと〕もしくは3号チ〔病院事業〕に掲げる業務を目的とするもの）ならびに個人情報保護法58条2項各号に掲げる者（地方公共団体の機関〔医療法1条の5第1項に規定する病院および同条2項に規定する診療所ならびに学校教育法1条に規定する大学の運営を行う場合に限る〕，独立行政法人労働者健康安全機構〔医療法1条の5第1項に規定する病院の運営を行う場合に限る〕）についての98条（利用停止請求権）の規定の適用については，同条1項1号中「第61条第2項の規定に違反して保有されているとき，第63条の規定に違反して取り扱われているとき，第64条の規定に違反して取得されたものであるとき，又は第69条第1項及び第2項の規定に違反して利用されているとき」とあるのは，「第18条若しくは第19条の規定に違反して取り扱われているとき，又は第20条の規定に違反して取得されたものであるとき」と，同条第2号中「第69条第1項及び第2項又は第71条第1項」とあるのは「第27条第1項又は第28条」とすると定めている。個人情報保護法58条1項各号に掲げる者については，同法5章4節（開示，訂正および利用停止）の規定が適用され（同法125条2項），同法58条2項各号に掲げる者についても，同じであるが（同法125条1項），同条3項の規定による読替えの結果，利用停止請求の

要件については、個人情報取扱事業者に対する利用停止請求の場合の要件に読み替えられている。

　本項の表による読替えで、個人情報保護法18条もしくは19条の規定に違反して取り扱われているとき、または20条の規定に違反して取得されたものであるときの部分が、本法30条2項の規定により読み替えて適用する18条1項、2項および3項（1号および2号に係る部分に限る）もしくは19条の規定に違反して利用されているとき、同法20条の規定に違反して収集され、もしくは保管されているとき、または同法29条の規定に違反して作成された特定個人情報ファイル（同法2条9項に規定する特定個人情報ファイルをいう）に記録されているときと読み替えられている。利用停止請求の対象がすべての義務違反ではなく、将来に向けて法令遵守を確保し特定個人情報の本人の救済を図るための手段であるからである。

　㈡　個人情報保護法125条3項の規定により読み替えて適用する同法98条1項2号の読替え　　個人情報保護法125条3項の規定により読み替えて適用される同法27条1項または28条は、本法19条（特定個人情報の提供の制限）に読み替えられている。

(7) 「個人情報保護法第16条第2項に規定する個人情報取扱事業者……が保有し、又は保有しようとする特定個人情報……に関しては」(2項)

　特定個人情報も個人情報の一種であるので、既存の個人情報保護法制の規定の適用を受けることになり、個人情報取扱事業者が保有し、又は保有しようとする特定個人情報については、個人情報保護法の規定の適用を受けることになる。しかし、特定個人情報については、一般の個人情報以上に、厳格な保護措置が必要になる。そこで、本法は、読替規定等を置くこと等により、特定個人情報の保護のために規制を強化する特例を定めている。なお、平成27年法律第65号による改正前の本項は、「個人情報取扱事業者が保有する特定個人情報」と規定されていたが、同改正で、「個人情報取扱事業者が保有し、又は保有しようとする特定個人情報」と表現が変わっている。すなわち、同改正前の本項は、個人情報取扱事業者が保有する特定個人情報に関する特例を定めるものであったのに対し、同改正により新設された個人情報保護法（令和3年法律第37号による改正前のもの）17条2項は、要配慮個人情報を取得しようとする

場合の規定であるから，本項も，個人情報取扱事業者が特定個人情報を保有しようとする場合を含めた規定に改正する必要があったのである。

(8) 「個人情報保護法第58条第2項の規定により個人情報保護法第16条第2項に規定する個人情報取扱事業者とみなされる個人情報保護法第58条第2項各号に掲げる者（次条第3項において「みなし個人情報取扱事業者」という。）を含む」（2項かっこ書）

個人情報保護法58条2項の規定は，(i)地方公共団体の機関（医療法1条の5第1項に規定する病院および同条2項に規定する診療所ならびに学校教育法1条に規定する大学の運営を行う場合に限る），(ii)独立行政法人労働者健康安全機構（医療法1条の5第1項に規定する病院の運営を行う場合に限る）が行う当該各号に定める業務における個人情報，仮名加工情報または個人関連情報の取扱いについては，個人情報取扱事業者，仮名加工情報取扱事業者または個人関連情報取扱事業者の取扱いとみなして，個人情報保護法4章（個人情報取扱事業者等の義務）。ただし，同法32条から39条までおよび4節〔匿名加工情報取扱事業者等の義務〕を除く）および6章（個人情報保護委員会），7章（雑則），8章（罰則）の規定を適用すると定めている。本項かっこ書は，本項の個人情報取扱事業者に「みなし個人情報取扱事業者」も含まれることを明確にしている。

(9) 「（第23条第1項及び第2項（これらの規定を第26条において準用する場合を含む。以下同じ。）に規定する記録に記録されたものを除く。）」（2項）

本法23条の情報提供等の記録についての特例は，本法31条で定められているので，本項の対象から除外されている。本条1項が「（第23条……に規定する記録に記録されたものを除く。）」と定めているのに対し，本項が「（第23条第1項及び第2項……に規定する記録に記録されたものを除く。）」と規定し，本法23条3項を含めていないのは，同項が内閣総理大臣が保有する記録に係るものであり，個人情報取扱事業者には適用されない規定であるからである。本法26条において準用する場合とは，条例事務関係情報提供等事務に本法23条の情報提供等の記録の規定が準用される場合であり，これについても本法31条で定められているので，本項の対象とされていない。

本論　本法の逐条解説／第5章　特定個人情報の保護

⑽　「個人情報保護法第18条第3項第3号から第6号まで，第20条第2項……の規定は適用しないものとし」（2項）

　個人情報保護法17条1項（利用目的の特定），同条2項（利用目的の変更）の規定は適用除外にされていない。その理由は，本法においては，個人番号の利用目的は厳格に法定されており，利用目的の変更を制限しなくても，法定された利用範囲を超える目的への変更は認められないため，これらの規定を適用除外にしなくても，特定個人情報の保護は確保されるからである。個人情報保護法18条3項3号は，「公衆衛生の向上又は児童の健全な育成の推進のために特に必要がある場合であって，本人の同意を得ることが困難であるとき」に利用目的制限の例外を認めている。しかし，将来はともかく，現在の本法は，かかる目的のための特定個人情報の利用を予定しておらず，このような例外を認める必要性も現時点では想定されないため，本項は，個人情報保護法18条3項3号の規定の適用を除外している。なお，仮に，特定個人情報を「公衆衛生の向上又は児童の健全な育成の推進のために特に必要がある場合であって，本人の同意を得ることが困難であるとき」に取り扱う必要が生じた場合には，個人番号を除外して特定個人情報でなくすることによって，個人情報保護法18条3項3号の規定の適用を受けることができる。

　個人情報保護法18条3項4号は，「国の機関若しくは地方公共団体又はその委託を受けた者が法令の定める事務を遂行することに対して協力する必要がある場合であって，本人の同意を得ることにより当該事務の遂行に支障を及ぼすおそれがあるとき」に利用目的制限の例外を認めている。しかし，本法は個人番号を検索キーとしたデータマッチングによるプライバシー侵害の危険に鑑み，利用目的を厳格に法定する方針を採用しており，個人情報保護法18条3項4号のような例外を認める必要性はないので，この規定の適用を除外している。

　個人情報保護法18条3項5号は，当該個人情報取扱事業者が学術研究機関等である場合であって，当該個人情報を学術研究目的で取り扱う必要があるとき（当該個人情報を取り扱う目的の一部が学術研究目的である場合を含み，個人の権利利益を不当に侵害する場合を除く）に利用目的制限の例外を認めている。また，同項6号は，学術研究機関等に個人データを提供する場合であって，当該学術研究機関等が当該個人データを学術研究目的で取り扱う必要があるとき（当該個人データを取り扱う目的の一部が学術研究目的である場合を含み，個人の権利利益を

不当に侵害する場合を除く）に利用目的制限の例外を認めている。しかし，本法は個人番号を検索キーとしたデータマッチングによるプライバシー侵害の危険に鑑み，利用目的を厳格に制限する方針を採用しており，個人情報保護法18条3項5号・6号のような例外を認める必要はないので，これらの規定の適用を除外している。

　個人情報保護法20条2項は，事前の本人同意なしに要配慮個人情報を取得することを，原則として禁止している。しかし，特定個人情報は，本法19条各号のいずれかに該当する場合にしか提供を受けることができず，そのいずれにも該当しない場合には，たとえ本人の同意があったり，個人情報保護法20条2項各号のいずれかに該当したとしても取得・保管することができないのであるから，個人情報保護法20条2項の規定を適用する必要はない。そこで，同項の規定の適用を除外している。平成27年法律第65号による改正により，個人情報保護法19条（当時。令和3年法律第37号による改正後は22条）の規定が改正され，不要になった個人データを遅滞なく消去する努力義務が個人情報取扱事業者に課されることになったが，この規定を適用除外にすると，この点については，特定個人情報のほうが一般の個人情報よりも，保護を弱めることになり，適切ではない。逆に，特定個人情報については不要になった個人データの消去を義務にすることも考えられるが，本法12条において，個人番号利用事務等実施者に個人番号の安全管理措置義務が課されていることも踏まえると，そこまでの必要はないと考えられた。そこで，個人情報保護法22条の規定は，従来通り，特定個人情報についても，そのまま適用することとされた。

⑾　「個人情報保護法……第27条から第30条までの規定は適用しないものとし」（2項）
　特定個人情報の提供の制限については本法19条の規定が適用されるため，個人データの第三者提供の制限について定めた個人情報保護法27条1項の規定は適用除外とされている。同条2項～4項は，オプトアウト方式に係る規定であるが，特定個人情報についてオプトアウト方式による利用を認めれば，個人番号が広範に流通する危険があるし，また，特定個人情報についてオプトアウト方式を認める実際上のニーズも想定されない。そこで，本項は，個人情報保護法27条2項～4項の規定の適用も除外している。また，個人情報保護法

27条5項3号は，個人データの共同利用を認める規定であるが，特定個人情報について，かかる共同利用を認めた場合，個人番号が広範に流通するおそれがあり，また，特定個人情報についてかかる利用を認めるニーズが具体的に想定されているわけでもない。そこで，本項は，個人情報保護法27条5項3号と同号が適用される場合の手続について定める同条6項の規定の適用も除外している。他方，特定個人情報についても，個人情報保護法27条5項1号（「個人情報取扱事業者が利用目的の達成に必要な範囲内において個人データの取扱いの全部又は一部を委託することに伴って当該個人データが提供される場合」）・2号（「合併その他の事由による事業の承継に伴って個人データが提供される場合」）に該当する場合の提供を認める必要があるが，これについては本法19条6号（「特定個人情報の取扱いの全部若しくは一部の委託又は合併その他の事由による事業の承継に伴い特定個人情報を提供するとき」）で認められているので，個人情報保護法27条5項1号・2号の規定も適用する必要はない。結局，個人情報保護法27条の規定全体について適用する必要がないことになり，同条の規定全体を適用除外にしている。

個人情報保護法28条は，外国にある第三者への個人データの提供を制限しているが，本人の同意がある場合または同法27条1項各号に掲げる場合には，同法28条の制限を課さないこととしている。他方，本項は，個人情報保護法27条の規定の適用を除外し，本法19条において，本人同意の有無にかかわらず，同条各号に定める場合に限り特定個人情報の提供を認めている。したがって，本人同意があれば個人データの提供を認める個人情報保護法28条の規定の適用も，同法27条と同様，適用除外としている。本人同意がないにもかかわらず，個人情報保護の水準が低いかもしれない外国に特定個人情報を提供することを認めてよいかは検討を要するが，個人情報保護法28条においても，同法27条1項各号に該当する場合には，本人同意なしに個人データを外国にある者に提供することを認めており，特定個人情報についても，本法19条に定める場合に限定して外国にある者に提供することに問題はないと考えられる。そこで，個人情報保護法28条の規定の適用を除外している。

個人情報保護法29条・30条は，個人データのトレーサビリティを確保するとともに，不正に取得された個人データの拡散を防止するための規定である。個人情報保護法29条・30条は，同法27条1項・5項に該当する場合には，記

録の作成保存義務，確認義務を免除しているが，同法29条，30条の規定を本法でそのまま適用することとした場合，本項は，個人情報保護法27条の規定を適用除外としているため，特定個人情報に関しては，同法27条1項・5項に該当する場合にも，これらの義務が生ずることになり，過剰な規制になるおそれがある。他方，本法19条は，同条各号に規定された場合に限り特定個人情報の提供を可能としており，たとえ本人の同意があったとしても，同条各号のいずれかに該当しない限り，特定個人情報の提供は認められていない。このように，特定個人情報の提供先は厳格に限定されているため，個人情報保護法29条・30条の目的は達成されているといえる。そのため，これら両条の規定の適用は除外されている。平成27年法律第65号による改正により新設された個人情報保護法34条（開示請求等の訴えに係る事前請求義務。令和3年法律第37号による改正後は39条）の規定を適用除外にした場合，個人番号利用事務等実施者に過大な負担を課すおそれがあるし，請求が到達してから2週間を経過したり，2週間経過前であっても，訴えの被告となるべき者が請求を拒めば，直ちに出訴可能であるので，司法審査の機会を不合理に遅延させるとはいえないと考えられる。そのため，同条の規定を適用することとしている。また，個人情報保護法4章4節は，匿名加工情報取扱事業者等の義務に係る規定であり，匿名加工情報は個人情報ではないため，特定個人情報にも該当しないので，適用除外にする理由はない。したがって，適用除外の対象とされていない。

⑿ 「個人情報保護法の他の規定の適用については，次の表の上欄に掲げる個人情報保護法の規定中同表の中欄に掲げる字句は，同表の下欄に掲げる字句とする」（2項）

㋐ 個人情報保護法18条1項の規定の読替え　個人情報保護法18条1項は，事前の本人同意を得た場合に利用目的による制限の例外を認めている。本人が事前に同意した以上，プライバシーを中核とする個人の権利利益侵害を問題にする必要はないと考えられるためである。他方，特定個人情報は，社会保障・税・災害対策の分野における行政効率化を目的として情報連携が行われるため，利用目的による制限を厳格化する必要があり，データマッチングの可否を本人の意思に委ねれば，マイナンバー制度全体の信用の失墜を招くことになりかねないし，詐欺・強迫等により瑕疵ある同意がなされるおそれもある。そ

こで，事前の本人同意による（利用目的制限の）例外を認めないこととするための読替えをしている（「あらかじめ本人の同意を得ないで，前条」を「前条」に読替え）。

　(イ)　個人情報保護法18条2項の規定の読替え　　(ア)と同様に，合併その他の事由により他の個人情報取扱事業者から事業を承継することによって個人情報を取得した場合における利用目的による制限についても，事前の本人同意による（利用目的制限の）例外を認めないこととするために個人情報保護法18条2項の規定の読替えをしている（「あらかじめ本人の同意を得ないで，承継前」を「承継前」に読替え）。

　(ウ)　個人情報保護法18条3項1号の規定の読替え　　個人情報保護法18条3項1号が規定する「法令……に基づく場合」の例外も，利用目的による制限の例外を広範に許容することになりすぎるため認めないこととし，本法9条5項が規定する「激甚災害に対処するための特別の財政援助等に関する法律」2条1項に規定する激甚災害が発生したとき等に金融機関があらかじめ締結した契約に基づく金銭の支払を行うために必要な限度で個人番号を利用する場合に限り例外を認める読替えをしている。

　(エ)　個人情報保護法18条3項2号の規定の読替え　　個人情報保護法18条3項2号は，「人の生命，身体又は財産の保護のために必要がある場合であって，本人の同意を得ることが困難であるとき」に利用目的制限の例外を認めている。特定個人情報であっても，人事不省に陥った者の緊急手術のために治療歴等を示す特定個人情報の提供を受けることが必要な事例等においては，利用目的制限の例外を認めるべきである。他方，本人の同意がある場合について，個人情報保護法は18条1項で利用目的制限の例外を認めているが，特定個人情報については，一般的には，本人同意による例外は認めていないので，同法18条3項2号の場合に限り，本人同意による例外を認める趣旨の読替えをしている（「本人」を「本人の同意があり，又は本人」に読替え）。なお，個人情報保護18条3項2号の規定と対応する第三者提供の規定である同法27条1項2号の規定（「人の生命，身体又は財産の保護のために必要がある場合であって，本人の同意を得ることが困難であるとき」）は本法では適用除外とされているが，本法19条16号に対応する規定が置かれている。

　(オ)　個人情報保護法35条3項の規定の読替え　　個人情報保護法35条3項

第31条（情報提供等の記録についての特例）

の規定は，同法27条1項，28条の規定違反について利用停止請求を認めているが，特定個人情報については個人情報保護法27条1項，28条の規定は適用除外されており，本法19条に第三者提供についての規定が置かれているので，個人情報保護法27条1項，28条を本法19条に読み替える規定を置いている。なお，個人情報取扱事業者については，本法20条，29条違反を利用停止事由とする読替えを行っていない点で，行政機関等の読替えの場合と異なる。これは，個人情報取扱事業者の営業を過度に制約しないように配慮したためであり，個人情報取扱事業者が本法20条，29条の規定に違反した場合には，個人情報保護委員会の監督により是正が図られることになる。

> **（情報提供等の記録についての特例）**
> **第31条①** 行政機関等（みなし独立行政法人等を含む。）が保有し，又は保有しようとする第23条第1項及び第2項に規定する記録に記録された特定個人情報に関しては，個人情報保護法第69条第2項から第4項まで，第70条，第85条，第88条，第96条及び第5章第4節第3款の規定（みなし独立行政法人等については，個人情報保護法第85条，第88条，第96条及び第5章第4節第3款の規定）は適用しないものとし，個人情報保護法の他の規定の適用については，次の表の上欄に掲げる個人情報保護法の規定中同表の中欄に掲げる字句は，同表の下欄に掲げる字句とする。
> 〔表略 → 巻末資料参照〕
> ② デジタル庁が保有し，又は保有しようとする第23条第3項（第26条において準用する場合を含む。）に規定する記録に記録された特定個人情報に関しては，個人情報保護法第69条第2項から第4項まで，第70条，第85条，第88条，第96条及び第5章第4節第3款の規定は適用しないものとし，個人情報保護法の他の規定の適用については，次の表の上欄に掲げる個人情報保護法の規定中同表の中欄に掲げる字句は，同表の下欄に掲げる字句とする。
> 〔表略 → 巻末資料参照〕
> 〔表略 → 巻末資料参照〕
> ③ 個人情報保護法第61条，第63条から第65条まで，第66条第1項（同条第2項（第1号及び第5号（同項第1号に係る部分に限る。）に係る部分に限る。）において準用する場合を含む。以下この項において同じ。），第67条から第69条第1項まで，第76条から第84条まで，第86条，第87条，第

215

> 89条第4項から第6項まで，第90条から第95条まで，第97条及び第127条の規定（みなし個人情報取扱事業者については，個人情報保護法第61条，第63条から第66条第1項まで及び第67条から第69条第1項までの規定）は，行政機関等以外の者（みなし個人情報取扱事業者を含む。）が保有する第23条第1項及び第2項に規定する記録に記録された特定個人情報について準用する。この場合において，次の表の上欄に掲げる個人情報保護法の規定中同表の中欄に掲げる字句は，同表の下欄に掲げる字句に読み替えるものとする。
>
> 〔表略 → 巻末資料参照〕

(1) 「行政機関等（みなし独立行政法人等を含む。）が保有し，又は保有しようとする第23条第1項及び第2項に規定する記録に記録された特定個人情報」（1項）

情報照会者または情報提供者が行政機関等（みなし独立行政法人等を含む）である場合に，当該行政機関等（みなし独立行政法人等を含む）が保有し，または保有しようとしている情報提供等の記録に記録された特定個人情報である。「保有しようとする」情報提供等の記録も対象にしているのは，個人情報保護法には個人情報ファイルの保有前の規制が存在するからである（宇賀克也・新・個人情報保護法の逐条解説501頁以下参照）。

(2) 「個人情報保護法第69条第2項から第4項まで……の規定……は適用しないものとし」（1項）

特定個人情報の提供については，本法19条が定めており，個人情報保護法69条は目的外利用のみを規制する規定に読み替えられるが，情報提供等の記録については，目的外利用を認めないため，個人情報保護法69条2項から4項までの規定を適用する必要はなく，その適用が除外されている。

(3) 「個人情報保護法……第70条……の規定……は適用しないものとし」（1項）

個人情報保護法70条の規定は，同法69条2項3号または4号の規定に基づき保有個人情報の提供を受ける者に対する措置要求の規定であるが，同法69

第31条（情報提供等の記録についての特例）

条2項3号または4号の規定に基づく提供が認められないため，かかる提供を前提とした措置要求に係る規定の適用も除外されている。

(4) 「個人情報保護法……第85条……第96条……の規定……は適用しないものとし」（1項）

個人情報保護法85条・96条の事案の移送に関する規定の適用は除外されている。なぜならば，情報提供等の記録は，法定の情報照会者と情報提供者の間で法定の事務のために所定の特定個人情報が授受されるのであるから，不開示情報も類型的に定まると思料され，事案の移送の必要性が認められないのみならず，事案の移送による手続の遅延は，開示請求者の利益を害するからである。

(5) 「個人情報保護法……第88条……の規定……は適用しないものとし」（1項）

情報提供等の記録にはマイナポータルでアクセスすることが予定されており，クリックすると即時に開示されることになるので，他の法令による開示が認められるか否かにかかわらず，マイナポータルによる便利な開示を認めるべきであるから，個人情報保護法88条の規定の適用も除外している。他の法令による開示を認めない趣旨ではなく，それを選択することも制度上可能であるが，実際には，マイナポータルによる便利な開示が選択されることが多くなると思われる。

(6) 「個人情報保護法……第5章第4節第3款の規定……は適用しないものとし」（1項）

個人情報保護法5章4節第3款の規定は利用停止に係る規定である。その適用が除外されているのは，情報提供等の記録は情報提供ネットワークシステム上に自動的に保存され，適法でない取得がされたり目的外利用・提供禁止原則に違反して利用・提供されたりすることが想定し難いこと，万一，かかる事態が生じたとしても，不正な情報連携を抑止し，適法な情報連携を情報提供ネットワークシステムにおいて安定的に実現するためには，情報提供等の記録を恒常的に確認可能な状態にしておき，不正な情報連携の有無，システムに支障を与える提供の有無を継続的にチェックする必要性が高いこと，情報提供等の記

録以外の特定個人情報については利用停止請求が認められ，不正な情報連携を行った者に対しては個人情報保護委員会による監督措置が行われることを考慮したことによる。

(7)　「みなし独立行政法人等については，個人情報保護法第85条，第88条，第96条及び第5章第4節第3款の規定」（1項かっこ書）

　　みなし独立行政法人等については，個人情報保護法69条2項から4項まで，70条はそもそも適用されず，その適用除外をする必要もないので，適用除外にする規定をかっこ書で限定している。

(8)　「個人情報保護法の他の規定の適用については，次の表の上欄に掲げる個人情報保護法の規定中同表の中欄に掲げる字句は，同表の下欄に掲げる字句とする」（1項）

㋐　個人情報保護法69条1項の規定の読替え　　情報提供等の記録も特定個人情報であり，特定個人情報の提供については本法19条で同条各号に定める場合以外は禁止しているので，個人情報保護法69条1項を目的外利用・提供禁止の規定ではなく，目的外利用禁止の規定に読み替えている（「自ら利用し，又は提供してはならない」を「自ら利用してはならない」に読替え）。また，個人情報保護法69条1項は「法令に基づく場合」に，目的外利用を認めているが，情報提供等の記録については，目的外利用を一切認めないために読替えをしている（「法令に基づく場合を除き，利用目的」を「利用目的」に読替え」）。

㋑　個人情報保護法89条3項の規定の読替え　　個人情報保護法89条3項は，開示請求手数料の額を定めるに当たっては，できる限り利用しやすい額となるよう配慮しなければならないとしている。しかし，行政機関情報公開法16条3項のような経済的困難その他特別の理由があると認めるときの手数料の減免規定を設けていない。行政機関情報公開法の場合，一般に本人の情報以外のものが開示請求されるため，開示の実施手数料が多額になりうることを考慮して減免規定が設けられたが，個人情報保護法89条においては，本人開示の場合，開示実施の費用は一般に僅少と考えられることから，実施手数料という範疇は設けず，開示請求手数料という形式のみで費用の一部の負担を請求者に求めることとしている。そのため，手数料減免規定は設けられなかったので

ある。他方、情報提供等の記録については、不正な情報連携が行われていないか等の国民の懸念に応えるために、本人の経済的事情の如何にかかわらず、自己に係る情報連携を確認できることが望ましい。そこで、経済的困難その他特別の理由があると認めるときの手数料の減免を認める読替えをしている。

(ウ) 個人情報保護法89条5項の規定の読替え　個人情報保護法89条5項は、独立行政法人等が開示請求者に対して課す手数料の額は、実費の範囲内において、かつ、行政機関の長に対する開示請求について政令で定める手数料の額を参酌して独立行政法人等が定めると規定している。しかし、独立行政法人等情報公開法17条3項のような経済的困難その他特別の理由があると認めるときの手数料の減免規定を設けていない。独立行政法人等情報公開法の場合、一般に本人の情報以上のものが開示請求されるため、開示実施手数料が多額になりうることを考慮して減免規定が設けられたが、個人情報保護法89条における本人開示の場合、開示実施の費用は一般に僅少と考えられることから、実施手数料という範疇は設けず、開示請求手数料という形式のみで費用の一部の負担を請求者に求めることとしている。そのため、手数料減免規定は設けられなかったのである。他方、情報提供等の記録については、不正な情報連携が行われていないか等の国民の懸念に応えるために、本人の経済的事情の如何にかかわらず、自己に係る情報連携を確認できることが望ましい。そこで、経済的困難その他特別の理由があると認めるときの手数料の減免を認める読替えをしている。

(エ) 個人情報保護法89条8項の規定の読替え　個人情報保護法89条8項は、地方独立行政法人が開示請求者に対して課す手数料の額は、実費の範囲内において、かつ、地方公共団体の機関に対する開示請求について条例で定める手数料の額を参酌して地方独立行政法人が定めると規定している。地方独立行政法人が行う本人開示の場合、開示実施の費用は一般に僅少と考えられることから、実施手数料という範疇は設けず、開示請求手数料という形式のみで費用の一部の負担を請求者に求めることとしている。そのため、手数料減免規定は設けられなかったのである。他方、情報提供等の記録については、不正な情報連携が行われていないか等の国民の懸念に応えるために、本人の経済的事情の如何にかかわらず、自己に係る情報連携を確認できることが望ましい。そこで、経済的困難その他特別の理由があると認めるときの手数料の減免を認める読替

えをしている。

(オ) 個人情報保護法97条の規定の読替え　個人情報保護法97条では，保有個人情報の訂正が行われた場合の提供先への通知について規定しているが，情報提供等の記録の訂正の場合には，当該記録の提供先はないものの，当該記録と同一の情報提供等の記録を有する情報照会者もしくは情報提供者または条例事務関係情報照会者もしくは条例事務関係情報提供者および情報提供ネットワークシステム上の情報提供等の記録を保有する内閣総理大臣に通知する必要があるため，その趣旨の読替規定が置かれている。

(9) 「デジタル庁が保有し，又は保有しようとする第23条第3項（第26条において準用する場合を含む。）に規定する記録に記録された特定個人情報に関しては」（2項）

本法19条8号または同条9号の規定により特定個人情報の提供の求めまたは提供があったときに，内閣総理大臣が情報提供ネットワークシステムに記録する特定個人情報を意味する。「保有しようとする」情報提供等の記録も対象にしているのは，個人情報保護法には個人情報ファイルの保有前の規制が存在するからである（宇賀・前掲・新・個人情報保護法の逐条解説501頁以下参照）。

(10) 「個人情報保護法第69条第2項から第4項まで……の規定は適用しないものとし」（2項）

個人情報保護法69条は，個人情報の目的外利用・提供を原則として禁止した上で，例外的に法定された場合にこれを認めている。しかし，本項で個人情報保護法69条を読み替えることで，情報提供等の記録に関しては，目的外利用を禁止している。また，情報提供等の記録も特定個人情報であるが，特定個人情報の提供については，本法19条各号に定める場合に限定して認めることとし，個人情報保護法69条を目的外利用の規定に読み替えた上で，目的外利用を禁止する特例を設けている。したがって，目的外利用を前提とした個人情報保護法69条2項から4項までの規定の適用を除外している。

(11) 「個人情報保護法……第70条……の規定は適用しないものとし」（2項）

個人情報保護法70条の規定は，同法69条2項3号または4号の規定に基づ

第31条（情報提供等の記録についての特例）

き保有個人情報の提供を受ける者に対する措置要求の規定であるが、同法69条2項3号または4号の規定に基づく提供が認められないため、かかる提供を前提とした措置要求に係る規定の適用も除外されている。

⑿ 「個人情報保護法……第85条……第96条……の規定は適用しないものとし」（2項）

　個人情報保護法85条・96条の事案の移送に関する規定の適用は除外されている。なぜならば、情報提供等の記録は、法定の情報照会者と情報提供者の間で法定の事務のために所定の特定個人情報が授受された記録であるから、不開示情報も類型的に定まると思料され、事案の移送の必要性が認められないのみならず、事案の移送による手続の遅延は、開示請求者の利益を害するからである。

⒀ 「個人情報保護法……第88条……の規定は適用しないものとし」（2項）

　情報提供等の記録にはマイナポータルでアクセスすることが予定されており、クリックすると即時に開示されることになるので、他の法令による開示が認められるか否かにかかわらず、マイナポータルによる便利な開示を認めるべきであるから、個人情報保護法88条の規定の適用も除外している。他の法令による開示を認めない趣旨ではなく、それを選択することも制度上可能であるが、実際には、マイナポータルによる便利な開示が選択されることが多くなると思われる。

⒁ 「個人情報保護法……第5章第4節第3款の規定は適用しないものとし」（2項）

　個人情報保護法5章4節第3款の規定は利用停止に係る規定である。その適用が除外されているのは、情報提供等の記録は情報提供ネットワークシステム上に自動的に保存され、適法でない取得がされたり目的外利用・提供禁止原則に違反して利用・提供されたりすることが想定し難いこと、万一、かかる事態が生じたとしても、不正な情報連携を抑止し、適法な情報連携を情報提供ネットワークシステムにおいて安定的に実現するためには、情報提供等の記録を恒常的に確認可能な状態にしておき、不正な情報連携の有無、システムに支障を

与える提供の有無を継続的にチェックする必要性が高いこと，情報提供等の記録以外の特定個人情報については利用停止請求が認められ，不正な情報連携を行った者に対しては個人情報保護委員会による監督措置が行われることを考慮したことによる。

⒂　「個人情報保護法の他の規定の適用については，次の表の上欄に掲げる個人情報保護法の規定中同表の中欄に掲げる字句は，同表の下欄に掲げる字句とする」（2項）

　㈐　個人情報保護法69条1項の規定の読替え　　情報提供等の記録も特定個人情報であり，特定個人情報の提供については本法19条で同条各号に定める場合以外は禁止しているので，個人情報保護法69条1項を目的外利用・提供禁止の規定ではなく，目的外利用禁止の規定に読み替えている（「自ら利用し，又は提供してはならない」を「自ら利用してはならない」に読替え）。また，個人情報保護法69条1項は，「法令に基づく場合」に，目的外利用を認めているが，情報提供等の記録については，目的外利用を一切認めないために読替えをしている（「法令に基づく場合を除き，利用目的」を「利用目的」に読替え）。

　㈑　個人情報保護法89条3項の規定の読替え　　個人情報保護法89条3項は，開示請求手数料の額を定めるに当たっては，できる限り利用しやすい額となるよう配慮しなければならないとしている。しかし，行政機関情報公開法16条3項のような経済的困難その他特別の理由があると認めるときの手数料の減免規定を設けていない。行政機関情報公開法の場合，一般に本人の情報以外のものが開示請求されるため，開示の実施手数料が多額になりうることを考慮して減免規定が設けられたが，個人情報保護法については，本人開示の場合，開示実施の費用は一般に僅少と考えられることから，実施手数料という範疇は設けず，開示請求手数料という形式のみで費用の一部の負担を請求者に求めることとしている。そのため，手数料減免規定は設けられなかったのである。他方，情報提供等の記録については，不正な情報連携が行われていないか等の国民の懸念に応えるために，本人の経済的事情の如何にかかわらず，自己に係る情報連携を確認できることが望ましい。そこで，経済的困難その他特別の理由があると認めるときの手数料の減免を認める読替えをしている。

　㈒　個人情報保護法89条5項の規定の読替え　　個人情報保護法89条5項

第 31 条（情報提供等の記録についての特例）

は，独立行政法人等が開示請求者に対して課す手数料の額は，実費の範囲内において，かつ，行政機関の長に対する開示請求について政令で定める手数料の額を参酌して独立行政法人等が定めると規定している。しかし，独立行政法人等情報公開法 17 条 3 項のような経済的困難その他特別の理由があると認めるときの手数料の減免規定を設けていない。独立行政法人等情報公開法の場合，一般に本人の情報以上のものが開示請求されるため，開示実施手数料が多額になりうることを考慮して減免規定が設けられたが，個人情報保護法 89 条における本人開示の場合，開示実施の費用は一般に僅少と考えられることから，実施手数料という範疇は設けず，開示請求手数料という形式のみで費用の一部の負担を請求者に求めることとしている。そのため，手数料減免規定は設けられなかったのである。他方，情報提供等の記録については，不正な情報連携が行われていないか等の国民の懸念に応えるために，本人の経済的事情の如何にかかわらず，自己に係る情報連携を確認できることが望ましい。そこで，経済的困難その他特別の理由があると認めるときの手数料の減免を認める読替えをしている。

(エ) 個人情報保護法 89 条 8 項の規定の読替え　個人情報保護法 89 条 8 項は，地方独立行政法人が開示請求者に対して課す手数料の額は，実費の範囲内において，かつ，地方公共団体の機関に対する開示請求について条例で定める手数料の額を参酌して地方独立行政法人が定めると規定している。地方独立行政法人が行う本人開示の場合，開示実施の費用は一般に僅少と考えられることから，実施手数料という範疇は設けず，開示請求手数料という形式のみで費用の一部の負担を請求者に求めることとしている。そのため，手数料減免規定は設けられなかったのである。他方，情報提供等の記録については，不正な情報連携が行われていないか等の国民の懸念に応えるために，本人の経済的事情の如何にかかわらず，自己に係る情報連携を確認できることが望ましい。そこで，経済的困難その他特別の理由があると認めるときの手数料の減免を認める読替えをしている。

(オ) 個人情報保護法 97 条の規定の読替え　個人情報保護法 97 条では，保有個人情報の訂正が行われた場合の提供先への通知について規定しているが，情報提供等の記録の訂正の場合には，当該記録の提供先はないものの，情報提供ネットワークシステム上の情報提供等の記録が訂正された場合には，内閣総

理大臣から情報照会者および情報提供者または条例事務関係情報照会者および条例事務関係情報提供者に通知する必要があるため，その趣旨の読替えをしている。

⑯ 「行政機関等以外の者（みなし個人情報取扱事業者を含む。）が保有する第23条第1項及び第2項に規定する記録」（3項）

　行政機関等とは，個人情報保護法2条11項に規定する行政機関等を意味する（本法2条4項参照）。個人情報保護法2条11項に規定する行政機関等とは，⒤行政機関，⑾地方公共団体の機関（議会を除く），⒤独立行政法人等（別表第2に掲げる法人を除く），⒤地方独立行政法人（地方独立行政法人法21条1号に掲げる業務を主たる目的とするもの，または同条2号もしくは3号〔チに係る部分に限る〕に掲げる業務を目的とするものを除く）を意味する。「みなし個人情報取扱事業者」とは，個人情報保護法16条2項に規定する個人情報取扱事業者とみなされる同法58条2項各号に掲げる者を意味する（本法30条2項）。個人情報保護法58条2項各号に掲げる者は，①地方公共団体の機関（医療法1条の5第1項に規定する病院および同条2項において規定する診療所ならびに学校教育法1条に規定する大学の運営を行う場合），②独立行政法人労働者健康安全機構（医療法1条の5第1項に規定する病院の運営を行う場合）を意味する。「保有しようとする」情報提供等の記録を対象外にしているのは，民間事業者には，個人情報ファイルの保有前の規制が存在しないからである。

　行政機関等以外の者については，個人情報保護法4章の規定が適用されることになるが，同章による開示請求（33条）の対象になる保有個人データは，個人情報取扱事業者が開示，内容の訂正，追加または削除，利用の停止，消去および第三者への提供の停止を行うことのできる権限を有する個人データであることを要件としているところ（個人情報保護法16条4項），情報提供等の記録について個人情報取扱事業者はかかる権限を有しないから，保有個人データに該当しないことになり，同法33条1項に基づく開示請求は，情報提供等の記録については行えないことになる。しかし，情報提供等の記録の本人による確認の重要性に照らすと，行政機関等以外の者が保有する情報提供等の記録についても，本人開示制度を設けるべきである。現行法の下では，情報提供等の記録を保有する行政機関等以外の者は，基本的には，全国健康保険協会，健康保険

第31条（情報提供等の記録についての特例）

組合，国家公務員共済組合，地方公務員共済組合，国民年金基金連合会，国民年金基金等の公的色彩を有する者に限られており，独立行政法人等に類似している。しかも，情報連携の対象となる情報は，所得額，社会保障の給付額等の情報であり，事業者の営業上のノウハウ等の情報ではない。そこで，個人情報保護法4章ではなく，個人情報保護法5章の規定を準用することとしている。

⒄ 「個人情報保護法第61条，第63条から第65条まで，第66条第1項（同条第2項（第1号及び第5号（同項第1号に係る部分に限る。）に係る部分に限る。）において準用する場合を含む。以下この項において同じ。），第67条から第69条第1項まで，第76条から第84条まで，第86条，第87条，第89条第4項から第6項まで，第90条から第95条まで，第97条及び第127条の規定（みなし個人情報取扱事業者については，個人情報保護法第61条，第63条から第66条第1項まで及び第67条から第69条第1項までの規定）」(3項)

個人情報保護法61条（個人情報の保有の制限等），63条（不適正な利用の禁止），64条（適正な取得），65条（正確性の確保），66条1項（安全管理措置），67条（従事者の義務），68条（漏えいの報告等），69条1項（利用および提供の制限），76条（開示請求権），77条（開示請求の手続），78条（保有個人情報の開示義務），79条（部分開示），80条（裁量的開示），81条（保有個人情報の存否に関する情報），82条（開示請求に対する措置），83条（開示決定等の期限），84条（開示決定等の期限の特例），86条（第三者に対する意見書提出の機会の付与等），87条（開示の実施），89条4項から6項まで（手数料），90条（訂正請求権），91条（訂正請求の手続），92条（保有個人情報の訂正義務），93条（訂正請求に対する措置），94条（訂正決定等の期限），95条（訂正決定等の期限の特例），97条（保有個人情報の提供先への通知），127条（開示請求等をしようとする者に対する情報の提供等）の規定が準用されている。同法89条につき，4項から6項までの部分のみが準用されているのは，独立行政法人等に対する開示請求の場合の手数料についての定めに準拠することが適切と判断されたためである。

みなし個人情報取扱事業者については，個人情報保護法61条（個人情報の保有の制限），63条（不適正な利用の禁止），64条（適正な取得），65条（正確性の確保），66条1項（安全管理措置），67条（従事者の義務），68条（漏えい等の報告等），

69条1項（利用および提供の制限）が準用されている。

　情報提供等の記録の場合，利用目的は法定されており明確であるので，個人情報保護法62条の利用目的の明示についての規定は準用されていない。個人情報保護法5章の開示請求，訂正請求，利用停止請求に係る規定のうち，事案の移送（85条・96条），他の法令による開示の実施との調整（88条），利用停止（98条から103条まで）の規定は，行政機関等の場合と同じ理由により準用されていない。また，行政機関等以外の者が行う開示および訂正に係る決定は処分性を有しないと考えられるため，行政不服審査法による審査請求の対象とならず，したがって，個人情報保護法104条から107条までの審査請求に係る規定は準用されていない。

　情報提供等の記録のうち，情報提供ネットワークシステムで保存するものについては，内閣総理大臣が個人情報保護法74条の規定に基づく個人情報ファイルに関する事前通知と同法75条の規定に基づく個人情報ファイル簿の作成・公表を行う。したがって，行政機関等以外の者については，同法74条の規定は準用されない。それに加えて，行政機関等以外の者が保存する情報提供等の記録については個人情報ファイル簿の作成・公表を行う必要性が乏しいため，個人情報保護法75条の規定は準用されていない。また，これらの者に対しても，情報提供等の記録の開示請求，訂正請求を認めるべきであるので，個人情報保護法76条，90条の規定を準用している。

　個人情報保護法78条の不開示情報の規定も準用されている。同条6号の国の機関，独立行政法人等，地方公共団体および地方独立行政法人の内部または相互間における審議・検討・協議に関する情報，同条7号の国の機関，独立行政法人等，地方公共団体または地方独立行政法人の事務・事業に関する情報の不開示規定について，情報提供等の記録保有者が個人情報取扱事業者の場合にも準用するかが問題になりうるが，情報連携の相手方が国の機関，独立行政法人等，地方公共団体または地方独立行政法人であることがありうるため，準用することとしている。

⒅　「この場合において，次の表の上欄に掲げる個人情報保護法の規定中同表の中欄に掲げる字句は，同表の下欄に掲げる字句に読み替えるものとする」（3項）

(ｱ) 個人情報保護法69条1項の規定の読替え　情報提供等の記録も特定個人情報であり，特定個人情報の提供については本法19条で同条各号に定める場合以外は禁止しているので，個人情報保護法69条1項を目的外利用・提供禁止の規定ではなく，目的外利用禁止の規定に読み替えている（「自ら利用し，又は提供してはならない」を「自ら利用してはならない」に読替え）。また，個人情報保護法69条1項は，「法令に基づく場合」に，目的外利用を認めているが，情報提供等の記録については，目的外利用を一切認めないために読替えをしている（「法令に基づく場合を除き，利用目的」を「利用目的」に読替え」）。

(ｲ) 個人情報保護法86条1項の規定の読替え　個人情報保護法86条1項は，開示請求に係る保有個人情報に国，独立行政法人等，地方公共団体，地方独立行政法人および開示請求者以外の者に関する情報が含まれているときの意見聴取について定めている。本項が定める情報提供等の記録に係る開示請求の場合，開示請求を受けた者は，これらのいずれにも該当しないことになるので，意見聴取の対象から「開示請求を受けた者」も除外する読替えを行っている。

(ｳ) 個人情報保護法89条4項の規定の読替え　個人情報保護法89条4項は，独立行政法人等に対し開示請求をする者に手数料の納付を義務づけているが，行政機関等以外の者に，手数料徴収を義務づけることは私的自治の原則に照らし適切でないので，個人情報保護法38条1項と同様，徴収を可能にする規定に読み替えている。

(ｴ) 個人情報保護法97条の規定の読替え　個人情報保護法97条では，保有個人情報の訂正が行われた場合の提供先への通知について規定しているが，情報提供等の記録の訂正の場合には，当該記録の提供先はないものの，当該記録と同一の情報提供等の記録を有する情報照会者もしくは情報提供者または条例事務関係情報照会者もしくは条例事務関係情報提供者（当該訂正に係る情報提供等の記録に記録された者であって，当該行政機関の長等以外のものに限る）および情報提供ネットワークシステム上の情報提供等の記録を保有する内閣総理大臣に通知する必要があるため，その趣旨の読替規定が置かれている。

（特定個人情報の保護を図るための連携協力）
第32条　委員会は，特定個人情報の保護を図るため，サイバーセキュリティの確保に関する事務を処理するために内閣官房に置かれる組織と情報を共有

すること等により相互に連携を図りながら協力するものとする。

　平成27年法律第65号は，政府提出法案が参議院内閣委員会で修正されて成立したものであるが，本条は，この修正で成立した条文の1つである。「サイバーセキュリティ」とは，サイバーセキュリティ基本法2条に規定するサイバーセキュリティである（本法29条の2参照）。「内閣官房に置かれる組織」とは，内閣サイバーセキュリティセンター（NISC）を意味する。サイバーセキュリティについては，宇賀克也「サイバーセキュリティ基本法」同・マイナンバー法と情報セキュリティ（有斐閣，2020年）145頁以下，宇賀克也＝三角育生「サイバーセキュリティ基本法改正」ジュリスト1499号（2016年）ii頁以下参照。

第6章　特定個人情報の取扱いに関する監督等

（指導及び助言）
第33条　委員会は，この法律の施行に必要な限度において，個人番号利用事務等実施者に対し，特定個人情報の取扱いに関し，必要な指導及び助言をすることができる。

　個人番号利用事務等実施者は，個人番号利用事務実施者と個人番号関係事務実施者であり（本法12条），国の機関も含まれる（同2条10項，12項）。個人情報保護委員会が行う指導は，行政手続法2条6号が定義する行政指導に該当し，同法4章の規定の適用を受ける。

　国の機関も助言・勧告の対象としている先例として，「労働者派遣事業の適正な運営の確保及び派遣労働者の保護等に関する法律」48条1項（「厚生労働大臣は，この法律……の施行に関し必要があると認めるときは，労働者派遣をする事業主及び労働者派遣の役務の提供を受ける者に対し，労働者派遣事業の適正な運営又は適正な派遣就業を確保するために必要な指導及び助言をすることができる」）が「労働者派遣の役務の提供を受ける者」全体に指導・助言を行うことができるとしている例，「エネルギーの使用の合理化等に関する法律」6条（「主務大臣は，工場等におけるエネルギーの使用の合理化の適確な実施又は電気の需要の平準化に資する措置の適確な実施を確保するため必要があると認めるときは，工場等においてエネルギーを

第33条（指導及び助言）

使用して事業を行う者に対し……必要な指導及び助言をすることができる」）が、「エネルギーを使用して事業を行う者」全体に指導・助言を行うことができるとしている例等がある。

　また、個人情報保護法57条のような適用除外規定、同法149条のような個人情報保護委員会の権限の行使の制限に関する規定は置かれておらず、放送機関等が報道の用に供する目的で特定個人情報を取り扱う場合等にも、本法の規定の適用除外とはならず、個人情報保護委員会の監督が及ぶことになる。その理由は、かかる特定個人情報は個人番号を除くことにより一般の個人情報となり、個人情報保護法57条、149条の規定の適用を受けること、個人情報保護委員会は独立性の高い行政委員会であること、放送機関等が報道の用に供する目的で特定個人情報を取り扱う場合等であっても、個人番号を検索キーとしたデータマッチングの危険に対する監督は必要なことである。

　指導および助言は、本人からの苦情や事業所管大臣等からの情報提供を契機として個人情報保護委員会が問題点を認識して行う場合もありうるし、対象者から求められて行う場合もありうる。法令または指針の遵守がされていない場合に、法令または指針の内容を説明して遵守を求める指導または助言が行われることもありうるし、セキュリティ上の問題がある場合に保管庫の施錠・入室制限等の物理的措置、暗号化・ファイアウォールの設置等の技術的措置、職員研修等の人的措置に関する指導または助言が行われることもありうる。

　旧マイナンバー法案が修正されて新マイナンバー法案に「この場合において、特定個人情報の適正な取扱いを確保するために必要があると認めるときは、当該特定個人情報と共に管理されている特定個人情報以外の個人情報の取扱いに関し、併せて指導及び助言をすることができる」という規定が本条後段に追加された。たとえば、特定個人情報保護委員会が特定個人情報の取扱いに問題があるおそれがあるとして、特定個人情報ファイルである給与関係ファイルの管理状況を調べるために立入検査をしたところ、給与関係ファイルと一緒に管理されている（特定個人情報ファイルではない）人事関係ファイルの管理にも問題があることが判明し、人事関係ファイルの管理方法についても指導・助言することが、給与関係ファイルの適正な取扱いを確保するために必要であると認めるときにそれを可能にするものであった。

　平成27年法律第65号による改正により、特定個人情報保護委員会が個人情

報保護委員会に改組され，個人情報保護委員会は個人情報取扱事業者による個人情報全般について監督権限を有することになったため，個人情報取扱事業者との関係では，特定個人情報とともに管理されている特定個人情報以外の個人情報の取扱いに関し，併せて指導および助言をすることができることは当然であり，あえて本条で規定する意味はなくなった。しかし，当時の個人情報保護委員会は，行政機関，地方公共団体，独立行政法人等または地方独立行政法人に対しては，特定個人情報については監督権限を有するものの，個人情報一般については，監督権限を有しているわけではなかった。したがって，行政機関，地方公共団体，独立行政法人等または地方独立行政法人との関係では，特定個人情報の適正な取扱いを確保するために必要があると認めるときに，当該特定個人情報とともに管理されている特定個人情報以外の個人情報の取扱いに関し，個人情報保護委員会が併せて指導および助言をすることができると規定することの意義は，なお失われていなかった。そこで，本条は，これらの機関または団体との関係に限定して，特定個人情報とともに管理されている個人情報の取扱いについても，個人情報保護委員会が指導および助言をすることができると規定していた。

　当時の本条後段の権限を行使するに当たっても，当時の本条前段の「この法律の施行に必要な限度において」という制約はかかっていた。本法は，「個人番号その他の特定個人情報の取扱いが安全かつ適正に行われる」（1条）ことを目的としており，個人情報保護委員会の任務，所掌事務に照らしてもそのことは明らかであるが，当時の本条後段では，「特定個人情報の適正な取扱いを確保するために必要があると認めるときは」と規定することにより，そのことを明示していた。

　デジタル社会形成整備法による改正により，個人情報保護委員会は，行政機関，地方公共団体，独立行政法人等または地方独立行政法人の保有する個人情報についても，一般的な監督権限を有することになったので，本条後段の規定は不要になり，削除された。

（勧告及び命令）
第34条①　委員会は，特定個人情報の取扱いに関して法令の規定に違反する行為が行われた場合において，特定個人情報の適正な取扱いの確保のために

第34条（勧告及び命令）

> 必要があると認めるときは，当該違反行為をした者に対し，期限を定めて，当該違反行為の中止その他違反を是正するために必要な措置をとるべき旨を勧告することができる。
> ② 委員会は，前項の規定による勧告を受けた者が，正当な理由がなくてその勧告に係る措置をとらなかったときは，その者に対し，期限を定めて，その勧告に係る措置をとるべきことを命ずることができる。
> ③ 委員会は，前二項の規定にかかわらず，特定個人情報の取扱いに関して法令の規定に違反する行為が行われた場合において，個人の重大な権利利益を害する事実があるため緊急に措置をとる必要があると認めるときは，当該違反行為をした者に対し，期限を定めて，当該違反行為の中止その他違反を是正するために必要な措置をとるべき旨を命ずることができる。

(1) 「特定個人情報の取扱いに関して」（1項）

個人情報保護委員会は，個人情報保護法6章の規定に基づき，個人情報一般について監視・監督権限を有するが，本法は，個人情報保護に関しては，個人情報保護法の特別法であり，特定個人情報の取扱いについての個人情報保護委員会の監督権限については，本法が定めている。

(2) 「法令の規定に違反する行為」（1項）

「法令の規定に違反する行為」とは，本法のみならず，個人情報保護法その他の法令違反行為も含まれる。

(3) 「当該違反行為をした者」（1項）

特定個人情報を法律に基づき取り扱う権限を有する者に限らず，かかる権限なしに違法に特定個人情報を取り扱う者も含まれる。無権限で特定個人情報を取り扱う者に対しても勧告を行う必要がある場合があるからである。個人番号利用事務等実施者，その事務に従事する者（派遣労働者を含む。以下同じ），地方公共団体情報システム機構およびその役職員，情報提供ネットワークシステムの運営機関およびその事務に従事する者，特定個人情報を不正に入手したり，不正に漏えいした特定個人情報を転得したりして特定個人情報を現に保有している者，個人番号の提供を求めることができないのに求めている者等，法令違

反行為を行った者すべてが含まれる。

(4) 「前項の規定による勧告を受けた者が……その勧告に係る措置をとらなかったときは，その者に対し，期限を定めて，その勧告に係る措置をとるべきことを命ずることができる」(2項)

本条1項の勧告の対象に国の機関が含まれているので，正当な理由がなくて勧告に係る措置を所定の期間内にとらなかったことを理由とする命令の対象にも，国の機関が含まれる。

(5) 「正当な理由がなくて」(2項)

勧告に従わないことに正当な理由がないことが命令の要件になっているため，勧告が事実誤認に基づくものであることが判明したり，大災害等，勧告を受けた者の責に帰すことができない理由により勧告に従うことができなかったり，勧告を受けた者が代替的措置を講じたことにより，特定個人情報の取扱いが適切なものに改善されたとき等には，命令を行うことはできない。

(6) 「その勧告に係る措置をとるべきことを命ずることができる」(2項)

本項の命令違反には，罰則が適用されるので（本法53条），間接罰（行政行為介在性ともいう。宇賀克也・行政法概説Ⅰ［第7版］〔有斐閣，2020年〕113頁参照）の仕組みがとられていることになる。勧告に係る措置をとらなかった場合に，名宛人の氏名，名称を公表することは認められていない。

(7) 「個人の重大な権利利益を害する事実があるため緊急に措置をとる必要があると認めるとき」(3項)

個人の重大な権利利益を害する事態がすでに発生し，その継続を停止させるために可及的速やかに措置を講ずる必要があると認めるときである。勧告を前置しない緊急命令であるため，要件を厳格にしている。具体例として，個人番号利用事務等実施者の保有する個人番号が恒常的に無作為の相手方に送信される設定になっているため，個人番号が継続して無作為の相手方に送信されているような場合が考えられる。

第 35 条（報告及び立入検査）

(8)　「当該違反行為の中止その他違反を是正するために必要な措置をとるべき旨を命ずることができる」(3項)

　命令については，原則として勧告前置主義（本条2項）がとられているが，個人の重大な権利利益を害する事実があるため緊急に措置をとる必要があると認めるときには，勧告を経ずに命令することができる（同様の例として，個人情報保護法148条参照）。本項の命令違反には，罰則が適用されるので（本法53条），間接罰の仕組みがとられていることになる。

（報告及び立入検査）
第35条①　委員会は，この法律の施行に必要な限度において，特定個人情報を取り扱う者その他の関係者に対し，特定個人情報の取扱いに関し，必要な報告若しくは資料の提出を求め，又はその職員に，当該特定個人情報を取り扱う者その他の関係者の事務所その他必要な場所に立ち入らせ，特定個人情報の取扱いに関し質問させ，若しくは帳簿書類その他の物件を検査させることができる。
②　前項の規定により立入検査をする職員は，その身分を示す証明書を携帯し，関係人の請求があったときは，これを提示しなければならない。
③　第1項の規定による立入検査の権限は，犯罪捜査のために認められたものと解釈してはならない。

(1)　「特定個人情報を取り扱う者」(1項)

　特定個人情報を取り扱う者すべてを意味し，特定個人情報を法律に基づき取り扱う権限を有する者に限らず，かかる権限なしに違法に特定個人情報を取り扱う者も含まれる。特定個人情報を保護するためには，権限なしに違法に特定個人情報を取り扱う者（権限なくして特定個人情報を取得し，これを違法に販売している者等）にも，報告を求め立入検査を行う必要が認められる場合があるからである。法人その他の団体のみならず，その従業者も対象となりうる。
　なお，国会，裁判所は行政権から独立しており，国会が立法権の行使により取得した特定個人情報，裁判所が司法権の行使により取得した特定個人情報について内閣の統轄の下にある個人情報保護委員会が監督権限を行使することは三権分立の原則に抵触するおそれがあるため，個人情報保護委員会の権限は行

233

使できないこととしている（本法36条）。しかし，本条は，国会，裁判所も対象としている。その理由は，本条では，国会または裁判所が法定調書提出義務者としてその職員の所得情報等を保有している場合の特定個人情報に限り対象とするものであり，一事業者としての立場で職員の所得情報等を保有している場合に行政機関の職員の所得情報等と区別して扱う合理的理由はないからである。

同様の理由で，内閣から独立している会計検査院について，会計検査により取得した特定個人情報については，個人情報保護委員会の権限は行使できないが（本法36条），法定調書提出義務者としてその職員の所得情報等を保有している場合の特定個人情報に限り対象とするのであれば，会計検査院の内閣からの独立性を阻害するおそれはないので，会計検査院も本条の規定に基づく個人情報保護委員会の監督権限の対象とされている（他方，個人情報保護法は，個人情報ファイルの保有等に関する事前通知〔74条1項〕，資料の提出および説明の要求〔156条〕，実地調査〔153条〕，指導および助言〔154条〕，勧告〔155条〕，勧告に基づいてとった措置についての報告の要求〔156条〕について，個人情報保護委員会の権限の対象から会計検査院を除いている。これは，これらの権限の対象が個人情報一般に及び，会計検査院の検査権限に基づき取得した個人情報も対象になりうるため，会計検査院の内閣からの独立性に配慮したものである）。

会計検査院以外の国の行政機関，独立行政法人等，地方公共団体および地方独立行政法人も本項の対象に含まれる。このように，国の機関，独立行政法人等，地方公共団体および地方独立行政法人に対して報告を求めたり立入検査を行ったりする権限が行政庁に認められている先例としては，独占禁止法47条1項の規定に基づく公正取引委員会の求報告および立入検査の権限，公害紛争処理法42条の16第1項の規定に基づく裁定委員会の立入検査の権限，消費者安全法45条1項の規定に基づく内閣総理大臣の求報告および立入調査の権限がある。

(2) 「その他の関係者」(1項)

「特定個人情報を取り扱う者」以外の者で特定個人情報の取扱いに関係する者であり，具体例としては，現に違法に特定個人情報を保有している者（「特定個人情報を取り扱う者」）に当該特定個人情報を譲渡し現在は保有していない

第35条（報告及び立入検査）

者が考えられる。現に「特定個人情報を取り扱う者」でなくても，過去に特定個人情報を譲渡した者に報告の提出を求めたり立入検査を行ったりする必要がある場合がありうるため，「その他の関係者」も，対象に含めているのである。

(3) 「特定個人情報の取扱いに関し，必要な報告若しくは資料の提出を求め」（1項）

報告または資料の提出の求めの前に，指導および助言を行う必要はない。報告を求める内容としては，特定個人情報の漏えいの日時，量等の状況，原因等が想定される。求める資料としては，漏えいした特定個人情報に関する安全管理マニュアル等が考えられる。

(4) 「特定個人情報の取扱いに関し，必要な報告若しくは資料の提出を求め，又はその職員に，当該特定個人情報を取り扱う者その他の関係者の事務所その他必要な場所に立ち入らせ，特定個人情報の取扱いに関し質問させ，若しくは帳簿書類その他の物件を検査させることができる」（1項）

平成27年法律第65号による個人情報保護法改正により，一般の個人情報についても，民間部門では，主務大臣制が廃止され，個人情報保護委員会が統一的な監督権限を有することになったが，事業所管大臣（個人情報保護法152条）は，個人情報取扱事業者等に同法4章（個人情報取扱事業者等の義務等）の規定に違反する行為があると認めるときその他個人情報取扱事業者等による個人情報等の適正な取扱いを確保するために必要があると認めるときは，個人情報保護委員会に対して，同法の規定に従い適当な措置をとるべきことを求めることができるとされた（同法151条）。本法は，この規定を適用除外にしておらず，特定個人情報も個人情報の一種であるから，事業所管大臣が所管の事業を監督する過程において，個人情報取扱事業者等による特定個人情報の取扱いに個人情報保護法4章の規定に違反する行為があると認めるときその他個人情報取扱事業者等による特定個人情報の適正な取扱いを確保するために必要があると認めるときは，個人情報保護委員会に対する措置要求を行うことができると考えられる。他方，公的部門については，行政機関・独立行政法人等・地方公共団体・地方独立行政法人の長による日常的な事務または事業の監視により本法違反の事実が認識された場合に，個人情報保護委員会に情報提供を行い，それを

端緒として，個人情報保護委員会が必要に応じ独自に調査を行い，監視を行うことがありうると思われる（もとより，本人からの苦情を受けて，個人情報保護委員会が行政機関・独立行政法人等・地方公共団体・地方独立行政法人の長より先に問題を認識し，調査を開始することはありうると考えられる）。

個人情報保護委員会は立入検査権限も有するが，公正取引委員会とは異なり，犯則調査権限や専属告発権限は有しない。

(5) 「当該特定個人情報を取り扱う者その他の関係者の事務所その他必要な場所に立ち入らせ」（1項）

立入検査が行われる場所は，「当該特定個人情報を取り扱う者その他の関係者の事務所その他必要な場所」である。「特定個人情報を取り扱う者」が特定個人情報を故意に漏えいさせた場合，その事務所には，当該漏えいの関係書類が存在する蓋然性があり，立入検査が最優先で行われるべき場所といえよう。当該漏えいの首謀者とみられる従業者の自宅も，「その他必要な場所」として立入検査の対象になりうる。ただし，自宅の立入検査は，プライバシー侵害となる蓋然性が高いので，立入検査の必要性とプライバシー侵害との比較衡量を行い，社会通念上合理的と認められる範囲内で行われるよう配慮しなければならない。

(6) 「帳簿書類その他の物件」（1項）

検査の対象になる「帳簿書類」としては，漏えいした特定個人情報が記録されたマニュアル処理ファイルが，「その他の物件」としては，当該特定個人情報の第三者への譲渡を記載したメモ用紙等が想定される。

(7) 「前項の規定により立入検査をする職員は，その身分を示す証明書を携帯し，関係人の請求があったときは，これを提示しなければならない」（2項）

立入検査の拒否に対しては罰則が定められており（本法54条），立入検査は罰則の威嚇により間接的に強制された間接強制調査（宇賀・前掲・行政法概説 I〔第7版〕164頁参照）であるので，適正手続の観点から，身分証明書の携帯と請求に応じた提示を義務づけている。間接強制調査について，身分証明書の携

第36条（適用除外）

帯と請求に応じた提示の義務を定めるのは一般的である（独占禁止法47条3項，国税通則法74条の13参照）。風俗営業等の規制及び業務の適正化等に関する法律37条3項のように，関係人の請求がなくても，身分証明書を関係者に提示しなければならないと定めているものもあり，立法論としては，そのほうが望ましいと思われる。

(8) 「第1項の規定による立入検査の権限は，犯罪捜査のために認められたものと解釈してはならない」（3項）

犯罪捜査のための捜索には，憲法35条により，令状が必要であるが，本条の規定に基づく立入検査は，令状なしに行われる行政調査であり，これを犯罪捜査のために行うことは，憲法35条の令状主義を潜脱し違憲となるので許されないことは当然であるが，本項は，解釈規定により，その趣旨を明確にしたものである。

（適用除外）
第36条 前三条の規定は，各議院審査等が行われる場合又は第19条第15号の政令で定める場合のうち各議院審査等に準ずるものとして政令で定める手続が行われる場合における特定個人情報の提供及び提供を受け，又は取得した特定個人情報の取扱いについては，適用しない。

---

(1) 「前三条の規定」

個人情報保護委員会の指導・助言（本法33条），勧告・命令（同34条），報告・立入検査（同35条）の規定である。

(2) 「各議院審査等が行われる場合」

「各議院審査等が行われる場合」とは，各議院または各議院の委員会が国会法104条1項（「各議院又は各議院の委員会から審査又は調査のため，内閣，官公署その他に対し，必要な報告又は記録の提出を求めたときは，その求めに応じなければならない」），参議院の調査会が同法54条の4第1項（「調査会については，……第104条……の規定を準用する」）の規定により行う審査もしくは調査，各議院が「議院における証人の宣誓及び証言等に関する法律」1条（「各議院から，議案その他

の審査又は国政に関する調査のため，証人として出頭及び証言又は書類の提出（提示を含むものとする。以下同じ。）を求められたときは，この法律に別段の定めのある場合を除いて，何人でも，これに応じなければならない」）の規定により行う審査もしくは調査，訴訟手続その他の裁判所における手続，裁判の執行，刑事事件の捜査，租税に関する法律の規定に基づく犯則事件の調査または会計検査院の検査を意味する（本法19条15号）。刑事事件の捜査については，捜査機関が行う証拠品の取扱い等について，刑事訴訟法および刑事訴訟規則により，捜査機関に対する各種の義務（押収物の目録の交付，喪失または破損防止措置，速やかな還付，訴訟に関する書類の公判前の公開禁止等）が課され，また裁判所による審査・救済手段が法定されていること，犯罪捜査の迅速性・密行性への影響等を考慮して，個人情報保護委員会の権限が及ばないこととされている。

⑶ 「第19条第15号の政令で定める場合のうち各議院審査等に準ずるものとして政令で定める手続が行われる場合」

下記の場合を意味している（本法施行令34条）。

恩赦法4条の特赦，同法6条の減刑（同条に規定する特定の者に対するものに限る），同法8条の刑の執行の免除または同法9条の復権（同条に規定する特定の者に対するものに限る）が行われるとき，独占禁止法101条1項に規定する犯則事件の調査が行われるとき，地方自治法100条1項の規定による調査が行われるとき，金融商品取引法210条1項（犯罪による収益の移転防止に関する法律31条において準用する場合を含む）に規定する犯則事件の調査が行われるとき，検察審査会法2条1項1号に規定する審査が行われるとき，少年法6条の2第1項または3項の規定による調査が行われるとき，破壊活動防止法11条の規定による処分の請求，同法22条1項の規定による審査，同法27条の規定による調査または同法28条1項（無差別大量殺人行為を行った団体の規制に関する法律30条において準用する場合を含む）の規定による書類および証拠物の閲覧の求めが行われるとき，国際捜査共助等に関する法律1条1号に規定する共助（同条4号に規定する受刑者証人移送を除く）または同法18条1項の協力が行われるとき，麻薬特例法21条の規定による共助が行われるとき，組織犯罪処罰法59条1項または2項の規定による共助が行われるとき，無差別大量殺人行為を行った団体の規制に関する法律7条1項，14条1項もしくは29条の規定による調査，同

法7条2項もしくは14条2項の規定による立入検査または同法12条1項の規定による処分の請求が行われるとき，犯罪による収益の移転防止に関する法律8条1項の規定による届出，同条4項または5項の規定による通知，同法13条1項または14条1項の規定による提供および同法13条2項の規定による閲覧，謄写または写しの送付の求めに係る手続が行われるとき，国際刑事裁判所に対する協力等に関する法律2条4号に規定する証拠の提供，同条10号に規定する執行協力または同法52条1項に規定する管轄刑事事件の捜査に関する措置が行われるとき。

(4) 「特定個人情報の提供及び提供を受け，又は取得した特定個人情報の取扱いについては，適用しない」

各議院審査等が行われる場合または本法19条15号の政令で定める場合のうち各議院審査等に準ずるものとして政令で定める手続が行われる場合に各機関が取得し保有している特定個人情報に関して個人情報保護委員会が権限を行使できるとすると，国会の審査・調査，裁判，刑事捜査，犯則調査，会計検査等の権限の行使に支障を及ぼすおそれがある。とりわけ，国会，裁判所，会計検査院との関係では，憲法上，内閣から独立した地位を損なうおそれがある。そこで，これらについて，個人情報保護委員会の権限規定の適用除外とされている。これらの機関に対する特定個人情報の提供行為自体も適用除外になっている（この点については議論がある。宮内宏「マイナンバー法の下での個人情報保護に係る課題」法律のひろば66巻9号〔2013年〕48頁参照）。

（措置の要求）
第37条① 委員会は，個人番号その他の特定個人情報の取扱いに利用される情報提供ネットワークシステムその他の情報システムの構築及び維持管理に関し，費用の節減その他の合理化及び効率化を図った上でその機能の安全性及び信頼性を確保するよう，内閣総理大臣その他の関係行政機関の長に対し，必要な措置を実施するよう求めることができる。
② 委員会は，前項の規定により同項の措置の実施を求めたときは，同項の関係行政機関の長に対し，その措置の実施状況について報告を求めることができる。

(1)　「内閣総理大臣その他の関係行政機関の長に対し，必要な措置を実施するよう求めることができる」(1項)

個人情報保護委員会は，分担管理事務を行う内閣総理大臣その他の関係行政機関の長に対し行政組織上，上位にあるわけではないが，措置要求を行うことが認められている。このような例として，総務大臣が，基幹統計調査が承認の要件に適合しなくなったと認めるときに，当該行政機関の長に対し，当該基幹統計調査の変更または中止を求めることができるとされていること（統計法12条1項），内閣府の長としての内閣総理大臣が，消費者被害の発生または拡大の防止を図るために実施しうる他の法律の規定に基づく措置があり，かつ，消費者被害の発生または拡大の防止を図るため，当該措置が速やかに実施されることが必要であると認めるときに，当該措置の実施に関する事務を所掌する大臣に対し，当該措置の速やかな実施を求めることができるとされていること（消費者安全法39条1項）がある。また，府省の外局の委員会による措置要求の例としては，官製談合防止法3条1項・2項がある。

地方公共団体情報システム機構は国と地方公共団体が共同で管理する法人であり「内閣総理大臣その他の関係行政機関の長」に該当しないので，その情報システムの安全性および信頼性の確保についての措置要求を個人情報保護委員会が地方公共団体情報システム機構に直接に行うことはできないが，内閣総理大臣および総務大臣は地方公共団体情報システム機構に対して監督権限を有しているので，内閣総理大臣および総務大臣に対し，地方公共団体情報システム機構の情報システムの安全性および信頼性の確保について指導等を行うように要請することになる。

本条の内容は旧マイナンバー法案には規定されておらず，情報提供ネットワークシステムその他の情報システムの構築および維持管理に関し，個人情報保護の観点からの適正化を一層促すため，第183回国会に提出された新マイナンバー法案に追加されたものである。

(2)　「委員会は，前項の規定により同項の措置の実施を求めたときは，同項の関係行政機関の長に対し，その措置の実施状況について報告を求めることができる」(2項)

措置要求を行った場合において，措置の実施状況について報告を求める権限

第 38 条（内閣総理大臣に対する意見の申出）

を認める例として，消費者安全法39条2項がある。

> （内閣総理大臣に対する意見の申出）
> **第38条** 委員会は，内閣総理大臣に対し，その所掌事務の遂行を通じて得られた特定個人情報の保護に関する施策の改善についての意見を述べることができる。

　個人情報保護委員会は，下記の事務を行う。①基本方針の策定および推進，②(a)個人情報取扱事業者等における個人情報等の取扱い等に関する監督，(b)行政機関等における個人情報等の取扱いに関する監視，(c)個人情報等の取扱いに関する苦情の申出についての必要なあっせんおよびその処理を行う事業者への協力，③認定個人情報保護団体に関すること，④特定個人情報の取扱いに関する監視・監督ならびに苦情の申出についての必要なあっせんおよびその処理を行う事業者への協力，⑤特定個人情報保護評価に関すること，⑥個人情報の保護および適正かつ効果的な活用についての広報および啓発，⑦上記事務を行うために必要な調査および研究，⑧所掌事務に係る国際協力などである。これらの事務を遂行する過程において，特定個人情報の保護に関する方策の改善のために法令の改正，政府全体での新たな取組み等が必要であると認識することがありうる。しかし，個人情報保護委員会の指導・助言，勧告・命令，報告・立入検査の権限は，個別事案に関して行使されるものであり，法令改正やマイナンバー制度全体についての政府全体の取組みについて，個人情報保護委員会が直接にこれらの権限を行使することはできない。また，内閣府設置法58条8項（「各委員会及び各庁の長官は，その機関の任務を遂行するため政策について行政機関相互の調整を図る必要があると認めるときは，その必要性を明らかにした上で，関係行政機関の長に対し，必要な資料の提出及び説明を求め，並びに当該関係行政機関の政策に関し意見を述べることができる」）は，当該行政機関の任務を遂行するために政策調整を図る必要があるときに行われるものであり（宇賀・前掲・行政法概説Ⅲ［第5版］70頁以下参照。政策調整制度の運用の実態については，藤井直樹「省庁間の調整システム――橋本行革における提案と中央省庁再編後の実態について」公共政策研究6号〔2006年〕56頁以下参照），この規定に基づいて，法令改正やマイナンバー制度全体についての政府全体の取組みについて，個人情報保護委員会が意

見を述べることはできない。

そこで、本法またはそれに基づく命令の改正やマイナンバー制度についての政府全体の取組みについて個人情報保護委員会が得た知見を活かすために、個人情報保護委員会は、本法を含むマイナンバー制度全体を所管する内閣府の長たる内閣総理大臣（宇賀・前掲・行政法概説Ⅲ［第5版］151頁以下参照）に対し、その所掌事務の遂行を通じて得られた特定個人情報の保護に関する施策の改善についての意見を述べることができることとしている。

第6章の2　機構処理事務等の実施に関する措置

> （機構処理事務管理規程）
> **第38条の2**① 機構は、この法律の規定により機構が処理する事務（以下「機構処理事務」という。）の実施に関し総務省令で定める事項について機構処理事務管理規程を定め、総務大臣の認可を受けなければならない。これを変更しようとするときも、同様とする。
> ② 総務大臣は、前項の規定により認可をした機構処理事務管理規程が機構処理事務の適正かつ確実な実施上不適当となったと認めるときは、機構に対し、これを変更すべきことを命ずることができる。

(1)　「機構は、この法律の規定により機構が処理する事務（以下「機構処理事務」という。）の実施に関し……機構処理事務管理規程を定め、総務大臣の認可を受けなければならない。これを変更しようとするときも、同様とする」（1項）

住民基本台帳ネットワークシステムについては、住民基本台帳法30条の17第1項の規定に基づき、本人確認情報処理事務を適正かつ確実に実施することを目的として、「本人確認情報管理規程」を定め、総務大臣の認可を受けなければならず、これを変更しようとするときも、同様とされている。また、公的個人認証については、公的個人認証法39条1項の規定に基づき、地方公共団体情報システム機構における認証事務を適正かつ確実に実施することを目的として、「認証事務管理規程」を定め、総務大臣の認可を受けなければならず、これを変更しようとするときも、同様とされている。個人番号カードのマイナ

第38条の2（機構処理事務管理規程）

ポータルや健康保険証等での利用拡大が見込まれていること，情報連携において，地方公共団体情報システム機構が地方公共団体からの委任を受けて自治体中間サーバの運用等に係る事務を行う予定であったこと等を踏まえて，地方公共団体情報システム機構のガバナンスを強化し，総務大臣の権限を強化した平成29年法律第36号により，地方公共団体情報システム機構が本法の規定により処理する事務についても，「本人確認情報管理規程」，「認証事務管理規程」の例に倣い，「機構処理事務管理規程」を定め，総務大臣の認可を受けることを義務づけ，これを変更しようとするときも同様とした。本項の規定が設けられた時は，地方公共団体情報システム機構は地方共同法人であり，もっぱら地方公共団体の事務を代わって行うものと位置づけられていたが，総務大臣は，地方公共団体に対して，地方自治法に基づき技術的助言（同法245条の4第1項）や是正の指示（同法245条の7第4項）等を行うことが可能なので，地方共同法人である地方公共団体情報システム機構に対しても，本法の適正な執行を確保するため，一定の関与を行うことは必要であると考えられた。地方公共団体情報システム機構が国・地方共同管理法人になった現在においては，国の関与はいっそう正当化されることになる。機構処理事務管理規程は，機構処理事務の準則を定めるものであるので，その内容をいかに定めるかは重要であり，その制定・変更には総務大臣の認可を要することとされた。地方公共団体情報システム機構は，機構処理事務管理規程の変更の認可を受けようとするときは，(i)変更しようとする事項，(ii)変更しようとする年月日，(iii)変更の理由を記載した申請書を総務大臣に提出しなければならない（カード等命令53条3項）。

機構処理事務管理規程の認可に関する事務は，地方公共団体情報システム機構が本法に基づいて行う事務処理に関して，政府が地方公共団体情報システム機構と連絡調整等を行う事務であり，企画立案を行うわけではないので，総務省が単独で所掌することとされた。

(2) 「総務省令で定める事項」（1項）

機構処理事務管理規程は，機構処理事務全体を対象として定められるもので，その記載事項は，①機構処理事務の適正な実施に関する職員の意識の啓発および教育に関する事項，②機構処理事務の実施に係る事務を統括管理する者に関する事項，③機構処理事務特定個人情報等の消去を適切に実施するための必要

な措置に関する事項，④機構処理事務特定個人情報等の漏えい，滅失および毀損を防止するための措置に関する事項，⑤機構処理事務に関する帳簿，書類，資料および磁気ディスクの保存に関する事項，⑥機構処理事務に関して知り得た秘密の保持に関する事項，⑦機構処理事務の実施に係る電子計算機および端末装置を設置する場所の入出場の管理その他これらの施設への不正なアクセスを予防するための措置に関する事項，⑧機構処理事務の実施に係る電子計算機および端末装置が不正に操作された疑いがある場合における調査その他不正な操作に対する必要な措置に関する事項，⑨機構処理事務の実施に係る監査に関する事項，⑩前記①〜⑨に掲げるもののほか，機構処理事務の適切な実施を図るための必要な措置に関する事項である（カード等命令53条1項）。

(3) 「総務大臣は，前項の規定により認可をした機構処理事務管理規程が機構処理事務の適正かつ確実な実施上不適当となったと認めるときは，機構に対し，これを変更すべきことを命ずることができる」(2項)

　住民基本台帳法30条の17第2項は，総務大臣は，認可をした「本人確認情報管理規程」が本人確認情報処理事務の適正かつ確実な実施上不適当となったと認めるときは，地方公共団体情報システム機構に対し，これを変更すべきことを命ずることができると定めている。また，公的個人認証法39条2項は，総務大臣は，認可をした「認証事務管理規程」が認証事務の適正かつ確実な実施上不適当となったと認めるときは，地方公共団体情報システム機構に対し，これを変更すべきことを命ずることができると定めている。地方公共団体情報システム機構のガバナンスを強化し，総務大臣の権限を強化した平成29年法律第36号により，「機構処理事務管理規程」についても，同様の権限を総務大臣に付与している。

（機構処理事務特定個人情報等の安全確保）
第38条の3①　機構は，機構処理事務において取り扱う特定個人情報その他の総務省令で定める情報（以下この条及び次条第2項において「機構処理事務特定個人情報等」という。）の電子計算機処理等を行うに当たっては，機構処理事務特定個人情報等の漏えい，滅失又は毀損の防止その他の機構処理事務特定個人情報等の適切な管理のために必要な措置を講じなければならな

> い。
> ② 前項の規定は，機構から機構処理事務特定個人情報等の電子計算機処理等の委託（2以上の段階にわたる委託を含む。）を受けた者が受託した業務を行う場合について準用する。

(1)「機構は，機構処理事務において取り扱う特定個人情報……（以下この条及び次条第2項において「機構処理事務特定個人情報等」という。）の電子計算機処理等を行うに当たっては，機構処理事務特定個人情報等の漏えい，滅失又は毀損の防止その他の機構処理事務特定個人情報等の適切な管理のために必要な措置を講じなければならない」（1項）

　住民基本台帳法30条の24第2項は，地方公共団体情報システム機構は，本人確認情報の電子計算機処理等を行うに当たっては，当該本人確認情報の漏えい，滅失および毀損の防止その他の当該本人確認情報の適切な管理のために必要な措置を講じなければならないと定めている。また，公的個人認証法44条1項は，地方公共団体情報システム機構が認証業務情報の電子計算機処理等を行うに当たっては，当該認証業務情報の漏えい，滅失又は毀損の防止その他の当該認証業務情報の適切な管理のために必要な措置を講じなければならないと定めている。地方公共団体情報システム機構のガバナンスを強化し，総務大臣の権限を強化した平成29年法律第36号により，機構処理事務特定個人情報等についても，同様の安全確保についての規定が設けられた。

　本条の規定が設けられた実質的理由は，地方公共団体情報システム機構が本法に基づいて機構処理事務を行うに当たり，特定個人情報を含む機微性の高い情報を取り扱うので，その漏えい等が発生すれば，データマッチングが行われるなどして，深刻なプライバシー侵害が生ずるおそれがあるからである。安全確保措置は，基本的に本法24条の情報提供ネットワークシステムに係る安全確保措置と同等の内容が要請されると考えられる。すなわち，情報提供ネットワークシステムにおいては，機微性の高い特定個人情報が大量に流通することになるので，当該システムに対する不正アクセス等を防止するため，当該システムの機器構成や当該システムの設定等を記録した書類，暗号アルゴリズム等についても，内閣総理大臣ならびに情報照会者および情報提供者に課している。地方公共団体情報システム機構が運営している自治体中間サーバは，情報提供

ネットワークシステムの一部を構成するものであり，本法24条と同程度の安全確保措置が必要と考えられる。また，個人番号カードの作成等の機構処理事務に使用するシステムも，プライバシー情報を大量に取り扱うので，本法24条と同等の安全確保措置を講ずる必要がある。

(2) 「その他の総務省令で定める情報」（1項）

総務省令では，機構処理事務において取り扱う特定個人情報のほか，機構処理事務において取り扱う個人情報（特定個人情報を除く），機構処理事務において地方公共団体情報システム機構が取り扱う電子計算機および電気通信回線の一部に関する秘密が定められている（カード等命令54条）。機構処理事務において取り扱う個人情報（特定個人情報を除く）としては，個人番号ではなく申請書IDにより紐づけられ管理されている顔写真など個人番号カードを申請する際の個人情報，機構処理事務において地方公共団体情報システム機構が取り扱う電子計算機および電気通信回線の一部に関する秘密としては，システムの機器構成，当該システムの設定等を記録した書類および暗号アルゴリズム等が考えられる。

(3) 「前項の規定は，機構から機構処理事務特定個人情報等の電子計算機処理等の委託（2以上の段階にわたる委託を含む。）を受けた者が受託した業務を行う場合について準用する」（2項）

住民基本台帳法30条の24第3項は，地方公共団体情報システム機構から本人確認情報の電子計算機処理等の委託（2以上の段階にわたる委託を含む）を受けた者が受託した業務を行う場合について準用すると定めている。また，公的個人認証法44条2項は，地方公共団体情報システム機構から認証業務情報の電子計算機処理等の委託（2以上の段階にわたる委託を含む）を受けた者が受託した業務を行う場合について準用すると定めている。これらの規定と平仄を合わせて，機構処理事務特定個人情報等についても，同様の規定が設けられた。

（機構の役職員等の秘密保持義務）
第38条の3の2①　機構の役員若しくは職員（地方公共団体情報システム機

構法（平成25年法律第29号）第27条第1項に規定する機構処理事務特定個人情報等保護委員会の委員を含む。）又はこれらの職にあった者は，機構処理事務に関して知り得た秘密を漏らしてはならない。
② 機構から機構処理事務特定個人情報等の電子計算機処理等の委託（2以上の段階にわたる委託を含む。）を受けた者若しくはその役員若しくは職員又はこれらの者であった者は，その委託された業務に関して知り得た機構処理事務特定個人情報等に関する秘密又は機構処理事務特定個人情報等の電子計算機処理等に関する秘密を漏らしてはならない。

(1) 「機構の役員若しくは職員（地方公共団体情報システム機構法（平成25年法律第29号）第27条第1項に規定する機構処理事務特定個人情報等保護委員会の委員を含む。）又はこれらの職にあった者は，機構処理事務に関して知り得た秘密を漏らしてはならない」(1項)

　地方公共団体情報システム機構が，本法16条の2第2項の規定に基づき個人番号カードの作成および運用に関する状況の管理その他の総務省令で定める事務を行うに当たり，地方公共団体情報システム機構は，特定個人情報等のセンシティブな情報を取り扱うことになる。

　地方公共団体情報システム機構の役員または職員（地方公共団体情報システム機構法25条1項に規定する本人確認情報保護委員会の委員を含む）またはこれらの職にあった者には，本人確認情報処理事務（住民基本台帳法30条の17第1項）に関する秘密保持義務が課されている（同法30条の26第3項）。また，電子証明書の発行に係る電子計算機処理等に関する事務または認証業務情報（公的個人認証法44条1項）の電子計算機処理等に関する事務に従事する地方公共団体情報システム機構の役員または職員（地方公共団体情報システム機構法26条1項に規定する認証業務情報保護委員会の委員を含む）またはこれらの職にあった者には，その事務に関して知り得た電子証明書の発行もしくは認証業務情報または電子証明書の発行に係る電子計算機処理もしくは認証業務情報の電子計算機処理等に関する秘密保持義務が課されている（公的個人認証法47条1項）。これらの規定に照らして，デジタル社会形成整備法により，本項が設けられた。

　住民基本台帳法および公的個人認証法においては，秘密を保持すべき情報の安全確保義務を定める規定（住民基本台帳法30条の24，公的個人認証法44条），

秘密を保持すべき情報の利用および提供の制限を定める規定（住民基本台帳法30条の25，公的個人認証法45条）に続いて秘密保持義務規定が置かれている。本法においては，機構処理事務特定個人情報等の安全確保に関する規定が本法38条の3に置かれており，機構処理事務特定個人情報等の利用および提供の制限に関する規定は設けられていないため，同法38条の3の次に，機構処理事務特定個人情報等に関する秘密保持義務に関する規定が置かれた。

(2) **「機構から機構処理事務特定個人情報等の電子計算機処理等の委託（2以上の段階にわたる委託を含む。）を受けた者若しくはその役員若しくは職員又はこれらの者であった者は，その委託された業務に関して知り得た機構処理事務特定個人情報等に関する秘密又は機構処理事務特定個人情報等の電子計算機処理等に関する秘密を漏らしてはならない」(2項)**

地方公共団体情報システム機構から機構処理事務特定個人情報等の電子計算機処理等の委託を受けた者もしくはその役員もしくは職員またはこれらであった者も，特定個人情報等のセンシティブな情報に接することになる。

地方公共団体情報システム機構から本人確認情報の電子計算機処理等の委託を受けた者もしくはその役員もしくは職員またはこれらであった者に対しては，委託された業務等に関する秘密保持義務が課されている（住民基本台帳法30条の26第4項）。また，地方公共団体情報システム機構から電子証明書の発行に係る電子計算機処理等もしくは認証業務情報の電子計算機処理等の委託を受けた者もしくはその役員もしくは職員またはこれらであった者に対しては，委託された業務等に関する秘密保持義務が課されている（公的個人認証法47条2項）。そこで，これらの規定に照らして，デジタル社会形成整備法により，本項が設けられた。

（帳簿の備付け）
第38条の4 機構は，総務省令で定めるところにより，機構処理事務に関する事項で総務省令で定めるものを記載した帳簿を備え，保存しなければならない。

第38条の4（帳簿の備付け）

(1) 「機構は……機構処理事務に関する事項……を記載した帳簿を備え，保存しなければならない」

　住民基本台帳法30条の18において，地方公共団体情報システム機構は，総務省令で定めるところにより，本人確認情報処理事務に関する事項で総務省令で定めるものを記載した帳簿を備え，保存しなければならないと定めている。また，公的個人認証法40条において，地方公共団体情報システム機構は，総務省令で定めるところにより，認証事務に関する事項で総務省令で定めるものを記載した帳簿を備え，保存しなければならないと定めている。これらと平仄を合わせて，地方公共団体情報システム機構のガバナンスを強化するため，平成29年法律第36号により，本条が設けられた。本条が設けられた実質的理由は，機構処理事務について，その適正な実施を確保するため，地方公共団体情報システム機構に対して，必要に応じ，報告，資料の提出，職員に対する質問等を行う総務大臣の権限（本法38条の7）が，同改正により設けられたが，かかる権限を行使して，地方公共団体情報システム機構に適正な報告を行わせたり，検査を的確に実施したりするためには，機構処理事務の実施状況等についての正確な記録を保有することを地方公共団体情報システム機構に義務づける必要があるからである。立入検査の対象となる「機構の事務所」は，主たる事務所に限らず，カード管理システムのサーバを管理している場所を含め，地方公共団体情報システム機構が機構処理事務に係る業務を実施している場所をすべて含む。この行政調査への非協力に対しては，30万円以下の罰金が科される（本法55条の3第2号）。

　本条の規定に違反して帳簿を備えず，帳簿に記載せず，もしくは帳簿に虚偽の記載をし，または帳簿を保存しなかったときは，30万円以下の過料に処せられる（本法55条の3第1号）。個人番号保護法35条1項の規定による報告もしくは資料の提出をせず，もしくは虚偽の報告をし，または当該職員の質問に対して答弁をせず，もしくは虚偽の答弁をし，もしくは検査を拒み，妨げ，もしくは忌避した者は，1年以下の懲役または50万円以下の罰金に処することとされており（本法54条），本条違反の場合と量刑に大きな差がある。その量刑の差は，本条が，機構処理事務の適正な実施を確保するためのものであるのに対し，本法35条1項は，特定個人情報の適正な取扱いの確保を図るためのものであることによる。

(2) 「総務省令で定めるもの」

総務省令では，帳簿の記載事項として，①個人番号とすべき番号を生成した年月日および件数，②個人番号通知書を作成した年月日および件数，③個人番号通知書を発送した年月日および件数，④個人番号カードの交付の申請を受けた年月日および件数，⑤個人番号カードを作成した年月日および件数，⑥個人番号カードを発送した年月日および件数，⑦個人番号通知書・個人番号カード関連事務の委任を行っている市町村の名称および数，⑧カード等命令49条の規定により地方公共団体情報システム機構が設置および管理する電子計算機の運用状況に関する記録，⑨特定個人情報の提供の求め等に係る電子計算機の設置等関連事務の委任を行っている都道府県，市町村または一部事務組合もしくは広域連合の名称および数，が定められている（カード等命令55条）。

> **（報告書の公表）**
> **第38条の5** 機構は，毎年少なくとも1回，機構処理事務の実施の状況について，総務省令で定めるところにより，報告書を作成し，これを公表しなければならない。

住民基本台帳法30条の16において，地方公共団体情報システム機構は，毎年少なくとも1回，機構保存本人確認情報および住民票コードの提供の状況について，総務省令で定めるところにより，報告書を作成し，これを公表しなければならないと定めている。公的個人認証法41条において，地方公共団体情報システム機構は，毎年少なくとも1回，電子証明書失効情報，署名用電子証明書失効情報ファイルおよび対応証明書の発行の番号の提供の状況ならびに利用者証明用電子証明書失効情報および利用者証明用電子証明書失効情報ファイルならびに特定利用者証明検証者証明符号の提供の状況について，総務省令で定めるところにより，報告書を作成し，これを公表するものとすると定めている。これらと平仄を合わせて，地方公共団体情報システム機構のガバナンスを強化するため，平成29年法律第36号により，本条が設けられた。

第38条の5（報告書の公表）・第38条の6（監督命令）・第38条の7（報告及び立入検査）

(監督命令)
第38条の6　総務大臣は，機構処理事務の適正な実施を確保するため必要があると認めるときは，機構に対し，機構処理事務の実施に関し監督上必要な命令をすることができる。

(1)　「総務大臣は……機構に対し，機構処理事務の実施に関し監督上必要な命令をすることができる」

　住民基本台帳法30条の19において，総務大臣は，本人確認情報処理事務の適正な実施を確保するため必要があると認めるときは，地方公共団体情報システム機構に対し，本人確認情報処理事務の実施に関し監督上必要な命令をすることができると定めている。また，公的個人認証法42条は，総務大臣は，認証事務の適正な実施を確保するため必要があると認めるときは，地方公共団体情報システム機構に対し，認証事務の実施に関し監督上必要な命令をすることができると定めている。これらと平仄を合わせて，総務大臣の地方公共団体情報システム機構に対する監督権限を強化するため，平成29年法律第36号により，本条が設けられた。

(2)　「機構処理事務の適正な実施を確保するため必要があると認めるときは」
　機構処理事務特定個人情報等が漏えいした場合や個人番号カード管理システムの障害が発生した場合に，その状況，原因等についての報告や資料の提出等を求める場合等が考えられる。

(報告及び立入検査)
第38条の7①　総務大臣は，機構処理事務の適正な実施を確保するため必要があると認めるときは，機構に対し，機構処理事務の実施の状況に関し，必要な報告若しくは資料の提出を求め，又はその職員に，機構の事務所に立ち入らせ，機構処理事務の実施の状況に関し質問させ，若しくは帳簿書類その他の物件を検査させることができる。
②　第35条第2項及び第3項の規定は，前項の規定による立入検査について準用する。

本論　本法の逐条解説／第6章の2　機構処理事務等の実施に関する措置

(1)　「総務大臣は，機構処理事務の適正な実施を確保するため必要があると認めるときは，機構に対し，機構処理事務の実施の状況に関し，必要な報告若しくは資料の提出を求め，又はその職員に，機構の事務所に立ち入らせ，機構処理事務の実施の状況に関し質問させ，若しくは帳簿書類その他の物件を検査させることができる」(1項)

　住民基本台帳法30条の20第1項において，総務大臣は，本人確認情報処理事務の適正な実施を確保するため必要があると認めるときは，地方公共団体情報システム機構に対し，本人確認情報処理事務の実施の状況に関し必要な報告を求め，又はその職員に，地方公共団体情報システム機構の事務所に立ち入り，本人確認情報処理事務の実施の状況若しくは帳簿，書類その他の物件を検査させることができると定めている。また，公的個人認証法43条1項において，総務大臣は，認証事務の適正な実施を確保するため必要があると認めるときは，地方公共団体情報システム機構に対し，認証事務の実施の状況に関し必要な報告を求め，又はその職員に，地方公共団体情報システム機構の事務所に立ち入り，認証事務の実施の状況若しくは帳簿，書類その他の物件を検査させ，若しくは関係者に質問させることができると定めている。これらと平仄を合わせて，総務大臣の地方公共団体情報システム機構に対する監督権限を強化するため，平成29年法律第36号により，本条が設けられた。

(2)　「第35条第2項及び第3項の規定は，前項の規定による立入検査について準用する」(2項)

　本法35条2項の規定により立入検査をする職員は，その身分を示す証明書を携帯し，関係人の請求があったときは，これを提示しなければならないと定めている。また，同条3項は，この立入検査の権限は，犯罪捜査のために認められたものと解釈してはならないと定めている。同様の規定は，住民基本台帳法30条の39第2項・3項，公的個人認証法43条2項・3項にもあり，それらと平仄を合わせている。

(個人番号カード関係事務に係る中期目標)
第38条の8①　主務大臣は，個人番号カード関係事務（第16条の2の規定に

第38条の8（個人番号カード関係事務に係る中期目標）

> より機構が処理する事務及び電子署名等に係る地方公共団体情報システム機構の認証業務に関する法律（平成14年法律第153号）第39条第1項に規定する認証事務をいう。以下この条から第38条の12までにおいて同じ。）の実施に関し，3年以上5年以下の期間において機構が達成すべき業務運営に関する目標（以下「中期目標」という。）を定め，これを機構に指示するとともに，公表しなければならない。これを変更したときも，同様とする。
> ② 中期目標においては，次に掲げる事項について具体的に定めるものとする。
> 1 中期目標の期間（前項の期間の範囲内で主務大臣が定める期間をいう。第38条の11第1項第2号及び第3号において同じ。）
> 2 個人番号カード関係事務に係る業務の質の向上に関する事項
> 3 個人番号カード関係事務に係る業務運営の効率化に関する事項
> 4 その他個人番号カード関係事務に係る業務運営に関する重要事項

(1) 「主務大臣は，個人番号カード関係事務（第16条の2の規定により機構が処理する事務及び電子署名等に係る地方公共団体情報システム機構の認証業務に関する法律（平成14年法律第153号）第39条第1項に規定する認証事務をいう。以下この条から第38条の12までにおいて同じ。）の実施に関し，3年以上5年以下の期間において機構が達成すべき業務運営に関する目標（以下「中期目標」という。）を定め，これを機構に指示するとともに，公表しなければならない。これを変更したときも，同様とする」（1項）

独立行政法人である中期目標管理法人について，主務大臣は，3年以上5年以下の期間において中期目標管理法人が達成すべき業務運営に関する中期目標を定め，これを当該中期目標管理法人に指示するとともに，公表しなければならないとし，これを変更したときも同様とすると定めている。地方公共団体情報システム機構は，地方独立行政法人として創設されたが，2021年9月1日，国と地方公共団体が共同で管理する法人になった。国と地方公共団体が共同で管理する法人は独立行政法人と異なるが，個人番号カードおよび公的個人認証が国と地方公共団体を通じて，行政手続のデジタル化の基盤となるものと位置づけられたことを受けて，これらの業務に対する国によるガバナンスを抜本的に強化するために，デジタル社会形成整備法による改正で，中期目標管理法人

の例に倣い，主務大臣が中期目標（以下「個人番号カード関係事務における中期目標」という）を定め，これを地方公共団体情報システム機構に指示し，公表することになった。機構処理事務管理規程は機構処理事務全体を対象としており（本法38条の2，カード等命令53条），認証事務管理規程は認証事務全体を対象に定められる（公的個人認証法39条，カード等命令70条）。これに対して，個人番号カード関係事務に係る中期目標は，機構処理事務および認証事務の一部である個人番号カード関係事務を対象にするものである。

独立行政法人には，中期目標管理法人，国立研究開発法人，行政執行法人の3類型があるが（宇賀・前掲・行政法概説Ⅲ［第5版］274頁以下参照），地方公共団体情報システム機構は，研究開発を主たる業務とするものではないので，中長期目標（5年から7年まで）を定めることとすることは適当でないし，国と地方公共団体が共同で管理する法人であるので，国の関与が強力な行政執行法人をモデルとして中期目標でなく年度目標を策定して指示することも適切でないと判断された（なお，中期目標管理法人と同様の評価制度は，特殊法人である日本年金機構についても設けられている。日本年金機構法33条〜35条参照）。

すなわち，中期目標の期間を3年以上5年以下の期間としているのは，目標に沿って業務運営を自主的かつ自律的に行わせるためには，短期の目標は適当ではなく，他方において，長期の目標では，社会経済的諸条件の変動により目標を大幅に変更する必要が生ずる可能性が高く，また，目標に沿った適切な業務運営が行われたかの評価が困難になることから，地方公共団体情報システム機構の自主性・自律性を発揮することができ，社会経済的諸条件の変動がある程度予測可能な中期の期間が適切と判断されたためである。中期目標の変更が行われる場合としては，地方公共団体情報システム機構の業務範囲の縮小により，中期目標の一部事項が除外される場合，逆に，地方公共団体情報システム機構の業務範囲の拡大により，中期目標に新たな事項を追加する必要が生じた場合等が考えられる。

同法16条の2第2項の規定により地方公共団体情報システム機構が処理する事務は，本法に基づく個人番号カードの発行に関する事務であるのに対して，電子証明書の発行に関して地方公共団体情報システム機構が処理する事務は公的個人認証法に基づくものである。したがって，立法政策としては，後者については，公的個人認証法に中期目標等に関する規定を設けること，すなわち，

第38条の8（個人番号カード関係事務に係る中期目標）

本法，公的個人認証法それぞれにPDCAサイクルに関する規定を設けることも考えられる。しかし，デジタル社会形成整備法は，国と地方公共団体を通じた行政手続をデジタル化する基礎となる個人番号カードおよび公的個人認証について，国が責任をもってシステムの安定的稼働を可能にし，個人番号カードを用いたオンライン手続の実施を可能にすることを目的とするものであるところ，個人番号カードを用いたオンライン手続は，個人番号カードに公的個人認証法に基づく電子証明書が記録されてこそ実施可能になるものであり，個人番号カードと電子証明書は密接に関係しており，表裏一体のものともいえる。したがって，個人番号カードの発行から個人番号カードへの電子証明書の記録までの事務は，一体として管理されるべきものであり，個人番号カードの発行は，それに電子証明書を記録することを念頭に置いて行われる必要があるといえる。もっとも，スマートフォンに搭載される電子証明書は，個人番号カードに記録されるのではないが，個人番号カードに記録された電子証明書を基盤として発行されるものであるので，やはり個人番号カードと表裏一体のものともいえる。したがって，本法16条の2の規定に基づき個人番号カードに関して地方公共団体情報システム機構が処理する事務に限らず，公的個人認証法に基づき地方公共団体情報システム機構が処理する認証事務（同法39条1項）も含めて，個人番号カードに関して地方公共団体情報システム機構が処理する事務の全体を，本項の「個人番号カード関係事務における中期目標」の対象としている。

　中期目標管理法人の場合，主務大臣は，中期目標を定め，または変更しようとするときは，事前に，独立行政法人評価制度委員会の意見を聴取することが義務づけられている（同法29条3項）。しかし，地方公共団体情報システム機構が行う個人番号カード関係事務に係る中期目標の作成に当たっては，第三者機関への諮問は義務づけられていない。その理由は，地方公共団体情報システム機構には，独立行政法人評価制度委員会のような第三者機関がないところ，個人番号カード関係事務については，デジタル・ガバメント閣僚会議等において進捗管理等が実施されているので，これにより，第三者機関への意見聴取の機能が代替されていると考えられるからである。

　整備法によるマイナンバー法のPDCAサイクルに関する改正規定は，2021年9月1日施行とされた（整備法附則1条本文）。これは，整備法案成立後，主務大臣が中期目標を定めてJ-LISに指示を行い，J-LISがこれを受けて中期

計画を作成して主務大臣の認可を受けて，年度計画を届け出ることは，2021年9月1日までに実施可能であると考えられたこと，2022年度末までにほぼすべての国民に個人番号カードを普及させるための取組みを加速する必要があること（2021年6月18日「デジタル社会の実現に向けた重点計画」），個人番号カード交付事業費補助金および個人番号関係システム事業費補助金を，2021年度から，J-LISに直接交付することが望ましいことに照らし，デジタル庁の設置日である2021年9月1日に施行することとされたのである。実際，同日に，主務大臣が，「地方公共団体情報システム機構における個人番号カード関係事務に係る中期目標（第1期）」を公表している。そして，すでに，J-LISは，中期計画（第1期），年度計画（2021年度）を公表している。

(2) 「中期目標においては，次に掲げる事項について具体的に定めるものとする。
　1　中期目標の期間（前項の期間の範囲内で主務大臣が定める期間をいう。第38条の11第1項第2号及び第3号において同じ。）
　2　個人番号カード関係事務に係る業務の質の向上に関する事項
　3　個人番号カード関係事務に係る業務運営の効率化に関する事項
　4　その他個人番号カード関係事務に係る業務運営に関する重要事項」（2項）

独立行政法人通則法29条2項においては，中期目標において定める事項を，(i)中期目標の期間，(ii)国民に対して提供するサービスその他の業務の質の向上に関する事項，(iii)業務運営の効率化に関する事項，(iv)財務内容の改善に関する事項，(v)その他業務運営に関する事項とされている。それを参考に，本項の規定が設けられた。

個人番号カード関係事務には，個人番号カード発行事務のみならず，電子証明書の発行に関する事務も含まれるので（本条1項），本項2号には，個人番号カード発行事務の円滑・適正な実施に関する事項のみならず，電子証明書の発行事務の円滑・適正な実施に関する事項も含まれることになる。本項3号には，個人番号カード関係事務に係る調達の効率化，単位時間当たりの業務処理の向上，組織の効率化および人材養成の強化等，外部有識者との協力関係の強化，専門的知識を有する外部人材の登用の促進等を定めることが考えられる。本項

4号の重要事項としては，内部統制の強化，情報セキュリティの強化等が考えられる。

　ただし，中期目標管理法人の場合には，中期目標に財務内容の改善に関する事項（独立行政法人通則法29条2項4号）についても具体的に定めるものとされているのに対して，個人番号カード関係事務については，中期目標に財務内容の改善に関する事項を定めないこととしている。その理由としては，第1に，独立行政法人に交付される運営費交付金は，財政運営の改善等を行う余地を与える渡切りの交付金であるのに対して，2021年度以降，地方公共団体情報システム機構に補助される個人番号カード関係事務に必要となる経費は，毎年度，デジタル庁が予算編成過程で精査するものであり，運営費交付金と異なり，財務運営を改善するインセンティブを大きく付与するような性質のものではないこと，第2に，個人番号カード関係事務は，住民基本台帳に記録されている者からの申請に基づき，個人番号カードおよび電子証明書を発行する事務であるため，財務内容の改善に関する事項について定量的な目標を設定することは困難であること，第3に，地方公共団体情報システム機構の全体としての財務については，地方公共団体情報システム機構法31条の規定に基づき財務諸表を作成することとされているため，同法による財務統制が及ぶことが挙げられる。

（個人番号カード関係事務に係る中期計画）
第38条の9①　機構は，前条第1項の指示を受けたときは，中期目標に基づき，主務省令で定めるところにより，当該中期目標を達成するための計画（以下この条から第38条の11までにおいて「中期計画」という。）を作成し，主務大臣の認可を受けなければならない。これを変更しようとするときも，同様とする。
②　中期計画においては，次に掲げる事項を定めるものとする。
　1　個人番号カード関係事務に係る業務の質の向上に関する目標を達成するためとるべき措置
　2　個人番号カード関係事務に係る業務運営の効率化に関する目標を達成するためとるべき措置
　3　その他主務省令で定める個人番号カード関係事務に係る業務運営に関する事項

> ③ 主務大臣は，第1項の規定により認可をした中期計画が前条第2項第2号から第4号までに掲げる事項の適正かつ確実な実施上不適当となったと認めるときは，機構に対し，その中期計画を変更すべきことを命ずることができる。
> ④ 機構は，第1項の認可を受けたときは，遅滞なく，その中期計画を公表しなければならない。

(1) 「機構は，前条第1項の指示を受けたときは，中期目標に基づき，主務省令で定めるところにより，当該中期目標を達成するための計画（以下この条から第38条の11までにおいて「中期計画」という。）を作成し，主務大臣の認可を受けなければならない。これを変更しようとするときも，同様とする」（1項）

中期目標管理法人は，主務大臣から中期目標に係る指示を受けたときは，中期目標に基づき，主務省令で定めるところにより，当該中期目標を達成するための計画を作成し，主務大臣の認可を受けなければならず，これを変更しようとするときも，同様とすると定められている（独立行政法人通則法30条1項）。地方公共団体情報システム機構についても，その自主性・自律性を尊重する一方，業務の公共性に照らし，当該業務が適正かつ確実に実施されることを確保しなければならない。主務大臣が定めた中期目標に基づき中期計画を定め，主務大臣の認可を受けることは，主務大臣の地方公共団体情報システム機構に対するガバナンスを強化するために必要であるので，同様の仕組みが設けられた。中期計画の変更が行われる場合としては，地方公共団体情報システム機構自身のイニシアティブで行われる場合と，主務大臣の変更命令（本条3項）に基づく場合がある。

(2) 「中期計画においては，次に掲げる事項を定めるものとする。
 1 個人番号カード関係事務に係る業務の質の向上に関する目標を達成するためとるべき措置
 2 個人番号カード関係事務に係る業務運営の効率化に関する目標を達成するためとるべき措置
 3 その他主務省令で定める個人番号カード関係事務に係る業務運営に関

第38条の9（個人番号カード関係事務に係る中期計画）

する事項」（2項）

　中期目標管理法人は，中期計画において，(i)国民に対して提供するサービスその他の業務の質の向上に関する目標を達成するためとるべき措置，(ii)業務運営の効率化に関する目標を達成するためとるべき措置，(iii)予算（人件費の見積りを含む），収支計画及び資金計画，(iv)短期借入金の限度額，(v)不要財産又は不要財産となることが見込まれる財産がある場合には，当該財産の処分に関する計画，(vi)前号に規定する財産以外の重要な財産を譲渡し，又は担保に供しようとするときは，その計画，(vii)剰余金の使途，(viii)その他主務省令で定める業務運営に関する事項を定めるものとされている（独立行政法人通則法30条2項）。本項は，上記の(i)(ii)(viii)に対応する事項を中期計画で定める必要的記載事項としている。個人番号カード関係事務に係る中期目標には，財務内容の改善に関する事項を定めないこととしているので，個人番号カード関係事務に係る中期計画にも財務内容の改善に関する事項は定められない。

(3) 「主務大臣は，第1項の規定により認可をした中期計画が前条第2項第2号から第4号までに掲げる事項の適正かつ確実な実施上不適当となったと認めるときは，機構に対し，その中期計画を変更すべきことを命ずることができる」（3項）

　主務大臣は，認可した中期計画が独立行政通則法29条2項2号から5号までに掲げる事項の適正かつ確実な実施上不適当となったと認めるときは，機構に対し，その中期計画を変更すべきことを命ずることができるとされている（独立行政法人通則法30条3項）。ひとたび中期計画を定めたとしても，それが中期目標の適正かつ確実な実施上不適当となったと認めるときに，主務大臣が中期目標の範囲内において中期計画の変更を命ずる権限を有することは必要である。そこで，本項においても，同様の権限を主務大臣に付与している。

(4) 「機構は，第1項の認可を受けたときは，遅滞なく，その中期計画を公表しなければならない」（4項）

　地方公共団体情報システム機構の業務の公共性に照らせば，中期計画を公表して，透明性を確保し，国民に対する説明責任を果たす必要があるため，本項が設けられた。

本論 本法の逐条解説／第6章の2　機構処理事務等の実施に関する措置

（個人番号カード関係事務に係る年度計画）
第38条の10　機構は，毎事業年度の開始前に，前条第1項の認可を受けた中期計画に基づき，主務省令で定めるところにより，その事業年度の個人番号カード関係事務に係る業務運営に関する計画（次条第5項において「年度計画」という。）を定め，これを主務大臣に届け出るとともに，公表しなければならない。これを変更したときも，同様とする。

　中期目標管理法人は，毎事業年度の開始前に，認可を受けた中期計画に基づき，主務省令で定めるところにより，その事業年度の業務運営に関する年度計画を定め，これを主務大臣に届け出るとともに，公表しなければならず，これを変更したとときも同様とするとされている（独立行政法人通則法31条1項）。地方公共団体情報システム機構についても，毎年度の計画が作成され公表されることにより，同法人の各年度の業務の内容が明確になり，透明性を確保し，国民に対する説明責任を果たすことになるので，本項が設けられた。年度計画についてまで主務大臣の認可を受けなければならないとすることは，過剰な関与になるので，届出義務を課すにとどめている。

（各事業年度に係る個人番号カード関係事務に係る業務の実績に関する評価等）
第38条の11　① 　機構は，毎事業年度の終了後，当該事業年度が次の各号に掲げる事業年度のいずれに該当するかに応じ当該各号に定める事項について，主務大臣の評価を受けなければならない。
　1　次号及び第3号に掲げる事業年度以外の事業年度　当該事業年度における個人番号カード関係事務に係る業務の実績
　2　中期目標の期間の最後の事業年度の直前の事業年度　当該事業年度における個人番号カード関係事務に係る業務の実績及び中期目標の期間の終了時に見込まれる中期目標の期間における個人番号カード関係事務に係る業務の実績
　3　中期目標の期間の最後の事業年度　当該事業年度における個人番号カード関係事務に係る業務の実績及び中期目標の期間における個人番号カード関係事務に係る業務の実績
② 　機構は，前項の評価を受けようとするときは，主務省令で定めるところに

より，各事業年度の終了後3月以内に，同項第1号，第2号又は第3号に定める事項及び当該事項について自ら評価を行った結果を明らかにした報告書を主務大臣に提出するとともに，公表しなければならない。
③　第1項の評価は，同項第1号，第2号又は第3号に定める事項について総合的な評定を付して，行われなければならない。この場合において，同項各号に規定する当該事業年度における個人番号カード関係事務に係る業務の実績に関する評価は，当該事業年度における中期計画の実施状況の調査及び分析を行い，その結果を考慮して行われなければならない。
④　主務大臣は，第1項の評価を行ったときは，遅滞なく，機構に対し，当該評価の結果を通知するとともに，公表しなければならない。
⑤　機構は，第1項の評価の結果を，中期計画及び年度計画並びに個人番号カード関係事務に係る業務運営の改善に適切に反映させるとともに，毎年度，評価結果の反映状況を公表しなければならない。
⑥　主務大臣は，第1項の評価の結果に基づき必要があると認めるときは，機構に対し，個人番号カード関係事務に係る業務運営の改善その他の必要な措置を講ずることを命ずることができる。
⑦　主務大臣は，機構の理事長が前項の命令に違反する行為をしたときは，機構の代表者会議（地方公共団体情報システム機構法第8条第1項に規定する代表者会議をいう。次項において同じ。）に対し，期間を指定して，当該理事長を解任すべきことを命ずることができる。
⑧　主務大臣は，機構の代表者会議が前項の規定による命令に従わなかったときは，同項の命令による理事長を解任することができる。

⑴　「機構は，毎事業年度の終了後，当該事業年度が次の各号に掲げる事業年度のいずれに該当するかに応じ当該各号に定める事項について，主務大臣の評価を受けなければならない。
　　1　次号及び第3号に掲げる事業年度以外の事業年度　当該事業年度における個人番号カード関係事務に係る業務の実績
　　2　中期目標の期間の最後の事業年度の直前の事業年度　当該事業年度における個人番号カード関係事務に係る業務の実績及び中期目標の期間の終了時に見込まれる中期目標の期間における個人番号カード関係事務に係る業務の実績

> 3 中期目標の期間の最後の事業年度　当該事業年度における個人番号カード関係事務に係る業務の実績及び中期目標の期間における個人番号カード関係事務に係る業務の実績」（1項）

　中期目標管理法人について，各事業年度に係る業務の実績等に関する主務大臣による評価が定められている（独立行政法人通則法32条）。地方公共団体情報システム機構についても，主務大臣は，中期目標を定め，中期計画を認可するにとどまらず，実際に行われた事業を評価することによって，PDCAサイクルを機能させることが重要であるため，主務大臣による評価制度が設けられた。

　評価を受けるべき業績の範囲は，終了した事業年度が地方公共団体情報システム機構の中期目標の期間のいずれの事業年度に当たるかにより差異がある。通常の事業年度の場合には，各事業年度終了後に，当該事業年度における業績評価を行うにとどまる（本項1号）。中期目標の期間の最後の事業年度の直前の事業年度の場合には，当該直前の事業年度における業績評価に加えて，中期目標の期間全体の見込み評価も行う（本項2号）。中期目標の期間全体の見込み評価も行うこととしているのは，当該評価を次の中期目標の期間に係る目標設定等に活用できるようにして，主務大臣の責任において，中期的な政策のPDCAサイクルを効果的に機能させることを意図しているからである。中期目標の期間の最後の事業年度においては，当該直前の事業年度における業績評価に加えて，中期目標の期間全体における確定した業績の評価も行う（本項3号）。

(2)　「機構は，前項の評価を受けようとするときは，主務省令で定めるところにより，各事業年度の終了後3月以内に，同項第1号，第2号又は第3号に定める事項及び当該事項について自ら評価を行った結果を明らかにした報告書を主務大臣に提出するとともに，公表しなければならない」（2項）

　中期目標管理法人に係る規定（独立行政法人通則法32条2項）を参考にして，地方公共団体情報システム機構は，各事業年度の終了後3か月以内に，業績および当該業績についての自らの評価を記載した報告書を主務大臣に提出することを義務づけられている。主務大臣が評価を行うに当たっては，地方公共団体情報システム機構からの業績の報告が不可欠であり，また，地方公共団体情報システム機構に対して当該業績について説明を行い意見を述べる機会を与える

第38条の11（各事業年度に係る個人番号カード関係事務に係る業務の実績に関する評価等）

ことが必要であると考えられたのである。また，透明性を確保して説明責任を履行する観点から，当該報告書の公表も義務づけている。

(3) 「第1項の評価は，同項第1号，第2号又は第3号に定める事項について総合的な評定を付して，行われなければならない。この場合において，同項各号に規定する当該事業年度における個人番号カード関係事務に係る業務の実績に関する評価は，当該事業年度における中期計画の実施状況の調査及び分析を行い，その結果を考慮して行われなければならない」（3項）

中期目標管理法人に係る規定（独立行政法人通則法32条3項）を参考にして，主務大臣による業績評価は，各事業年度の業績についても，中期目標期間の業績についても，定性的な記述のみの評価では分かりにくいので，総合的な判定を付して行うこととしている。各事業年度における業績評価は，地方公共団体情報システム機構が定める個人番号カード関係事務に係る年度計画に対する実績評価であるが，主務大臣は，単年度の業績評価にとどまることなく，中期目標の達成に向けた進行管理を適切に行う観点から，中期計画の実施状況を調査・分析し，その結果を考慮して評価を行うことになる。すなわち，評価は，(i)当該事業年度における中期計画の実施状況の調査により実情を把握し，(ii)当該事業年度における中期計画の達成状況の分析，(iii)業務の実績の全体についての総合的な評定の順で行われる。

(4) 「主務大臣は，第1項の評価を行ったときは，遅滞なく，機構に対し，当該評価の結果を通知するとともに，公表しなければならない」（4項）

中期目標管理法人に係る規定（独立行政法人通則法32条4項）を参考にして，主務大臣は，評価結果を地方公共団体情報システム機構に通知するとともに，公表しなければならない。評価結果は，同法人による業務の改善につなげるPDCAサイクルを実現するため，地方公共団体情報システム機構に評価結果を遅滞なく通知しなければならないとされている。また，地方公共団体情報システム機構の業務の公共性に照らし，透明性を確保し，説明責任を履行するために，評価結果の公表を義務づけている。国民は，地方公共団体情報システム機構の自己評価と主務大臣の評価を比較することにより，主務大臣の評価が適

正に行われているかを確認することが可能になる。

(5)　「機構は，第1項の評価の結果を，中期計画及び年度計画並びに個人番号カード関係事務に係る業務運営の改善に適切に反映させるとともに，毎年度，評価結果の反映状況を公表しなければならない」(5項)

中期目標管理法人に係る規定（独立行政法人通則法28条の4）を参考にして，J-LISは，主務大臣により各事業年度に行われる評価結果を，個人番号カード関係事務に係る中期計画および個人番号カード関係事務に係る年度計画ならびに個人番号カード関係事務に係る業務運営の改善に適切に反映させるとともに，毎年度，評価結果の反映状況を公表する義務を負うとされた。これは，個人番号カード関係事務に係るPDCAサイクルを適切に機能させることを法的に担保するためである。すなわち，評価制度は，評価結果の通知・公表にとどまっては，その意義は半減してしまい，PDCAサイクルを機能させるためには，評価結果を業務運営の改善に適切に反映させることが不可欠である。本項は，Plan→Do→Check→ActのActに対応するものである。評価結果を業務運営の改善に適切に反映させることを担保するために，評価結果の反映状況を公表する義務を課している。また，評価結果の反映状況を公表することは，透明性を確保し，説明責任を履行する上でも重要である。

(6)　「主務大臣は，第1項の評価の結果に基づき必要があると認めるときは，機構に対し，個人番号カード関係事務に係る業務運営の改善その他の必要な措置を講ずることを命ずることができる」(6項)

中期目標管理法人に係る規定（独立行政法人通則法32条6項）を参考にして，主務大臣は，業績の評価結果に基づき必要があると認めるときは，地方公共団体情報システム機構に対して，業務運営の改善その他の必要な措置を講ずることを命ずることができるとされた。主務大臣による評価結果は地方公共団体情報システム機構に通知されるので，通知を受けた地方公共団体情報システム機構が，自主的に改善措置を講ずることが基本になる。しかしながら，地方公共団体情報システム機構による自主的対応を期待しがたい場合や，個人番号カード関係事務の中心的部分に重大な問題が発生し，中期目標の達成が困難になると見込まれる場合等においては，主務大臣が，中期目標の達成のために必要な

第38条の11（各事業年度に係る個人番号カード関係事務に係る業務の実績に関する評価等）

事務の改善を命令することが不可欠であると考えられたのである。

　本法には，総務大臣が，機構処理事務の適正な実施を確保するために必要があると認めるときは，地方公共団体情報システム機構に対して，機構処理事務の実施に関し監督上必要な命令をすることができる旨の規定（本法38の6）がある。この規定は，デジタル社会形成整備法による改正前に存在したが，この命令は，総務大臣が必要があると認めるときに随時発することができるものである。これに対して，本項の規定に基づく命令は，主務大臣が本条1項の規定に基づき行った業績評価の結果に基づいて発する命令である点に相違がある。

　中期目標管理法人に関しては，法人またはその役員もしくは職員による違法行為等がある場合または当該法人の業務運営が著しく不適正で放置できない場合において主務大臣が是正を命ずることができる旨の規定（独立行政法人通則法35条の3）が存在する。他方，総務大臣が，個人番号カード関係事務を含む機構処理事務または認証事務の適正な実施を確保するため必要があると認めるときは，本法38条の6または公的個人認証法42条の規定に基づき，地方公共団体情報システム機構に対し，機構処理事務または認証事務の実施に関し監督上必要な命令を行うことができる。したがって，独立行政法人通則法35条の3に相当する規定を設ける必要はないと判断された。

(7)「主務大臣は，機構の理事長が前項の命令に違反する行為をしたときは，機構の代表者会議（地方公共団体情報システム機構法第8条第1項に規定する代表者会議をいう。次項において同じ。）に対し，期間を指定して，当該理事長を解任すべきことを命ずることができる」（7項）

　2017年の地方公共団体情報システム機構法等の改正により，地方公共団体情報システム機構の役員の解任事由に，「職務上の義務違反」（同法16条1項4号）が追加され，総務大臣の監督命令に違反した場合，代表者会議が理事長を解任することができるように規定が整備された。しかし，この改正時には，役員の解任に当たっての総務大臣の認可や総務大臣の解任命令等，役員の解任に係る総務大臣の権限は定められなかった。その理由は，地方公共団体情報システム機構が地方共同法人であったので，国の関与は必要最小限であるべきであり，また，地方公共団体情報システム機構は，地方公共団体を代表する首長等からなる代表者会議によるガバナンスによって運営されるものと位置づけられ

ていたため，組織法としての性格を有する地方公共団体情報システム機構法に，総務大臣による役員の解任規定を設けることは適切でないと考えられたのである。

他方において，作用法としての性格を有する住民基本台帳法，公的個人認証法および本法の規定に基づき地方公共団体情報システム機構が行う事務については，その適正な遂行を担保するため，総務大臣による地方公共団体情報システム機構に対する監督権限が設けられている（住民基本台帳法30条の19，公的個人認証法42条，本法38条の6）。デジタル社会形成整備法による改正で，個人番号カード関係事務に係る国のガバナンスを強化することになったため，主務大臣は，理事長が本法38条の11第6項の規定に基づく命令に違反する行為をしたときは，理事長の任命権者である代表者会議に対し，期間を指定して，理事長を解任すべきことを命ずることができることとされた。

代表者会議は，地方公共団体情報システム機構の財務および業務の方針を決定する機関であり（地方公共団体情報システム機構法8条1項），(i)主務大臣またはその指名する職員，(ii)都道府県知事，市長または町村長のうちから，都道府県知事，市長または町村長の全国的連合組織（地方自治法263条の3第1項に規定する全国的連合組織で同項の規定による届出をしたものをいう）がそれぞれ選定する者，(iii)都道府県知事，市長および町村長以外の者で地方行財政，法律または情報システムに関して高い識見を有するもののうちから，主務大臣と都道府県知事，市長または町村長の全国的連合組織とが共同して選定する者の(i)(ii)(iii)に掲げる委員各同数をもって組織される（地方公共団体情報システム機構法8条2項）。理事長は，代表者会議が主務大臣の認可を受けて任命する（同法13条1項）。そして，代表者会議は，その任命に係る理事長に職務上の義務違反があるときは，主務大臣の認可を受けて，理事長を解任することができる（同法16条2項）。そこで，主務大臣は，命令に違反する行為をした理事長の解任を代表者会議に命ずることとしたのである。

これは，地方共同法人である地方競馬全国協会（競馬法23条の28第4項），地方公務員災害補償基金（地方公務員災害補償法10条の2第3項），日本下水道事業団（日本下水道事業団法18条2項）の役員の解任に関する規定を参考にしたものである（法人に対するその役員の解任命令の例として，聴覚障害者等による電話の利用の円滑化に関する法律14条2項。主務大臣による法人の長の直接的解任の例とし

第38条の11（各事業年度に係る個人番号カード関係事務に係る業務の実績に関する評価等）

て，特定研究開発法人による研究開発等の促進に関する特別措置法4条も参照）。

　デジタル社会形成整備法による改正で国のガバナンスが強化されたのは，個人番号カード関係事務についてであって，地方公共団体情報システム機構が行うそれ以外の事務については，引き続き国の関与は抑制的であるべきであるので，本項および本条8項に相当する規定を地方公共団体情報システム機構法に設けて，個人番号カード関係事務以外の事務についてまで，主務大臣が理事長の解任に関与することは適切ではないと判断された。

⑻　「主務大臣は，機構の代表者会議が前項の規定による命令に従わなかったときは，同項の命令による理事長を解任することができる」(8項)

　地方公共団体情報システム機構法上は，理事長の解任権は，代表者会議にあるが，地方公共団体情報システム機構の本法に基づく業務運営に関するPDCAサイクルを確実に機能させるためには，代表者会議が主務大臣の解任命令に従わなかったときの実効性確保策も講じておく必要がある。そこで，代表者会議が主務大臣の解任命令に従わなかったときは，主務大臣は理事長を解任することができるとしている。

　これは，地方共同法人である地方競馬全国協会（競馬法23条の28第5項），地方公務員災害補償基金（地方公務員災害補償法10条の2第4項），日本下水道事業団（日本下水道事業団法18条3項）の役員の解任に関する規定を参考にしたものである。

　なお，中期目標管理法人に関しては，主務大臣が中期目標期間の終了時の業務および組織の全般にわたって検討を実施し，その結果に基づき所要の措置をとる旨が定められ（独立行政法人通則法35条），独立行政法人評価委員会が法人の主要な事務・事業の改廃について主務大臣に勧告を行い，必要に応じて内閣総理大臣に意見具申をすることができる旨の規定（同法35条の2）が存在する。しかし，中期目標の対象となる個人番号カード関係事務に関しては，内閣総理大臣が議長となり全閣僚が出席するデジタル・ガバメント閣僚会議等における進捗管理等が実施されること，また，個人番号カード関係事務を含む機構処理事務（本法38条の2）および認証事務（公的個人認証法39条）の実施状況については，本法38条の5および38条の7ならびに公的個人認証法41条および43条の規定に基づき，地方公共団体情報システム機構により報告書が作成・公表

本論 本法の逐条解説／第6章の2　機構処理事務等の実施に関する措置

されるとともに、総務大臣が必要な報告・資料の提出の求めおよび立入検査を実施できることとされていること、地方公共団体情報システム機構は、実質的に政府の一部とみられる独立行政法人ではなく、国・地方共同管理法人であることに照らして、主務大臣による業務および組織の全般にわたっての検討ならびに第三者機関による勧告および内閣総理大臣への意見具申の制度は不要と判断された。

　PDCAサイクルによる評価システムを定める同法38条の8から38条の11の改善命令に係る部分までは、企画立案機能と実施機能の双方に関係するものであり、デジタル庁と総務省の共管とされた。

（個人番号カード関係事務に係る財源措置）
第38条の12　国は、機構に対し、予算の範囲内において、個人番号カード関係事務に係る業務の財源に充てるために必要な金額の全部又は一部に相当する金額を補助することができる。

　本条は、個人番号カードの発行・運営体制を大幅に強化するため、個人番号カード関係事務に係る中期目標を主務大臣が定めてJ-LISに指示すること（本法38条の8）等が定められたことに伴い、J-LISが実施する個人番号カード関係事務に関して国が必要な財源措置を講ずることができるように、独立行政法人通則法46条1項の規定（「政府は、予算の範囲内において、独立行政法人に対し、その業務の財源に充てるために必要な金額の全部又は一部に相当する金額を交付することができる」）を参考にして設けられたものである（自殺対策の総合的かつ効果的な実施に資するための調査研究及びその成果の活用等の推進に関する法律13条、鯨類の持続的な利用の確保に関する法律8条も参照）。

　独立行政法人通則法46条2項は、「独立行政法人は、業務運営に当たっては、前項の規定による交付金について、国民から徴収された税金その他の貴重な財源で賄われるものであることに留意し、法令の規定及び中期目標管理法人の中期計画、国立研究開発法人の中長期計画又は行政執行法人の事業計画に従って適切かつ効率的に使用するよう努めなければならない」と定めている。これは、2006年には独立行政法人緑資源機構における入札談合事件、2008年には独立行政法人放射線医学総合研究所における研究費不適切使用事件、2009年には

第 38 条の 12（個人番号カード関係事務に係る財源措置）・第 38 条の 13（財務大臣との協議）

独立行政法人理化学研究所における架空取引事件が発覚する等，独立行政法人における運営費交付金をめぐる不祥事が発生したことに鑑み，補助金等に係る予算の執行の適正化に関する法律（以下「補助金等適正化法」という）3 条 2 項（「補助事業者等及び間接補助事業者等は，補助金等が国民から徴収された税金その他の貴重な財源でまかなわれるものであることに留意し，法令の定及び補助金等の交付の目的又は間接補助金等の交付若しくは融通の目的に従って誠実に補助事業等又は間接補助事業等を行うように努めなければならない」）の規定を参考にして，2014 年の独立行政法人通則法改正で設けられたものである。これと同様の規定を本法に設けなかったのは，独立行政法人の運営費交付金は使途が特定されていないのと異なり，マイナンバー法 38 条の 12 の規定に基づき国から J-LIS に交付される金額は，個人番号カード関係事務に係る財源に充当されるものとされ，使途が特定されているため，独立行政法人通則法 46 条 2 項に相当する規定は不要と判断されたのである。

（財務大臣との協議）
第 38 条の 13 主務大臣は，次の場合には，財務大臣に協議しなければならない。
1 第 38 条の 8 第 1 項の規定により中期目標を定め，又は変更しようとするとき。
2 第 38 条の 9 第 1 項の規定により認可をしようとするとき。

独立行政法人通則法においては，主務大臣が中期目標管理法人の中期目標を定め，または変更をしようとするとき（同法 67 条 1 号）および中期計画の認可をしようとするとき（同条 4 号），主務大臣が財務大臣と協議することを義務づけている。その理由は，中期目標管理法人は，中期目標および中期計画に従って業務を遂行することになるが，その具体的業務の執行に用いられる運営費交付金は，渡切りの交付金であって柔軟に使用可能であるからである。そこで，税金等が原資となっている運営費交付金が適切に使用されるように，中期目標管理法人の中期目標および中期計画には，財務に関わる事項について具体的に定めることとされるとともに（同法 29 条 2 項 4 号，30 条 2 項 3 号～7 号），主務大臣は財務大臣と協議しなければならないこととしているのである。

これに対して，J-LIS に交付される個人番号カード関係事務に係る補助金は，デジタル庁において精査して交付されるものであり，運営費交付金とは性格を異にすることに鑑み，中期目標等には，財務に関する事項は定めないこととされている。しかしながら，個人番号カード関係事務については，国が所要の財源措置を講ずることができるとされており（同法38条の12），その財源措置をいかに講ずるかは，中期目標等の内容に依存する面が大である。そこで，主務大臣は，個人番号カード関係事務に係る中期目標の設定または変更および個人番号カード関係事務に係る中期計画の作成または変更の認可に際して財務大臣との協議を義務づけることとされたのである。ここで協議しなければならないとは，主務大臣と財務大臣の意見が合致することまで含意している。

第7章　法　人　番　号

(通知等)

第39条① 　国税庁長官は，政令で定めるところにより，法人等（国の機関，地方公共団体及び会社法（平成17年法律第86号）その他の法令の規定により設立の登記をした法人並びにこれらの法人以外の法人又は法人でない社団若しくは財団で代表者若しくは管理人の定めがあるもの（以下この条において「人格のない社団等」という。）であって，所得税法第230条，法人税法（昭和40年法律第34号）第148条，第149条若しくは第150条又は消費税法（昭和63年法律第108号）第57条の規定により届出書を提出することとされているものをいう。以下この項及び次項において同じ。）に対して，法人番号を指定し，これを当該法人等に通知するものとする。

② 　法人等以外の法人又は人格のない社団等であって政令で定めるものは，政令で定めるところにより，その者の商号又は名称及び本店又は主たる事務所の所在地その他財務省令で定める事項を国税庁長官に届け出て法人番号の指定を受けることができる。

③ 　前項の規定による届出をした者は，その届出に係る事項に変更があったとき（この項の規定による届出に係る事項に変更があった場合を含む。）は，政令で定めるところにより，当該変更があった事項を国税庁長官に届け出なければならない。

第 39 条（通知等）

> ④　国税庁長官は，政令で定めるところにより，第 1 項又は第 2 項の規定により法人番号の指定を受けた者（以下「法人番号保有者」という。）の商号又は名称，本店又は主たる事務所の所在地及び法人番号を公表するものとする。ただし，人格のない社団等については，あらかじめ，その代表者又は管理人の同意を得なければならない。

(1)　「国税庁長官は」（1 項）

　個人番号の付番は住民情報を最もよく把握している市区町村の長が行うこととしているが，社会保障と税の一体改革のためのマイナンバー制度の対象となる法人を最もよく把握していると考えられるのは国税庁であるので（国税庁が把握している法人等は支店，事業所を含めずに約 270 万社であり，厚生労働省が把握している事業所数は約 175 万社である），法人番号の付番・管理は国税庁長官が行うこととされている（法人番号は，とりわけ税分野で利用されることも重視された。税務関係書類における法人番号の記載義務の例について，国税通則法 124 条 1 項，所得税法 224 条 1 項，224 条の 3 第 1 項，224 条の 4，224 条の 5 第 1 項，224 条の 6，「内国税の適正な課税の確保を図るための国外送金等に係る調書の提出等に関する法律」3 条 1 項，租税特別措置法 40 条 14 項等参照）。本項においては，登記や本項に規定する届出により国税庁長官が把握しているものについて，法人等からの法人番号の指定の求めなしにその指定が行われる場合を対象にしている。

(2)　「政令で定めるところにより」（1 項）

　国の機関に対する本項の規定による法人番号の指定は，(i)衆議院，参議院，裁判官弾劾裁判所，裁判官訴追委員会および国立国会図書館，(ii)行政機関（検察庁にあっては，最高検察庁，高等検察庁および地方検察庁）および検察審査会，(iii)最高裁判所，高等裁判所（東京高等裁判所にあっては，東京高等裁判所および知的財産高等裁判所），地方裁判所，家庭裁判所および簡易裁判所を単位として行う（本法施行令 36 条）。

　国の機関，地方公共団体および設立登記法人以外の法人または人格のない社団等（本項に規定する人格のない社団等をいう。以下同じ）であって，①所得税法 230 条の規定により届出書を提出することとされている者，②法人税法 148 条の規定により届出書を提出することとされている者，③法人税法 149 条の規定

により届出書を提出することとされている者，④法人税法150条の規定により届出書を提出することとされている者，⑤消費税法57条の規定により届出書を提出することとされている者（①～⑤について法人番号保有者を除く）に対する本項の規定による法人番号の指定は，その者が届出書もしくは国税通則法124条に規定する税務書類（以下「税務書類」という）を提出するに際して国税庁長官にした申告または官公署が本法41条2項の規定により国税庁長官に提供した資料により，下記(i)～(iii)が確認されたあと，速やかに行うものとされている。(i)その者の商号または名称および本店または主たる事務所の所在地，(ii)①にあっては国内において給与等（所得税法28条1項に規定する給与等をいう）の支払事務を取り扱う事務所，事業所その他これらに準ずるものを設けたこと，②にあっては内国法人（法人税法2条3号に規定する内国法人をいう）である普通法人（同法2条9号に規定する普通法人をいう）または協同組合等（同法2条7号に規定する協同組合等をいう）として新たに設立されたこと，③にあっては法人税法149条1項または2項に規定する場合に該当することとなったこと，④にあっては法人税法150条各項に規定する場合のいずれかに該当することとなったこと，⑤にあっては消費税法57条1項1号に掲げる場合に該当することとなったこと，または同法12条の2第1項に規定する新設法人もしくは同法12条の3第1項に規定する特定新規設立法人に該当することとなったこと，ならびに(iii)その者が法人番号保有者でないこと（本法施行令37条）。

　国税庁長官は，本項の規定により法人番号を指定したときは，速やかに，当該法人番号の指定を受けた者に対し，その旨および当該法人番号を，これらの事項ならびにその者の商号または名称および本店または主たる事務所の所在地その他の財務省令で定める事項が記載された書面により通知するものとされている（本法施行令38条）。この財務省令で定める事項は，(ア)法人番号を指定したこと，およびその年月日，(イ)指定した法人番号，(ウ)法人番号の指定を受けた者の商号または名称および本店または主たる事務所の所在地，(エ)その他必要と認める事項，である（法人番号の指定等に関する省令〔平成26年財務省令第70号〕4条）。

(3)　「法人等（国の機関，地方公共団体及び会社法（平成17年法律第86号）その他の法令の規定により設立の登記をした法人並びにこれらの法人以外

の法人又は法人でない社団若しくは財団で代表者若しくは管理人の定めがあるもの（以下この条において「人格のない社団等」という。）」(1項)

本項においては，従業者が納める税の源泉徴収を行ったり，従業者の年金関係手続を行ったりする雇用者としての法人等が法人番号の対象になることとしている。「これらの法人以外の法人」とは，登記のない企業年金基金，健康保険組合，国民年金基金，土地改良区等を意味する。「法人でない社団」の例として，地縁による団体としての認可を受けていない自治会（宇賀・前掲・地方自治法概説［第9版］104頁参照），設立登記前の会社，マンションの管理組合，政党要件を充足しない政治団体，学会，サークル，入会団体等があり，「法人でない……財団」の例として，工場抵当法による工場財団，鉄道抵当法による鉄道財団，破産法による破産財団がある。なお，国もしくは地方公共団体が一般会計に係る業務として行う事業または特別会計を設置して行う事業については，一般会計または個々の特別会計ごとに1の法人が行う事業とみなして消費税法の規定を適用することとされている（消費税法60条1項本文）。また，個人事業者が法人課税信託の受託事業者である場合には，当該受託事業者は，法人とみなし，消費税法の規定を適用することとされている（同法15条3項）。しかし，これらは租税実務上の便宜のためのものであるにとどまり，税法以外では法人とみなされるわけではなく，訴訟における当事者能力も認められないので，本項における「法人等」には当たらない。

個人事業主は法人番号の付番対象ではないが，法人番号と異なり，個人番号は利用できる分野が，当面は，社会保障，税，災害対策（地方公共団体の長その他の執行機関にあっては，これらに類する事務であって条例で定めるものを含む）に限定されているため，それ以外の分野で，法人番号と個人事業主の個人番号を統合的に管理できないことになる。そのため，個人事業主にも法人番号に準じた番号を付すべきとの意見も少なくない（個人事業主が従業者の源泉徴収票を税務署長に提出する場合には，従業者の個人番号のほか，自分の個人番号も記載することになる）。

(4) 「所得税法第230条……の規定により届出書を提出することとされているもの」(1項)

給与等の支払をする事務所の開設等の届出をすることとされているものであ

る。

(5)　「法人税法（昭和40年法律第34号）第148条……の規定により届出書を提出することとされているもの」(1項)

内国普通法人等の設立の届出をすることとされているものである。

(6)　「法人税法（昭和40年法律第34号）……第149条……の規定により届出書を提出することとされているもの」(1項)

外国普通法人となった旨の届出をすることとされているものである。

(7)　「法人税法（昭和40年法律第34号）……第150条……の規定により届出書を提出することとされているもの」(1項)

公益法人等または人格のない社団等の収益事業の開始等の届出をすることとされているものである。

(8)　「消費税法（昭和63年法律第108号）第57条の規定により届出書を提出することとされているもの」(1項)

小規模事業者の納税義務の免除が適用されなくなった場合等の届出をすることとされているものである。

(9)　「法人番号を指定し，これを当該法人等に通知するものとする」(1項)

従前，わが国では，法人等情報の管理は，分野ごとに番号を付して機関単位で行われており，分野横断的に法人等情報の名寄せ・突合を行う場合，法人等の名称，住所で行わざるを得ず，非効率であった。たとえば，日本年金機構が社会保険料の悪質滞納者である法人等に係る情報を提供して国税庁長官に強制徴収を委託する場合，社会保障分野と国税分野で法人等に係る番号が異なったため，番号による名寄せ・突合ができなかった。分野横断的な名寄せ・突合が困難であったのみならず，同一分野においても，法人等に係る番号が統一されていない場合もあった。一例として，税務分野について述べると，国税については，税務署単位の部内番号により法人等の納税地，納税額等の情報が管理され，全国的な納税状況を把握するために，法人等の名称，住所により名寄せ・

突合が行われてきたのである。また，地方公共団体も独自に法人等に付番していたため，法人税の確定申告の内容に係る情報を法人住民税の賦課徴収に利用するため，国税庁の下級行政機関である税務署と地方公共団体間で関連情報を授受する場合においても，法人等の名称，住所により名寄せ・突合を行ってきた。かかる方法による名寄せ・突合では正確性を確保し得ない場合もあったのである。そこで，法人等情報の名寄せ・突合を正確かつ効率的に行うために，悉皆性，唯一無二性，視認性を有する法人番号制度を新設し，行政機関の長等が法人等情報を授受する際に，法人番号を通知して行うことを義務づけることになった（本法40条1項）。これにより，法人等情報の正確な管理と有効活用の促進が企図されている。本法においては，法人番号については変更請求権や抹消請求権は認められていない。行政運営の効率性や民間取引の安定性を確保するためである。法人等が解散する場合においても，当該法人等の法人番号を含む情報の利用・授受が行われることはありうるので，抹消請求は認められていない。また，法人等には人格権はないので，人格権に基づく抹消請求も認められない。法人番号のみの売買が認められないのは当然である。法人番号も個人番号と同様，2015年10月に通知され，2016年1月に利用が開始されている。個人番号が12桁であるため，現場での取扱いの混乱を防止する意味もあり，法人番号は桁数を違え13桁とされている（本法施行令35条1項）。

⑽ 「法人等以外の法人又は人格のない社団等であって政令で定めるもの」（2項）

　具体的には，⒤国税に関する法律の規定に基づき税務署長その他行政機関の長もしくはその職員に税務書類を提出する者またはその者から当該税務書類に記載するため必要があるとして法人番号の提供を求められる者，ⅱ国内に本店または主たる事務所を有する法人，のいずれかであって，法人番号保有者を除くものとされている（本法施行令39条1項）。本項の法人または人格のない社団等については，その設立等の情報を国税庁長官が把握するには本項の規定に基づく届出が必要であるため，本項の届出に基づき法人番号を指定することとしている。わが国で経済活動等を行い人を雇用すれば法定調書の提出義務が生ずるので，法人番号の指定を受けるインセンティブが生ずると考えられる。

　特別地方公共団体である地方公共団体の組合（一部事務組合，広域連合）およ

び財産区については，内国普通法人等の設立の届出義務が免除されており，また，一部事務組合等の職員が市区町村等からの出向者である場合等においては，所得税法に規定する給与の支払をする事務所開設届の提出義務も免除されている。したがって，地方公共団体の組合および財産区の廃置分合に係る情報を国税庁長官が正確に把握して遅滞なく法人番号を指定するために，本項の規定をこれらの法人にも適用する立法政策もありうる。しかし，本法41条2項の規定に基づく資料の提供の求めにより対応することができるため，本項の規定の適用対象とはしない方針がとられた。

(11) 「政令で定めるところにより」（2項）

この届出は，当該届出をしようとする者について本項に規定する届出事項が記載された届出書に，当該届出事項を証明する定款その他財務省令で定める書類を添付して行わなければならない（本法施行令39条2項）。ここでいう財務省令で定める事項は，「法人番号の指定等に関する省令」5条で定められており，(i)本法施行令39条第1項各号に掲げる者（上記(10)(i)(ii)参照）のいずれに該当するかの別，(ii)設立年月日，(iii)国内に本店または主たる事務所を有しないものにあっては，国内における事務所または営業所の所在地（これらが2以上ある場合には，主たるものの所在地）ならびに開設年月日とされている。また，①定款，寄附行為，規則もしくは規約またはこれらに準ずるものの写し（国内に本店または主たる事務所を有しないものにあってはその和訳文），②設立に当たり法令の規定により国の機関または地方公共団体の機関の許可，認可，承認，同意その他これらに類する行為（以下「許認可等」という）を必要とする法人にあっては，当該許認可等を証する書類の写しを添付することとされている（法人番号の指定等に関する省令7条）。

この届出があった場合，法人番号の指定は，届出書およびこれに添付された書類，当該届出をした者が税務書類を提出するに際して国税庁長官にした申告または官公署が本法41条2項の規定により国税庁長官に提供した資料により，当該届出をした者が法人番号保有者でないことが確認された後，速やかに行うものとされている（本法施行令39条3項）。国税庁長官は，法人番号を指定したときは，速やかに，当該法人番号の指定を受けた者に対し，その旨および当該法人番号を，これらの事項ならびにその者の商号または名称および本店または

第39条（通知等）

主たる事務所の所在地その他の「法人番号の指定等に関する省令」7条で定める事項（(i)定款，寄附行為，規則もしくは規約またはこれらに準ずるものの写し〔国内に本店または主たる事務所を有しないものにあってはその和訳文〕，(ii)設立に当たり法令の規定により国の機関または地方公共団体の機関の許可，認可，承認，同意その他これらに類する行為〔以下「許認可等」という〕を必要とする法人にあっては，当該許認可等を証する書類の写し）が記載された書面により通知するものとされている（本法施行令39条4項）。

(12)　「前項の規定による届出をした者は，その届出に係る事項に変更があったとき（この項の規定による届出に係る事項に変更があった場合を含む。）は，政令で定めるところにより，当該変更があった事項を国税庁長官に届け出なければならない」（3項）

政令では，変更の届出は，当該届出をしようとする者の法人番号，その者についての届出事項に変更があった旨，変更後の当該届出事項その他の財務省令で定める事項が記載された届出書に，当該変更があった旨を証明する定款その他の財務省令で定める書類を添付して行わなければならないとされている（本法施行令40条）。届出書への記載事項について，「法人番号の指定等に関する省令」8条1項では，(i)変更の届出をしようとする者の法人番号，商号または名称および本店または主たる事務所の所在地，(ii)国内に本店または主たる事務所を有しないものにあっては，国内における事務所または営業所の所在地（これらが2以上ある場合には，主たるものの所在地），(iii)前記(i)(ii)に掲げる事項のうち，変更があった事項および当該変更があった年月日ならびにその変更前および変更後の当該事項とされており，当該届出書には，当該届出をしようとする者の代表者または管理人（国内に本店または主たる事務所を有しないものにあっては，国内における代表者または管理人）が記名押印しなければならない（同条2項）。また，届出書に添付する財務省令で定める書類は，(i)変更後の定款，寄附行為，規則もしくは規約またはこれらに準ずるものの写し（国内に本店または主たる事務所を有しないものにあってはその和訳文），(ii)変更に当たり法令の規定により許認可等を必要とする法人にあっては，当該許認可等を証する書類の写し，とされている（同条3項）。この届出義務に違反した場合の罰則は定められていないが，国税庁長官は，変更事項の届出義務を懈怠している法人等を発見した場合

には，行政指導により，届出を勧奨することになる。

⒀ 「国税庁長官は，政令で定めるところにより，第1項又は第2項の規定により法人番号の指定を受けた者（以下「法人番号保有者」という。）の商号又は名称，本店又は主たる事務所の所在地及び法人番号を公表するものとする」（4項本文）

　法人番号についてはプライバシー保護の問題は生じないので，利用分野も制限されていない。法人番号の提供を求めることも，法人番号を用いて取引先との債権・債務を管理するデータベースを作成することも自由に行うことができる。法人番号等の公表が行われるのは，本法40条1項の規定により特定法人情報（法人番号保有者に関する情報であって法人番号により検索することができるもの）の授受を行うためには，特定法人情報の提供元機関および提供先機関において，保有する法人情報と法人番号を事前に紐づけておく必要があり，そのためには，法人番号を簡易に確認することができなければならないからである。

　この公表は，当該公表に係る法人番号保有者に対し，本法施行令38条（同施行令39条4項において準用する場合を含む）の規定による通知をした後（当該法人番号保有者が人格のない社団等である場合にあっては，当該通知をし，および本項ただし書の規定による同意〔後記⒁参照〕を得た後），速やかに，インターネットを利用して公衆の閲覧に供する方法により行うものとされている（本法施行令41条1項）。国税庁長官は，本項の規定による公表を行った場合において，当該公表に係る法人番号保有者について，当該公表に係る事項に変更があったときは，財務省令で定めるところによりその事実を確認した上で，これらの事項に加えて，速やかに，インターネットを利用して公衆の閲覧に供する方法により，これらの事項に変更があった旨および変更後のこれらの事項を公表するものとされている（同条2項）。財務省令で定める確認方法は，下記によるものとされている。(i)本法39条1項に規定する法人等（以下「法人等」という）のうち，国の機関，地方公共団体および設立登記法人にあっては，本法41条2項の規定により官公署から提供を受けた資料，(ii)法人等のうち，前記(i)に掲げる者以外の者にあっては，その者から提出を受けた国税通則法124条1項に規定する税務書類または本法41条2項の規定により官公署から提供を受けた資料，(iii)法人等以外の者にあっては，その者から提出を受けた本法施行令40条に規定す

る届出書およびその添付書類（法人番号の指定等に関する省令9条）。

なお、国税庁長官は、本項の規定による公表を行った場合において、当該公表に係る法人番号保有者について、会社法2編9章の規定による清算の結了その他の清算の結了、合併による解散、商業登記規則81条1項（他の省令において準用する場合を含む）の規定により登記記録が閉鎖されたことその他これらに準ずる事由（法人番号の指定等に関する省令10条）が生じたときは、(i)法人等のうち、国の機関、地方公共団体および設立登記法人にあっては、本法41条2項の規定により官公署から提供を受けた資料、(ii)法人等のうち、前記(i)に掲げる者以外の者にあっては、その者から提出を受けた国税通則法124条1項に規定する税務書類または本法41条2項の規定により官公署から提供を受けた資料、(iii)法人等以外の者にあっては、その者から提出を受けた本法施行令40条に規定する届出書およびその添付書類により（法人番号の指定等に関する省令11条）、その事実を確認した上で、当該公表に係る事項に加えて、速やかに、当該法人番号保有者について当該事由が生じた旨および当該事由が生じた年月日（当該年月日が明らかでないときは、国税庁長官が当該事由が生じたことを知った年月日）を、速やかに、インターネットを利用して公衆の閲覧に供する方法により行うものとされている（本法施行令41条3項）。

⑭ 「ただし、人格のない社団等については、あらかじめ、その代表者又は管理人の同意を得なければならない」（4項ただし書）

人格のない社団等については、その商号または名称、本店または主たる事務所の所在地は公知の情報ではないので、事前にその代表者または管理人の同意を得た場合に限り前記の公表が行われることとしている。

（情報の提供の求め）
第40条① 行政機関の長、地方公共団体の機関又は独立行政法人等（以下この章において「行政機関の長等」という。）は、他の行政機関の長等に対し、特定法人情報（法人番号保有者に関する情報であって法人番号により検索することができるものをいう。第42条において同じ。）の提供を求めるときは、当該法人番号を当該他の行政機関の長等に通知してするものとする。

> ② 行政機関の長等は，国税庁長官に対し，法人番号保有者の商号又は名称，本店又は主たる事務所の所在地及び法人番号について情報の提供を求めることができる。

(1) 「行政機関の長等」（1項）

「行政機関の長等」に国会および裁判所を含まないのは，三権分立に配慮し，国会の機関および裁判所の行為を行政機関の長等の行為と同様に規制することは適切でないと考えられたためである。もっとも，国会および裁判所が任意に法人番号を通知して特定法人情報の授受を行うことを妨げるものではない。「行政機関の長等」に民間事業者を含んでいないのは，民間事業者が法人番号を利用しない自由を否定するだけの公益性は認め難いからである。本法2条14項の「行政機関の長等」とは異なる意味であることに留意する必要がある。

(2) 「特定法人情報（法人番号保有者に関する情報であって法人番号により検索することができるものをいう。第42条において同じ。）の提供を求めるときは，当該法人番号を当該他の行政機関の長等に通知してするものとする」（1項）

正確かつ効率的な特定法人情報の授受を実現し，行政の効率的な運営を可能にするためである。

(3) 「行政機関の長等は，国税庁長官に対し，法人番号保有者の商号又は名称，本店又は主たる事務所の所在地及び法人番号について情報の提供を求めることができる」（2項）

本項の規定に基づく情報提供の対象になる法人等に係る基本3情報（商号または名称，本店または主たる事務所の所在地，法人番号）は，行政機関情報公開法が不開示情報として定める法人等に関する情報には該当しないので，国税庁長官は，本項の規定に基づく情報提供の求めに必ず応じなければならない。法人番号保有者の中には，本法39条4項ただし書の代表者または管理人の同意が得られなかったものも含まれうる。そのような場合であっても，本条1項の特定法人情報の提供の求めの必要性が認められる場合には，その限りにおいて，非公知の法人等情報の提供を認める趣旨である。

第41条(資料の提供)

(資料の提供)

第41条① 国税庁長官は,第39条第1項の規定による法人番号の指定を行うために必要があると認めるときは,法務大臣に対し,商業登記法(昭和38年法律第125号)第7条(他の法令において準用する場合を含む。)に規定する会社法人等番号(会社法その他の法令の規定により設立の登記をした法人の本店又は主たる事務所の所在地を管轄する登記所において作成される登記簿に記録されたものに限る。)その他の当該登記簿に記録された事項の提供を求めることができる。

② 前項に定めるもののほか,国税庁長官は,第39条第1項若しくは第2項の規定による法人番号の指定若しくは通知又は同条第4項の規定による公表を行うために必要があると認めるときは,官公署に対し,法人番号保有者の商号又は名称及び本店又は主たる事務所の所在地その他必要な資料の提供を求めることができる。

(1) 「国税庁長官は……法務大臣に対し,商業登記法(昭和38年法律第125号)第7条(他の法令において準用する場合を含む。)に規定する会社法人等番号(会社法その他の法令の規定により設立の登記をした法人の本店又は主たる事務所の所在地を管轄する登記所において作成される登記簿に記録されたものに限る。)その他の当該登記簿に記録された事項の提供を求めることができる」(1項)

国税庁長官が指定する法人番号の大半は,会社法その他の法令の規定により設立の登記を行い,登記所の登記簿に整備法による改正後の商業登記法7条(他の法令において準用する場合を含む)に規定する会社法人等番号(特定の会社,外国会社その他の商人を識別するための番号)が記載されている法人である。かかる法人に関しては,当該会社法人等番号に加工を施した法人番号が指定されることになるので,そのために必要な情報を国税庁長官が確実に法務大臣から入手できるように,その旨を明記しておく必要がある。そこで,国税庁長官は,本法39条1項の規定による法人番号の指定を行うために必要があると認めるときは,法務大臣に対し,整備法による改正後の商業登記法7条(他の法令において準用する場合を含む)に規定する会社法人等番号(会社法その他の法令の規定により設立の登記をした法人の本店または主たる事務所の所在地を管轄する登記所に

おいて作成される登記簿に記録されたものに限る）その他の当該登記簿に記録された事項の提供を求めることができる旨が明記されている。本条2項の規定に基づく官公署一般に対する資料提供要求規定により、国税庁長官が法務大臣に対し、会社法人等番号その他の当該登記簿に記録された事項の提供を求めることができることとすることも考えられるが、法人番号の指定に当たり会社法人等番号の重要性が抜きんでて大きいことに照らし、一般的な資料提供要求規定の前に、会社法人等番号の資料提供要求規定が置かれている。

なお、会社法人等番号は、従前は、本店移転により管轄登記所が変更になる場合には、変更されていた。しかし、2012年5月21日以降は、かかる場合において、従前の会社法人等番号が承継されることになった。したがって、会社法人等番号を基礎とする法人番号も変更されずに承継されることになる。

(2) 「会社法人等番号（会社法その他の法令の規定により設立の登記をした法人の本店又は主たる事務所の所在地を管轄する登記所において作成される登記簿に記録されたものに限る。）」（1項）

本店または主たる事務所の所在地を管轄する登記所において作成される登記簿に記録されたものに限定している理由の1つは、支店登記を基に法人番号の指定を行うと、同一法人が複数の法人番号を指定され、唯一無二性という法人番号に不可欠な要件が充足されなくなるおそれがあるからである。しかし、行政手続の中には、法人単位ではなく事業所単位で行われるものも多い。なお、「社会保障・税番号大綱──主権者たる国民の視点に立った番号制度の構築」（政府・与党社会保障改革検討本部，2011年6月30日）は、国税の源泉徴収義務と地方税の特別徴収義務の両方を有する法人等の支店や事業所が相当数あることから、国税の源泉徴収義務者について国税当局内部で活用している番号を地方税当局と共有し、地方税当局および徴収義務者の事務処理の効率化を図ることとしている。もっとも、分野により事業所の把握の仕方（粒度）が異なることがあるため、共通の事業所番号を定めることは困難である。そこで、法人番号に分野別事業所番号を付加する企業コードの検討が高度情報通信ネットワーク社会推進戦略本部電子行政に関するタスクフォースで行われた。

(3) 「官公署」(2項)

ここでいう官公署とは，国，地方公共団体その他の公の機関の総称である。

(4) 「国税庁長官は……官公署に対し，法人番号保有者の商号又は名称及び本店又は主たる事務所の所在地その他必要な資料の提供を求めることができる」(2項)

本項の規定に基づく資料提供要求の具体例として想定されるのは，主務大臣等に対し設立登記のない法人（厚生年金基金，健康保険組合，土地改良区等）の資料の提供を求める場合，地方公共団体に対し特別地方公共団体（一部事務組合，広域連合，財産区等）（宇賀・前掲・地方自治法概説［第9版］77頁以下参照）や地方独立行政法人（宇賀・前掲・行政法概説Ⅲ［第5版］319頁以下参照）の資料の提供を求める場合である。以上のほかにも，法令の規定に基づき地方公共団体の長の認可等を得て設立され，登記されていない法人等に法人番号を指定しようとするときには，国税庁長官は地方公共団体に資料の提供を求めることができる。

:::
（正確性の確保）
第42条　行政機関の長等は，その保有する特定法人情報について，その利用の目的の達成に必要な範囲内で，過去又は現在の事実と合致するよう努めなければならない。
:::

(1) 「行政機関の長等は」

本法40条1項により，行政機関の長，地方公共団体の機関または独立行政法人等を意味する。

(2) 「その保有する特定法人情報について……事実と合致するよう努めなければならない」

法人番号制度の導入により，高度の識別性を有する法人等情報が大量かつ広範に流通することになり，法人番号でデータマッチングされた法人等情報の蓄積も進行することになる。その法人等情報が不正確なものであれば，当該法人等の信用毀損等の不測の損害を与えることになりかねない。そこで，法人番号を通知して特定法人情報の提供を求めることを義務づけられている行政機関の

長等には，正確性の確保に努める義務が課されている。特定個人情報の正確性の確保に関する規定が本法に置かれていないにもかかわらず，特定法人情報の正確性の確保に関する規定が本条に置かれているのは，前者については，個人情報保護の一般法制における個人情報の正確性確保の努力義務規定が特定個人情報を包摂しているからである（個人情報保護法22条）。

⑶ 「その利用の目的の達成に必要な範囲内で」

特定法人情報の更新が必要であるとしても，リアルタイムで最新の状態に更新することまでは必要ない場合もありうる。かかる場合には，利用目的に必要な範囲で更新すれば足りることとしている。

⑷ 「過去又は現在の事実と合致するよう」

通常の場合は，現在の事実と合致するように努めなければならないが，過去の事実を記録しておくことが必要な場合もあり，かかる場合にまで現在の事実への合致を求めることは適切でないので，「過去又は現在の事実と合致するよう」と定められている。

第8章 雑　則

> （指定都市の特例）
> 第43条①　地方自治法（昭和22年法律第67号）第252条の19第1項に規定する指定都市（次項において単に「指定都市」という。）に対するこの法律の規定で政令で定めるものの適用については，区及び総合区を市と，区長及び総合区長を市長とみなす。
> ②　前項に定めるもののほか，指定都市に対するこの法律の規定の適用については，政令で特別の定めをすることができる。

⑴ 「地方自治法（昭和22年法律第67号）第252条の19第1項に規定する指定都市」（1項）

政令で指定する人口50万以上の市であり，児童福祉に関する事務，民生委員に関する事務，身体障害者の福祉に関する事務，生活保護に関する事務，行

旅病人および行旅死亡人の取扱に関する事務，社会福祉事業に関する事務，知的障害者の福祉に関する事務，母子家庭および父子家庭ならびに寡婦の福祉に関する事務，老人福祉に関する事務，母子保健に関する事務，介護保険に関する事務，障害者の自立支援に関する事務，生活困窮者の自立支援に関する事務，食品衛生に関する事務，医療に関する事務，精神保健および精神障害者の福祉に関する事務，結核の予防に関する事務，難病の患者に対する医療等に関する事務，土地区画整理事業に関する事務，屋外広告物の規制に関する事務のうち都道府県が法律またはこれに基づく政令の定めるところにより処理することとされているものの全部または一部で政令で定めるものを，政令で定めるところにより，処理することができる（地方自治法252条の19第1項）。2021年12月1日現在，20存在する（指定都市について，宇賀・前掲・地方自治法概説〔第9版〕45頁以下参照）。

(2) 「この法律の規定で政令で定めるもの」（1項）
　本法7条1項および3項，8条3項ならびに制定附則3条3項である（本法施行令43条1項）。

(3) 「区及び総合区を市と，区長及び総合区長を市長とみなす」（1項）
　地方自治法252条の20第1項の規定に基づき，指定都市には行政区が設置され，市長の権限が分掌されており，住民基本台帳に関する事務も区単位で実施されてきたので，本法に基づく事務についても，市長の権限を行政区が分掌することを可能とする必要がある。2013年6月25日の第30次地方制度調査会答申（「大都市制度の改革及び基礎自治体の行政サービス提供体制に関する答申」）は，指定都市においては，市役所の組織が大規模化し，そのカバーするサービスも幅広くなるため，個々の住民との距離は遠くなる傾向にあり，住民に身近な行政サービスを適切に提供することや住民の意思を行政運営に的確に反映させることが課題となっていると指摘し，都市内分権による住民自治の拡充を提言した。これを受けて，2014年の地方自治法改正（宇賀克也「2014年地方自治法改正の意義と課題」自治実務セミナー630号〔2014年〕2頁以下参照）で，指定都市は，その行政の円滑な運営を確保するため必要があると認めるときは，市長の権限に属する事務のうち特定の区の区域内に関するものを総合区長に執行させ

るため，条例で，当該区に代えて総合区を設け，総合区の事務所または必要があると認めるときはその出張所を置くことができることとされた（同法252条の20の2第1項）。総合区の事務所またはその出張所の位置，名称および所管区域ならびに総合区の事務所が分掌する事務は，条例で定めなければならない（同条2項）。総合区にその事務所の長として総合区長を置き（同条3項），総合区長は，市長が議会の同意を得てこれを選任する特別職の公務員である（同条4項）。総合区長の任期は4年であるが，市長は，任期中においてもこれを解職することができる（同条5項）。総合区長は，①総合区の区域に係る政策および企画，②法律もしくはこれに基づく政令または条例により総合区長が執行することとされた事務（住民基本台帳事務等），③市長の権限に属する事務のうち主として総合区の区域内に関するもの（法律もしくはこれに基づく政令または条例により市長が執行することとされたものを除く）で(ｱ)総合区の区域に住所を有する者の意見を反映させて総合区の区域のまちづくりを推進する事務，(ｲ)総合区の区域に住所を有する者相互間の交流を促進するための事務，(ｳ)社会福祉および保健衛生に関する事務のうち総合区の区域に住所を有する者に対して直接提供される役務に関する事務，④前記③に掲げるもののほか，主として総合区の区域内に関する事務で条例で定めるものを行う（同条8項）。そこで，本法の規定で政令で定めるものの適用については，区および総合区を市と，区長および総合区長を市長とみなすこととしている。

⑷ 「前項に定めるもののほか，指定都市に対するこの法律の規定の適用については，政令で特別の定めをすることができる」（2項）

指定都市においては，本法施行令2条（個人番号の指定），7条（個人番号とすべき番号の生成の求め），9条（個人番号とすべき番号の通知）および制定附則第2条2項の規定中，市長に関する規定は，市の区長および総合区長に適用することとされている（本法施行令44条1項）。

（事務の区分）
第44条　第7条第1項及び第2項，第8条第1項（附則第3条第4項において準用する場合を含む。），第17条第1項及び第3項（同条第4項において

第44条（事務の区分）

準用する場合を含む。)，第21条の2第2項（情報提供者が第9条第3項の法務大臣である場合における通知に係る部分に限り，第26条において準用する場合を含む。）並びに附則第3条第1項から第3項までの規定により市町村が処理することとされている事務は，地方自治法第2条第9項第1号に規定する第1号法定受託事務とする。

(1) 「第7条第1項及び第2項」

本法7条1項の事務は，市区町村長が住民基本台帳法30条の3第2項の規定により住民票に住民票コードを記載したときに，速やかに，地方公共団体情報システム機構から通知された個人番号とすべき番号をその者の個人番号として指定し，その者に対し，当該個人番号を通知する事務である。本法7条2項の事務は，市区町村長が当該市区町村が備える住民基本台帳に記録されている者の個人番号が漏えいして不正に用いられるおそれがあると認められるときに，その者の請求または職権により，その者の従前の個人番号に代えて，地方公共団体情報システム機構から通知された個人番号とすべき番号をその者の個人番号として指定し，速やかに，その者に対し，当該個人番号を通知する事務である。

(2) 「第8条第1項」

本法8条1項の事務は，市区町村長が，個人番号を指定するときに，あらかじめ地方公共団体情報システム機構に対し，当該指定しようとする者に係る住民票に記載された住民票コードを通知するとともに，個人番号とすべき番号の生成を求める事務である。

(3) 「（附則第3条第4項において準用する場合を含む。）」

本法の施行日において現に当該市区町村の備える住民基本台帳に記録されている者について，市区町村長が，個人番号を指定（初期一斉付番）するときに，あらかじめ地方公共団体情報システム機構に対し，当該指定しようとする者に係る住民票に記載された住民票コードを通知するとともに，個人番号とすべき番号の生成を求める事務を含むという意味である。

本論　本法の逐条解説／第 8 章　雑　　則

(4)　「第 17 条第 1 項及び第 3 項」

　本法 17 条 1 項の事務は，市区町村長が，当該市区町村が備える住民基本台帳に記録されている者に対し，その者の申請により，その者に係る個人番号カードを交付する事務である。同条 3 項の事務は，個人番号カードの交付を受けている者から，住民基本台帳法 24 条の 2 第 1 項に規定する最初の転入届と同時に，当該個人番号カードの提出を受けた市区町村長が，当該個人番号カードについて，カード記録事項の変更その他当該個人番号カードの適切な利用を確保するために必要な措置を講じ，これを返還する事務である。

(5)　「（同条第 4 項において準用する場合を含む。）」

　住民基本台帳法 24 条の 2 第 1 項に規定する最初の転入届の場合を除くほか，個人番号カードの交付を受けている者が，カード記録事項に変更があったときに，その変更があった日から 14 日以内に，その旨を住所地市区町村長に届け出るとともに，当該個人番号カードを提出した場合において，当該個人番号カードの提出を受けた市区町村長が，当該個人番号カードについて，カード記録事項の変更その他当該個人番号カードの適切な利用を確保するために必要な措置を講じ，これを返還する事務を含む趣旨である。

(6)　「第 21 条の 2 第 2 項」

　本法 9 条 3 項の規定に基づき，法務大臣が戸籍関係情報の作成および提供を行うことにより，社会保障給付の事務において，戸籍謄本等の添付を省略することができるようになり，国民の負担を軽減し，行政運営の効率化を図ることが期待されている。しかし，本法 9 条 3 項の法務大臣は，狭義の個人番号を保有しないので，本法 21 条の 2 第 2 項およびこれに基づく政令の規定に基づき，本籍地市区町村長が，地方公共団体情報システム機構に対して，取得番号および基本 4 情報（氏名，性別，生年月日，住所）を通知することとしている。本籍地市区町村長は，本法 9 条 3 項の法務大臣に対して個人番号を保有していない者を通知するほか，個人番号を保有していない者が帰国した旨も通知することとしている。

　これらの通知は，本籍地市区町村長自身の事務処理のために実施されるものではなく，本法 9 条 3 項の法務大臣による事務処理のために実施されるもので

ある。そして，情報照会者からの照会に対して，本法9条3項の法務大臣が戸籍関係情報を確実に提供することを可能にするためには，全市区町村の戸籍に記録された者（個人番号を保有しない者を除く）について情報提供用個人識別符号が取得できなければならない。そこで，戸籍関係情報を用いた情報連携を的確に実施できるようにするため，すべての本籍地市区町村長が上記の通知を確実に実施するように，これらの通知事務を第1号法定受託事務として位置づけている。これは，地方分権推進計画（1998年5月29日閣議決定）における法定受託事務に係るメルクマールのうち，国が直接執行する事務（法務大臣による戸籍関係情報の作成・提供）の前提となる手続（情報提供用個人識別符号の取得）の一部のみを地方公共団体が処理することとされている事務で，当該事務のみでは目的を達しえないものに当たる。

(7) 「情報提供者が第9条第3項の法務大臣である場合における通知に係る部分に限り……」

本法21条2項（本法26条において準用する場合を含む）の規定により市区町村長が実施する事務の中には，情報照会者，情報提供者，条例事務関係情報照会者，条例事務関係情報提供者として情報提供用個人識別符号を取得するために行う通知も包含される。そこで，第1号法定受託事務とされるのは，本法9条3項の法務大臣が情報提供者として情報提供用個人識別符号を取得しようとする場合における通知に係る部分に限られることを明確にしている。

(8) 「第26条において準用する場合を含む」

本法9条3項の法務大臣は，本法19条9号の規定に基づき条例事務関係情報提供者となる場合がありうる。したがって，条例事務関係情報提供者として情報提供用個人識別符号の取得を行うことができる。条例事務関係情報提供者は，同号の規定に基づき，地方公共団体が条例で定めた個人番号利用事務のうち，個人情報保護委員会規則で定められたものの内容に応じて個人情報保護委員会規則で定めるものである。このように，条例事務関係情報提供者としての情報提供用個人識別符号の取得は，条例ではなく，同号および個人情報保護委員会規則で定める個人番号利用事務実施者に当たる場合に，本法26条により準用される本法21条2項の規定に基づき行われるものである。また，本法9

条 3 項の法務大臣が本法 19 条 8 号および本法別表第 2 の規定により情報提供者として戸籍関係情報を提供することと，同条 9 号の規定および個人情報保護委員会規則により条例事務関係情報提供者として戸籍関係情報を提供することは，同性質の事務といえる。そこで，条例事務関係情報照会者が法務大臣に戸籍関係情報の提供を求める場合においても，本籍地市区町村長が行う地方公共団体情報システム機構に対する取得番号および基本 4 情報の通知，個人番号を保有していない者の通知，個人番号を保有していない者が帰国した旨の通知は，第 1 号法定受託事務として位置づけられている。

(9) 「附則第 3 条第 1 項から第 3 項まで」

以下のような，いわゆる初期一斉付番の場合である。

本法制定附則 3 条 1 項は，市区町村長が，本法の施行日において現に当該市区町村の備える住民基本台帳に記録されている者について，地方公共団体情報システム機構から通知された個人番号とすべき番号をその者の個人番号として指定し，その者に対し，当該個人番号を通知カードにより通知する事務について定めている。

同条 2 項は，本法の施行日前に住民票に住民票コードを記載された者であって施行日にいずれの市区町村においても住民基本台帳に記録されていないものについて，住民基本台帳法 30 条の 3 第 1 項の規定により，当該記載に係る者につき直近に住民票の記載をした市区町村長が当該住民票に直近に記載した住民票コードを記載したときに，地方公共団体情報システム機構から通知された個人番号とすべき番号をその者の個人番号として指定し，その者に対し，当該個人番号を通知する事務について定めている。

本法制定附則 3 条 3 項は，市区町村長が，住民基本台帳法の一部を改正する法律（平成 11 年法律第 133 号）の施行の日以後住民基本台帳に記録されていなかった者について，同法附則 4 条（「市町村長は，新たにその市町村の住民基本台帳に記録されるべき者につき住民票の記載をする場合において，その者が施行日以後住民基本台帳に記録されていなかった者であるときは，住民基本台帳法第 30 条の 3 第 1 項の規定にかかわらず，その者に係る住民票に同法第 30 条の 2 第 1 項の規定により地方公共団体情報システム機構から指定された住民票コードのうちから選択するいずれか一の住民票コードを記載するものとする。この場合においては，市町村長は，当該記載に

第44条（事務の区分）

係る者以外の者に係る住民票に記載した住民票コードと異なる住民票コードを選択して記載するものとする」の規定により住民票に住民票コードを記載したときに，地方公共団体情報システム機構から通知された個人番号とすべき番号をその者の個人番号として指定し，その者に対し，当該個人番号を通知する事務について定めている。

⑽　「地方自治法第2条第9項第1号に規定する第1号法定受託事務」

　法律またはこれに基づく政令により都道府県，市町村または特別区が処理することとされる事務のうち，国が本来果たすべき役割に係るものであって，国においてその適正な処理を特に確保する必要があるものとして法律またはこれに基づく政令に特に定めるものを意味する（第1号法定受託事務については，宇賀・前掲・地方自治法概説［第9版］137頁参照）。

　個人番号は，当面は，社会保障・税・災害対策の分野（地方公共団体の長その他の執行機関にあっては，これらに類する事務であって条例で定めるものを含む）に限定して用いられるものの，本法3条2項において，「個人番号……の利用に関する施策の推進は，……他の行政分野及び行政分野以外の国民の利便性の向上に資する分野における利用の可能性を考慮して行われなければならない」と定められ，同条4項においては，「個人番号の利用に関する施策の推進は，……その他の行政分野において，行政機関，地方公共団体その他の行政事務を処理する者が迅速に特定個人情報の授受を行うための手段としての情報提供ネットワークシステムの利用の促進を図る」と規定されており，さらに，本法制定附則6条1項において，「政府は，この法律の施行後3年を目途として，この法律の施行の状況等を勘案し，個人番号の利用及び情報提供ネットワークシステムを使用した特定個人情報の提供の範囲を拡大すること並びに特定個人情報以外の情報の提供に情報提供ネットワークシステムを活用することができるようにすることその他この法律の規定について検討を加え，必要があると認めるときは，その結果に基づいて，国民の理解を得つつ，所要の措置を講ずるものとする」と規定されている。したがって，将来，上記3分野以外の広範な分野で個人番号が用いられるようになる可能性がある。そのため，個人番号の付番事務は，地方分権推進計画（平成10年5月29日閣議決定）で示された法定受託事務のメルクマールの1つである「国家の統治の基本に密接な関連を有する事

務」に該当するものとされた。同様に，個人番号カードの交付等の事務も，広範な分野で個人番号の真正性を確保するための手段として提示されることになる可能性があるため，「国家の統治の基本に密接な関連を有する事務」として第1号法定受託事務に分類された。他方，本法7条3項（個人番号カードの交付の手続に関する情報提供その他の必要な措置）は，「国家の統治の基本に密接な関連を有する事務」とまではいえず，自治事務とされている（自治事務と法定受託事務について，宇賀・前掲・地方自治法概説[第9版]136頁以下参照）。また，本法に基づき地方公共団体が個人番号を利用して行う個人番号利用事務等の事務は自治事務であるが（地方自治法2条8項），地方自治法上，法定受託事務か自治事務かを問わず，法令により地方公共団体に事務の処理を義務づける場合には，国はそのために要する経費の財源について必要な措置を講じなければならず（同法232条2項），財政措置の在り方については，国の関与，地方の利害の割合等を総合的に勘案して定められることになる。

> **（権限又は事務の委任）**
> **第45条** 行政機関の長は，政令（内閣の所轄の下に置かれる機関及び会計検査院にあっては，当該機関の命令）で定めるところにより，第2章，第4章，第5章及び前章に定める権限又は事務を当該行政機関の職員に委任することができる。

⑴ 「行政機関の長は……第2章，第4章，第5章及び前章に定める権限又は事務を当該行政機関の職員に委任することができる」

本法に基づく権限または事務は，分担された事務の管理に最終的な責任を負うことになる行政機関の長に帰属するものとされている。他面において，効率的な事務処理を可能とするためには，案件の重要性，裁量の有無・広狭，保有個人情報の所在等を総合的に勘案し，当該行政機関の職員への委任を行うことが望ましい場合もありうる。法律で定められた権限または事務の所在を委任により移動させるためには，法律の根拠が必要であるため（行政法上の委任について，宇賀・前掲・行政法概説Ⅲ[第5版]41頁以下参照），本条は，2章（個人番号），4章（特定個人情報の提供），5章（特定個人情報の保護）および7章（法人番号）に定める権限または事務を当該行政機関の職員に委任することができるとしてい

第 45 条（権限又は事務の委任）・第 45 条の 2（戸籍関係情報作成用情報に係る個人情報保護法の特例）

る。

(2)　「政令（内閣の所轄の下に置かれる機関及び会計検査院にあっては，当該機関の命令）」

　内閣の所轄（所轄の意味について，宇賀・前掲・行政法概説Ⅲ［第 5 版］41 頁以下参照）の下に置かれる機関は，現在，人事院のみである（国家公務員法 3 条 1 項）。命令は行政機関が制定する法であり（命令の種類について，宇賀・前掲・行政法概説Ⅰ［第 7 版］7 頁以下参照），人事院の制定する命令は人事院規則（同法 16 条 1 項）である。会計検査院の制定する命令は会計検査院規則（会計検査院法 11 条 1 号）である。

（戸籍関係情報作成用情報に係る個人情報保護法の特例）
第 45 条の 2 ①　法務大臣は，第 19 条第 8 号又は第 9 号の規定による提供の用に供する戸籍関係情報の作成に関する事務を行う目的の達成に必要な範囲を超えて，戸籍関係情報作成用情報（戸籍関係情報を作成するために戸籍又は除かれた戸籍の副本に記録されている情報の電子計算機処理等を行うことにより作成される情報（戸籍関係情報を除く。）をいう。以下この条において同じ。）を保有してはならない。
②　法務大臣は，戸籍関係情報作成用情報の作成に関する事務に関する秘密について，その漏えいの防止その他の適切な管理のために，当該事務に使用する電子計算機の安全性及び信頼性を確保することその他の必要な措置を講じなければならない。
③　前項に規定する事務に従事する者又は従事していた者は，その業務に関して知り得た当該事務に関する秘密を漏らし，又は盗用してはならない。
④　法務大臣は，第 1 項に規定する目的以外の目的のために戸籍関係情報作成用情報を自ら利用してはならない。
⑤　第 19 条（第 6 号，第 13 号及び第 15 号から第 17 号までに係る部分に限る。）の規定は，法務大臣による戸籍関係情報作成用情報の提供について準用する。この場合において，同条中「次の」とあるのは「第 21 条の 2 第 2 項の規定による通知を行う場合及び次の」と，同条第 13 号中「第 35 条第 1 項」とあるのは「第 45 条の 2 第 9 項において準用する第 35 条第 1 項」と読み替えるものとする。

[本論] 本法の逐条解説／第8章　雑　則

⑥　前項（次項において準用する場合を含む。）において準用する第19条（第6号，第13号及び第15号から第17号までに係る部分に限る。）の規定により戸籍関係情報作成用情報の提供を受けた者は，その提供を受けた目的の達成に必要な範囲を超えて，当該戸籍関係情報作成用情報を保有してはならない。

⑦　第4項及び第5項の規定は，前項に規定する者について準用する。この場合において，第4項中「第1項に規定する」とあるのは，「その提供を受けた」と読み替えるものとする。

⑧　戸籍関係情報作成用情報については，個人情報保護法第5章第4節の規定は，適用しない。

⑨　第6章の規定は，戸籍関係情報作成用情報の取扱いについて準用する。この場合において，第33条中「個人番号利用事務等実施者」とあるのは「法務大臣又は第45条の2第6項に規定する者」と，第36条中「第19条第15号」とあるのは「第45条の2第5項（同条第7項において準用する場合を含む。）において準用する第19条第15号」と読み替えるものとする。

⑴　「**法務大臣は，第19条第8号又は第9号の規定による提供の用に供する戸籍関係情報の作成に関する事務を行う目的の達成に必要な範囲を超えて，戸籍関係情報作成用情報（戸籍関係情報を作成するために戸籍又は除かれた戸籍の副本に記録されている情報の電子計算機処理等を行うことにより作成される情報（戸籍関係情報を除く。）をいう。以下この条において同じ。）を保有してはならない**」(1項)

本条は，令和元年法律第17号による改正で追加された規定である。戸籍または除かれた戸籍（磁気ディスクをもっと調製されているものに限る）の副本に記録されている情報（以下「副本関係情報」という）は，元来，バックアップの目的で法務大臣が保有するものであったが，令和元年法律第17号による改正により，戸籍関係情報の作成のためにも利用することができるようになった（戸籍法121条の3）。戸籍関係情報は，(i)同法118条1項の電子情報処理組織から副本記録情報を一時的に転写し，当該副本記録情報を個人単位に整理した名寄せ情報を作成した後，内部管理符号を割り当て，(ii)当該名寄せ情報を分析することにより，情報提供用の個人情報（親子記号等）を作成し，本法21条の2第

第45条の2（戸籍関係情報作成用情報に係る個人情報保護法の特例）

2項が定める取得番号を割り当てた後に，戸籍関係基本5情報（本籍地，筆頭者氏名，本人氏名，実父母との続柄，生年月日）以外の名寄せ情報を消去し，(iii)本法9条3項の情報提供用個人識別符号を取得するために戸籍関係基本5情報および取得番号を本籍地市区町村長に通知し，(iv)情報提供ネットワークシステムを使用した情報連携に使用する電子計算機において，情報連携に使用する情報提供用の個人情報と情報提供用個人識別符号を紐づけて戸籍関係情報を作成した後に，取得番号を消去する，というプロセスで作成されることになる。以上のように，戸籍関係情報を作成するためには，上記(i)〜(iii)の過程において，名寄せ情報（戸籍関係基本5情報を含む），内部管理符号，情報提供用の個人情報および取得番号を順次作成しなければならないが，これらのいずれの情報も，「戸籍関係情報を作成するために戸籍又は除かれた戸籍の副本に記録されている情報の電子計算機処理等を行うことにより作成される情報（戸籍関係情報を除く。）」に当たり，「戸籍関係情報作成用情報」と総称されている。

　戸籍関係情報作成用情報は，法務大臣が保有する個人情報保護法60条1項の保有個人情報として，同法5章の規定の適用を受ける。しかし，戸籍法121条の3の規定に基づき，特例として，副本記録情報から戸籍関係情報を作成する過程で作成される戸籍関係情報作成用情報については，戸籍関係情報の作成以外の目的で利用されるべきではない。個人情報保護法61条3項では，行政機関等は，変更前の利用目的と相当の関連性を有すると合理的に認められる範囲内であれば，利用目的の変更を認めている。しかし，戸籍関係情報作成用情報は，副本記録情報を戸籍法121条の3の規定に基づき特例的に目的外利用して作成された戸籍関係情報作成用情報について，さらなる特例として目的外利用を認めるべきではない。そこで，本項において，法務大臣が，戸籍関係情報の作成に関する事務を行う目的の達成に必要な範囲を超えて，戸籍関係情報作成用情報を保有することを禁止している。

　なお，「（戸籍関係情報を除く。）」とされているのは，戸籍関係情報は特定個人情報（本法2条8項）に該当し，本法30条に規定する個人情報保護法の特例の対象になるとともに，本法に規定する特定個人情報の保護に係る規律の対象になるからである。

(2) 「**法務大臣は，戸籍関係情報作成用情報の作成に関する事務に関する秘**

密について，その漏えいの防止その他の適切な管理のために，当該事務に使用する電子計算機の安全性及び信頼性を確保することその他の必要な措置を講じなければならない」(2項)

「戸籍関係情報作成用情報の作成に関する事務」とは，戸籍関係情報作成用情報およびその作成に利用する情報の管理，戸籍関係情報作成用情報の作成および管理に使用する電子計算機の整備および保守管理，アクセスログの確認等である。「戸籍関係情報作成用情報の作成に関する事務に関する秘密」とは，暗号アルゴリズム，暗号・復号に必要な鍵情報，戸籍関係情報作成用情報の作成に使用する電子計算機の機器構成等である。

戸籍関係情報作成用情報には，すべての国民の副本記録情報と内容を同じくする名寄せ情報や，当該名寄せ情報を分析して作成される情報提供用の個人情報（親子記号等）が包含されているので，戸籍関係情報作成用情報を作成する事務に使用する電子計算機のセキュリティが不十分であれば，戸籍関係情報作成用情報が大量に漏えいし，多くの国民のプライバシーが侵害され，マイナンバー制度に対する国民の信頼が瓦解するおそれがある。

戸籍関係情報の作成プロセスにおいて，情報連携に使用する電子計算機については，本法24条で情報提供等事務に使用する電子計算機の安全性および信頼性を確保することその他の必要な措置を講ずる義務について定めている。そこで，本項において戸籍関係情報作成用情報を作成するために使用する電子計算機のセキュリティを保護する規定を設けている。個人情報保護法66条は，行政機関の長等による保有個人情報の安全管理措置について定めており，同法67条は，個人情報の取扱いに従事する行政機関等の職員等に対し，その業務に関して知り得た個人情報の内容に係る秘密保持義務について定めているが，個人情報の取扱いに関する事務に使用する電子計算機の安全性・信頼性に関する秘密の保護について定めているわけではない。そこで，本法24条の規定に準じて，戸籍関係情報作成用情報の作成に関する事務に使用する電子計算機の安全性および信頼性を確保することその他の必要な措置を講ずる義務を法務大臣に課しているのである。

「安全性及び信頼性を確保することその他の必要な措置」とは，安全管理者の設置，職員研修等の組織的保護措置，保管庫の施錠，立入制限，防災対策等の物理的保護措置，暗号化等の技術的保護措置を意味する。

(3)「前項に規定する事務に従事する者又は従事していた者は，その業務に関して知り得た当該事務に関する秘密を漏らし，又は盗用してはならない」(3項)

情報提供等事務または情報提供ネットワークシステムの運営に関する事務の従事者等の秘密保持義務を定める本法25条の規定に準じて，戸籍関係情報作成用情報に関する事務に従事する者または従事していた者が，その業務に関して知り得た当該事務に関する秘密を漏らし，または盗用することを禁止している。そして，本法25条の規定に違反した者に対する罰則を定める本項の秘密保持義務に違反した場合には，2年以下の懲役または100万円以下の罰金に処し，またはこれを併科することとされている（本法52条の3）。

なお，戸籍関係情報作成用情報の中には，個人の秘密に属する事項が記載された個人情報ファイルが含まれるが，正当な理由なくそれを提供することは，個人情報保護法176条の規定により処罰され，戸籍関係情報作成用情報の作成に関する事務の従業者または従業者であった者が，その業務に関して知り得た保有個人情報を自己もしくは第三者の不正な利益を図る目的で提供し，または盗用したときは，同法180条の規定により処罰される。

(4)「法務大臣は，第1項に規定する目的以外の目的のために戸籍関係情報作成用情報を自ら利用してはならない」(4項)

行政機関の長等は，法令に基づく場合を除き，利用目的以外の目的のために保有個人情報を自ら利用することを禁止されており（個人情報保護法69条1項），同条2項で，法令に基づく場合以外で目的外利用ができる場合を列記している。しかし，戸籍関係情報を作成するために，戸籍法121条の3の規定に基づき，例外的に副本記録情報の利用により作成される戸籍関係情報作成用情報を戸籍関係情報の作成以外の目的で利用することを認めるべきではない。そこで，本項は，個人情報保護法の特例として，法務大臣による戸籍関係情報作成用情報の目的外利用を全面的に禁止している。

(5)「第19条（第6号，第13号及び第15号から第17号までに係る部分に限る。）の規定は，法務大臣による戸籍関係情報作成用情報の提供について準用する。この場合において，同条中「次の」とあるのは「第21条の

2第2項の規定による通知を行う場合及び次の」と，同条第13号中「第35条第1項」とあるのは「第45条の2第9項において準用する第35条第1項」と読み替えるものとする」（5項）

　本法21条の2第2項の規定に基づき，法務大臣は，戸籍関係情報作成用情報に包含される戸籍関係基本5情報および取得番号を本籍地市区町村長に通知することとされており，かかる提供が認められるように，本法19条柱書を「第21条の2第2項の規定による通知を行う場合及び次の」と読み替えている。

　法務大臣による戸籍関係情報作成用情報の提供に係る事務についても，委託が行われることがありうるので，本法19条6号の規定が準用されている。また，戸籍関係情報作成用情報の取扱いについても，本法6章の個人情報保護委員会による監督等が及ぶので（本条9項），本条9項において準用する本法35条1項（報告および立入検査）の規定により求められた戸籍関係情報作成用情報を個人情報保護委員会に提供することが，本法19条13号の規定の準用により可能である。本法19条15号が定める各議院審査等の必要があるとき，本法19条16号の人の生命，身体または財産の保護のために必要がある場合において，本人の同意があり，または本人の同意を得ることが困難であるときにも，戸籍関係情報作成用情報の提供が認められるべきといえる。さらに，本法19条17号の規定の準用により，以上の場合に準ずるものとして個人情報保護委員会規則で定める場合においても，戸籍関係情報作成用情報の提供が認められている。

(6)　「前項（次項において準用する場合を含む。）において準用する第19条（第6号，第13号及び第15号から第17号までに係る部分に限る。）の規定により戸籍関係情報作成用情報の提供を受けた者は，その提供を受けた目的の達成に必要な範囲を超えて，当該戸籍関係情報作成用情報を保有してはならない」（6項）

　本条5項（本法19条6号，13号，15号〜17号に係る部分に限る）の規定により戸籍関係情報作成用情報の提供を受けた者が，その提供を受けた目的の達成に必要な範囲を超えて，当該戸籍関係情報作成用情報を保有することを認めるべきではないので，本項では，その目的外保有を禁止している。

第45条の2（戸籍関係情報作成用情報に係る個人情報保護法の特例）

(7)　「第4項及び第5項の規定は，前項に規定する者について準用する。この場合において，第4項中「第1項に規定する」とあるのは，「その提供を受けた」と読み替えるものとする」(7項)

　本条4項の規定は，戸籍関係情報作成用情報の法務大臣による目的外利用を禁止する規定であるが，前項に規定する戸籍関係情報作成用情報の提供を受けた者についても，目的外利用を禁止する必要がある。また，本条6項に規定する者が戸籍関係情報作成用情報の提供を受けた者についても，本条5項の規定の準用により，その提供を制限している。

(8)　「戸籍関係情報作成用情報については，個人情報保護法第5章第4節の規定は，適用しない」(8項)

　個人情報保護法5章4節の規定は，行政機関等が保有する個人情報の開示，訂正および利用停止に関する規定である。戸籍謄本等の交付については戸籍法10条に規定されており，戸籍の訂正については同法5章に規定されている。戸籍および除かれた戸籍に記録されている情報とこれらの副本に記録されている情報は同一であるから，戸籍および除かれた戸籍に記録されている情報が訂正されれば，これらの副本に記録されている情報も訂正される。また，戸籍謄本等および除籍謄本等は，身分関係を公証することを目的としており，一般的な行政文書と同様に利用停止を認めることは，公証制度の趣旨を損なうおそれがある。そこで，同法129条は，戸籍および除かれた戸籍の副本に記録されている保有個人情報の開示，訂正および利用停止に関する個人情報保護法5章4節の規定の適用を除外している。

　戸籍関係情報作成用情報には，名寄せ情報，内部管理番号，取得番号および情報提供用の個人情報が含まれているが，名寄せ情報は，副本記録情報と同一の内容を含むものであり，戸籍および除かれた戸籍に記録されている保有個人情報の訂正に伴い訂正されることになる。内部管理番号は，法務省の内部における関連情報の管理のみに利用されるものであり，取得番号は情報提供用個人識別符号の取得のみに利用されるものである。これらに誤りがあれば，戸籍関係情報にも誤りが生ずる可能性があるが，戸籍関係情報は特定個人情報に当たり，本法30条1項の規定による読替え後の個人情報保護法5章4節の規定により，開示，訂正，利用停止が認められているので，戸籍関係情報に誤りがあ

れば，訂正請求を行うことができる。情報提供用の個人情報は戸籍関係情報に含まれ，前者の誤りが後者の誤りにつながる可能性があるものの，戸籍関係情報は特定個人情報に当たるので，前述のとおり，その訂正が可能である。したがって，戸籍関係情報作成用情報についても開示，訂正および利用停止に関する規定を適用する意義に乏しい。そこで，個人情報保護法5章4節の規定の適用を除外している。

(9)　「第6章の規定は，戸籍関係情報作成用情報の取扱いについて準用する。この場合において，第33条中「個人番号利用事務等実施者」とあるのは「法務大臣又は第45条の2第6項に規定する者」と，第36条中「第19条第15号」とあるのは「第45条の2第5項（同条第7項において準用する場合を含む。）において準用する第19条第15号」と読み替えるものとする」(9項)

本法6章は，特定個人情報の取扱いに関する個人情報保護委員会による監督等について定めている。特定個人情報は，個人番号を含む個人情報であるところ，戸籍関係情報作成用情報は，個人番号を含まないので，特定個人情報には当たらない。しかし，戸籍関係情報作成用情報は，特定個人情報に当たる戸籍関係情報を作成するために用いられるものであり，すべての国民の副本情報と内容を同じくする名寄せ情報や，名寄せ情報を分析して作成される情報提供用の個人情報が含まれるので，その取扱いが不適切で，大量に漏えいすれば，多くの国民のプライバシー侵害が発生しうることになり，また，マイナンバー制度自体に対する国民の信頼が瓦解するおそれがある。したがって，その取扱いについては，特定個人情報である戸籍関係情報と併せて，個人情報保護委員会による監督等に服することとする必要がある。そこで，本法6章の規定を戸籍関係情報作成用情報の取扱いについて準用することとしている。

この場合においては，「個人番号利用事務等実施者」ではなく，法務大臣または本条6項に規定する者が，個人情報保護委員会による指導および助言の対象になる。戸籍関係情報作成用情報の取扱いに関する監視監督を個人情報保護委員会が所掌することに伴い，個人情報保護委員会の所掌事務を定める規定（個人情報保護法132条）に，その旨を追記する必要があるかが問題になる。戸籍関係情報作成用情報の取扱いに関する監視監督は，特定個人情報である戸籍

第 46 条（主務省令）

関係情報の取扱いに関する監視監督（同条 4 号）に準ずるものであり、新たに所掌事務として追記するほどの業務量は想定されないことから、同条 9 号の「前各号に掲げるもののほか、法律（法律に基づく命令を含む。）に基づき委員会に属させられた事務」に当たるものとして位置づけられることになった。

（主務省令）
第 46 条 この法律における主務省令は、デジタル庁令・総務省令とする。

本法に基づく政令以外の命令は、総務省令（個人番号の通知に係る本法 7 条 4 項）、デジタル庁令（情報提供等の記録事項に係る本法 23 条 1 項 4 号、激甚災害が発生したとき等の個人番号の利用に係る本法 9 条 5 項）、財務省令（法人番号の指定を受けるための国税庁長官への届出事項に係る本法 39 条 2 項）のように、単独の大臣が制定するため、省名が明示されているものもあるが、複数の大臣が制定するため、主務省令と規定されているものもある（個人番号カードの記録事項およびその閲覧・改変防止措置に係る本法 2 条 7 項、個人番号カードに関し必要な事項に係る本法 17 条 9 項、個人番号の利用が可能になる別表第 1 の下欄に掲げる事務、特定個人情報の提供が可能になる別表第 2 の事務および特定個人情報）。別表第 1 の事務、別表第 2 の事務および特定個人情報については、個人番号の利用範囲または情報提供ネットワークシステムの利用範囲を統一的に管理することがマイナンバー制度の適正かつ円滑な運用にとり必要なため、本法制定時、内閣府の所管とすることが適切と考えられた。また、総務省は情報提供ネットワークシステムを所管していたし、各行政機関は住民基本台帳ネットワークから得られる基本 4 情報で個人番号を照会し初期突合を行うことが想定され、個人番号の基になるのが住民票コードであるため、住民基本台帳ネットワークを所管する総務省も本法を所管することが適切と考えられた。そのため、両者の共同命令とすることとされ、本法における主務省令は、内閣府令・総務省令とすることとされた（主務省令は「行政手続における特定の個人を識別するための番号の利用等に関する法律別表第一の主務省令で定める事務を定める命令」〔平成 26 年内閣府・総務省令第 5 号〕、行政手続における特定の個人を識別するための番号の利用等に関する法律別表第二の主務省令で定める事務及び情報を定める命令〔平成 26 年内閣府・総務省令第 7 号〕）。令和 3 年法律第 37 号による改正により、デジタル庁が設置されたことを受けて、

本法の所管庁については，以下のように整理された。

　個人番号の利用および個人番号カードに関する事務のうち，個人番号の指定および通知，個人番号カードの交付，個人番号カードの発行および失効の管理，ICチップ空き領域の利活用に関する基本方針の策定，制度の具体的設計等の企画立案，国その他の業務システムを統一的に管理する観点からの関連システムの開発・管理およびそれに関する予算の計上・配賦，マイナポータルの設置・運用をデジタル庁が所掌し，かかる制度の運用として市区町村等との連絡調整を含めた実施事務を総務省が所掌することを原則とすることとされた。機構処理事務に係る管理規程の認可，監督命令，報告・立入検査のように，企画立案の要素がなく実施事務として位置づけられるものを除き，企画立案と実施事務の双方の性質が重なり，両者を峻別することは困難なため，総務省とデジタル庁の共管とされ，主務大臣は，内閣総理大臣および総務大臣とし，同法における主務省令は，デジタル庁令・総務省令とすることとされた。総務省単独の所管からデジタル庁と総務省の共管となる規定について，「総務大臣」を「主務大臣」に，「総務省令」を「主務省令」（デジタル庁令・総務省令）に変更する改正がなされた。

> **（政令への委任）**
> **第47条**　この法律に定めるもののほか，この法律の実施のための手続その他この法律の施行に関し必要な事項は，政令で定める。

　本法の執行命令（実施命令）としての政令を制定できることが，本条で定められている。執行命令は委任命令とは異なり（執行命令と委任命令の区別については，宇賀・前掲・行政法概説Ⅰ［第7版］301頁以下参照），権利義務の具体的内容を定めるものではないから法律の委任を要しないとする説，憲法73条6号，内閣府設置法7条3項等の一般的授権で足りるとする説によれば，本条の執行命令の規定は確認的意味を持つにとどまるが，委任命令と執行命令の区別を否定し，すべての法規命令に具体的な法律の根拠を要するとする説（平岡久・行政立法と行政基準〔有斐閣，1995年〕24頁以下参照）によれば，本条の執行命令の規定は創設的意味を持つことになる。なお，個人情報保護委員会規則については，委任命令，執行命令の双方について，個人情報保護法175条に根拠規定が

置かれており，その対象事項については，本条の規定に基づく政令委任の対象外となる。

第9章 罰　　則

> **第48条**　個人番号利用事務等又は第7条第1項若しくは第2項の規定による個人番号の指定若しくは通知，第8条第2項の規定による個人番号とすべき番号の生成若しくは通知若しくは第14条第2項の規定による機構保存本人確認情報等の提供に関する事務に従事する者又は従事していた者が，正当な理由がないのに，その業務に関して取り扱った個人の秘密に属する事項が記録された特定個人情報ファイル（その全部又は一部を複製し，又は加工した特定個人情報ファイルを含む。）を提供したときは，4年以下の懲役若しくは200万円以下の罰金に処し，又はこれを併科する。

(1) 「個人番号利用事務等……に従事する者」

「個人番号利用事務等」とは，個人番号利用事務または個人番号関係事務であり（本法10条1項），それを行う者が個人番号利用事務等実施者である（同12条1項）。個人番号利用事務等実施者には，個人番号利用事務等の受託者，再受託者も含まれる（同2条12項・13項，10条2項）。「個人番号利用事務等……に従事する者」とは，個人番号利用事務等実施者において，個人番号利用事務等に従事している役員，職員にとどまらず，派遣労働者も含まれる。

(2) 「第7条第1項若しくは第2項の規定による個人番号の指定若しくは通知……に関する事務に従事する者」

個人番号の指定または通知に関する事務は市区町村が行うが，受託者，再受託者が行うこともあるので，当該事務に従事する者は，市区町村の職員，派遣労働者のほか，受託者，再受託者の職員，派遣労働者も含まれる。

(3) 「第8条第2項の規定による個人番号とすべき番号の生成若しくは通知……に関する事務に従事する者」

個人番号とすべき番号を生成し市区町村長に通知する事務を行うのは，地方

公共団体情報システム機構であるので，地方公共団体情報システム機構の役員，職員，派遣労働者のほか，受託者，再受託者の職員，派遣労働者も含まれる。

　市区町村長が，申請者に対して個人番号カードを交付する事務は，本条の対象とされていない。個人番号カードの券面には，個人番号が記載されているが，自分の個人番号を知っている住民に対して個人番号カードを交付する事務は，個人番号自体を取り扱う事務とはいえないと解されているからである。

(4)　「第14条第2項の規定による機構保存本人確認情報等の提供に関する事務に従事する者」

　個人番号利用事務実施者（政令で定めるものに限る）が，個人番号利用事務を処理するために必要があるときに，機構保存本人確認情報等の提供を求めたことを受けて，機構保存本人確認情報等を提供する事務に従事する地方公共団体情報システム機構の役員，職員，派遣労働者のほか，受託者，再受託者の職員，派遣労働者も含まれる。

　本条違反で処罰される者の中には，民間事業者も含まれるが，個人情報保護法においては，原則として，個人情報取扱事業者について直罰制（宇賀・前掲・行政法概説Ⅰ［第7版］113頁以下参照）は採られず，間接罰の仕組みが採用されているのに対し，本条では，民間事業者にも直罰制を採用している。その理由は，特定個人情報ファイルの不正提供がもたらす危険性に鑑みると，直罰制により，その不正提供を抑止する必要性が大きいからである。民間事業者であっても，重大な情報漏えいに対して直罰制の下で厳罰が科される例は他にも存在する（特定秘密の保護に関する法律23条1項は特定秘密の取扱いの業務に従事する者がその業務により知得した特定秘密を漏らしたときは10年以下の懲役または情状により10年以下の懲役および1000万円以下の罰金，不正競争防止法21条1項は不正の利益を得る目的での営業秘密の開示に対し10年以下の懲役もしくは2000万円以下の罰金または両者の併科，割賦販売法49条の2第1項はクレジットカード等購入あっせん業者等が不正な利益を図る目的でクレジット番号等を提供することに対し3年以下の懲役または50万円以下の罰金，貸金業法47条の3第1項5号は信用情報提供等業務に関して知り得た秘密の漏えいに対し2年以下の懲役もしくは300万円以下の罰金または併科）。

罰則の強化

条項	行為	法定刑	同種法令における類似規定の罰則			その他
			個人情報保護法5章の義務違反	個人情報保護法4章の義務違反	住民基本台帳法	
1 48条	個人番号利用事務等に従事する者が、正当な理由なく、特定個人情報ファイルを提供	4年以下の懲役 or 200万以下の罰金 or 併科	2年以下の懲役 or 100万以下の罰金	1年以下の懲役 or 50万以下の罰金	—	
2 49条	上記の者が、不正な利益を図る目的で、個人番号を提供または盗用	3年以下の懲役 or 150万以下の罰金 or 併科	1年以下の懲役 or 50万以下の罰金	—	2年以下の懲役 or 100万以下の罰金	
3 50条	情報提供ネットワークシステムの事務に従事する者が、情報提供ネットワークシステムに関する秘密の漏えいまたは盗用	同上	—	—	同上	
4 51条	人を欺き、人に暴行を加え、人を脅迫し、または、財物の窃取、施設への侵入等により個人番号を取得	3年以下の懲役 or 150万以下の罰金	—	—	—	(割賦販売法・クレジット番号)3年以下の懲役 or 50万以下の罰金
5 52条	国の機関の職員等が、職権を濫用して特定個人情報が記録された文書等を収集	2年以下の懲役 or 100万以下の罰金	1年以下の懲役 or 50万以下の罰金	—	—	
6 53条	委員会から命令を受けた者が、委員会の命令に違反	2年以下の懲役 or 50万以下の罰金	—	1年以下の懲役 or 100万以下の罰金	1年以下の懲役 or 50万以下の罰金	
7 54条	委員会による検査等に際し虚偽の報告、虚偽の資料提出をする、検査拒否等	1年以下の懲役 or 50万以下の罰金	—	50万以下の罰金	30万以下の罰金	
8 55条	偽りその他不正の手段により個人番号カードを取得	6月以下の懲役 or 50万以下の罰金	—	—	30万以下の罰金	

出典:デジタル庁ホームページを基に作成

(5) 「正当な理由がないのに」

本法19条各号により例外的に特定個人情報の提供が許される場合に当たらない場合である。

(6) 「その業務に関して取り扱った個人の秘密に属する事項が記録された」

個人情報保護法176条が個人の秘密に属する事項が記録された個人情報ファイルを正当な理由なく提供することを処罰しているのと同様、本条も、個人の秘密に属する事項が記録された特定個人情報ファイルに対象を限定している。ここでいう秘密の意義は、国家公務員法の秘密保持義務規定におけるそれと同様、非公知の事実であって、実質的に秘密として保護するに値するものであることを要件とする(最決昭和52・12・19刑集31巻7号1053頁)。

(7) 「特定個人情報ファイル」

特定個人情報ファイルは、個人番号を含むため、それによるデータマッチングの危険があり、また、特定個人情報ファイルは検索が容易であり、大量の特

定個人情報を含むので，漏えいした場合には，プライバシーを中核とする個人の権利利益に重大な損害をもたらすおそれがある。そこで，特定個人情報ファイルを正当な理由なく提供することは禁止されており（本法19条），その違反に対しては刑罰を科すこととしている。

ただし，個人情報保護法176条では，データマッチング等の危険性の高い電算処理ファイルのみを対象としているが，特定個人情報ファイルの場合，マニュアル処理ファイルであっても，個人番号によるデータマッチング等が行われる危険性が高いため，電算処理ファイルのみならず，マニュアル処理ファイルも対象にしている。

(8) 「（その全部又は一部を複製し，又は加工した特定個人情報ファイルを含む。）」

たとえば，電算処理の特定個人情報ファイルを職員が自己の私用のUSBメモリに複写したもの，マニュアル処理の特定個人情報ファイルを複写したもの，特定個人情報ファイルの一部に変更を加えたり，一部を抽出したものも含まれる。ただし，本条は特定個人情報ファイルに対象を限定しているため，個人番号を除いた個人情報のみを提供する行為は本条の対象外であり，個人情報保護法による規制の問題になる。他方，個人番号も特定個人情報であるため，特定個人情報ファイルの個人番号の部分のみを提供する行為は，本条または本法49条の規制を受ける。なお，特定個人情報ファイルに含まれている個人番号を「1 ⇒ a」，「2 ⇒ b」，「3 ⇒ c」のような符号に置き換えて，個人番号それ自体ではない符号を含むファイルとした上で提供した場合であっても，提供を受けた者が当該符号から個人番号を知ることができるのであれば，特定個人情報ファイルの提供と同視でき，本条にいう特定個人情報ファイルと解すべきである。

(9) 「提供したとき」

本条にいう提供とは，第三者が利用できる状態に置くことをすべて含む。USBメモリやDVD等の電磁的媒体や書類を交付すること，電子メールを送信することはもとより，ID・パスワードを知らせて特定個人情報ファイルを管理する情報システムの操作を可能ならしめることも含まれる。

第 48 条

⑽ 「4 年以下の懲役若しくは 200 万円以下の罰金に処し」

　公務員の秘密保持義務違反の場合，国家公務員法，地方公務員法では 1 年以下の懲役または 50 万円以下の罰金とされているのと比較してかなり重罰になっているが，国家公務員法，地方公務員法上の秘密保持義務が職務上知ることのできた秘密一般を対象としているのに対し，本条は，秘密に属する特定個人情報ファイルを対象としており，個人番号による不正なデータマッチングが行われた場合，分散して管理されている個人情報が本人の意図しないかたちで集積され，重大なプライバシー侵害が発生しうるため，厳しく処罰する必要があると考えられたのである。

　個人情報保護法 176 条（「行政機関の職員若しくは職員であった者，第 66 条第 2 項各号に定める業務若しくは第 73 条第 5 項若しくは第 121 条第 3 項の委託を受けた業務に従事している者若しくは従事していた者又は行政機関等において個人情報，仮名加工情報若しくは匿名加工情報の取扱いに従事している派遣労働者若しくは従事していた派遣労働者が，正当な理由がないのに，個人の秘密に属する事項が記録された第 60 条第 2 項第 1 号に係る個人情報ファイル（その全部又は一部を複製し，又は加工したものを含む。）を提供したときは，2 年以下の懲役又は 100 万円以下の罰金に処する」）に対し，本条では，上限がその 2 倍になっている。その理由は，特定個人情報ファイルは個人番号を含むので，個人番号による不正なデータマッチングが行われる危険性が高く，罰則を強化することにより威嚇力を高める必要があるからである。個人情報保護法 176 条違反と本条違反の関係は法条競合であり，本条が個人情報保護法 176 条の特別法として位置づけられるので，本条違反の罪が成立する場合には，個人情報保護法 176 条違反の罪は成立しない。

　個人番号の不正な提供・盗用については，不正なデータマッチングの危険に鑑み，国家公務員法，地方公務員法上の秘密保持義務違反よりも重く処罰（3 年以下の懲役もしくは 150 万円以下の罰金または両者の併科）することとされているが（本法 49 条），本条がそれよりもさらに重い罰則を定めているのは，特定個人情報ファイルが個人番号を含むのみならず，データマッチングの危険を内在した特定個人情報の集合物であり，検索も容易であるため，不正に提供された場合，個人番号のみの提供よりも重大な被害を本人に及ぼすおそれが高く，違法性の程度が高くなるため，刑を一層加重する必要があると考えられたためである。国家公務員法・地方公務員法の守秘義務違反と本条違反の関係も法条競

本条違反と個人情報保護委員会の命令違反は併合罪になるので，それぞれについて処断されるが，一括して刑を量定し，刑期に上限がある。本条以外にも，同一の行為に対し，直罰規定と間接罰規定が設けられている例は存在する。ストーカー行為等の規制等に関する法律13条1項が，「ストーカー行為をした者は，6月以下の懲役又は50万円以下の罰金に処する」と直罰規定を設けながら，同法14条は禁止命令等に違反した場合の間接罰規定も設けているのがその例である。

(11)　「又はこれを併科する」

本条では懲役刑と罰金刑の併科も認めているが，これは，特定個人情報ファイルの不正な提供が経済的利益を得ることを目的として行われることが多いと想定されるため，経済的不利益を課す必要性が高いと判断されたためである。

> 第49条　前条に規定する者が，その業務に関して知り得た個人番号を自己若しくは第三者の不正な利益を図る目的で提供し，又は盗用したときは，3年以下の懲役若しくは150万円以下の罰金に処し，又はこれを併科する。

(1)　「前条に規定する者」

個人番号利用事務等または本法7条1項もしくは2項の規定による個人番号の指定もしくは通知，本法8条2項の規定による個人番号とすべき番号の生成もしくは通知もしくは本法14条2項の規定による機構保存本人確認情報等の提供に関する事務に従事する者または従事していた者である。したがって，民間事業者であっても本条の罰則の対象になる場合がある。

(2)　「その業務に関して知り得た」

「業務」は，現に従事しているものに限らず，過去に従事していたものも含む。

(3)　「個人番号」

特定個人情報ファイルの提供については，本法48条で罰則が定められてい

るが，本条では，ファイル化されていない個人番号のみの提供，盗用に対する罰則を定めている。個人番号による不正なデータマッチングによるプライバシー侵害を防止するためには，ファイル化されていなかったり，組織として共用されていない個人番号であっても，その提供，盗用を処罰する必要があると考えられたため，本条が設けられている。個人番号を「1 ⇒ a」，「2 ⇒ b」，「3 ⇒ c」のような符号に置き換えて，個人番号それ自体ではない符号とした上で提供した場合であっても，提供を受けた者が当該符号から個人番号を知ることができるのであれば，個人番号の提供と同視でき，本条にいう個人番号と解すべきである（本法2条8項かっこ書）。個人情報保護法180条は，行政機関の職員もしくは職員であった者または行政機関からの受託業務に従事している者もしくは従事していた者が，その業務に関して知り得た保有個人情報を自己もしくは第三者の不正な利益を図る目的で提供し，または盗用したときは，1年以下の懲役または50万円以下の罰金に処すると定めているので，同条の対象となる者にとって，本条は，個人番号によるデータマッチングの危険性に鑑み，個人番号について保有個人情報以外のものにまで対象を拡大し，さらに法定刑を加重していることになる。他方，個人情報保護法180条の対象外の者にとっては，本条は全く新たに設けられた直罰規定ということになる。本法48条と同様，個人番号がデータマッチングに不正に利用された場合には重大なプライバシー侵害の危険があるので，民間事業に従事する者，従事していた者にも，行政機関，独立行政法人等の職員等と同様に直罰を科すこととされている。

(4) 「自己若しくは第三者の不正な利益を図る目的で」
個人情報保護法180条と平仄を合わせて設けられた要件である。

(5) 「提供し」
本法48条と同義であり，第三者が利用できる状態に置くことを手段を問わず，すべて含む。

(6) 「盗用したときは」
「盗用」は盗み利用することであり，個人番号利用事務実施者の職員として職務上個人番号を利用する職員が，職務上取り扱っている個人番号をデータマ

ッチングのキーとして不正に他の個人番号利用事務実施者の職員から特定個人情報を入手する場合，職務上取り扱っている個人番号を使用して他人になりすまして社会保障給付を申請する場合等がこれに該当する。

(7) 「3年以下の懲役若しくは150万円以下の罰金に処し」

本条の法定刑が個人情報保護法180条に比較して上限が3倍になっているが，これは，個人番号を利用した不正なデータマッチングの危険性を考慮したからである。他方，特定個人情報ファイルのように，大量の特定個人情報を容易に検索しうるものと比較して，法定刑の上限を下げるべきであるので，本法48条と比較して，上限が下げられている。

個人番号は保有個人情報の部分集合とは限らないので，本条と個人情報保護法180条の保有個人情報の不正提供・盗用罪の関係は観念的競合となる。国家公務員法，地方公務員法上の秘密保持義務との関係も観念的競合であり，両罪が成立する場合には，刑の重い本条の罪として処罰されることになる。本条違反の行為に対する個人情報保護委員会の命令違反と本条違反の関係は併合罪になる。

(8) 「又はこれを併科する」

不正な利益を図る目的で行われる行為を処罰するため，懲役刑と罰金刑を併科することが認められている。

第50条 第25条（第26条において準用する場合を含む。）の規定に違反して秘密を漏らし，又は盗用した者は，3年以下の懲役若しくは150万円以下の罰金に処し，又はこれを併科する。

---

(1) 「第25条……の規定」

情報提供等事務または情報提供ネットワークシステムの運営に関する事務に従事する者または従事していた者が，その業務に関して知り得た当該事務に関する秘密を漏らし，または盗用することを禁じた規定である。

第 50 条

(2)「(第 26 条において準用する場合を含む。)」

　本法 19 条 9 号の規定による条例事務関係情報照会者による特定個人情報の提供の求め，および条例事務関係情報提供者による特定個人情報の提供について，本法 25 条の秘密保持義務の規定が準用されている。

(3)「秘密を漏らし，又は盗用した者は，3 年以下の懲役若しくは 150 万円以下の罰金に処し」

　大量の情報が流通する情報提供ネットワークシステムを使用した情報提供等事務または情報提供ネットワークシステムの運営に関する事務に係る秘密が漏えいした場合，情報提供ネットワークシステムを通じて流通する大量の特定個人情報がデータマッチングされる危険がある。そこで，システム面では，情報保有機関ごとに異なる符号を用いる等のセキュリティ対策を講ずるともに，情報提供等事務または情報提供ネットワークシステムの運営に関する事務に従事する者または従事していた者（情報照会者および情報提供者ならびに条例事務関係情報照会者および条例事務関係情報提供者の役員，職員，これらの機関に派遣された派遣労働者，情報提供ネットワークシステムの運営に関する事務に従事する職員，これらの機関から委託を受けた受託者，再受託者等の従業者，派遣労働者）のすべてが対象となる。情報提供ネットワークシステムを運営する機関の職員が行う(i)情報提供ネットワークシステムを稼働させるプログラムの作成・点検，(ii)情報提供等事務または条例事務関係情報提供等事務に使用する符号の管理，(iii)情報提供ネットワークシステムを使用した情報の授受の仲介，(iv)情報提供ネットワークシステムへのアクセスログの確認等に係る事務，情報照会者もしくは情報提供者または条例事務関係情報照会者もしくは条例事務関係情報提供者の職員が行う(v)情報提供等事務または条例事務関係情報提供等事務に使用する符号の管理，(vi)情報の提供・受領等に係る事務に関する秘密の漏えいが本条による処罰の対象になる。

　情報提供等事務もしくは条例事務関係情報提供等事務または情報提供ネットワークシステムの運営に関する事務に係る秘密の漏えいは，それ自体として直ちに特定個人情報の漏えいにつながるわけではないが，情報提供ネットワークシステムを介した情報連携により，社会保障・税分野を中心とするセンシティブ情報が大量に授受されるため，情報提供等事務もしくは条例事務関係情報提

供等事務または情報提供ネットワークシステムの運営に関する事務に係る秘密の漏えいは，センシティブ情報の大量漏えいにつながる危険性がある。したがって，それは，個人番号の漏えいに匹敵する違法性の高い行為であり，個人番号の漏えいと同じ法定刑で処罰することとしている。

(4) 「又はこれを併科する」

本条では懲役刑と罰金刑の併科を認めているが，これは本条の犯罪が経済的利益を得ることを目的として行われることが多いと想定されるため，経済的不利益を課す必要性が高いと判断されたためである。

> 第51条① 人を欺き，人に暴行を加え，若しくは人を脅迫する行為により，又は財物の窃取，施設への侵入，不正アクセス行為（不正アクセス行為の禁止等に関する法律（平成11年法律第128号）第2条第4項に規定する不正アクセス行為をいう。）その他の個人番号を保有する者の管理を害する行為により，個人番号を取得した者は，3年以下の懲役又は150万円以下の罰金に処する。
> ② 前項の規定は，刑法（明治40年法律第45号）その他の罰則の適用を妨げない。

(1) 「人を欺き，人に暴行を加え，若しくは人を脅迫する行為により，又は財物の窃取，施設への侵入，不正アクセス行為（不正アクセス行為の禁止等に関する法律（平成11年法律第128号）第2条第4項に規定する不正アクセス行為をいう。）その他の個人番号を保有する者の管理を害する行為により，個人番号を取得した者は」（1項）

本法は，個人番号のデータマッチング機能を活用することにより，行政の効率化，公正な負担と給付の確保，手続の簡素化による国民負担の軽減等を図ることを目的とするものであり，制度が適正に機能する限り，そのメリットは大きいが，個人番号が漏えいし，不正にデータマッチングが行われた場合，重大なプライバシー侵害の危険があり，また，マイナンバー制度全体の信頼性を喪失することになりかねない。そのため，個人番号を取り扱う職員等による個人番号の漏えい行為は，本法49条で処罰することとしていることは前述したと

おりである。他面において、個人番号を不正に取得しようとする行為も抑止する必要がある。そして、犯罪構成要件を明確化し、可罰性が誰の目にも明らかな行為を処罰の対象とするため、詐欺、暴行、脅迫、窃盗、建造物侵入、不正アクセス行為その他の個人番号を保有する者の管理を害する行為により、個人番号を取得した者を処罰することとしている。個人番号取扱者から不正な手段により個人番号を取得する行為のうち、特に悪質なものを処罰する趣旨である。これらの行為が許されないものであることは明白であるので、禁止規定を置くことなく（不正競争防止法21条、割賦販売法49条の2第2項も同じ）、本項で処罰することとしている。本項に対応する規定は個人情報保護法、住民基本台帳法には置かれていないが、特定個人情報保護の重要性に鑑み設けられたものである。

(2) 「不正アクセス行為（不正アクセス行為の禁止等に関する法律（平成11年法律第128号）第2条第4項に規定する不正アクセス行為をいう。）」（1項）

下記のいずれかに該当する行為を意味する。(i)アクセス制御機能を有する特定電子計算機（電気通信回線に接続している電子計算機）に電気通信回線を通じて当該アクセス制御機能に係る他人の識別符号を入力して当該特定電子計算機を作動させ、当該アクセス制御機能により制限されている特定利用（電気通信回線を通じて行う利用）をしうる状態にさせる行為（当該アクセス制御機能を付加したアクセス管理者〔特定電子計算機の特定利用につき当該特定電子計算機の動作を管理する者〕がするものおよび当該アクセス管理者または当該識別符号に係る利用権者の承諾を得てするものを除く）、(ii)アクセス制御機能を有する特定電子計算機に電気通信回線を通じて当該アクセス制御機能による特定利用の制限を免れることができる情報（識別符号であるものを除く）または指令を入力して当該特定電子計算機を作動させ、その制限されている特定利用をしうる状態にさせる行為（当該アクセス制御機能を付加したアクセス管理者がするものおよび当該アクセス管理者の承諾を得てするものを除く）または(iii)電気通信回線を介して接続された他の特定電子計算機が有するアクセス制御機能によりその特定利用を制限されている特定電子計算機に電気通信回線を通じてその制限を免れることができる情報または指令を入力して当該特定電子計算機を作動させ、その制限されている特定利

用をしうる状態にさせる行為（当該アクセス制御機能を付加したアクセス管理者がするものおよび当該アクセス管理者の承諾を得てするものを除く）。

(3) 「個人番号」(1項)

本条による処罰を免れるため，暴行・脅迫により，すべての個人番号の末尾に0を付けた番号に加工させた上で取得するような場合も，個人番号の取得と変わらず，かかる脱法的行為により処罰を免れるのは不合理であり，本条の個人番号の取得と解される（2条8項かっこ書参照）。

(4) 「取得」(1項)

個人番号の取得は，紙，DVD，USBメモリ等の有体物の占有を得ることにより，そこに記録された個人番号を入手する行為に限らず，有体物に記録されていない無形の情報として個人番号を知得する行為（口頭で聞き取る行為等）も含まれる。個人番号カードには個人番号が記載されているので，上記の手段により個人番号カードを提供させることも，本条が処罰の対象としている個人番号の取得に該当する。

(5) 「人を欺き……個人番号を取得した」(1項)

人を欺き個人番号を取得する場合としては，本人であると偽って個人番号を取り扱う職員から個人番号を聞き出すこと，個人番号を取り扱う職員であると偽って本人から個人番号を聞き出すこと等が考えられる。

(6) 「人に暴行を加え，若しくは人を脅迫する行為により……個人番号を取得した」(1項)

暴行・脅迫により個人番号を取得する行為とは，これらの行為により，相手の意思に反して個人番号を提供させることを意味する。

(7) 「財物の窃取……により，個人番号を取得した」(1項)

個人番号が記録された媒体を盗むことである。

(8)　「施設への侵入……により，個人番号を取得した」(1項)

施設への侵入による取得としては個人番号が管理されている施設に潜入し個人番号を盗み見すること等が考えられる。

(9)　「不正アクセス行為（不正アクセス行為の禁止等に関する法律（平成11年法律第128号）第2条第4項に規定する不正アクセス行為をいう。）……により，個人番号を取得した」(1項)

不正アクセス行為による取得としてはアクセス権限を有しない者がファイアウォールを破って侵入し個人番号を得ること等が考えられる。

(10)　「個人番号を取得した者は」(1項)

本条に違反した者は，何人であっても処罰されうる。このように主体を限定せずに，悪質な取得行為を処罰する規定は，個人情報保護法にはなく，個人番号による不正なデータマッチングの危険に鑑みて，本項に特に設けられたものである。もっとも，秘匿性の高い情報を悪質な手段で取得する行為を主体を限定せずに処罰する例がないわけではなく，不正競争防止法21条は，営業秘密を悪質な行為により取得する行為に，10年以下の懲役もしくは2000万円以下の罰金または両者の併科という重罰を科している。また，割賦販売法49条の2第2項は，クレジット番号等を悪質な行為により取得する行為に対し，3年以下の懲役または50万円以下の罰金を科している。

不正競争防止法21条1項1号では，「不正の利益を得る目的で，又はその保有者に損害を加える目的で」詐欺等行為（人を欺き，人に暴行を加え，または人を脅迫する行為）または管理侵害行為（財物の窃取，施設への侵入，不正アクセス行為）により営業秘密を取得することが構成要件になっているのに対し，本条は図利加害目的で行ったことを要件としていない。不正競争防止法の場合には，(i)事業者の不正情報の公益通報を行う場合，(ii)労使交渉を通じて取得した保有者の営業秘密を労働者の正当な権利を実現するために労働組合内部で共有する場合，(iii)残業目的で上司の承認を得ずに書類等を自宅に持ち帰る場合，等のように，図利加害目的がない場合には処罰しないこととしているのである。しかし，営業秘密とは異なり，個人番号については，上記(i)～(iii)のようなケースは一般的には想定し難い。他方，個人番号と同様に番号を保護対象とする割賦販

売法49条の2第2項は，図利加害目的を要件としていない。それは，クレジットカード番号等を人を欺いて，または管理侵害行為により取得する行為は，図利加害目的がなくても十分に当罰性が認められると考えられたからである。図利加害目的が要件とされていないため，自分のハッキング技術を誇示する目的で，あるいは，セキュリティの盲点について社会に警鐘を鳴らすために不正アクセス行為により個人番号を取得する場合にも処罰されうることになる。もっとも，図利加害目的がない行為で刑事罰を科すのが適切でないものもある。ある企業が違法に特定個人情報ファイルを名簿業者に売却しようとしていることを察知した従業者が，売却を防止するために特定個人情報ファイルを自宅に持ち帰り保管するような場合がそれであり，かかる場合には，当該従業者の行為は，正当業務行為または緊急避難行為として違法性が阻却されると解されるため，処罰されることはない。

⑾ 「3年以下の懲役又は150万円以下の罰金に処する」（1項）

　本条に違反する行為は，個人番号を不正に漏えいさせる点において，個人番号の不正な提供・盗用に匹敵する当罰性を有するものといえるため，本法49条と同じく，3年以下の懲役もしくは150万円以下の罰金としている。本条と同じく悪質な行為（詐欺等行為または管理侵害行為）による重要な情報の取得に対する罰則を定める不正競争防止法，割賦販売法においても，不正な取得行為に係る罰則（不正競争防止法21条1項1号，割賦販売法49条の2第2項）の法定刑と不正な提供行為に係る罰則の法定刑（不正競争防止法21条1項4号〜8号，割賦販売法49条の2第1項）を同じにしている。本項は，懲役刑と罰金刑を併科していない。これに対し，本条と同様に，悪質な取得行為を処罰する不正競争防止法21条1項1号では，懲役刑と罰金刑が併科されている。併科を可能にする法改正が行われたのは2005（平成17）年であり，この場合の悪質な取得行為が，不正な利益を得るための営業的な色彩の強い犯罪であり，懲役刑が科される場合であっても，執行猶予となると，処罰の効果が不十分になるおそれがあると考えられたからである（経済産業省知的財産政策室編著・逐条解説不正競争防止法〔平成23・24年改正版〕〔有斐閣，2012年〕203頁参照）。このような考えによれば，本項においても，懲役刑と罰金刑を併科する立法政策も考えられる。他方，クレジットカードの番号等を人を欺いて取得した場合については，経済的

利益を目的としていると通常考えられるにもかかわらず，懲役刑と罰金刑が併科されていない（割賦販売法49条の2第2項）。本法は，48条から50条までの提供，漏えい行為が直接に対価を得て行われることが通常であるのに対して，本項の取得行為は，それ自体としては対価を得て行われることは通常ないので，経済的利益を目的として行われるとしても，それとの関係が間接的になることから併科をしなかったものと考えられる。

(12)　「前項の規定は，刑法（明治40年法律第45号）その他の罰則の適用を妨げない」（2項）

個人番号が記録された文書，電磁的記録等の有体物を詐欺により取得した場合には詐欺罪，窃取により取得した場合には窃盗罪の構成要件をも充足することになる。本条の罪と詐欺罪または窃盗罪の関係は観念的競合となり，本条に罰則規定があることにより，詐欺罪または窃盗罪の規定の適用が排除されるわけではない。また，組織犯罪処罰法別表85号に，本条1項の規定する罪が整備法により追加されたため，犯罪収益等の没収・追徴が可能になっている。このように刑法その他の罰則の適用を妨げるものではないことを確認するために，本項が設けられている。同様の規定として，不正競争防止法21条9項，割賦販売法49条の2第4項がある。

> 第52条　国の機関，地方公共団体の機関若しくは機構の職員又は独立行政法人等若しくは地方独立行政法人の役員若しくは職員が，その職権を濫用して，専らその職務の用以外の用に供する目的で個人の秘密に属する特定個人情報が記録された文書，図画又は電磁的記録（電子的方式，磁気的方式その他人の知覚によっては認識することができない方式で作られる記録をいう。）を収集したときは，2年以下の懲役又は100万円以下の罰金に処する。

(1)　「国の機関，地方公共団体の機関若しくは機構の職員又は独立行政法人等若しくは地方独立行政法人の役員若しくは職員が」

民間事業者が情報提供等事務または条例事務関係提供等事務の当事者になるのは，きわめて例外的であるため，本条では，民間事業者は対象外としている。国の機関，地方公共団体の機関もしくは地方公共団体情報システム機構または

独立行政法人等もしくは地方独立行政法人から委託を受けた場合であっても，同様である。民間事業者またはその役員もしくは職員が同様の行為をした場合には，個人情報保護委員会が勧告を行い（本法34条1項），正当な理由なく当該勧告に係る措置がとられなければ命令を行い（同条2項。緊急の場合には勧告を前置せずに命令を出すことができる。同条3項），当該命令に違反すると罰則を科す（同53条）という間接罰の仕組みがとられている。職権を濫用しうるのは，現に職権を行使しうる立場にある現役職員に限られるから，退職した職員は含まれない。なお，地方公共団体情報システム機構の役員および職員は，地方公共団体情報システム機構法21条により，みなし公務員とされている。国，地方公共団体を含め，行政主体の職員の職権濫用を処罰する規定として，「日本国憲法の改正手続に関する法律」111条1項がある。

(2) 「その職権を濫用して」

「職権」とは，国の機関等の職員に付与された職務権限であり，「職権を濫用する」とは，職務権限を違法または不当に行使すること，または職権行使に仮託して違法または不当な行為を行うことを意味する。

(3) 「専らその職務の用以外の用に供する目的で」

当該職員の職務と無関係な目的に利用することであり，名簿業者への販売を目的としたり，不正な利益を図る意図はなく好奇心を満足させるのみで収集する場合等が考えられる。「専らその職務の用以外の用に供する目的」という限定は，公務員職権濫用罪（刑法193条）にはない。本条が，この要件を付加したのは，特定個人情報の提供または盗用という実質的法益侵害が顕在化する前の収集段階における罰則であること，職権濫用に対する他の法律の罰則規定をみても，一般的には職権濫用のみで罰することとしておらず，職権を濫用して他人に義務のない行為を行わせたり，権利の行使を妨害した場合等に限って罰することとしているが（刑法193条，「無差別大量殺人行為を行った団体の規制に関する法律」42条，「日本国憲法の改正手続に関する法律」111条1項参照），人の行為を介在させない場合にも処罰する個人情報保護法181条では「専らその職務の用以外の用に供する目的」であることを要件としていることに照らし，真に刑罰を科すに値する行為に限って処罰する必要があると考えられたからである。

(4) 「個人の秘密に属する」

　個人情報保護法181条と平仄を合わせ,「個人の秘密に属する」特定個人情報であることを要件としている。ここでいう秘密は,国家公務員法の秘密保持義務規定におけるそれと同様,非公知の事実であって,実質的に秘密として保護するに値するものである（最決昭和52・12・19刑集31巻7号1053頁）。

(5) 「特定個人情報」

　特定個人情報は個人番号を含むことを要件としているが（本法2条8項),個人番号の末尾に0を付けて収集することにより,本条に基づく処罰を免れることができるのは不合理であり,かかる加工が行われても,特定個人情報の収集に該当すると解される。

(6) 「収集したときは」

　本法51条では「取得」という文言が用いられているのに対し,本条では「収集」という用語が使われている。「取得」は,再現可能な状態で記憶する場合を含むので,閲覧して記憶したり,聞き取って記憶する場合を含む。これに対し,「収集」は,自己が所持する状態に移すことを意味するので,閲覧して記憶したり,聞き取って記憶する場合は含まない。すなわち,「収集」は「取得」よりも狭い概念である。「収集」に当たる場合としては,文書もしくは電磁的記録またはその写しを自宅に持ち帰ることが考えられ,人の手を介さず,電子計算機等を操作して得た情報を自己の所有する電磁的媒体に複写することも含まれる。個人番号を取り扱う者が不当な目的で特定個人情報を収集すれば,特定個人情報の漏えいの危険性が高くなるし,収集それ自体がマイナンバー制度に対する国民の信頼を失墜させることになるので,収集の段階で処罰することとしている。

(7) 「2年以下の懲役又は100万円以下の罰金に処する」

　個人情報保護法181条は,行政機関の職員がその職権を濫用して,専らその職務の用以外の用に供する目的で個人の秘密に属する事項が記録された文書,図画または電磁的記録を収集したときは,1年以下の懲役または50万円以下の罰金に処すると定めている。これに対し,本条では,法定刑の上限が2倍に

なっている。その理由は，本条では，特定個人情報が保護対象になっているからである。すなわち，個人番号を用いたデータマッチングにより当該機関が保有しない特定個人情報を大量に集積することが可能になるため，漏えいした場合の被害もきわめて大きくなるおそれがあり，職権濫用による特定個人情報の収集は，悪質性が高く，かかる行為を抑止するためにも，個人情報保護法181条が定める場合よりも厳しく処罰する必要があるからである。他面において，特定個人情報ファイルの違法な提供については4年以下の懲役もしくは200万円以下の罰金または両者の併科（本法48条），個人番号の違法な提供または盗用については3年以下の懲役もしくは150万円以下の罰金または両者の併科（同49条）とされており，個人番号が外部の者に漏えいする前の段階で処罰する本条の場合には，それよりは刑を軽くするのが適切である（「日本国とアメリカ合衆国との間の相互協力及び安全保障条約第6条に基づく施設及び区域並びに日本国における合衆国軍隊の地位に関する協定の実施に伴う刑事特別法」6条1項は，合衆国軍隊の機密を合衆国軍隊の安全を害すべき用途に供する目的をもって，または不当な方法で，探知し，または収集した者は10年以下の懲役に処するとしており，機密の収集に対してきわめて重い罰則を定めているが，これは，わが国の国家安全保障体制の根幹に関わる特殊性を勘案したものであり，特定個人情報の収集に係る罰則を定めるに当たって，それとの均衡を考慮する前提に欠けると考えられる）。また，個人情報保護法においては，保有個人情報の違法な提供・盗用（同180条）と個人の秘密に属する事項が記載された文書等の職権濫用による収集（同181条）とを同じ法定刑で処罰することとしているので，本法において，個人番号の提供・盗用に係る罰則（49条）と個人の秘密に属する特定個人情報の職権濫用による収集に係る罰則（52条）の法定刑の差をあまり大きくすること避けるべきと考えられる。

それに加えて，保有個人情報を実際に外部に提供した場合であっても，1年以下の懲役または50万円以下の罰金とされていること（個人情報保護法180条）に照らすと，特定個人情報の重要性を考慮しても，収集段階の罰則がそれよりも極端に重くなることは避けるべきと考えられる。本条は，以上の事項を総合考慮して，2年以下の懲役または100万円以下の罰金としている。本条は，特定個人情報ファイルの提供（本法48条），個人番号の提供・盗用（同49条）の場合と異なり，懲役刑と罰金刑の併科を認めていない。それは，収集行為自体が対価を得て行われることは通常想定し難いからである。

本条と個人情報保護法181条の関係は法条競合であり，本条の罪が成立する場合には，個人情報保護法181条違反の罪は成立しない。本条に違反して収集した特定個人情報ファイルの提供（本法48条）または個人番号の提供・盗用（同49条）の罪を犯した場合，併合罪になる。

> 第52条の2　第38条の3の2の規定に違反して秘密を漏らした者は，2年以下の懲役又は100万円以下の罰金に処する。

本条の秘密保持義務違反に対する罰則は，本人確認情報の電子計算機処理等に関する事務に従事するJ-LISの役員もしくは職員またはこれらの職にあった者またはJ-LISから委託を受けた者等の秘密保持義務（住民基本台帳法36条の26第3項・4項）違反に対する罰則（同法42条），認証業務情報の電子計算機処理等に関する事務に従事するJ-LISの役員もしくは職員またはこれらの職にあった者またはJ-LISから委託を受けた者等の秘密保持義務（公的個人認証法47条）違反に対する罰則（同法74条）を参考にして，2年以下の懲役または100万円以下の罰金に処することとされた（本法52条の2）。その理由は，以下のとおりである。

本法において，秘密保持義務違反に対する罰則には，(i)情報提供ネットワークシステムに関する秘密保持義務違反に対する罰則（同法50条）および(ii)戸籍関係情報作成事務に関する秘密保持義務違反に対する罰則（同法52条の2）があり，(i)の量刑は3年以下の懲役または150万円以下の罰金，(ii)の量刑は2年以下の懲役または100万円以下の罰金，と定められている。(i)に関しては，情報提供ネットワークシステムを通じて，社会保障や税に係るセンシティブ情報が大量に授受されるため，この情報連携に関する秘密が漏えいすれば，センシティブ情報が大量に漏えいするおそれがある。したがって，(i)の秘密保持義務違反は，個人番号の漏えいに相当する違法性の高い行為であるとして，個人番号の提供または盗用に対する罰則（同法49条）と同じ法定刑とされたのである。他方，(ii)の戸籍関係情報作成事務において取り扱われる情報は，戸籍または除かれた戸籍の副本に記載されている情報であり，(i)と比較すれば，一般に機微性は低いといえるが，すべての国民の情報を取り扱うという点で，本人確認情報の電子計算機処理等に関する秘密保持義務違反に対する罰則を定める住民基

本台帳法42条違反の法定刑と平仄を合わせることが適切と考えられたのである。

本法38条の3の2は，機構処理事務（同法38条の2第1項）に関する秘密保持義務違反に対する罰則を定めるものであるが，個人番号の生成，個人番号カードの作成等に係る事務において知り得た秘密を保持しようとするものである。かかる機構処理事務は，戸籍関係情報作成事務と同じく，すべての国民の情報を取り扱うことになるので，戸籍関係情報作成事務において取り扱われる情報の秘密保持義務違反に対する罰則と平仄を合わせている。

> **第52条の3** 第45条の2第3項の規定に違反して秘密を漏らし，又は盗用した者は，2年以下の懲役若しくは100万円以下の罰金に処し，又はこれを併科する。

本法45条の2第3項は，戸籍関係情報作成用情報に関する事務に従事する者または従事していた者に秘密保持義務を課している。戸籍関係情報作成用情報は，戸籍関係情報を作成するために用いられる情報であるから，秘密保持義務違反は厳格に処罰する必要があるため，本項が設けられた。罰則の量刑については，住民基本台帳法に基づく本人確認情報の電子計算機処理等に関する事務の秘密漏えい等に係る罰則を定める同法42条と平仄を合わせている。その理由は，すべての住民の情報を取り扱うという点で，戸籍関係情報作成事務と共通するからである。

> **第53条** 第34条第2項又は第3項の規定による命令に違反した者は，2年以下の懲役又は50万円以下の罰金に処する。

(1) 「第34条第2項又は第3項の規定による命令」

「第34条第2項……の規定による命令」は，勧告を受けた者が，正当な理由がなくてその勧告に係る措置をとらなかったときに，個人情報保護委員会が発する命令であり，「第34条……第3項の規定による命令」は，個人の重大な権利利益を害する事実があるため緊急に措置をとる必要があると認めるときに，個人情報保護委員会が，勧告を前置せずに発する命令である。

独立行政法人通則法においては，中期目標管理法人の役員が，評価結果に基づく主務大臣による改善命令（同法32条6項）に違反した場合，20万円以下の過料を科す旨の罰則規定が置かれている（同法71条1項6号）。これに対して，J-LISの理事長が本法38条の11第6項の規定に基づく命令に違反した場合の罰則規定は設けられていない。その理由は，同項の規定に基づく命令に違反した場合，主務大臣による理事長の解任制度（同条7項・8項）が設けられているからである。

(2) 「命令に違反した者」

　個人情報保護委員会が行う命令は，期限を定めて出されるので，当該期間を経過しても命令を遵守していない場合には，命令違反になる。また，定められた期限内であっても，当該命令を遵守しない旨を個人情報保護委員会に通告したり，公に宣言したりすれば，その時点で命令違反と認定される。

(3) 「2年以下の懲役又は50万円以下の罰金に処する」

　命令違反の罰則規定の先例をみると，個人情報保護法178条は1年以下の懲役または100万円以下の罰金，住民基本台帳法43条は1年以下の懲役または50万円以下の罰金，独占禁止法90条3号が2年以下の懲役または300万円以下の罰金，特定商取引に関する法律70条の2，割賦販売法51条，不当景品類及び不当表示防止法36条が2年以下の懲役もしくは300万円以下の罰金または両者の併科となっている。個人情報保護委員会の命令は特定個人情報を保護するためのものであるから，個人情報一般を対象とする個人情報保護法，住民票コードを対象とする住民基本台帳法よりも厳しく罰する必要があると考えられる。

　他方，検査拒否罪との均衡という観点から考察するために，検査拒否罪の罰則をみると，個人情報保護法，住民基本台帳法，独占禁止法，特定商取引に関する法律，割賦販売法，不当景品類及び不当表示防止法のいずれにおいても，命令違反の法定刑のほうが重くなっている。これらの法律の罰則規定との均衡からして，本法54条の検査拒否罪の法定刑（1年以下の懲役または50万円以下の罰金）を下回る法定刑とすることは適切ではないと考えられる。

　さらに，個人情報保護委員会の命令違反の場合，命令違反が名宛人の経済的

利益に直結するわけでは必ずしもないので、罰金額を高くすることによって命令の実効性を確保する必要性は大きくない。

以上の事情を総合的に勘案して、2年以下の懲役または50万円以下の罰金とされた。

特定個人情報ファイルの違法な提供または個人番号の違法な提供・盗用が行われているため、その中止を個人情報保護委員会が命じたが命令が遵守されなかった場合、本法48条または49条の罪と本条違反の罪がともに成立し、併合罪として処罰されることになる。このように、同一の行為に対して、直罰と命令違反に対する間接罰の双方が適用される例は他にも存在する。不正な手段により観光庁長官の登録を得た者に対し業務停止命令（旅行業法19条1項）が出され、この命令に違反すると50万円以下の罰金に処せられるが（同法30条）、不正に登録を得ることに対しては100万円以下の罰金を科すという直罰規定（29条2号）も存在する。

> 第53条の2　第21条の2第8項又は第45条の2第9項において準用する第34条第2項又は第3項の規定による命令に違反した者は、1年以下の懲役又は50万円以下の罰金に処する。

本法21条の2第8項は、取得番号の取扱いについて、個人情報保護委員会の監督命令についての本法34条2項・3項の規定を準用している。また、本法45条の2第9項は、戸籍関係情報作成用情報の取扱いについて、個人情報保護委員会の監督命令についての本法34条2項・3項の規定を準用している。本法53条は、本法34条2項・3項の規定に違反した者は、2年以下の懲役または50万円以下の罰金に処することとしている。他方、取得番号、戸籍関係情報作成用情報は、それ自身は特定個人情報ではないので、特定個人情報の取扱いに関する個人情報保護委員会の監督命令違反の場合（2年以下の懲役または50万円以下の罰金。本法53条）と比較して、刑の上限を低くしている。取得番号の取扱いに係る個人情報保護委員会の命令違反に対する罰則の量刑について参考にされたのは、取得番号と同様に、目的外で利用等された場合、名寄せが行われるおそれがある住民票コードの利用制限等に係る都道府県知事の命令（住民基本台帳法30条の38第5項）違反に対する罰則（同法43条1号）の量刑で

ある。

> **第54条** 第35条第1項の規定による報告若しくは資料の提出をせず，若しくは虚偽の報告をし，若しくは虚偽の資料を提出し，又は当該職員の質問に対して答弁をせず，若しくは虚偽の答弁をし，若しくは検査を拒み，妨げ，若しくは忌避した者は，1年以下の懲役又は50万円以下の罰金に処する。

(1) 「第35条第1項の規定による報告若しくは資料の提出をせず，若しくは虚偽の報告をし，若しくは虚偽の資料を提出し，又は当該職員の質問に対して答弁をせず，若しくは虚偽の答弁をし，若しくは検査を拒み，妨げ，若しくは忌避した者は」

　個人情報保護法により，個人情報保護委員会が設置され，本法において特定個人情報の取扱いに関する監督権限およびその行使の前提となる行政調査権限が個人情報保護委員会に付与されている。行政調査権限の実効性を確保するためには，不協力に対する罰則を定める必要がある。本法35条1項は，(i)報告または資料の提出を求める権限，(ii)その職員に関係者の事務所その他必要な場所に立ち入らせ，特定個人情報の取扱いに関し質問させ，または帳簿書類その他の物件を検査させる権限を個人情報保護委員会に付与している。そこで本条は，(i)については「報告若しくは資料の提出をせず，若しくは虚偽の報告をし，若しくは虚偽の資料を提出」をすること，(ii)については「当該職員の質問に対して答弁をせず，若しくは虚偽の答弁をし，若しくは検査を拒み，妨げ，若しくは忌避」することを処罰することとしている。

(2) 「1年以下の懲役又は50万円以下の罰金に処する」

　本条が定める1年以下の懲役または50万円以下の罰金という法定刑は，以下のような考慮に基づいて定められている。個人情報関係の検査拒否等に対する罰則の先例として，個人情報保護法182条が50万円以下の罰金，住民基本台帳法46条1号が30万円以下の罰金としている。個人情報保護法182条は個人情報一般，住民基本台帳法46条1号は住民票コードを対象としているので，特定個人情報に係る検査拒否等に対する罰則は，これよりも厳しいものであるべきである。割賦販売法53条はクレジット番号情報等が保護対象であるので，

50万円以下の罰金としているが，特定個人情報の場合，社会保障・税・災害対策（地方公共団体の長その他の執行機関にあっては，これらに類する事務であって条例で定めるものを含む）の分野での一般的にいって機微性の高い情報が保護法益となっており，これよりも厳しく処罰すべきと考えられる。

「生活関連物資等の買占め及び売惜しみに対する緊急措置に関する法律」10条は1年以下の懲役または20万円以下の罰金，関税暫定措置法17条は1年以下の懲役または50万円以下の罰金，銀行法63条，保険業法317条，独占禁止法94条，不当景品類及び不当表示防止法37条は1年以下の懲役または300万円以下の罰金，会社更生法269条，民事再生法258条は3年以下の懲役または300万円以下の罰金に処することとしている。これらのうち，会社更生法269条，民事再生法258条は，3年以下の懲役という重罰を定めている。これは，会社更生や民事再生の手続を自ら申請し公的管理下に入りながら，当該手続に必要な調査に協力しないことは悪質性が高いことを考慮したものと考えられる。個人情報保護委員会による調査の場合には，かかる特殊事情は存在しないので，これよりは低くてよいと考えられる。銀行業，保険業は免許制が採用されており，特に公的監督が必要であるという特色があり，個人情報保護委員会の調査対象にはそのような限定はないが，他面において，何人も調査の対象になりうる独占禁止法，不当景品類及び不当表示防止法，「生活関連物資等の買占め及び売惜しみに対する緊急措置に関する法律」，関税暫定措置法の場合には，そのような限定がないにもかかわらず，1年以下の懲役刑を科すこととしている。特定個人情報の要保護性の高さに照らすと，これらよりも低い懲役刑にすることは適切ではないので，1年以下の懲役とすることとされた。他方，罰金刑については，行政調査の拒否が経済的利益と密接に関連する場合には高額になる傾向があり，独占禁止法がその例であるが，両者が直結しない場合には50万円程度にするものが少なくないので，本条の場合も，50万円以下とされた。

> **第55条** 偽りその他不正の手段により個人番号カードの交付を受けた者は，6月以下の懲役又は50万円以下の罰金に処する。

(1) 「偽りその他不正の手段により個人番号カードの交付を受けた者は」

個人番号カードには顔写真が貼付されるので，本人確認手段として用いられ

ており、これが不正取得されると、なりすまし被害が生ずるおそれがある。そこで、本条は、偽りその他不正の手段により個人番号カードの交付を受けた者を処罰することとしている。「偽りその他不正の手段により個人番号カードの交付を受けた」とは、他人になりすまして個人番号カードを取得した場合が典型例であるが、他人になりすました場合に限らず、個人番号カードを紛失していないのに紛失したという虚偽の事由を告げて個人番号カードを取得した場合も含まれる。また、市区町村の担当職員が誤って他人の個人番号カードを交付し、そのことを認識したにもかかわらず、その旨を告げず、他人になりすます意図をもって当該カードを取得した場合も含まれる。

個人番号カードには個人番号が記載されているので、「人を欺き、人に暴行を加え、若しくは人を脅迫する行為」により、個人番号カードを取得する行為は、本法51条の規定により処罰することが可能である。しかし、個人番号カードに個人番号が記載されていることを知らずに、身分証明書として利用する意思で、なりすましにより個人番号カードの交付を受けた場合には、個人番号を取得する意思がないので、本法51条違反の行為を故意で行ったとはいえず、本法51条違反で処罰することはできない。また、「人を欺き、人に暴行を加え、若しくは人を脅迫する行為」に該当しないが不正に個人番号カードの交付を受けたといえる場合がありうる。たとえば、担当職員を買収したり、担当職員に甘言を弄したり、懇願したりして、他人の個人番号カードを取得する行為は、明らかに不正の手段によるといえるが、「人を欺き、人に暴行を加え、若しくは人を脅迫する行為」とはいい難く、本法51条違反として処罰することは困難である。かかる場合は、本条に基づき処罰することになる。なお、個人番号カードを不正に取得しようとしていることを知りながら、これに協力した職員は、共謀共同正犯となり、本条違反で処罰の対象になる。

(2) 「6月以下の懲役又は50万円以下の罰金に処する」
　偽りその他不正な手段により住民基本台帳カードの交付を受けた者は、30万円以下の罰金に処することとされていた（整備法による改正前の住民基本台帳法47条2号）。また、偽りその他不正な手段により、住民票の写しまたは住民票記載事項証明書の交付を受けた者も、30万円以下の罰金に処せられる（住民基本台帳法46条2号）。しかし、個人番号カードは単に本人確認手段として窓口で

提示されうるにとどまらず、自己情報表示機能、情報提供等記録表示機能、プッシュ型情報提供サービス機能、ワンストップサービス機能を有するマイナポータルにアクセスするときは、個人番号カードによる公的個人認証制度が使用されているため、偽りその他不正な手段により個人番号カードの交付を受ける行為は、偽りその他不正な手段により住民票の写しまたは住民票記載事項証明書の交付を受ける行為よりも厳しく罰する必要がある。そこで、本条では、個人番号カードの不正取得について、6月以下の懲役または50万円以下の罰金に処することとされている（なお、住民基本台帳カードの偽造、なりすましによる取得は、2012年度までの過去5年度、総務省が認知しているものが、毎年2桁にのぼっている。そのため、地方公共団体からも、個人番号カードの不正取得に対する罰則を設けるよう要望がなされていた）。

> 第55条の2　第21条の2第8項又は第45条の2第9項において準用する第35条第1項の規定による報告若しくは資料の提出をせず、若しくは虚偽の報告をし、若しくは虚偽の資料を提出し、又は当該職員の質問に対して答弁をせず、若しくは虚偽の答弁をし、若しくは検査を拒み、妨げ、若しくは忌避した者は、30万円以下の罰金に処する。

本法21条の2第8項は、取得番号の取扱いについて、個人情報保護委員会の行政調査に関する本法35条1項の規定を準用している。また、本法45条の2第9項は、戸籍関係情報作成用情報の取扱いについて、個人情報保護委員会の行政調査に関する本法35条1項の規定を準用している。特定個人情報についての本法35条1項の規定に基づく行政調査への不協力や虚偽報告に対しては、1年以下懲役または50万円以下の罰金が定められているが（本法54条）、取得番号、戸籍関係情報作成用情報は、それ自身は特定個人情報ではないので、特定個人情報の取扱いに関する個人情報保護委員会に対する検査忌避行為の場合と比較して、刑の上限を低くしている。そして、住民基本台帳法46条1号が住民票の利用制限に対する都道府県知事の検査に対する忌避行為に対する罰則を30万円以下の罰金としていることと平仄を合わせた量刑としている。

第55条の2・第55条の3

> 第55条の3 次の各号のいずれかに該当するときは、その違反行為をした機構の役員又は職員は、30万円以下の罰金に処する。
> 1 第38条の4の規定に違反して帳簿を備えず、帳簿に記載せず、若しくは帳簿に虚偽の記載をし、又は帳簿を保存しなかったとき。
> 2 第38条の7第1項の規定による報告若しくは資料の提出をせず、若しくは虚偽の報告をし、若しくは虚偽の資料を提出し、又は同項の規定による質問に対して答弁をせず、若しくは虚偽の答弁をし、若しくは同項の規定による検査を拒み、妨げ、若しくは忌避したとき。

(1) 「次の各号のいずれかに該当するときは、その違反行為をした機構の役員又は職員は、30万円以下の罰金に処する」（柱書）

住民基本台帳法47条は、帳簿保存等に係る義務違反に対して30万円以下の罰金を科すこととしており、同法46条は、行政調査の拒否等に係る義務違反に対して30万円以下の罰金を科すこととしている。これらを参考にして、本条は、同様の違反行為に対して、30万円以下の罰金を科すこととしている。

(2) 「第38条の4の規定に違反して帳簿を備えず、帳簿に記載せず、若しくは帳簿に虚偽の記載をし、又は帳簿を保存しなかったとき」（1号）

本法38条の4は、地方公共団体情報システム機構は、総務省令で定めるところにより、機構処理事務に関する事項で総務省令で定めるものを記載した帳簿を備え、保存しなければならないと定めている。この義務履行を確保するために、違反に対して罰金刑を科すこととしている。

(3) 「第38条の7第1項の規定による報告若しくは資料の提出をせず、若しくは虚偽の報告をし、若しくは虚偽の資料を提出し、又は同項の規定による質問に対して答弁をせず、若しくは虚偽の答弁をし、若しくは同項の規定による検査を拒み、妨げ、若しくは忌避したとき」（2号）

本法38条の7第1項は、総務大臣が、機構処理事務の適正な実施を確保するため必要があると認めるときは、地方公共団体情報システム機構に対し、機構処理事務の実施の状況に関し、必要な報告もしくは資料の提出を求め、またはその職員に、地方公共団体情報システム機構の事務所に立ち入らせ、機構処

理事務の実施の状況に関し質問させ，もしくは帳簿書類その他の物件を検査させることができると定めている。この行政調査の実効性を確保するために，調査の拒否や虚偽の報告・答弁を処罰することとしている。

> **第 56 条** 第 48 条から第 52 条の 3 までの規定は，日本国外においてこれらの条の罪を犯した者にも適用する。

(1) 「第 48 条から第 52 条の 3 までの規定は」

本法の 48 条は正当な理由のない特定個人情報ファイルの提供，本法 49 条は不正な利益を図る目的での個人番号の提供・盗用，本法 50 条は情報提供等事務もしくは条例事務関係情報提供等事務または情報提供ネットワークシステムの運営に関する事務に従事する者等の秘密保持義務違反，本法 51 条は不正な個人番号の取得，本法 52 条は職権濫用による特定個人情報の収集を処罰する規定である。本法 52 条の 2 は，機構処理事務，機構処理事務特定個人情報等または機構処理事務特定個人情報等の電子計算機処理等に係る秘密保持義務違反を処罰する規定である。本法 52 条の 3 は，戸籍関係情報作成に関する事務・業務に係る秘密保持義務違反を処罰する規定による命令に違反した者は，2 年以下の懲役または 100 万円以下の罰金に処すると定めている。他方，取得番号，戸籍関係情報作成用情報は，それ自身は特定個人情報ではないので，特定個人情報の取扱いに関する個人情報保護委員会の監督命令違反の場合と比較して，刑の上限を低くしている。

(2) 「日本国外においてこれらの条の罪を犯した者にも適用する」

わが国は，刑罰の適用について属地主義を原則とするが（刑法 1 条，8 条），属人主義により国外犯を処罰する場合もある。本条も，属地主義による処罰のみでは限界がある場合，属人主義による国外犯処罰を行うこととしている。

国外犯処罰規定が設けられている第 1 の類型は，情報漏えいに係る罪である。特定個人情報ファイルの提供（本法 48 条），個人番号の提供・盗用（同 49 条）は，在外公館職員によって行われることもありうるし，個人番号利用事務等，機構処理事務等，戸籍関係情報作成事務等に従事している者が国外で名簿業者に売却することもありうる（個人情報保護法 176 条，180 条，183 条も参照）。情報

提供等事務もしくは条例事務関係情報提供等事務または情報提供ネットワークシステムの運営に関する事務に従事する者または従事していた者が、海外で秘密を漏えいすることもありうる（本法50条）。詐欺・暴行等による個人番号の取得について定める本法51条の規定も、国外犯処罰の対象にされている。在外公館の職員に対し、詐欺、暴行もしくは脅迫を行い個人番号を取得したり、在外公館への侵入や不正アクセスという管理侵害行為により個人番号を取得する行為が行われるおそれがあり、これらの行為も処罰する必要があるからである。職権濫用による特定個人情報の収集に係る本法52条についても、在外公館の職員により行われる可能性があり、それも抑止する必要があるため、国外犯処罰の対象にしている（個人情報保護法181条、183条も参照）。機構処理事務、機構処理事務特定個人情報等または機構処理事務特定個人情報等の電子計算機処理等に係る秘密保持義務違反（本法52条の2）、戸籍関係情報作成に関する事務・業務に係る秘密保持義務違反（本法52条の3）が、海外で行われることもありうるので、これらの国外犯も処罰することとしている。

　これに対し、個人情報保護委員会の命令は、一般的には、国内の個人番号利用事務等実施者等に対して出されるものであり、国外の業者に対して出されるわけではないので、命令違反を処罰する規定（本法53条）は国外犯処罰の対象としていない。個人情報保護委員会の行政調査権限の行使がなされるのも、一般的には国内に限られるから、調査への非協力を罰する本法54条の規定も国外犯処罰の対象外である。個人番号カードは、市区長村長が交付するものであるから（同7条1項・2項、17条1項）、不正行為は市区町村職員に対して行われることになり、国内で実行されるので、国外犯処罰の対象としていない。仮に虚偽の申請書の作成等、不正行為の準備行為が国外で実行されたとしても、個人番号カードの交付は国内で行われるため、国外犯処罰規定がなくても処罰可能である。そのためカードの不正入手を処罰する本法55条の規定違反は国外犯処罰の対象とされていない。

第57条①　法人（法人でない団体で代表者又は管理人の定めのあるものを含む。以下この項において同じ。）の代表者若しくは管理人又は法人若しくは人の代理人、使用人その他の従業者が、その法人又は人の業務に関して次の

各号に掲げる違反行為をしたときは，その行為者を罰するほか，その法人に対して当該各号に定める罰金刑を，その人に対して各本条の罰金刑を科する。
1　第48条，第49条及び第53条　1億円以下の罰金刑
2　第51条及び第53条の2から第55条の2まで　各本条の罰金刑
② 法人でない団体について前項の規定の適用がある場合には，その代表者又は管理人が，その訴訟行為につき法人でない団体を代表するほか，法人を被告人又は被疑者とする場合の刑事訴訟に関する法律の規定を準用する。

(1)　「法人（法人でない団体で代表者又は管理人の定めのあるものを含む。以下この項において同じ。）の代表者若しくは管理人又は法人若しくは人の代理人，使用人その他の従業者が，その法人又は人の業務に関して次の各号に掲げる違反行為をしたときは，その行為者を罰するほか，その法人に対して当該各号に定める罰金刑を，その人に対して各本条の罰金刑を科する」（1項柱書）

　本法の罰則により個人が処罰される場合，当該個人が法人等の代表者または管理人であれば，その行為は法人等自身の行為といえるから，当該法人等も処罰する必要がある。また，法人等の代理人，使用人その他の従業者が行った行為であっても，法人等の代表者または管理人の指示に基づき行ったのであれば，それは実質的に法人等自身の行為といえ，当該法人等も処罰されるべきである。さらに，法人等の代理人，使用人その他の従業者が単独の意思で当該行為を行った場合であっても，法人等の監督責任の懈怠が認められる場合には，やはり，当該法人等も処罰する必要がある。そこで，本法が定める罰則の一部について両罰規定が設けられた。

　1950年ごろに制定された法律の中には，「ただし，法人又は人の代理人，使用人その他の従業者の当該違反行為を防止するため，当該業務に対し相当の注意及び監督が尽くされたことの証明があつたときは，その法人又は人については，この限りでない」という規定が置かれるものもあった。しかし，最大判昭和32・11・27刑集11巻12号3113頁，最判昭和40・3・26刑集19巻2号83頁は，両罰規定を事業者の過失の推定規定と解しており，上記のようなただし書がなくても，そのように解されるため，かかるただし書は置かれなくなり，既存のものも削除されていった。

(2) 「第48条，第49条及び第53条　1億円以下の罰金」(1項1号)

　特定個人情報ファイルの提供（本法48条），個人番号の提供・盗用（同49条）については，個人番号関係事務実施者またはその受託者，再受託者等が，組織的決定に基づき，その保有する特定個人情報ファイルまたは個人番号を名簿業者等に売却する可能性がある。このように，行為者の単独の意思ではなく，組織的決定に基づく提供・盗用が行われる場合には，行為者を罰するのみでは不十分であり，その勤務する法人等も処罰する必要があるため，両罰規定の対象にしている。個人情報保護委員会の命令違反に対する罰則（本法53条）は，民間事業者が対象になることが多いと考えられるため，両罰規定の対象としている。

　法人等を処罰する場合，法人等には懲役刑を科すことはできないので，罰金刑のみ科すことになるが，本法48条が定める罰金刑の上限は200万円，本法49条が定める罰金刑の上限は150万円，本法53条が定める罰金刑の上限は50万円であり，法人等に対する罰則としては威嚇力に欠けるといわざるを得ない。そこで，法人重科として，罰金刑の上限を1億円としている。

　なお，情報提供等事務もしくは条例事務関係情報提供等事務または情報提供ネットワークシステムの運営に関する事務に従事する者または従事していた者の秘密保持義務違反に対する罰則（同50条）については，情報提供ネットワークシステムが国のシステムでありデジタル庁が管理するものであること，情報提供等事務または条例事務関係情報提供等事務を行うのは基本的には国，独立行政法人等，地方公共団体，地方独立行政法人という行政主体であることを考慮し，両罰規定の対象としていない。すなわち，国も法人ではあるものの，国の機関である検察官が国に対して公訴を提起し，国の機関である裁判所が国に対し刑罰を科すことは自己処罰となるので，国に対する両罰規定の適用は認められていない。独立行政法人等は，国とは別の法人格を有するが，実質的に国の一部をなす法人であるので，同様に両罰規定の対象としない方針がとられた。地方公共団体は，国とは別の法人格を有し，実質的に国の一部をなす法人ではないので，両罰規定の対象とする立法政策はありうる。しかし，本法では，地方分権改革で国と地方公共団体の関係が上下主従の関係でなく対等協力の関係と位置づけられたことから，両罰規定の対象としない方針を採用した。地方独立行政法人は地方公共団体とは独立の法人格を有するが，実質的に地方公共団

体の一部をなす法人であるので，地方公共団体と同様，両罰規定の対象としないこととしている（「補助金等に係る予算の執行の適正化に関する法律」33条1項は，国と地方公共団体については，両罰規定の対象としないことを明記する）。

(3) 「第51条及び第53条の2から第55条の2まで　各本条の罰金刑」（1項2号）

本法51条が定める詐欺等行為または管理侵害行為による特定個人情報の収集は，法人等により組織的に行われることがありうるので，両罰規定の対象としている（不正競争防止法21条1項1号・2号・7号，22条1項2号も参照）。

本法52条が定める職権濫用による特定個人情報の収集に対する罰則は，国の機関，地方公共団体の機関もしくは地方公共団体情報システム機構の職員または独立行政法人等もしくは地方独立行政法人の役員もしくは職員を対象とするものであり，国，独立行政法人等，地方公共団体，地方独立行政法人については，本法50条と同じ理由により，両罰規定の対象としないこととしている。地方公共団体情報システム機構（宇賀・前掲・行政法概説Ⅲ［第5版］330頁以下参照）は，国と地方公共団体が共同で管理する法人であり，以上のいずれにも該当しないが，その役員および職員はみなし公務員とされている（地方公共団体情報システム機構法21条）。したがって，地方公共団体，地方独立行政法人と同様，両罰規定の対象としないこととしている。本法53条の2は，取得番号および戸籍関係情報作成用情報の取扱いについて，個人情報保護委員会の監督命令についての本法34条2項・3項の規定を準用している。本法53条の2の規定も，本法53条の規定と同様の理由により，両罰規定の対象となっている。本法55条の2についても，本法54条と同様の理由により，両罰規定の対象となっている。本法35条1項の報告もしくは資料の提出の求め，質問，帳簿書類その他の物件の検査の名宛人は，一般に法人等であると考えられ，その場合には，行政調査への協力拒否に対する刑罰（同54条）は，名宛人である法人等に科されることになる。その場合，行為者は，本条の「行為者を罰するほか」の規定により処罰されることになる。本法55条の2についても，同様の理由により，両罰規定の対象にされている。不正手段によるカード取得に対する罰則（同55条）については，法人等による組織的行為として行われる可能性があるため，両罰規定の対象としている。

(4) 「各本条の罰金刑」(1項2号)

　本法51条および53条の2から55条までは，懲役刑と罰金刑の双方について規定しているが，法人その他の団体には懲役刑のような自由刑を科すことはできないので，本項は，罰金刑を科すとしている（事業主が自然人の場合には，自由刑を科すことは理論的には可能であるが，監督懈怠を理由として刑罰を科すような場合に自由刑を科すのは酷であることから罰金刑に限定されている）。本号の罪については法人重科とされていない。

(5) 「法人でない団体について前項の規定の適用がある場合には，その代表者又は管理人が，その訴訟行為につき法人でない団体を代表するほか，法人を被告人又は被疑者とする場合の刑事訴訟に関する法律の規定を準用する」(2項)

　法人でない団体に両罰規定が適用される場合，刑事訴訟において当該団体を代表する者を明確にする必要があるため，その代表者または管理人が，当該訴訟において，法人でない団体を代表することを明確にしている。また，その場合，法人を被告人または被疑者とする場合の刑事訴訟に関する法律の規定を準用することとしているので，数人が共同して法人を代表する場合にも，訴訟行為については，各自が，これを代表することになる（刑事訴訟法27条2項）。

制　定　附　則

附　則
（施行期日）
第1条　この法律は，公布の日から起算して3年を超えない範囲内において政令で定める日から施行する。ただし，次の各号に掲げる規定は，当該各号に定める日から施行する。
1　第1章，第24条，第65条及び第66条並びに次条並びに附則第5条及び第6条の規定　公布の日
2　第25条，第6章第1節，第54条，第6章第3節，第69条，第72条及び第76条（第69条及び第72条に係る部分に限る。）並びに附則第4条の規定　平成26年1月1日から起算して6月を超えない範囲内において政

令で定める日
3　第26条，第27条，第29条第1項（行政機関個人情報保護法第10条第1項及び第3項の規定を読み替えて適用する部分に限る。），第31条，第6章第2節（第54条を除く。），第73条，第74条及び第77条（第73条及び第74条に係る部分に限る。）の規定　公布の日から起算して1年6月を超えない範囲内において政令で定める日
4　第9条から第11条まで，第13条，第14条，第16条，第3章，第29条第1項（行政機関個人情報保護法第10条第1項及び第3項の規定を読み替えて適用する部分を除く。）から第3項まで，第30条第1項（行政機関個人情報保護法第10条第1項及び第3項の規定を読み替えて適用する部分に限る。）及び第2項（行政機関個人情報保護法第10条第1項及び第3項の規定を読み替えて適用する部分に限る。），第63条（第17条第1項及び第3項（同条第4項において準用する場合を含む。）に係る部分に限る。），第75条（個人番号カードに係る部分に限る。）並びに第77条（第75条（個人番号カードに係る部分に限る。）に係る部分に限る。）並びに別表第1の規定　公布の日から起算して3年6月を超えない範囲内において政令で定める日
5　第19条第7号，第21条から第23条まで並びに第30条第1項（行政機関個人情報保護法第10条第1項及び第3項の規定を読み替えて適用する部分を除く。）及び第2項（行政機関個人情報保護法第10条第1項及び第3項の規定を読み替えて適用する部分を除く。）から第4項まで並びに別表第2の規定　公布の日から起算して4年を超えない範囲内において政令で定める日

⑴　「この法律は，公布の日から起算して3年を超えない範囲内において政令で定める日から施行する」（柱書本文）

　個人番号および法人番号の付番および通知カード（現在は廃止）による通知の開始日を念頭に置いた規定であり，公布の日から起算して3年を超えない範囲内において政令で定める日は，平成27年政令第171号により，2015（平成27）年10月5日とされた。個人番号が通知されることに伴い，個人番号の提供の求めの制限に係る本法15条，特定個人情報の提供の制限に係る本法19条（同条7号〔現・8号〕を除く），特定個人情報の収集等の制限に係る本法20条，

制定附則第1条（施行期日）

特定個人情報ファイルの作成制限に係る本法28条（現・29条），特定個人情報ファイルの提供に対する罰則に係る本法67条（現・48条），個人番号の提供に対する罰則に係る本法68条（現・49条），個人番号の悪質な取得に対する罰則に係る本法70条（現・51条），職権濫用による特定個人情報の収集に対する罰則に係る本法71条（現・52条）の規定が施行された。

(2) 「ただし，次の各号に掲げる規定は，当該各号に定める日から施行する」（柱書ただし書）

本法の施行には，様々な準備を要するものが多く，準備期間を念頭に置いて，実現可能な施行日を定める必要があった。そのため，ただし書において，段階的な施行を可能にする規定を置いたのである。

(3) 「第1章，第24条，第65条及び第66条並びに次条並びに附則第5条及び第6条の規定　公布の日」（1号）

本法1章は総則規定であり，目的（同1条），定義（同2条），基本理念（同3条），国の責務（同4条），地方公共団体の責務（同5条），事業者の努力（同6条）についての定めであるので，特に準備を必要とせず，公布日（2013〔平成25〕年5月31日）に即日施行としている。本法24条は，総務大臣（現・内閣総理大臣）ならびに情報照会者および情報提供者が，情報提供等事務に関する秘密について，その漏えいの防止その他の適切な管理のために，情報提供ネットワークシステムならびに情報照会者および情報提供者が情報提供等事務に使用する電子計算機の安全性および信頼性を確保することその他の必要な措置を講ずる義務を定めたものであり，かかる措置は直ちに開始する必要があるので，公布日に施行している。本法65条（現・46条）は，本法における主務省令を内閣府令・総務省令（現在はデジタル庁令・総務省令）とする規定であり，本法66条（現・47条）は，本法の執行命令についての規定である。主務省令や執行命令の制定は，本法公布後可及的速やかに行う必要があったため，公布日に施行している。

「次条」とは本法制定附則2条であり，行政機関の長等が，本法施行日前においても，本法実施のために必要な準備行為をすることができるとする規定であるから，公布日に施行している。本法制定附則5条は，本法の施行に関し必

要な経過措置を政令で定める旨の規定であり，施行日を遅らせる理由はなく，可及的速やかに政令を制定することが望ましいから，公布日に施行している。本法制定附則6条は，本法の見直しの検討（1項），特定個人情報以外の個人情報の取扱いに関する監視または監督に関する事務を委員会の所掌事務とすることについての検討（2項），特定個人情報保護委員会（当時。現在は個人情報保護委員会）の行う特定個人情報等の取扱いに関する監視または監督を実効的に行うために必要な人的体制の整備，財源の確保その他の措置に係る検討（3項），本人から個人番号の提供を受ける者による本人確認のための措置についての検討（4項〔現・2項〕），マイナポータルの設置とその活用を図るために必要な措置を講ずること（5項〔現・3項〕），マイナポータルの用途拡大の検討（6項〔現・4項〕），給付付き税額控除の施策の導入を検討する場合における必要な体制整備の検討（7項〔現・5項〕），複数の地方公共団体の情報システムの共同化または集約の推進について必要な情報の提供，助言その他の協力（8項〔現・6項〕）に関する規定であり，1項～7項の検討は可及的速やかに行うことが望ましく，また，地方公共団体に対する協力は直ちに行うべきであるので，公布即日施行としている。

⑷ 「第25条，第6章第1節，第54条，第6章第3節，第69条，第72条及び第76条（第69条及び第72条に係る部分に限る。）並びに附則第4条の規定　平成26年1月1日から起算して6月を超えない範囲内において政令で定める日」（2号）

特定個人情報保護委員会（特定個人情報保護委員会について詳しくは，宇賀克也・行政組織法の理論と実務〔有斐閣，2021年〕226頁以下参照）を2014（平成26）年前半に設置することとしていたため，特定個人情報保護委員会に係る一連の規定を同時期に施行することとしていた。すなわち，特定個人情報保護委員会に係る本法25条（情報提供等事務または情報提供ネットワークシステムの運営に関する事務に従事する者等の秘密保持義務），本法（制定時）6章1節（特定個人情報保護委員会の組織），本法（制定時）54条（特定個人情報保護委員会による措置の要求），本法（制定時）6章3節（規則の制定），本法69条（現・50条）（情報提供等事務または情報提供ネットワークシステムの運営に関する事務に従事する者等の秘密保持義務違反に対する罰則），本法（制定時）72条（特定個人情報保護委員会の委員等の秘密

制定附則第 1 条（施行期日）

保持義務違反に対する罰則），本法 76 条（現・56 条）（秘密保持義務違反に係る国外犯の部分に限る）ならびに本法制定附則 4 条（特定個人情報保護委員会の委員の段階的任命）に係る規定を 2014（平成 26）年 1 月 1 日から起算して 6 月を超えない範囲内において政令で定める日から施行することとしていた。2013（平成 25）年 10 月 17 日に公布された「行政手続における特定の個人を識別するための番号の利用等に関する法律の一部の施行期日を定める政令」により，本号に掲げる規定の施行期日は，2014（平成 26）年 1 月 1 日とされた。

(5) 「第 26 条，第 27 条，第 29 条第 1 項（行政機関個人情報保護法第 10 条第 1 項及び第 3 項の規定を読み替えて適用する部分に限る。），第 31 条，第 6 章第 2 節（第 54 条を除く。），第 73 条，第 74 条及び第 77 条（第 73 条及び第 74 条に係る部分に限る。）の規定　公布の日から起算して 1 年 6 月を超えない範囲内において政令で定める日」（3 号）

特定個人情報保護委員会による特定個人情報保護評価指針の作成，特定個人情報保護評価の実施日（公布の日から起算して 1 年 6 月を超えない範囲内において政令で定める日）に係る規定の施行日である。本法の 26 条（現・27 条）（特定個人情報ファイルを保有しようとする者に対する指針），27 条（現・28 条）（特定個人情報保護評価），29 条（現・30 条）1 項（行政機関個人情報保護法 10 条 1 項および 3 項の規定を読み替えて適用する部分〔現在は削除〕に限る），31 条（現在は削除）（地方公共団体等が保有する特定個人情報の保護），（制定時）6 章 2 節（特定個人情報保護委員会の業務。54 条〔現・37 条〕の措置の要求を除く），73 条（現・53 条）（特定個人情報保護委員会の命令違反に対する罰則），74 条（現・54 条）（検査拒否等に対する罰則），77 条（現・57 条）（73 条〔現・53 条〕，74 条〔現・54 条〕に係る両罰規定）は公布の日から起算して 1 年 6 月を超えない範囲内において政令で定める日に施行することとされた。平成 26 年政令第 163 号により，2014（平成 26）年 4 月 20 日に施行されることになった。

(6) 「第 9 条から第 11 条まで，第 13 条，第 14 条，第 16 条，第 3 章，第 29 条第 1 項（行政機関個人情報保護法第 10 条第 1 項及び第 3 項の規定を読み替えて適用する部分を除く。）から第 3 項まで，第 30 条第 1 項（行政機関個人情報保護法第 10 条第 1 項及び第 3 項の規定を読み替えて適用する

部分に限る。）及び第2項（行政機関個人情報保護法第10条第1項及び第3項の規定を読み替えて適用する部分に限る。），第63条（第17条第1項及び第3項（同条第4項において準用する場合を含む。）に係る部分に限る。），第75条（個人番号カードに係る部分に限る。）並びに第77条（第75条（個人番号カードに係る部分に限る。）に係る部分に限る。）並びに別表第1の規定　公布の日から起算して3年6月を超えない範囲内において政令で定める日」（4号）

　個人番号の利用開始日は公布の日から起算して3年6月を超えない範囲内において政令で定める日とすることとされた。平成27年政令第171号により，2016（平成28）年1月1日が施行日とされた。具体的には，本法の9条（個人番号の利用範囲），10条（再委託），11条（委託先の監督），13条（個人番号利用事務実施者の連携），14条（個人番号の提供の要求），16条（本人確認の措置），3章（個人番号カード），29条（現・30条）1項から3項まで（行政機関個人情報保護法等〔現在は個人情報保護法〕の特例。行政機関個人情報保護法10条1項および3項の規定を読み替えて適用する部分〔現在は削除〕に限る），30条（現・31条）1項（情報提供等の記録の特例。行政機関個人情報保護法10条1項および3項の規定を読み替えて適用する部分〔現在は削除〕に限る）および2項（情報提供等の記録の特例。行政機関個人情報保護法10条1項および3項の規定を読み替えて適用する部分〔現在は削除〕に限る），63条（現・44条）（事務の区分。個人番号カードの交付，カード記録事項の変更その他，個人番号カードの適切な利用確保のための必要な措置等に係る部分に限る），75条（現・55条）（個人番号カードの不正取得に係る罰則の部分に限る），77条（現・57条）（両罰規定。個人番号カードに係る部分に限る）ならびに別表第1（個人番号の利用範囲）の規定が対象となる。この施行日から，本人からの申請に基づき個人番号カードの交付が開始され，本法別表第1の個人番号利用事務に関し，個人番号を記載した事務処理が開始されることになった。すなわち，個人が社会保障の給付申請書や確定申告書に個人番号を記載し，事業主は従業者の給与支払報告書に個人番号を記載し，個人番号利用事務実施者は個人番号を使用して名寄せを行うことになった。逆にいうと，個人番号の本人への通知（2015年10月5日以降）後も，個人番号の利用に係る規定が施行（2016年1月1日）されるまでの間は，個人番号関係事務実施者は，従業者に個人番号の告知を求めてはならなかった。なお，個人番号の利用開始と同時に特定個人情報フ

制定附則第2条（準備行為）

ァイルを取り扱う場合には，本法 27 条（現・28 条）1 項により，特定個人情報ファイルを保有する前に特定個人情報保護評価が義務づけられているため，事前に特定個人情報保護評価を実施しておく必要があった。

(7)「第 19 条第 7 号，第 21 条から第 23 条まで並びに第 30 条第 1 項（行政機関個人情報保護法第 10 条第 1 項及び第 3 項の規定を読み替えて適用する部分を除く。）及び第 2 項（行政機関個人情報保護法第 10 条第 1 項及び第 3 項の規定を読み替えて適用する部分を除く。）から第 4 項まで並びに別表第 2 の規定　公布の日から起算して 4 年を超えない範囲内において政令で定める日」(5 号)

　情報提供ネットワークシステムを使用した情報提供等事務の開始日を本法公布の日から起算して 4 年を超えない範囲内において政令で定める日としている。具体的には，本法の 19 条 7 号（現・8 号）（情報提供ネットワークシステムを使用した情報連携），21 条（情報提供ネットワークシステムの設置管理等），22 条（特定個人情報の提供），23 条（情報提供等の記録）ならびに 30 条（現・31 条）1 項（行政機関が保有し，または保有しようとする情報提供等の記録の特例。行政機関個人情報保護法 10 条 1 項および 3 項の規定を読み替えて適用する部分を除く）および 2 項（総務省〔現在はデジタル庁〕が保有し，または保有しようとする情報提供等の記録の特例。行政機関個人情報保護法 10 条 1 項および 3 項の規定を読み替えて適用する部分を除く），3 項（独立行政法人等が保有する情報提供等の記録の特例），4 項（現・3 項）（独立行政法人等個人情報保護法の規定の準用）ならびに別表第 2（情報連携に係る主体，事務等）の規定が対象になる。平成 28 年政令第 405 号により，2017（平成 29）年 5 月 30 日に施行された（本法施行までの工程については，宇賀克也＝水町雅子＝梅田健史・施行令完全対応　自治体職員のための番号法解説［制度編］〔第一法規，2014 年〕84 頁以下［水町雅子執筆］，梅田健史「番号法施行までのスケジュール」ジュリスト 1457 号〔2013 年〕62 頁以下参照）。

附　則
（準備行為）
第 2 条　行政機関の長等は，この法律（前条各号に掲げる規定については，当

該各規定。以下この条において同じ。）の施行の日前においても，この法律の実施のために必要な準備行為をすることができる。

　本法制定附則1条により，本法の規定を段階的に施行することが予定されているが，各施行前に準備行為を行う必要がある。たとえば，特定個人情報保護委員会の立ち上げの準備，個人番号および法人番号の付番の準備，情報提供ネットワークシステムの開発の準備等である。本条は，かかる準備行為を行うことができることを明記したものである。

附　則
（個人番号の指定及び通知に関する経過措置）
第3条①　市町村長は，政令で定めるところにより，この法律の施行の日（次項において「施行日」という。）において現に当該市町村の備える住民基本台帳に記録されている者について，第4項において準用する第8条第2項の規定により機構から通知された個人番号とすべき番号をその者の個人番号として指定し，その者に対し，当該個人番号を通知カードにより通知しなければならない。
②　市町村長は，施行日前に住民票に住民票コードを記載された者であって施行日にいずれの市町村においても住民基本台帳に記録されていないものについて，住民基本台帳法第30条の3第1項の規定により住民票に当該住民票コードを記載したときは，政令で定めるところにより，第4項において準用する第8条第2項の規定により機構から通知された個人番号とすべき番号をその者の個人番号として指定し，その者に対し，当該個人番号を通知しなければならない。
③　市町村長は，住民基本台帳法の一部を改正する法律（平成11年法律第133号）の施行の日以後住民基本台帳に記録されていなかった者について，同法附則第4条の規定により住民票に住民票コードを記載したときは，政令で定めるところにより，次項において準用する第8条第2項の規定により機構から通知された個人番号とすべき番号をその者の個人番号として指定し，その者に対し，当該個人番号を通知しなければならない。
④　第7条第3項及び第8条の規定は，前三項の場合について準用する。
⑤　第1項から第3項までの規定による個人番号の指定若しくは通知又は前項

制定附則第3条（個人番号の指定及び通知に関する経過措置）

において準用する第8条第2項の規定による個人番号とすべき番号の生成若しくは通知に関する事務に従事する者又は従事していた者が，正当な理由がないのに，その業務に関して取り扱った個人の秘密に属する事項が記録された特定個人情報ファイル（その全部又は一部を複製し，又は加工した特定個人情報ファイルを含む。）を提供したときは，4年以下の懲役若しくは200万円以下の罰金に処し，又はこれを併科する。

⑥　前項に規定する者が，その業務に関して知り得た個人番号を自己若しくは第三者の不正な利益を図る目的で提供し，又は盗用したときは，3年以下の懲役若しくは150万円以下の罰金に処し，又はこれを併科する。

⑦　前二項の規定は，日本国外においてこれらの項の罪を犯した者にも適用する。

(1)　「市町村長は，政令で定めるところにより，この法律の施行の日（次項において「施行日」という。）において現に当該市町村の備える住民基本台帳に記録されている者について，第4項において準用する第8条第2項の規定により機構から通知された個人番号とすべき番号をその者の個人番号として指定し，その者に対し，当該個人番号を通知カードにより通知しなければならない」（1項）

本法7条は，本法施行日以後に新規に住民基本台帳に記載された者に対する個人番号の指定および通知について定めている。他方，本項は，本法施行日現在において住民基本台帳に記載されている者に対する個人番号の指定（初期一斉付番）および通知について定めている。本法施行日現在において住民基本台帳に記載されている者に係る住民票には住民票コードが記載されているので，当該日を基準日として住民票コードから個人番号を生成することとしている。個人番号の指定は，市区町村長が，地方公共団体情報システム機構から個人番号とすべき番号の通知を受けた時に行われる（本法施行令制定附則2条1項，同令本則2条）。本法施行令制定時においては，個人番号の通知方法は，郵便または民間事業者による信書の送達に関する法律2条6項に規定する一般信書便事業者もしくは同条9項に規定する特定信書便事業者による信書便により，当該個人番号が記載された通知カードにより行うこととされていた（本法施行令制定附則2条1項，当時の同令本則2条2項）。しかし，通知カード制度の廃止に伴い，令和2年政令第164号により，本法施行令2条2項は削除された。

(2)「市町村長は,施行日前に住民票に住民票コードを記載された者であって施行日にいずれの市町村においても住民基本台帳に記録されていないものについて,住民基本台帳法第30条の3第1項の規定により住民票に当該住民票コードを記載したときは,政令で定めるところにより,第4項において準用する第8条第2項の規定により機構から通知された個人番号とすべき番号をその者の個人番号として指定し,その者に対し,当該個人番号を通知しなければならない」(2項)

本法施行日前には住民票に住民票コードが記載されていたが,施行日前に転出届を出して転出した者の住民票は,転出前の市区町村が備える住民基本台帳から削除されることになる。そして,新たに転入した市区町村の備える住民基本台帳にその者の住民票が記録されることになる。転出前の市区町村が備える住民基本台帳から削除されてから,転入した市区町村の備える住民基本台帳にその者の住民票が記録されるまでの間は,その者は,いずれの市区町村の住民基本台帳にも記録されていないことになる。もし,本法施行日前に転出届を出して転出前の市区町村が備える住民基本台帳から削除された状態で本法施行日を迎え,その翌日以後に転入届を出した場合には,施行日には,いずれの市町村の住民基本台帳にも記録されていないことになるので,かかる場合には,住民基本台帳法30条の3第1項(「市町村長は,次項に規定する場合を除き,住民票の記載をする場合には,当該記載に係る者につき直近に住民票の記載をした市町村長が当該住民票に直近に記載した住民票コードを記載するものとする」)の規定により住民票に当該住民票コードを記載したときは,地方公共団体情報システム機構から通知された個人番号とすべき番号をその者の個人番号として指定し(本法施行令制定附則2条1項,同令本則2条1項),その者に対し,郵便または民間事業者による信書の送達に関する法律2条6項に規定する一般信書便事業者もしくは同条9項に規定する特定信書便事業者による信書便により,当該個人番号を通知しなければならない(本法施行令制定附則2条1項,当時の同令本則2条2項)。

(3)「市町村長は,住民基本台帳法の一部を改正する法律(平成11年法律第133号)の施行の日以後住民基本台帳に記録されていなかった者について,同法附則第4条の規定により住民票に住民票コードを記載したときは,政令で定めるところにより,次項において準用する第8条第2項の規定によ

り機構から通知された個人番号とすべき番号をその者の個人番号として指定し，その者に対し，当該個人番号を通知しなければならない」（3項）

「同法附則第4条」（平成11年法律第133号改正附則）は，「市町村長は，新たにその市町村の住民基本台帳に記録されるべき者につき住民票の記載をする場合において，その者が施行日以後住民基本台帳に記録されていなかった者であるときは，住民基本台帳法第30条の3第1項の規定にかかわらず，その者に係る住民票に同法第30条の2第1項の規定により地方公共団体情報システム機構から指定された住民票コードのうちから選択するいずれか一の住民票コードを記載するものとする。この場合においては，市町村長は，当該記載に係る者以外の者に係る住民票に記載した住民票コードと異なる住民票コードを選択して記載するものとする」と定めている。そして，住民基本台帳法30条の2第1項は，「機構は，総務省令で定めるところにより，市町村長ごとに，当該市町村長が住民票に記載することのできる住民票コードを指定し，これを当該市町村長に通知するものとする」と定めている。日本国籍を有しても，本法施行時に本邦に住所を有せず，過去の住民票が消除されている者が帰国し，住民票に住民票コードが記載された場合がこれに当たる。住民票コード指定後，当該住民票コードを地方公共団体情報システム機構に通知して個人番号の生成を求め，地方公共団体情報システム機構は生成した個人番号を市区町村長に通知し，個人番号として指定する（本法施行令制定附則2条1項，同令本則2条）。

(4) 「第7条第3項及び第8条の規定は」（4項）

本法7条3項は，市区町村長が，個人番号を通知をするときは，当該通知を受ける者が個人番号カードの交付を円滑に受けることができるよう，当該交付の手続に関する情報の提供その他の必要な措置を講ずるものとすると定めており，本条1項から3項までの規定に基づき，個人番号を通知する場合においても，同様の措置を講ずるものとしている。本法8条の規定は，市区町村長が個人番号を指定するときに，あらかじめ地方公共団体情報システム機構に対し，当該指定しようとする者に係る住民票に記載された住民票コードを通知するとともに，個人番号とすべき番号の生成を求めるものとすること（1項），地方公共団体情報システム機構は，市区町村長から個人番号とすべき番号の生成を求められたときは，(i)他のいずれの個人番号とも異なること，(ii)住民票コードを

変換して得られるものであること，(iii)住民票コードを復元することのできる規則性を備えるものでないことの要件に該当する個人番号とすべき番号を生成し，速やかに，当該市区町村長に対し，通知するものとすること（2項），地方公共団体情報システム機構は，個人番号とすべき番号を生成し，ならびに当該番号の生成および市区町村長に対する通知について管理するための電子情報処理組織を設置するものとすることを定めている（3項）。

(5) 「前三項の場合について準用する」(4項)

本条1項から3項までは，いわゆる初期一斉付番について定めており，かかる場合において，上記(4)の規定を準用することを意味する。

(6) 「第1項から第3項までの規定による個人番号の指定若しくは通知又は前項において準用する第8条第2項の規定による個人番号とすべき番号の生成若しくは通知に関する事務に従事する者又は従事していた者が，正当な理由がないのに，その業務に関して取り扱った個人の秘密に属する事項が記録された特定個人情報ファイル（その全部又は一部を複製し，又は加工した特定個人情報ファイルを含む。）を提供したときは，4年以下の懲役若しくは200万円以下の罰金に処し，又はこれを併科する」(5項)

本法67条（現・48条）は，個人番号利用事務等または本法7条1項もしくは2項の規定による個人番号の指定もしくは通知，本法8条2項の規定による個人番号とすべき番号の生成もしくは通知もしくは本法14条2項の規定による機構保存本人確認情報の提供に関する事務に従事する者または従事していた者が，正当な理由がないのに，その業務に関して取り扱った個人の秘密に属する事項が記録された特定個人情報ファイル（その全部または一部を複製し，または加工した特定個人情報ファイルを含む）を提供したときは，4年以下の懲役もしくは200万円以下の罰金に処し，またはこれを併科する旨定めている。これと同様の規定を初期一斉付番の場合にも設ける必要があり，本項はそのために設けられている。

(7) 「前項に規定する者が，その業務に関して知り得た個人番号を自己若しくは第三者の不正な利益を図る目的で提供し，又は盗用したときは，3年

以下の懲役若しくは 150 万円以下の罰金に処し，又はこれを併科する」（6項）

　本法 68 条（現・49 条）は，個人番号利用事務等または本法 7 条 1 項もしくは 2 項の規定による個人番号の指定もしくは通知，本法 8 条 2 項の規定による個人番号とすべき番号の生成もしくは通知もしくは本法 14 条 2 項の規定による機構保存本人確認情報の提供に関する事務に従事する者または従事していた者が，その業務に関して知り得た個人番号を自己もしくは第三者の不正な利益を図る目的で提供し，または盗用したときは，3 年以下の懲役もしくは 150 万円以下の罰金に処し，またはこれを併科すると定めている。これと同様の規定を初期一斉付番の場合にも設ける必要があり，本項はそのために設けられている。

(8)　「前二項の規定は，日本国外においてこれらの項の罪を犯した者にも適用する」（7項）

　本法 76 条（現・56 条）は，本法 67 条（現・48 条），68 条（現・49 条）について，国外犯を処罰することとしている。初期一斉付番に関して，本法 67 条（現・48 条），68 条（現・49 条）と同様の規定が必要であるために設けられた本条 5 項，6 項についても，同じ理由で国外犯を処罰する必要があるため，本項が設けられた。

附　則
（日本年金機構に係る経過措置）
第 3 条の 2 ①　日本年金機構は，第 9 条第 1 項の規定にかかわらず，附則第 1 条第 4 号に掲げる規定の施行の日から平成 29 年 5 月 31 日までの間において政令で定める日までの間においては，個人番号を利用して別表第 1 の下欄に掲げる事務の処理を行うことができない。
②　日本年金機構は，第 19 条第 7 号及び第 8 号の規定にかかわらず，附則第 1 条第 5 号に掲げる規定の施行の日から平成 29 年 11 月 30 日までの間において政令で定める日までの間においては，情報照会者及び情報提供者並びに条例事務関係情報提供者に該当しないものとする。

(1)　「第9条第1項の規定」（1項）
　個人番号の利用に関する規定である。

(2)　「附則第1条第4号に掲げる規定の施行の日」（1項）
　個人番号の利用が開始される2016（平成28）年1月1日である。

(3)　「平成29年5月31日までの間において政令で定める日までの間においては，個人番号を利用して別表第1の下欄に掲げる事務の処理を行うことができない」（1項）
　本条は，2017（平成25）年5月28日に日本年金機構から個人情報が大量に漏えいしたことが確認されたことを受けて，日本年金機構が個人番号を利用することへの国民の不安の声に応えるとともに，同機構における個人番号の管理体制の万全を期するため，同機構におけるサイバーセキュリティが十分に確保されることを確認した上で，政令で，同機構における個人番号の利用開始日を政令で定めることとしたものである。「政令で定める日」は，平成28年政令第347号で，2016（平成28）年11月12日とされた。

(4)　「第19条第7号及び第8号の規定にかかわらず」（2項）
　情報提供ネットワークシステムを使用した情報連携に関する規定である（情報提供ネットワークシステムを使用した情報連携に関する規定は，現在では，本法19条8号・9号）。

(5)　「附則第1条第5号に掲げる規定の施行の日」（2項）
　情報提供ネットワークシステムを使用した情報連携の開始日である。

(6)　「平成29年11月30日までの間において政令で定める日までの間においては，情報照会者及び情報提供者並びに条例事務関係情報提供者に該当しないものとする」（2項）
　同機構からの個人情報の大量漏えい事件が発生したことを受けて，同機構が情報提供ネットワークシステムを使用した情報連携を行うことへの国民の不安の声に応えるとともに，同機構における個人番号の管理体制の万全を期するた

め，同機構におけるサイバーセキュリティが十分に確保されることを確認した上で，政令で，同機構における情報提供ネットワークシステムを使用した情報連携の開始日を定めることとしたものである。「政令で定める日」は，平成29年政令第277号で，2017（平成29）年11月16日とされた。

附　則

（委員会に関する経過措置）

第4条　附則第1条第2号に掲げる規定の施行の日から起算して1年を経過する日（以下この条において「経過日」という。）の前日までの間における第40条第1項，第2項及び第4項並びに第45条第2項の規定の適用については，第40条第1項中「6人」とあるのは「2人」と，同条第2項中「3人」とあるのは「1人」と，同条第4項中「委員には」とあるのは「委員は」と，「が含まれるものとする」とあるのは「のうちから任命するものとする」と，第45条第2項中「3人以上」とあるのは「2人」とし，経過日以後経過日から起算して1年を経過する日の前日までの間における第40条第1項及び第2項並びに第45条第2項の規定の適用については，第40条第1項中「6人」とあるのは「4人」と，同条第2項中「3人」とあるのは「2人」と，第45条第2項中「3人以上」とあるのは「2人以上」とする。

---

(1)　「附則第1条第2号に掲げる規定の施行の日」

　特定個人情報保護委員会に係る規定の施行日であり，2014（平成26）年1月1日から起算して6月を超えない範囲内において政令で定める日（実際には，同年1月1日とされた）である。

(2)　「附則第1条第2号に掲げる規定の施行の日から起算して1年を経過する日（以下この条において「経過日」という。）の前日までの間」

　特定個人情報保護委員会発足後の最初の1年間である。

(3)　「第40条第1項，第2項及び第4項並びに第45条第2項の規定の適用については，第40条第1項中「6人」とあるのは「2人」と，同条第2項中「3人」とあるのは「1人」と，同条第4項中「委員には」とあるのは「委員は」と，「が含まれるものとする」とあるのは「のうちから任命する

ものとする」と，第45条第2項中「3人以上」とあるのは「2人」とし」

　特定個人情報保護委員会設置から最初の1年間は，特定個人情報保護委員会の業務量はそれほど多くないと予想されたことから，「第40条第1項」の「6人」を「2人」に読み替え，特定個人情報保護委員会は，委員長および委員2人をもって組織することとした。そして，「第40条……第2項」の「3人」を「1人」に読み替え，委員のうち1人は，非常勤とすることとしていた。換言すれば，最初に任命されるのは，委員長と常勤委員1名，非常勤委員1名ということになる。この場合，本法（制定時）40条4項に規定する「個人情報の保護に関する学識経験のある者，情報処理技術に関する学識経験のある者，社会保障制度又は税制に関する学識経験のある者，民間企業の実務に関して十分な知識と経験を有する者及び連合組織（地方自治法（昭和22年法律第67号）第263条の3第1項の連合組織で同項の規定による届出をしたものをいう。）の推薦する者」がすべて含まれるようにすることはできないので，本法（制定時）40条4項中，「委員には」とあるのは「委員は」と，「が含まれるものとする」とあるのは「のうちから任命するものとする」とすると読み替えることにより，委員長および委員は，個人情報の保護に関する学識経験のある者，情報処理技術に関する学識経験のある者，社会保障制度または税制に関する学識経験のある者，民間企業の実務に関して十分な知識と経験を有する者および連合組織（地方自治法〔昭和22年法律第67号〕263条の3第1項の連合組織で同項の規定による届出をしたものをいう）の推薦する者のうちから任命することになり，最初の1年間は，上記の5つの類型の者がすべて含まれている必要はないこととしていた。また，定足数と議決要件については，「第45条第2項」の規定中「3人以上」とあるのは「2人」と読み替えることにより，委員会は，委員長および2人の委員の出席があれば，会議を開き，議決することができるようにしていた。

(4)　「経過日以後経過日から起算して1年を経過する日の前日までの間」

　特定個人情報保護委員会の設置日から1年を経過した日が「経過日」であり，「経過日」から起算して1年を経過する日の前日までの間とは，特定個人情報保護委員会設置後の2年目の1年間になる。

(5)　「第40条第1項及び第2項並びに第45条第2項の規定の適用について

は,第40条第1項中「6人」とあるのは「4人」と,同条第2項中「3人」とあるのは「2人」と,第45条第2項中「3人以上」とあるのは「2人以上」とする」

　この期間は,最初の1年間と比べれば業務量は増加すると考えられていたが,なお,7人体制にするまでの必要はないと考えられていた。そこで,「第40条第1項」の「6人」を「4人」と読み替え,特定個人情報保護委員会は,委員長および委員4人をもって組織することとし,「第40条……第2項」の「3人」を「2人」に読み替え,委員のうち2人は非常勤とすることとしていた。換言すれば,この期間の特定個人情報保護委員会は,委員長と常勤委員2人,非常勤委員2人で構成されることになった。また,「第45条第2項」中「3人以上」とあるのは「2人以上」と読み替えられるから,特定個人情報保護委員会は,委員長および2人以上の委員の出席がなければ,会議を開き,議決をすることができないこととされた。

附　則

（政令への委任）

第5条　附則第2条から前条までに規定するもののほか,この法律の施行に関し必要な経過措置は,政令で定める。

　本法制定附則2条から4条までに定める経過措置以外にも,必要な経過措置が存在しうるが,それについては政令に委任することとしている。これを受けて,本法施行令制定附則4条で,個人番号カードの交付申請者は,同附則1条3号に掲げる規定の施行の日（2016〔平成28〕年1月1日）前においても,同令13条1項の規定の例により,住所地市区町村長に対し,交付申請書の提出を行うことができ,この場合において,交付申請者が同日において現に当該市区町村が備える住民基本台帳に記録されている者であるときは,当該交付申請書の提出は,同日において同項の規定によりされたものとみなすこととされた。また,同令制定附則5条で,同令の施行の日前に,国の機関,地方公共団体および設立登記法人以外の法人または人格のない社団等であって同令37条各号に掲げる者について,当該各号に定める事実があった場合において,その者が当該各号に規定する規定により届出書を提出したときは,当分の間,その者を

当該各号に規定する規定により届出書を提出することとされている者とみなして，同条の規定を適用する（この場合において，同条中「確認された後」とあるのは，「確認された場合には，この政令の施行の日以後」とする）こととされた。

附　則
（検討等）
第6条①　政府は，この法律の施行後3年を目途として，この法律の施行の状況等を勘案し，個人番号の利用及び情報提供ネットワークシステムを使用した特定個人情報の提供の範囲を拡大すること並びに特定個人情報以外の情報の提供に情報提供ネットワークシステムを活用することができるようにすることその他この法律の規定について検討を加え，必要があると認めるときは，その結果に基づいて，国民の理解を得つつ，所要の措置を講ずるものとする。
②　政府は，第14条第1項の規定により本人から個人番号の提供を受ける者が，当該提供をする者が本人であることを確認するための措置として選択することができる措置の内容を拡充するため，適時に必要な技術的事項について検討を加え，必要があると認めるときは，その結果に基づいて所要の措置を講ずるものとする。
③　政府は，この法律の施行後1年を目途として，情報提供等記録開示システム（総務大臣の使用に係る電子計算機と第23条第3項に規定する記録に記録された特定個人情報について総務大臣に対して第30条第2項の規定により読み替えられた行政機関個人情報保護法第12条の規定による開示の請求を行う者の使用に係る電子計算機とを電気通信回線で接続した電子情報処理組織であって，その者が当該開示の請求を行い，及び総務大臣がその者に対して行政機関個人情報保護法第18条の規定による通知を行うために設置し，及び運用されるものをいう。以下この項及び次項において同じ。）を設置するとともに，年齢，身体的な条件その他の情報提供等記録開示システムの利用を制約する要因にも配慮した上で，その活用を図るために必要な措置を講ずるものとする。
④　政府は，情報提供等記録開示システムの設置後，適時に，国民の利便性の向上を図る観点から，民間における活用を視野に入れて，情報提供等記録開示システムを利用して次に掲げる手続又は行為を行うこと及び当該手続又は行為を行うために現に情報提供等記録開示システムに電気通信回線で接続し

た電子計算機を使用する者が当該手続又は行為を行うべき者であることを確認するための措置を当該手続又は行為に応じて簡易なものとすることについて検討を加え，その結果に基づいて所要の措置を講ずるものとする。
1　法律又は条例の規定による個人情報の開示に関する手続（前項に規定するものを除く。）
2　個人番号利用事務実施者が，本人に対し，個人番号利用事務に関して本人が希望し，又は本人の利益になると認められる情報を提供すること。
3　同一の事項が記載された複数の書面を一又は複数の個人番号利用事務実施者に提出すべき場合において，一の書面への記載事項が他の書面に複写され，かつ，これらの書面があらかじめ選択された一又は複数の個人番号利用事務実施者に対し一の手続により提出されること。
⑤　政府は，給付付き税額控除（給付と税額控除を適切に組み合わせて行う仕組みその他これに準ずるものをいう。）の施策の導入を検討する場合には，当該施策に関する事務が的確に実施されるよう，国の税務官署が保有しない個人所得課税に関する情報に関し，個人番号の利用に関する制度を活用して当該事務を実施するために必要な体制の整備を検討するものとする。
⑥　政府は，適時に，地方公共団体における行政運営の効率化を通じた住民の利便性の向上に資する観点から，地域の実情を勘案して必要があると認める場合には，地方公共団体に対し，複数の地方公共団体の情報システムの共同化又は集約の推進について必要な情報の提供，助言その他の協力を行うものとする。

(1)　「この法律の施行後3年を目途として」（1項）

　「規制改革推進のための3か年計画」（平成19年6月22日閣議決定）において，「法律により新たな制度を創設して規制の新設を行うものについては，各府省は，……当該法律に一定期間経過後当該規制の見直しを行う旨の条項（以下「見直し条項」という。）を盛り込むものとする」とされているが，本法は，法定調書への個人番号の記載の義務付け等，民間事業者に対する規制を新設しているので，見直し規定を設けている。上記閣議決定においては，見直しまでの期間について，「『5年』を標準とし，それより短い期間となるよう努める」とされている。第180回国会に提出された旧マイナンバー法案附則6条では，これを踏まえて，「施行後5年を目途として」見直しを行うこととされていたが，

本法は，利用範囲の見直しをより早期に行うべきとする意見を踏まえて，施行後3年を目途として見直しを行うこととしている。

「この法律の施行」とは，本法制定附則1条柱書の定める施行であり，2015（平成27）年10月5日に施行されている。したがって「施行後3年を目途として」とは，2018（平成30）年10月5日を目途としてということになる。

(2) 「個人番号の利用及び情報提供ネットワークシステムを使用した特定個人情報の提供の範囲を拡大すること並びに特定個人情報以外の情報の提供に情報提供ネットワークシステムを活用することができるようにすること」(1項)

本項のこの部分と本条2項以下は，旧マイナンバー法案にはなく，新マイナンバー法案で追加されたものである。本法制定時，個人番号の目的内利用については，本法9条1項の規定に基づき本法別表第1で法定された場合および同条2項の規定に基づき，社会保障，地方税または防災に関する事務その他これらに類する事務であって条例で定める場合，同条3項（現・4項）の規定に基づく個人番号関係事務，同条5項（現・6項）の規定に基づき，本法19条11号から14号まで（現在は同条13号から17号まで）のいずれかに該当して特定個人情報の提供を受けた者が，その提供を受けた目的を達成するために必要な限度で個人番号を利用する場合に限定され，目的外利用についても，本法9条4項（現・5項）の規定に基づき，「激甚災害に対処するための特別の財政援助等に関する法律」2条1項に規定する激甚災害が発生したときその他これに準ずる場合として政令で定めるときに，あらかじめ締結した契約に基づく金銭の支払を行うために必要な限度で個人番号を利用する場合，人の生命，身体または財産の保護のために必要がある場合であって，本人の同意があるか，または本人の同意を得ることが困難である場合に制限されていた。また，情報提供ネットワークシステムを使用した特定個人情報の提供の範囲については，本法19条7号（現・8号）の規定に基づき，本法別表第2に法定された範囲に限定されている（平成27年法律第65号による改正で新設された同条9号の場合の情報連携も，情報提供ネットワークシステムを使用することができる）。本項は，本法施行後3年を目途とした本法の見直しにおいて，本法の施行の状況等を勘案し，個人番号の利用範囲および情報提供ネットワークシステムを使用した特定個人情報

の提供の範囲の拡大について検討を加え，必要があると認めるときは，その結果に基づいて，国民の理解を得つつ，所要の措置を講ずるものとしている。また，本法19条7号（現・8号）は，特定個人情報についてのみ情報提供ネットワークシステムの使用を認めているが，本項は，本法施行後3年を目途とした本法の見直しにおいて，本法の施行の状況等を勘案し，特定個人情報以外の情報の提供に情報提供ネットワークシステムを活用することについての検討も行うものとしている。そのため，情報提供ネットワークシステムは当初から個人番号が付されていない事務についても情報連携が可能になるように整備されており，個人番号ではなく符号（リンクコード）で連携することとしていることには，そのような意味もある。

(3) 「その他この法律の規定」(1項)

本法は，個人番号，特定個人情報の保護のために種々の規定を設けている。これらの保護規定についても，本法施行後3年を目途とした見直しにおいて，本法の施行の状況等を勘案し，その実効性を検証し，必要に応じて見直しが行われることが想定されていた。

(4) 「第14条第1項の規定により本人から個人番号の提供を受ける者」(2項)

本法14条1項の規定に基づき，個人番号利用事務等を処理するために必要があるときに，本人または他の個人番号利用事務等実施者に対し個人番号の提供を求めることができる個人番号利用事務等実施者である。

(5) 「当該提供をする者が本人であることを確認するための措置として選択することができる措置の内容を拡充するため，適時に必要な技術的事項について検討を加え」(2項)

マイナポータルへのアクセスは，当面は，公的個人認証（宇賀克也・行政手続オンライン化3法——電子化時代の行政手続〔第一法規，2003年〕104頁以下参照）によって行われることが想定された。個人番号カードには電子証明書（署名用電子証明書，利用者証明用電子証明書）が格納されるため（政令で定める基準に適合して行うことができると総務大臣が認定した民間事業者も署名検証者，利用者証明検証者

になることができるとされたため、ネットバンキング、ネットショッピング等に公的個人認証が利用されることも想定された)、マイナポータルにログインするときには個人番号カードに格納された利用者証明用電子証明書が用いられることが想定された（利用者証明用電子証明書は、マイナポータル以外の行政機関のサイトにアクセスする場合にも利用が認められることも想定され、さらに、民間での利用も視野に入れていた）。個人番号カードを使用した公的個人認証による本人確認のほか、スマートフォンもしくはタブレット端末等を活用した認証技術または生体認証技術等の技術開発の動向やその普及状況に応じて、これらの技術を活用した本人確認方法を用いることの検討が念頭に置かれていた。「適時に……検討を加え」とあるように、本法公布後、適時に検討を行うことになる。

(6) 「情報提供等記録開示システム」(3項)

マイナポータルのことである。マイナンバー制度のシステム整備の一環としてマイナポータルのシステムが構築されるので、各行政機関がシステムを整備する必要はないことになる。情報提供ネットワークシステムの本格稼働開始時期に合わせて、2017（平成29）年11月13日に本格稼働が開始されている。

(7) 「総務大臣の使用に係る電子計算機と第23条第3項に規定する記録に記録された特定個人情報」(3項かっこ書)

総務大臣（現在は内閣総理大臣）が、本法19条7号（現・8号）の規定による特定個人情報の提供の求め、または提供があったときに、情報提供等の記録を情報提供ネットワークシステムに記録し、一定期間保存する義務を負うが、当該記録に記録された特定個人情報を意味する。

(8) 「第30条第2項の規定により読み替えられた行政機関個人情報保護法第12条の規定による開示の請求」(3項かっこ書)

本法30条（現・31条）2項の規定により読み替えられた行政機関個人情報保護法12条の規定による開示請求については、任意代理も認められていた。令和3年法律第37号による改正で、公的部門における保有個人情報の開示請求においても任意代理が認められたので、この読替規定は不要となり削除されている。

制定附則第6条（検討等）

(9)「第23条第3項に規定する記録に記録された特定個人情報について……その者が当該開示の請求を行い，及び総務大臣がその者に対して行政機関個人情報保護法第18条の規定による通知を行うために設置し，及び運用されるもの」(3項かっこ書)

　情報提供ネットワークシステムを使用して大量の特定個人情報が授受されることについては，不正な情報連携が行われることを抑止する必要性が高く，本人が簡易に自己に係る情報提供等の記録を開示請求して確認することができることが望ましい。そのようなシステムを整備することは，情報提供等事務に対する国民の信頼を確保することにもつながる。マイナポータルは本条4項に規定する機能も有するものとして整備されるが，第一義的目的は，情報提供等の記録の簡易な開示請求を可能にすることであるので，本項で，マイナポータル設置の主目的として，このことが規定されている。

(10)「情報提供等記録開示システムの設置後，適時に，国民の利便性の向上を図る観点から，民間における活用を視野に入れて，情報提供等記録開示システムを利用して次に掲げる手続又は行為を行うこと」(4項柱書)

　マイナポータルを単に情報提供等記録の本人による確認のために用いるのではなく，電子政府，電子自治体のメリットを国民が享受するためのツールとして多面的に有効活用することを意図するとともに，民間での活用も視野に入れた検討を求めている。

(11)「当該手続又は行為を行うために現に情報提供等記録開示システムに電気通信回線で接続した電子計算機を使用する者が当該手続又は行為を行うべき者であることを確認するための措置を当該手続又は行為に応じて簡易なものとすること」(4項柱書)

　マイナポータルの利用はインターネットを経由するために，セキュリティに留意する必要があるが，書面による申請・届出等の場合においても，実印が必要なものもあれば，認印で足りるもの，捺印を要しないもの等，多様である。そこで，「当該手続又は行為に応じて」，より簡易な認証手段（ID，パスワード等）を用いることについて検討し，その結果に基づいて所要の措置を講ずるものとされている。政府からのプッシュ型情報提供についても，個別性の強いも

357

のから一般的な広報としての色彩が濃いものまで多様であり，後者の場合には，簡易な認証方法を用いることが検討課題になる。

⑿　「法律又は条例の規定による個人情報の開示に関する手続（前項に規定するものを除く。）」（4項1号）

「前項に規定するものを除く」とされているのは，情報提供等の記録の開示請求手続については，前項に規定されているからである。情報提供等の記録以外についても，法律または条例の規定に基づく自己情報の開示請求を簡易に行えるようにすることは，特に特定個人情報にとり，重要である（令和3年法律第37号による改正で，地方公共団体および地方独立行政法人の保有する個人情報の開示請求は，個人情報保護法に基づくものとなった）。また，社会保障，税，災害対策の分野の特定個人情報は，特にその正確性を確保することが重要であり，そのためには，開示請求を簡易な手段で行えるようにすることが望ましい。そこで，マイナポータルにより特定個人情報の開示請求を行えるようにすることが予定されていた。確定申告を行う場合に，従前は書面等で入手して添付していた社会保険料等の情報をマイナポータルで入手すること等により，国民負担の軽減を図る効果も期待されている。

⒀　「個人番号利用事務実施者が，本人に対し，個人番号利用事務に関して本人が希望し，又は本人の利益になると認められる情報を提供すること」（4項2号）

いわゆるプッシュ型情報提供を意味する。社会保障給付や税の還付等について，申請主義による場合，そもそも申請権があること自体を認識していなければ，申請は行われず，結果として，社会保障給付や税の還付等を受けられないという問題が生ずる。

児童扶養手当法6条1項は，同手当の支給要件に該当する者は，手当の支給を受けようとするときは，その受給資格および手当の額について，都道府県知事等の認定を受けなければならないという認定請求主義を採用し，同法7条1項は，手当の支給は，受給資格者が前条の規定による認定の請求をした日の属する月の翌月から始めるという非遡及主義をとっているところ，京都地判平成3・2・5判時1387号43頁は，かかるシステムの下での担当行政庁の周知徹底

等の広報義務は，憲法25条の理念に即した児童扶養手当法1条，7条1項・2項の解釈から導き出されるものであって，社会保障ないし社会福祉制度の実効性を確保するための法的義務であり，同制度の周知徹底が不完全，不正確であるために，受給資格者が制度を知りうる程度に達しないときは，国家賠償法上，違法になると判示し，実際に国家賠償請求を認容して注目された。この判決の考えによれば，相手方からの求めがなくても，行政庁の側で積極的に申請が可能なことを周知徹底する法的義務が，個別の法律の解釈として肯定される場合がありうることになる。控訴審の大阪高判平成5・10・5判例自治124号50頁は，児童扶養手当制度の周知徹底は，責務ではあっても法的義務ではなく，行政庁の裁量の著しい濫用といえる場合は別として，周知徹底が不十分であることが国家賠償法上違法となるわけではないとして，一審判決を取り消しているが，児童扶養手当制度の周知徹底を行わないことが，裁量の著しい濫用といえる場合には，国家賠償法上違法となる可能性を留保している（行政による情報提供の懈怠の違法を理由とする国家賠償請求がなされた事案として，東京高判平成21・9・30判時2059号68頁も参照）。マイナポータルを利用したプッシュ型情報提供が行われるようになれば，「申請主義の壁」（山口道宏編著・「申請主義」の壁！──年金・介護・生活保護をめぐって〔現代書館，2010年〕参照）を越える道が開かれることになろう。

⒁　「同一の事項が記載された複数の書面を一又は複数の個人番号利用事務実施者に提出すべき場合において，一の書面への記載事項が他の書面に複写され，かつ，これらの書面があらかじめ選択された一又は複数の個人番号利用事務実施者に対し一の手続により提出されること」（4項3号）

いわゆるワンストップサービス（これについては，宇賀＝長谷部編・前掲・情報法126頁参照）を意味する。2019（令和元）年に「情報通信技術の活用による行政手続等に係る関係者の利便性の向上並びに行政運営の簡素化及び効率化を図るための行政手続等における情報通信の技術の利用に関する法律等の一部を改正する法律」により，「行政手続等における情報通信の技術の利用に関する法律」が改正されて，「情報通信技術を活用した行政の推進等に関する法律」になったが，同法2条3号では，民間サービスを含め，複数の手続・サービスがどこからでも1か所で実現する「コネクテッド・ワンストップ原則」が定めら

> 本論　本法の逐条解説／制定附則

れた。マイナポータルもワンストップサービスを可能にするツールの一つとしても位置づけられる。また，情報提供ネットワークシステムは，ワンストップサービスに不可欠なバックオフィス連携を可能にするシステムとして機能することになると思われる。

(15)　「政府は，給付付き税額控除（給付と税額控除を適切に組み合わせて行う仕組みその他これに準ずるものをいう。）の施策の導入を検討する場合には，当該施策に関する事務が的確に実施されるよう，国の税務官署が保有しない個人所得課税に関する情報に関し，個人番号の利用に関する制度を活用して当該事務を実施するために必要な体制の整備を検討するものとする」（5項）

　民主党を中心とした連立政権の下では，消費税率の引上げが所得に対し逆進性を有することから，消費税率の引上げに伴う低所得者対策として給付付き税額控除制度の導入が有力な選択肢として検討されることになった。社会保障と税の一体改革の一環としてのマイナンバー制度の導入のメリットの1つとして，給付付き税額控除制度の導入を可能にすることが挙げられたのも，そのためである。2012（平成24）年8月22日に公布された「社会保障の安定財源の確保等を図る税制の抜本的な改革を行うための消費税法の一部を改正する等の法律」7条1号イにおいても，共通番号制度の本格的な稼働および定着を前提に，関連する社会保障制度の見直しおよび所得控除の抜本的な整理と併せて，給付付き税額控除等の低所得者に配慮した再配分に関する総合的な施策を導入することとされていた。給付付き税額控除制度は，一定額以下の所得の者に対しては，所得税を免除するとともに，一定額を下回る割合に応じて給付を行う制度であり，税額控除の恩恵が乏しい低所得者に有利な制度である。本項は，この制度の実施を検討する場合には，国の税務官署が保有しない個人所得課税に関する情報に関し，個人番号の利用に関する制度を活用して当該事務を実施するために必要な体制の整備を検討することを求めるものである。

(16)　「複数の地方公共団体の情報システムの共同化又は集約」（6項）

　本法の実施のために，関係機関においては，データの標準化を行ったり，既存の情報システムを改修したり，他の関係機関との情報提供等事務を行うため

制定附則第6条（検討等）

の情報システムの整備を行ったりする必要がある。とりわけ，地方公共団体は，マイナンバー制度の中核をなす社会保障事務のかなりの部分を行っているため，情報システムの改修等の作業量も多く，それを効率的に行う必要がある。このことは，本法公布時の別表第1に列記されている93の個人番号利用事務のうち，都道府県の機関が主体となるものが35，市区町村の機関が主体となるものが27存在すること，本法公布時の別表第2に列記されている115の情報提供等事務のうち，国の機関と地方公共団体の機関間で授受される特定個人情報が139，地方公共団体の機関間で授受される特定個人情報が145存在することからも窺える。そのため，地方公共団体の中には，この機会に，他の地方公共団体と情報システムの共同化または集約を行うことを検討するものが少なくない。「共同化」とは，単一の情報システムを複数の地方公共団体が共同で運用することであり，「集約」とは，複数の地方公共団体が使用する情報システムを1か所に集めて管理することを意味する。いわゆる自治体クラウドである。総務省は，2009（平成21）～2010（平成22）年度にかけて，自治体クラウド開発実証事業を実施し，2010（平成22）年7月に，自治体クラウド推進本部を設置し，2011（平成23）年3月に自治体クラウド開発実証事業の調査研究報告書を公表し，2011（平成23）年度より，自治体クラウドの導入に対し，特別交付税による支援措置を実施している。自治体クラウドは，情報システムを共同化または集約するものであるにとどまり，データの所有権および管理権は，各地方公共団体が有することになる。したがって，自治体クラウドを利用することが，特定個人情報の共通データベースによる一元管理を意味するわけではなく，特定個人情報の分散管理と自治体クラウドの利用は両立可能である。「成長戦略フォローアップ」（2020〔令和2〕年7月17日閣議決定）は，地方公共団体の情報システムをより広域的なクラウドに移行するためには，各地方公共団体が行っている情報システムのカスタマイズをなくすことが重要であり，国が主導して進めている標準化の取組みを着実に進めるとともに，システムの機能要件等について法令に根拠を持つ標準を設けることとすべきであるとする地方制度調査会の答申を踏まえ，関係省庁が連携して，セキュリティの基準を含め，情報システムの標準化について，総合的な対応を検討し，早期に結論を得るとされた。2021（令和3）年には，「地方公共団体情報システムの標準化に関する法律」が成立した。同法は，各地方公共団体における事務の処理の内容の共通性，

本論 本法の逐条解説／制 定 附 則

住民の利便性の向上および地方公共団体の行政運営の効率化の観点から，標準化の対象となる事務を政令で特定し，内閣総理大臣，総務大臣および所管大臣が，関係行政機関の長に協議し，知事会・市長会・町村会等から意見聴取の上，地方公共団体の情報システムの標準化の推進に関する基本方針案を作成し，内閣は，基本方針を閣議決定することとしている。そして，所管大臣は，情報システムの標準化のための省令を策定し，内閣総理大臣および総務大臣は，データ連携，サイバーセキュリティ，クラウド利用等，各情報システムに共通の事項について省令を策定し，地方公共団体は，標準化の対象となる事務の処理に利用する情報システムを，上記の省令で定める期間内に基準に適合させる必要がある。

〔別表1・2略→巻末資料参照〕

資　料

Commentary on the My Number Law

行政手続における特定の個人を識別するための番号の利用等に関する法律（364）

行政手続における特定の個人を識別するための番号の利用等に関する法律施行令（439）

行政手続における特定の個人を識別するための番号の利用等に関する法律施行規則（459）

行政手続における特定の個人を識別するための番号の利用等に関する法律に規定する
　個人番号，個人番号カード，特定個人情報の提供等に関する命令（476）

行政手続における特定の個人を識別するための番号の利用等に関する法律 （平成25年法律第27号）

施行　（附則参照）
最終改正　令和3年法律第66号

第1章　総則

（目的）

第1条　この法律は，行政機関，地方公共団体その他の行政事務を処理する者が，個人番号及び法人番号の有する特定の個人及び法人その他の団体を識別する機能を活用し，並びに当該機能によって異なる分野に属する情報を照合してこれらが同一の者に係るものであるかどうかを確認することができるものとして整備された情報システムを運用して，効率的な情報の管理及び利用並びに他の行政事務を処理する者との間における迅速な情報の授受を行うことができるようにするとともに，これにより，行政運営の効率化及び行政分野におけるより公正な給付と負担の確保を図り，かつ，これらの者に対し申請，届出その他の手続を行い，又はこれらの者から便益の提供を受ける国民が，手続の簡素化による負担の軽減，本人確認の簡易な手段その他の利便性の向上を得られるようにするために必要な事項を定めるほか，個人番号その他の特定個人情報の取扱いが安全かつ適正に行われるよう個人情報の保護に関する法律（平成15年法律第57号）の特例を定めることを目的とする。

（定義）

第2条①　この法律において「行政機関」とは，個人情報の保護に関する法律（以下「個人情報保護法」という。）第2条第8項に規定する行政機関をいう。

②　この法律において「独立行政法人等」とは，個人情報保護法第2条第9項に規定する独立行政法人等をいう。

③　この法律において「個人情報」とは，個人情報保護法第2条第1項に規定する個人情報をいう。

④　この法律において「個人情報ファイル」とは，個人情報保護法第60条第2項に規定する個人情報ファイルであって行政機関等（個人情報保護法第2条第11項に規定する行政機関等をいう。以下この項及び第5章第2節において同じ。）が保有するもの又は個人情報保護法第16条第1項に規定する個人情報データベース等であって行政機関等以外の者が保有するものをいう。

⑤　この法律において「個人番号」とは，第7条第1項又は第2項の規定により，住民票コード（住民基本台帳法（昭和42年法律第81号）第7条第13号に規定する住民票コードをいう。以下同じ。）を変換して得られる番号であって，当該住民票コードが記載された住民票に係る者を識別するために指定されるものをいう。

⑥　この法律において「本人」とは，個人番号によって識別される特定の個人をいう。

⑦　この法律において「個人番号カード」とは，次に掲げる事項が記載され，本人の写真が表示され，かつ，これらの事項その他主務省令で定める事項（以下「カード記録事項」という。）が電磁的方法（電子的方法，磁気的方法その他人の知覚によって認識することができない方法をいう。第18

条において同じ。）により記録されたカードであって、この法律又はこの法律に基づく命令で定めるところによりカード記録事項を閲覧し、又は改変する権限を有する者以外の者による閲覧又は改変を防止するために必要なものとして主務省令で定める措置が講じられたものをいう。
1 氏名
2 住所（国外転出者（住民基本台帳法第17条第3号に規定する国外転出者をいう。以下同じ。）にあっては、国外転出者である旨及びその国外転出届（同号に規定する国外転出届をいう。第17条第2項において同じ。）に記載された転出の予定年月日）
3 生年月日
4 性別
5 個人番号
6 その他政令で定める事項
⑧ この法律において「特定個人情報」とは、個人番号（個人番号に対応し、当該個人番号に代わって用いられる番号、記号その他の符号であって、住民票コード以外のものを含む。第7条第1項及び第2項、第8条並びに第48条並びに附則第3条第1項から第3項まで及び第5項を除き、以下同じ。）をその内容に含む個人情報をいう。
⑨ この法律において「特定個人情報ファイル」とは、個人番号をその内容に含む個人情報ファイルをいう。
⑩ この法律において「個人番号利用事務」とは、行政機関、地方公共団体、独立行政法人等その他の行政事務を処理する者が第9条第1項から第3項までの規定によりその保有する特定個人情報ファイルにおいて個人情報を効率的に検索し、及び管理するために必要な限度で個人番号を利用して処理する事務をいう。
⑪ この法律において「個人番号関係事務」とは、第9条第4項の規定により個人番号利用事務に関して行われる他人の個人番号

を必要な限度で利用して行う事務をいう。
⑫ この法律において「個人番号利用事務実施者」とは、個人番号利用事務を処理する者及び個人番号利用事務の全部又は一部の委託を受けた者をいう。
⑬ この法律において「個人番号関係事務実施者」とは、個人番号関係事務を処理する者及び個人番号関係事務の全部又は一部の委託を受けた者をいう。
⑭ この法律において「情報提供ネットワークシステム」とは、行政機関の長等（行政機関の長、地方公共団体の機関、独立行政法人等、地方独立行政法人（地方独立行政法人法（平成15年法律第118号）第2条第1項に規定する地方独立行政法人をいう。以下同じ。）及び地方公共団体情報システム機構（以下「機構」という。）並びに第19条第8号に規定する情報照会者及び情報提供者並びに同条第9号に規定する条例事務関係情報照会者及び条例事務関係情報提供者をいう。第7章を除き、以下同じ。）の使用に係る電子計算機を相互に電気通信回線で接続した電子情報処理組織であって、暗号その他その内容を容易に復元することができない通信の方法を用いて行われる第19条第8号又は第9号の規定による特定個人情報の提供を管理するために、第21条第1項の規定に基づき内閣総理大臣が設置し、及び管理するものをいう。
⑮ この法律において「法人番号」とは、第39条第1項又は第2項の規定により、特定の法人その他の団体を識別するための番号として指定されるものをいう。

（基本理念）
第3条① 個人番号及び法人番号の利用は、この法律の定めるところにより、次に掲げる事項を旨として、行われなければならない。
1 行政事務の処理において、個人又は法人その他の団体に関する情報の管理を一層効率化するとともに、当該事務の対象

資料 行政手続における特定の個人を識別するための番号の利用等に関する法律

となる者を特定する簡易な手続を設けることによって，国民の利便性の向上及び行政運営の効率化に資すること。
2 情報提供ネットワークシステムその他これに準ずる情報システムを利用して迅速かつ安全に情報の授受を行い，情報を共有することによって，社会保障制度，税制その他の行政分野における給付と負担の適切な関係の維持に資すること。
3 個人又は法人その他の団体から提出された情報については，これと同一の内容の情報の提出を求めることを避け，国民の負担の軽減を図ること。
4 個人番号を用いて収集され，又は整理された個人情報が法令に定められた範囲を超えて利用され，又は漏えいすることがないよう，その管理の適正を確保すること。
② 個人番号及び法人番号の利用に関する施策の推進は，個人情報の保護に十分配慮しつつ，行政運営の効率化を通じた国民の利便性の向上に資することを旨として，社会保障制度，税制及び災害対策に関する分野における利用の促進を図るとともに，他の行政分野及び行政分野以外の国民の利便性の向上に資する分野における利用の可能性を考慮して行われなければならない。
③ 個人番号の利用に関する施策の推進は，個人番号カードが第1項第1号に掲げる事項を実現するために必要であることに鑑み，行政事務の処理における本人確認の簡易な手段としての個人番号カードの利用の促進を図るとともに，カード記録事項が不正な手段により収集されることがないよう配慮しつつ，行政事務以外の事務の処理において個人番号カードの活用が図られるように行われなければならない。
④ 個人番号の利用に関する施策の推進は，情報提供ネットワークシステムが第1項第2号及び第3号に掲げる事項を実現するために必要であることに鑑み，個人情報の保

護に十分配慮しつつ，社会保障制度，税制，災害対策その他の行政分野において，行政機関，地方公共団体その他の行政事務を処理する者が迅速に特定個人情報の授受を行うための手段としての情報提供ネットワークシステムの利用の促進を図るとともに，これらの者が行う特定個人情報以外の情報の授受に情報提供ネットワークシステムの用途を拡大する可能性を考慮して行われなければならない。

（国の責務）
第4条① 国は，前条に定める基本理念（以下「基本理念」という。）にのっとり，個人番号その他の特定個人情報の取扱いの適正を確保するために必要な措置を講ずるとともに，個人番号及び法人番号の利用を促進するための施策を実施するものとする。
② 国は，教育活動，広報活動その他の活動を通じて，個人番号及び法人番号の利用に関する国民の理解を深めるよう努めるものとする。

（地方公共団体の責務）
第5条 地方公共団体は，基本理念にのっとり，個人番号その他の特定個人情報の取扱いの適正を確保するために必要な措置を講ずるとともに，個人番号及び法人番号の利用に関し，国との連携を図りながら，自主的かつ主体的に，その地域の特性に応じた施策を実施するものとする。

（事業者の努力）
第6条 個人番号及び法人番号を利用する事業者は，基本理念にのっとり，国及び地方公共団体が個人番号及び法人番号の利用に関し実施する施策に協力するよう努めるものとする。

第2章 個人番号

（指定及び通知）
第7条① 市町村長（特別区の区長を含む。以下同じ。）は，住民基本台帳法第30条の3第2項の規定により住民票に住民票コー

ドを記載したときは，政令で定めるところにより，速やかに，次条第2項の規定により機構から通知された個人番号とすべき番号をその者の個人番号として指定し，その者に対し，当該個人番号を通知しなければならない。
② 市町村長は，当該市町村（特別区を含む。以下同じ。）が備える住民基本台帳に記録されている者の個人番号が漏えいして不正に用いられるおそれがあると認められるときは，政令で定めるところにより，その者の請求又は職権により，その者の従前の個人番号に代えて，次条第2項の規定により機構から通知された個人番号とすべき番号をその者の個人番号として指定し，速やかに，その者に対し，当該個人番号を通知しなければならない。
③ 市町村長は，前二項の規定による通知をするときは，当該通知を受ける者が個人番号カードの交付を円滑に受けることができるよう，当該交付の手続に関する情報の提供その他の必要な措置を講ずるものとする。
④ 前三項に定めるもののほか，第1項又は第2項の規定による通知に関し必要な事項は，総務省令で定める。

（個人番号とすべき番号の生成）
第8条① 市町村長は，前条第1項又は第2項の規定により個人番号を指定するときは，あらかじめ機構に対し，当該指定しようとする者に係る住民票に記載された住民票コードを通知するとともに，個人番号とすべき番号の生成を求めるものとする。
② 機構は，前項の規定により市町村長から個人番号とすべき番号の生成を求められたときは，政令で定めるところにより，次項の規定により設置される電子情報処理組織を使用して，次に掲げる要件に該当する番号を生成し，速やかに，当該市町村長に対し，通知するものとする。
1 他のいずれの個人番号（前条第2項の従前の個人番号を含む。）とも異なること。
2 前項の住民票コードを変換して得られるものであること。
3 前号の住民票コードを復元することのできる規則性を備えるものでないこと。
③ 機構は，前項の規定により個人番号とすべき番号を生成し，並びに当該番号の生成及び市町村長に対する通知について管理するための電子情報処理組織を設置するものとする。

（利用範囲）
第9条① 別表第1の上欄に掲げる行政機関，地方公共団体，独立行政法人等その他の行政事務を処理する者（法令の規定により同表の下欄に掲げる事務の全部又は一部を行うこととされている者がある場合にあっては，その者を含む。第4項において同じ。）は，同表の下欄に掲げる事務の処理に関して保有する特定個人情報ファイルにおいて個人情報を効率的に検索し，及び管理するために必要な限度で個人番号を利用することができる。当該事務の全部又は一部の委託を受けた者も，同様とする。
② 地方公共団体の長その他の執行機関は，福祉，保健若しくは医療その他の社会保障，地方税（地方税法（昭和25年法律第226号）第1条第1項第4号に規定する地方税をいう。以下同じ。）又は防災に関する事務その他これらに類する事務であって条例で定めるものの処理に関して保有する特定個人情報ファイルにおいて個人情報を効率的に検索し，及び管理するために必要な限度で個人番号を利用することができる。当該事務の全部又は一部の委託を受けた者も，同様とする。
③ 法務大臣は，第19条第8号又は第9号の規定による戸籍関係情報（戸籍又は除かれた戸籍（戸籍法（昭和22年法律第224号）第119条の規定により磁気ディスク（これに準ずる方法により一定の事項を確実に記録することができる物を含む。）を

資料 行政手続における特定の個人を識別するための番号の利用等に関する法律

もって調製されたものに限る。以下この項及び第45条の2第1項において同じ。)の副本に記録されている情報の電子計算機処理等(電子計算機処理(電子計算機を使用して行われる情報の入力、蓄積、編集、加工、修正、更新、検索、消去、出力又はこれらに類する処理をいう。)その他これに伴う政令で定める措置をいう。以下同じ。)を行うことにより作成することができる戸籍又は除かれた戸籍の副本に記録されている者(以下この項において「戸籍等記録者」という。)についての他の戸籍等記録者との間の親子関係の存否その他の身分関係の存否に関する情報、婚姻その他の身分関係の形成に関する情報その他の情報のうち、第19条第8号又は第9号の規定により提供するものとして法務省令で定めるものであって、情報提供用個人識別符号(同条第8号又は第9号の規定による特定個人情報の提供を管理し、及び当該特定個人情報を検索するために必要な限度で第2条第5項に規定する個人番号に代わって用いられる特定の個人を識別する符号であって、同条第8項に規定する個人番号であるものをいう。以下同じ。)をその内容に含むものをいう。以下同じ。)の提供に関する事務の処理に関して保有する特定個人情報ファイルにおいて個人情報を効率的に検索し、及び管理するために必要な限度で情報提供用個人識別符号を利用することができる。当該事務の全部又は一部の委託を受けた者も、同様とする。

④ 健康保険法(大正11年法律第70号)第48条若しくは第197条第1項、相続税法(昭和25年法律第73号)第59条第1項、第3項若しくは第4項、厚生年金保険法(昭和29年法律第115号)第27条、第29条第3項若しくは第98条第1項、租税特別措置法(昭和32年法律第26号)第9条の4の2第2項、第29条の2第6項若しくは第7項、第37条の11の3第7項、第37条の14第31項、第70条の2の2第17項若しくは第70条の2の3第16項、国税通則法(昭和37年法律第66号)第74条の13の2若しくは第74条の13の3、所得税法(昭和40年法律第33号)第225条から第228条の3の2まで、雇用保険法(昭和49年法律第116号)第7条又は内国税の適正な課税の確保を図るための国外送金等に係る調書の提出等に関する法律(平成9年法律第110号)第4条第1項若しくは第4条の3第1項、預貯金者の意思に基づく個人番号の利用による預貯金口座の管理等に関する法律(令和3年法律第39号)第6条第1項その他の法令又は条例の規定により、別表第1の上欄に掲げる行政機関、地方公共団体、独立行政法人等その他の行政事務を処理する者又は地方公共団体の長その他の執行機関による第1項又は第2項に規定する事務の処理に関して必要とされる他人の個人番号を記載した書面の提出その他の他人の個人番号を利用した事務を行うものとされた者は、当該事務を行うために必要な限度で個人番号を利用することができる。当該事務の全部又は一部の委託を受けた者も、同様とする。

⑤ 前項の規定により個人番号を利用することができることとされている者のうち所得税法第225条第1項第1号、第2号及び第4号から第6号までに掲げる者は、激甚災害に対処するための特別の財政援助等に関する法律(昭和37年法律第150号)第2条第1項に規定する激甚災害が発生したときその他これに準ずる場合として政令で定めるときは、デジタル庁令で定めるところにより、あらかじめ締結した契約に基づく金銭の支払を行うために必要な限度で個人番号を利用することができる。

⑥ 前各項に定めるもののほか、第19条第13号から第17号までのいずれかに該当して特定個人情報の提供を受けた者は、その提供を受けた目的を達成するために必要な

限度で個人番号を利用することができる。
（再委託）
第10条① 個人番号利用事務又は個人番号関係事務（以下「個人番号利用事務等」という。）の全部又は一部の委託を受けた者は、当該個人番号利用事務等の委託をした者の許諾を得た場合に限り、その全部又は一部の再委託をすることができる。
② 前項の規定により個人番号利用事務等の全部又は一部の再委託を受けた者は、個人番号利用事務等の全部又は一部の委託を受けた者とみなして、第2条第12項及び第13項、前条第1項から第4項まで並びに前項の規定を適用する。
（委託先の監督）
第11条 個人番号利用事務等の全部又は一部の委託をする者は、当該委託に係る個人番号利用事務等において取り扱う特定個人情報の安全管理が図られるよう、当該委託を受けた者に対する必要かつ適切な監督を行わなければならない。
（個人番号利用事務実施者等の責務）
第12条 個人番号利用事務実施者及び個人番号関係事務実施者（以下「個人番号利用事務等実施者」という。）は、個人番号の漏えい、滅失又は毀損の防止その他の個人番号の適切な管理のために必要な措置を講じなければならない。
第13条 個人番号利用事務実施者（第9条第3項の規定により情報提供用個人識別符号を利用する者を除く。次条第2項及び第19条第1号において同じ。）は、本人又はその代理人及び個人番号関係事務実施者の負担の軽減並びに行政運営の効率化を図るため、同一の内容の情報が記載された書面の提出を複数の個人番号関係事務において重ねて求めることのないよう、相互に連携して情報の共有及びその適切な活用を図るように努めなければならない。
（提供の要求）
第14条① 個人番号利用事務等実施者（第9条第3項の規定により情報提供用個人識別符号を利用する者を除く。以下この項及び第16条において同じ。）は、個人番号利用事務等を処理するために必要があるときは、本人又は他の個人番号利用事務等実施者に対し個人番号の提供を求めることができる。
② 個人番号利用事務実施者（政令で定めるものに限る。第19条第5号において同じ。）は、個人番号利用事務を処理するために必要があるときは、住民基本台帳法第30条の9から第30条の12まで又は第30条の44から第30条の44の5までの規定により、機構に対し同法第30条の7第4項に規定する機構保存本人確認情報又は同法第30条の42第4項に規定する機構保存附票本人確認情報（第19条第5号及び第48条において「機構保存本人確認情報等」という。）の提供を求めることができる。
（提供の求めの制限）
第15条 何人も、第19条各号のいずれかに該当して特定個人情報の提供を受けることができる場合を除き、他人（自己と同一の世帯に属する者以外の者をいう。第20条において同じ。）に対し、個人番号の提供を求めてはならない。
（本人確認の措置）
第16条 個人番号利用事務等実施者は、第14条第1項の規定により本人から個人番号の提供を受けるときは、当該提供をする者から個人番号カードの提示を受けることその他その者が本人であることを確認するための措置として政令で定める措置をとらなければならない。

第3章 個人番号カード

（個人番号カードの発行等）
第16条の2① 機構は、政令で定めるところにより、住民基本台帳に記録されている者の申請に基づき、その者に係る個人番号カードを発行するものとする。

資料 行政手続における特定の個人を識別するための番号の利用等に関する法律

② 機構は，個人番号カードに関して，個人番号カードの作成並びに個人番号カードの作成及び運用に関する状況の管理その他総務省令で定める事務を行うものとする。

(個人番号カードの交付等)
第17条① 市町村長は，政令で定めるところにより，当該市町村が備える住民基本台帳に記録されている者又は当該市町村が備える戸籍の附票に記録されている者（国外転出者である者に限る。）に対し，前条第1項の申請により，その者に係る個人番号カードを交付するものとする。この場合において，当該市町村長は，その者が本人であることを確認するための措置として政令で定める措置をとらなければならない。

② 個人番号カードの交付を受けている者は，住民基本台帳法第22条第1項の規定による届出又は国外転出届をする場合には，これらの届出と同時に，当該個人番号カードを市町村長に提出しなければならない。

③ 前項の規定により個人番号カードの提出を受けた市町村長は，当該個人番号カードについて，カード記録事項の変更その他当該個人番号カードの適切な利用を確保するために必要な措置を講じ，これを返還しなければならない。

④ 第2項の場合を除くほか，個人番号カードの交付を受けている者は，カード記録事項に変更があったときは，その変更があった日から14日以内に，その旨をその者が記録されている住民基本台帳を備える市町村の長（次項及び第7項並びに第18条の2第3項において「住所地市町村長」という。）に届け出るとともに，当該個人番号カードを提出しなければならない。この場合においては，前項の規定を準用する。

⑤ 個人番号カードの交付を受けている者は，当該個人番号カードを紛失したときは，直ちに，その旨を住所地市町村長に届け出なければならない。

⑥ 個人番号カードは，その有効期間が満了した場合その他政令で定める場合には，その効力を失う。

⑦ 個人番号カードの交付を受けている者は，当該個人番号カードの有効期間が満了した場合その他政令で定める場合には，政令で定めるところにより，当該個人番号カードを住所地市町村長に返納しなければならない。

⑧ 国外転出者に対する第4項，第5項及び前項の規定の適用については，第4項中「その変更があった日から14日以内に」とあるのは「速やかに」と，「住民基本台帳」とあるのは「戸籍の附票」と，「住所地市町村長」とあるのは「附票管理市町村長」と，第5項及び前項中「住所地市町村長」とあるのは「附票管理市町村長」とする。

⑨ 前各項に定めるもののほか，個人番号カードの再交付の手続その他個人番号カードに関して市町村長及び個人番号カードの交付を受けている者が行う手続に関し必要な事項（以下この項において「再交付等に関する事項」という。）は総務省令で，個人番号カードの様式及び個人番号カードの有効期間その他個人番号カードに関し必要な事項（再交付等に関する事項を除く。）は主務省令で定める。

(個人番号カードの利用)
第18条 個人番号カードは，第16条の規定による本人確認の措置において利用するほか，次の各号に掲げる者が，条例（第2号の場合にあっては，政令）で定めるところにより，個人番号カードのカード記録事項が記録された部分と区分された部分に，当該各号に定める事務を処理するために必要な事項を電磁的方法により記録して利用することができる。この場合において，これらの者は，カード記録事項の漏えい，滅失又は毀損の防止その他のカード記録事項の安全管理を図るため必要なものとして内閣総理大臣及び総務大臣（第38条の8から第38条の11まで及び第38条の13におい

て「主務大臣」という。）が定める基準に従って個人番号カードを取り扱わなければならない。
1 市町村の機関　地域住民の利便性の向上に資するものとして条例で定める事務
2 特定の個人を識別して行う事務を処理する行政機関、地方公共団体、民間事業者その他の者であって政令で定めるもの　当該事務

（個人番号カードの発行に関する手数料）
第18条の2　① 機構は、第16条の2第1項の規定による個人番号カードの発行に係る事務に関し、機構が定める額の手数料を徴収することができる。
② 機構は、前項に規定する手数料の額を定め、又はこれを変更しようとするときは、総務大臣の認可を受けなければならない。
③ 機構は、第1項の手数料の徴収の事務を住所地市町村長又は第17条第8項の規定により読み替えて適用される同条第4項に規定する附票管理市町村長に委託することができる。

第4章　特定個人情報の提供
第1節　特定個人情報の提供の制限等

（特定個人情報の提供の制限）
第19条　何人も、次の各号のいずれかに該当する場合を除き、特定個人情報の提供をしてはならない。
1 個人番号利用事務実施者が個人番号利用事務を処理するために必要な限度で本人若しくはその代理人又は個人番号関係事務実施者に対し特定個人情報を提供するとき（個人番号利用事務実施者が、生活保護法（昭和25年法律第144号）第29条第1項、厚生年金保険法第100条の2第5項その他の政令で定める法律の規定により本人の資産又は収入の状況についての報告を求めるためにその者の個人番号を提供する場合にあっては、銀行その他の政令で定める者に対し提供するときに限る。）。
2 個人番号関係事務実施者が個人番号関係事務を処理するために必要な限度で特定個人情報を提供するとき（第12号に規定する場合を除く。）。
3 本人又はその代理人が個人番号利用事務等実施者に対し、当該本人の個人番号を含む特定個人情報を提供するとき。
4 一の使用者等（使用者、法人又は国若しくは地方公共団体をいう。以下この号において同じ。）における従業者等（従業者、法人の業務を執行する役員又は国若しくは地方公共団体の公務員をいう。以下この号において同じ。）であった者が他の使用者等における従業者等になった場合において、当該従業者等の同意を得て、当該一の使用者等が当該他の使用者等に対し、その個人番号関係事務を処理するために必要な限度で当該従業者等の個人番号を含む特定個人情報を提供するとき。
5 機構が第14条第2項の規定により個人番号利用事務実施者に機構保存本人確認情報等を提供するとき。
6 特定個人情報の取扱いの全部若しくは一部の委託又は合併その他の事由による事業の承継に伴い特定個人情報を提供するとき。
7 住民基本台帳法第30条の6第1項の規定その他政令で定める同法の規定により特定個人情報を提供するとき。
8 別表第2の第1欄に掲げる者（法令の規定により同表の第2欄に掲げる事務の全部又は一部を行うこととされている者がある場合にあっては、その者を含む。以下「情報照会者」という。）が、政令で定めるところにより、同表の第3欄に掲げる者（法令の規定により同表の第4欄に掲げる特定個人情報の利用又は提供に関する事務の全部又は一部を行うこととされている者がある場合にあっては、

資料 行政手続における特定の個人を識別するための番号の利用等に関する法律

その者を含む。以下「情報提供者」という。）に対し、同表の第2欄に掲げる事務を処理するために必要な同表の第4欄に掲げる特定個人情報（情報提供者の保有する特定個人情報ファイルに記録されたものに限る。）の提供を求めた場合において、当該情報提供者が情報提供ネットワークシステムを使用して当該特定個人情報を提供するとき。

9 条例事務関係情報照会者（第9条第2項の規定に基づき条例で定める事務のうち別表第2の第2欄に掲げる事務に準じて迅速に特定個人情報の提供を受けることによって効率化を図るべきものとして個人情報保護委員会規則で定めるものを処理する地方公共団体の長その他の執行機関であって個人情報保護委員会規則で定めるものをいう。第26条において同じ。）が、政令で定めるところにより、条例事務関係情報提供者（当該事務の内容に応じて個人情報保護委員会規則で定める個人番号利用事務実施者をいう。以下この号及び同条において同じ。）に対し、当該事務を処理するために必要な同表の第4欄に掲げる特定個人情報であって当該事務の内容に応じて個人情報保護委員会規則で定めるもの（条例事務関係情報提供者の保有する特定個人情報ファイルに記録されたものに限る。）の提供を求めた場合において、当該条例事務関係情報提供者が情報提供ネットワークシステムを使用して当該特定個人情報を提供するとき。

10 国税庁長官が都道府県知事若しくは市町村長に又は都道府県知事若しくは市町村長が国税庁長官若しくは他の都道府県知事若しくは市町村長に、地方税法第46条第4項若しくは第5項、第72条の58、第317条、第325条又は第739条の5第7項の規定その他政令で定める同法若しくは森林環境税及び森林環境譲与税に関する法律（平成31年法律第3号）又は国税（国税通則法第2条第1号に規定する国税をいう。以下同じ。）に関する法律の規定により国税又は地方税若しくは森林環境税に関する特定個人情報を提供する場合において、当該特定個人情報の安全を確保するために必要な措置として政令で定める措置を講じているとき。

11 地方公共団体の機関が、条例で定めるところにより、当該地方公共団体の他の機関に、その事務を処理するために必要な限度で特定個人情報を提供するとき。

12 社債、株式等の振替に関する法律（平成13年法律第75号）第2条第5項に規定する振替機関等（以下この号において単に「振替機関等」という。）が同条第1項に規定する社債等（以下この号において単に「社債等」という。）の発行者（これに準ずる者として政令で定めるものを含む。）又は他の振替機関等に対し、これらの者の使用に係る電子計算機を相互に電気通信回線で接続した電子情報処理組織であって、社債等の振替を行うための口座が記録されるものを利用して、同法又は同法に基づく命令の規定により、社債等の振替を行うための口座の開設を受ける者が第9条第4項に規定する書面（所得税法第225条第1項（第1号、第2号、第8号又は第10号から第12号までに係る部分に限る。）の規定により税務署長に提出されるものに限る。）に記載されるべき個人番号として当該口座を開設する振替機関等に告知した個人番号を含む特定個人情報を提供する場合において、当該特定個人情報の安全を確保するために必要な措置として政令で定める措置を講じているとき。

13 第35条第1項の規定により求められた特定個人情報を個人情報保護委員会（以下「委員会」という。）に提供するとき。

14　第38条の7第1項の規定により求められた特定個人情報を総務大臣に提供するとき。
15　各議院若しくは各議院の委員会若しくは参議院の調査会が国会法（昭和22年法律第79号）第104条第1項（同法第54条の4第1項において準用する場合を含む。）若しくは議院における証人の宣誓及び証言等に関する法律（昭和22年法律第225号）第1条の規定により行う審査若しくは調査，訴訟手続その他の裁判所における手続，裁判の執行，刑事事件の捜査，租税に関する法律の規定に基づく犯則事件の調査又は会計検査院の検査（第36条において「各議院審査等」という。）が行われるとき，その他政令で定める公益上の必要があるとき。
16　人の生命，身体又は財産の保護のために必要がある場合において，本人の同意があり，又は本人の同意を得ることが困難であるとき。
17　その他これらに準ずるものとして個人情報保護委員会規則で定めるとき。

（収集等の制限）
第20条　何人も，前条各号のいずれかに該当する場合を除き，特定個人情報（他人の個人番号を含むものに限る。）を収集し，又は保管してはならない。

第2節　情報提供ネットワークシステムによる特定個人情報の提供

（情報提供ネットワークシステム）
第21条①　内閣総理大臣は，委員会と協議して，情報提供ネットワークシステムを設置し，及び管理するものとする。
②　内閣総理大臣は，情報照会者から第19条第8号の規定により特定個人情報の提供の求めがあったときは，次に掲げる場合を除き，政令で定めるところにより，情報提供ネットワークシステムを使用して，情報提供者に対して特定個人情報の提供の求めがあった旨を通知しなければならない。
1　情報照会者，情報提供者，情報照会者の処理する事務又は当該事務を処理するために必要な特定個人情報の項目が別表第2に掲げるものに該当しないとき。
2　当該特定個人情報が記録されることとなる情報照会者の保有する特定個人情報ファイル又は当該特定個人情報が記録されている情報提供者の保有する特定個人情報ファイルについて，第28条（第3項及び第5項を除く。）の規定に違反する事実があったと認めるとき。

（情報提供用個人識別符号の取得）
第21条の2①　情報照会者又は情報提供者（以下この条において「情報照会者等」という。）は，情報提供用個人識別符号を内閣総理大臣から取得することができる。
②　前項の規定による情報提供用個人識別符号の取得は，政令で定めるところにより，情報照会者等が取得番号（当該取得に関し割り当てられた番号であって，当該情報提供用個人識別符号により識別しようとする特定の個人ごとに異なるものとなるように割り当てられることにより，当該特定の個人を識別できるもののうち，個人番号又は住民票コードでないものとしてデジタル庁令で定めるものをいう。以下この条において同じ。）を，機構（第9条第3項の法務大臣である情報提供者にあっては，当該個人の本籍地の市町村長及び機構）を通じて内閣総理大臣に対して通知し，及び内閣総理大臣が当該取得番号と共に当該情報提供用個人識別符号を，当該情報照会者等に対して通知する方法により行うものとする。
③　情報照会者等，内閣総理大臣，機構及び前項の市町村長は，第1項の規定による情報提供用個人識別符号の取得に係る事務を行う目的の達成に必要な範囲を超えて，取得番号を保有してはならない。
④　前項に規定する者は，同項に規定する目的以外の目的のために取得番号を自ら利用

資料 行政手続における特定の個人を識別するための番号の利用等に関する法律

してはならない。
⑤ 第19条（第6号及び第13号から第17号までに係る部分に限る。）の規定は、第3項に規定する者による取得番号の提供について準用する。この場合において、同条中「次の」とあるのは「第21条の2第2項の規定による通知を行う場合及び次の」と、同条第13号中「第35条第1項」とあるのは「第21条の2第8項において準用する第35条第1項」と読み替えるものとする。
⑥ 前項（次項において準用する場合を含む。）において準用する第19条（第6号及び第13号から第17号までに係る部分に限る。）の規定により取得番号の提供を受けた者は、その提供を受けた目的の達成に必要な範囲を超えて、当該取得番号を保有してはならない。
⑦ 第4項及び第5項の規定は、前項に規定する者について準用する。この場合において、第4項中「同項に規定する」とあるのは、「その提供を受けた」と読み替えるものとする。
⑧ 第6章の規定は、取得番号の取扱いについて準用する。この場合において、第33条中「個人番号利用事務等実施者」とあるのは「第21条の2第3項又は第6項に規定する者」と、第36条中「第19条第15号」とあるのは「第21条の2第5項（同条第7項において準用する場合を含む。）において準用する第19条第15号」と読み替えるものとする。

（特定個人情報の提供）
第22条① 情報提供者は、第19条第8号の規定により特定個人情報の提供を求められた場合において、当該提供の求めについて第21条第2項の規定による内閣総理大臣からの通知を受けたときは、政令で定めるところにより、情報照会者に対し、当該特定個人情報を提供しなければならない。
② 前項の規定による特定個人情報の提供があった場合において、他の法令の規定により当該特定個人情報と同一の内容の情報を含む書面の提出が義務付けられているときは、当該書面の提出があったものとみなす。

（情報提供等の記録）
第23条① 情報照会者及び情報提供者は、第19条第8号の規定により特定個人情報の提供の求め又は提供があったときは、次に掲げる事項を情報提供ネットワークシステムに接続されたその者の使用する電子計算機に記録し、当該記録を政令で定める期間保存しなければならない。
1 情報照会者及び情報提供者の名称
2 提供の求めの日時及び提供があったときはその日時
3 特定個人情報の項目
4 前三号に掲げるもののほか、デジタル庁令で定める事項
② 前項に規定する事項のほか、情報照会者及び情報提供者は、当該特定個人情報の提供の求め又は提供の事実が次の各号のいずれかに該当する場合には、その旨を情報提供ネットワークシステムに接続されたその者の使用する電子計算機に記録し、当該記録を同項に規定する期間保存しなければならない。
1 個人情報保護法第78条第1項（個人情報保護法第125条第2項の規定によりみなして適用する場合を含む。次号において同じ。）に規定する不開示情報に該当すると認めるとき。
2 第31条第3項において準用する個人情報保護法第78条第1項に規定する不開示情報に該当すると認めるとき。
③ 内閣総理大臣は、第19条第8号の規定により特定個人情報の提供の求め又は提供があったときは、前二項に規定する事項を情報提供ネットワークシステムに記録し、当該記録を第1項に規定する期間保存しなければならない。

（秘密の管理）

第24条　内閣総理大臣並びに情報照会者及び情報提供者は，情報提供等事務（第19条第8号の規定による特定個人情報の提供の求め又は提供に関する事務をいう。以下この条及び次条において同じ。）に関する秘密について，その漏えいの防止その他の適切な管理のために，情報提供ネットワークシステム並びに情報照会者及び情報提供者が情報提供等事務に使用する電子計算機の安全性及び信頼性を確保することその他の必要な措置を講じなければならない。

（秘密保持義務）

第25条　情報提供等事務又は情報提供ネットワークシステムの運営に関する事務に従事する者又は従事していた者は，その業務に関して知り得た当該事務に関する秘密を漏らし，又は盗用してはならない。

（第19条第9号の規定による特定個人情報の提供）

第26条　第21条（第1項を除く。）から前条までの規定は，第19条第9号の規定による条例事務関係情報照会者による特定個人情報の提供の求め及び条例事務関係情報提供者による特定個人情報の提供について準用する。この場合において，第21条第2項第1号中「別表第2に掲げる」とあるのは「第19条第9号の個人情報保護委員会規則で定める」と，第22条第1項中「ならない」とあるのは「ならない。ただし，第19条第9号の規定により提供することができる特定個人情報の範囲が条例により限定されている地方公共団体の長その他の執行機関が，個人情報保護委員会規則で定めるところによりあらかじめその旨を委員会に申し出た場合において，当該提供の求めに係る特定個人情報が当該限定された特定個人情報の範囲に含まれないときは，この限りでない」と，同条第2項中「法令」とあるのは「条例」と，第24条中「情報提供等事務（第19条第8号」とあるのは「条例事務関係情報提供等事務（第19条第9号」と，「情報提供等事務に」とあるのは「条例事務関係情報提供等事務に」と，前条中「情報提供等事務」とあるのは「条例事務関係情報提供等事務」と読み替えるものとする。

第5章　特定個人情報の保護
第1節　特定個人情報保護評価等

（特定個人情報ファイルを保有しようとする者に対する指針）

第27条①　委員会は，特定個人情報の適正な取扱いを確保するため，特定個人情報ファイルを保有しようとする者が，特定個人情報保護評価（特定個人情報の漏えいその他の事態の発生の危険性及び影響に関する評価をいう。）を自ら実施し，これらの事態の発生を抑止することその他特定個人情報を適切に管理するために講ずべき措置を定めた指針（次項及び次条第3項において単に「指針」という。）を作成し，公表するものとする。

② 　委員会は，個人情報の保護に関する技術の進歩及び国際的動向を踏まえ，少なくとも3年ごとに指針について再検討を加え，必要があると認めるときは，これを変更するものとする。

（特定個人情報保護評価）

第28条①　行政機関の長等は，特定個人情報ファイル（専ら当該行政機関の長等の職員又は職員であった者の人事，給与又は福利厚生に関する事項を記録するものその他の個人情報保護委員会規則で定めるものを除く。以下この条において同じ。）を保有しようとするときは，当該特定個人情報ファイルを保有する前に，個人情報保護委員会規則で定めるところにより，次に掲げる事項を評価した結果を記載した書面（以下この条において「評価書」という。）を公示し，広く国民の意見を求めるものとする。当該特定個人情報ファイルについて，個人

> **資料** 行政手続における特定の個人を識別するための番号の利用等に関する法律

情報保護委員会規則で定める重要な変更を加えようとするときも，同様とする。
1 特定個人情報ファイルを取り扱う事務に従事する者の数
2 特定個人情報ファイルに記録されることとなる特定個人情報の量
3 行政機関の長等における過去の個人情報ファイルの取扱いの状況
4 特定個人情報ファイルを取り扱う事務の概要
5 特定個人情報ファイルを取り扱うために使用する電子情報処理組織の仕組み及び電子計算機処理等の方式
6 特定個人情報ファイルに記録された特定個人情報を保護するための措置
7 前各号に掲げるもののほか，個人情報保護委員会規則で定める事項

② 前項前段の場合において，行政機関の長等は，個人情報保護委員会規則で定めるところにより，同項前段の規定により得られた意見を十分考慮した上で評価書に必要な見直しを行った後に，当該評価書に記載された特定個人情報ファイルの取扱いについて委員会の承認を受けるものとする。当該特定個人情報ファイルについて，個人情報保護委員会規則で定める重要な変更を加えようとするときも，同様とする。

③ 委員会は，評価書の内容，第35条第1項の規定により得た情報その他の情報から判断して，当該評価書に記載された特定個人情報ファイルの取扱いが指針に適合していると認められる場合でなければ，前項の承認をしてはならない。

④ 行政機関の長等は，第2項の規定により評価書について承認を受けたときは，速やかに当該評価書を公表するものとする。

⑤ 前項の規定により評価書が公表されたときは，個人情報保護法第74条第1項の規定による通知があったものとみなす。

⑥ 行政機関の長等は，評価書の公表を行っていない特定個人情報ファイルに記録された情報を第19条第8号若しくは第9号の規定により提供し，又は当該特定個人情報ファイルに記録されることとなる情報の提供をこれらの規定により求めてはならない。

（特定個人情報ファイルの作成の制限）
第29条 個人番号利用事務等実施者その他個人番号利用事務等に従事する者は，第19条第13号から第17号までのいずれかに該当して特定個人情報を提供し，又はその提供を受けることができる場合を除き，個人番号利用事務等を処理するために必要な範囲を超えて特定個人情報ファイルを作成してはならない。

（研修の実施）
第29条の2 行政機関の長等は，特定個人情報ファイルを保有し，又は保有しようとするときは，特定個人情報ファイルを取り扱う事務に従事する者に対して，政令で定めるところにより，特定個人情報の適正な取扱いを確保するために必要なサイバーセキュリティ（サイバーセキュリティ基本法（平成26年法律第104号）第2条に規定するサイバーセキュリティをいう。第32条において同じ。）の確保に関する事項その他の事項に関する研修を行うものとする。

（委員会による検査等）
第29条の3① 特定個人情報ファイルを保有する行政機関，独立行政法人等及び機構は，個人情報保護委員会規則で定めるところにより，定期的に，当該特定個人情報ファイルに記録された特定個人情報の取扱いの状況について委員会による検査を受けるものとする。

② 特定個人情報ファイルを保有する地方公共団体及び地方独立行政法人は，個人情報保護委員会規則で定めるところにより，定期的に，委員会に対して当該特定個人情報ファイルに記録された特定個人情報の取扱いの状況について報告するものとする。

（特定個人情報の漏えい等に関する報告等）
第29条の4① 個人番号利用事務等実施者

は，特定個人情報ファイルに記録された特定個人情報の漏えい，滅失，毀損その他の特定個人情報の安全の確保に係る事態であって個人の権利利益を害するおそれが大きいものとして個人情報保護委員会規則で定めるものが生じたときは，個人情報保護委員会規則で定めるところにより，当該事態が生じた旨を委員会に報告しなければならない。ただし，当該個人番号利用事務等実施者が，他の個人番号利用事務等実施者から当該個人番号利用事務等の全部又は一部の委託を受けた場合であって，個人情報保護委員会規則で定めるところにより，当該事態が生じた旨を当該他の個人番号利用事務等実施者に通知したときは，この限りでない。

② 前項に規定する場合には，個人番号利用事務等実施者（同項ただし書の規定による通知をした者を除く。）は，本人に対し，個人情報保護委員会規則で定めるところにより，当該事態が生じた旨を通知しなければならない。ただし，本人への通知が困難な場合であって，本人の権利利益を保護するため必要なこれに代わるべき措置をとるときは，この限りでない。

第2節　個人情報保護法の特例等

（個人情報保護法の特例）

第30条① 　行政機関等（個人情報保護法第125条第2項の規定により個人情報保護法第2条第11項第3号に規定する独立行政法人等又は同項第4号に規定する地方独立行政法人とみなされる個人情報保護法第58条第1項各号に掲げる者（次条第1項において「みなし独立行政法人等」という。）を含む。）が保有し，又は保有しようとする特定個人情報（第23条（第26条において準用する場合を含む。）に規定する記録に記録されたものを除く。）に関しては，個人情報保護法第69条第2項第2号から第4号まで及び第88条の規定は適用しないものとし，個人情報保護法の他の規定の適用については，次の表の上欄に掲げる個人情報保護法の規定中同表の中欄に掲げる字句は，同表の下欄に掲げる字句とする。

[上欄]	[中欄]	[下欄]
読み替えられる個人情報保護法の規定	読み替えられる字句	読み替える字句
第69条第1項	法令に基づく場合を除き，利用目的以外の目的	利用目的以外の目的（独立行政法人等にあっては，行政手続における特定の個人を識別するための番号の利用等に関する法律（平成25年法律第27号）第9条第5項の規定に基づく場合を除き，利用目的以外の目的）
	自ら利用し，又は提供してはならない	自ら利用してはならない
第69条第2項	自ら利用し，又は提供する	自ら利用する
第69条第2項第1号	本人の同意があるとき，又は本人に提供するとき	人の生命，身体又は財産の保護のために必要がある場合であって，本人の同意があり，又は本人の同意を得ることが困難であるとき
第89条第3項	配慮しなければならない	配慮しなければならない。この場合において，行政機関の長及び地方公共団体の機関は，経済的困難その他特別の理由があると認めるときは，

資料 行政手続における特定の個人を識別するための番号の利用等に関する法律

		政令及び条例で定めるところにより，当該手数料を減額し，又は免除することができる
第89条第5項	定める	定める。この場合において，独立行政法人等は，経済的困難その他特別の理由があると認めるときは，行政手続における特定の個人を識別するための番号の利用等に関する法律第30条第1項の規定により読み替えて適用する第89条第3項の規定の例により，当該手数料を減額し，又は免除することができる
第89条第8項	定める	定める。この場合において，地方独立行政法人は，経済的困難その他特別の理由があると認めるときは，行政手続における特定の個人を識別するための番号の利用等に関する法律第30条第1項の規定により読み替えて適用する第89条第3項の規定の例により，当該手数料を減額し，又は免除することができる
第98条第1項第1号	又は第69条第1項及び第2項の規定に違反して利用されているとき	行政手続における特定の個人を識別するための番号の利用等に関する法律第30条第1項の規定により読み替えて適用する第69条第1項及び第2項（第1号に係る部分に限る。）の規定に違反して利用されているとき，同法第20条の規定に違反して収集され，若しくは保管されているとき，又は同法第29条の規定に違反して作成された特定個人情報ファイル（同法第2条第9項に規定する特定個人情報ファイルをいう。）に記録されているとき
第98条第1項第2号	第69条第1項及び第2項又は第71条第1項	行政手続における特定の個人を識別するための番号の利用等に関する法律第19条
第125条第3項の規定により読み替えて適用する第98条第1項第1号	第18条若しくは第19条の規定に違反して取り扱われているとき，又は第20条の規定に違反して取得されたものであるとき	行政手続における特定の個人を識別するための番号の利用等に関する法律第30条第2項の規定により読み替えて適用する第18条第1項，第2項及び第3項（第1号及び第2号に係る部分に限る。）若しくは第19条の規定に違反して利用されているとき，同法第20条の規定に違反して収集され，若しくは保管されているとき，又は同法第29条の規定に違反して作成された特定個人情報ファイル（同法第2条第9項に規定する特定個人情報ファイルをいう。）に記録されているとき
第125条第3項の規定により読み替えて適用する第98条第1項第2号	第27条第1項又は第28条	行政手続における特定の個人を識別するための番号の利用等に関する法律第19条

② 個人情報保護法第16条第2項に規定する個人情報取扱事業者(個人情報保護法第58条第2項の規定により個人情報保護法第16条第2項に規定する個人情報取扱事業者とみなされる個人情報保護法第58条第2項各号に掲げる者(次条第3項において「みなし個人情報取扱事業者」という。)を含む。)が保有し,又は保有しようとする特定個人情報(第23条第1項及び第2項(これらの規定を第26条において準用する場合を含む。以下同じ。)に規定する記録に記録されたものを除く。)に関しては,個人情報保護法第18条第3項第3号から第6号まで,第20条第2項及び第27条から第30までの規定は適用しないものとし,個人情報保護法の他の規定の適用については,次の表の上欄に掲げる個人情報保護法の規定中同表の中欄に掲げる字句は,同表の下欄に掲げる字句とする。

[上欄]	[中欄]	[下欄]
読み替えられる個人情報保護法の規定	読み替えられる字句	読み替える字句
第18条第1項	あらかじめ本人の同意を得ないで,前条	前条
第18条第2項	あらかじめ本人の同意を得ないで,承継前	承継前
第18条第3項第1号	法令(条例を含む。以下この章において同じ。)に基づく場合	行政手続における特定の個人を識別するための番号の利用等に関する法律(平成25年法律第27号)第9条第5項の規定に基づく場合
第18条第3項第2号	本人	本人の同意があり,又は本人
第35条第3項	第27条第1項又は第28条	行政手続における特定の個人を識別するための番号の利用等に関する法律第19条

(情報提供等の記録についての特例)
第31条 ① 行政機関等(みなし独立行政法人等を含む。)が保有し,又は保有しようとする第23条第1項及び第2項に規定する記録に記録された特定個人情報に関しては,個人情報保護法第69条第2項から第4項まで,第70条,第85条,第88条,第96条及び第5章第4節第3款の規定(みなし独立行政法人等については,個人情報保護法第85条,第88条,第96条及び第5章第4節第3款の規定)は適用しないものとし,個人情報保護法の他の規定の適用については,次の表の上欄に掲げる個人情報保護法の規定中同表の中欄に掲げる字句は,同表の下欄に掲げる字句とする。

[上欄]	[中欄]	[下欄]
読み替えられる個人情報保護法の規定	読み替えられる字句	読み替える字句
第69条第1項	法令に基づく場合を除き,利用目的	利用目的
	自ら利用し,又は提	自ら利用してはならない

資料 行政手続における特定の個人を識別するための番号の利用等に関する法律

	供してはならない	
第89条第3項	配慮しなければならない	配慮しなければならない。この場合において，行政機関の長及び地方公共団体の機関は，経済的困難その他特別の理由があると認めるときは，政令及び条例で定めるところにより，当該手数料を減額し，又は免除することができる
第89条第5項	定める	定める。この場合において，独立行政法人等は，経済的困難その他特別の理由があると認めるときは，行政手続における特定の個人を識別するための番号の利用等に関する法律（平成25年法律第27号）第31条第1項の規定により読み替えて適用する第89条第3項の規定の例により，当該手数料を減額し，又は免除することができる
第89条第8項	定める	定める。この場合において，地方独立行政法人は，経済的困難その他特別の理由があると認めるときは，行政手続における特定の個人を識別するための番号の利用等に関する法律第31条第1項の規定により読み替えて適用する第89条第3項の規定の例により，当該手数料を減額し，又は免除することができる
第97条	当該保有個人情報の提供先	内閣総理大臣及び行政手続における特定の個人を識別するための番号の利用等に関する法律第19条第8号に規定する情報照会者若しくは情報提供者又は同条第9号に規定する条例事務関係情報照会者若しくは条例事務関係情報提供者（当該訂正に係る同法第23条第1項及び第2項（これらの規定を同法第26条において準用する場合を含む。）に規定する記録に記録された者であって，当該行政機関の長等以外のものに限る。）

② デジタル庁が保有し，又は保有しようとする第23条第3項（第26条において準用する場合を含む。）に規定する記録に記録された特定個人情報に関しては，個人情報保護法第69条第2項から第4項まで，第70条，第85条，第88条，第96条及び第5章第4節第3款の規定は適用しないものとし，個人情報保護法の他の規定の適用については，次の表の上欄に掲げる個人情報保護法の規定中同表の中欄に掲げる字句は，同表の下欄に掲げる字句とする。

[上欄]	[中欄]	[下欄]
読み替えられる個人情報保護法の規定	読み替えられる字句	読み替える字句
第69条第1項	法令に基づく場合を除き，利用目的	利用目的
	自ら利用し，又は提	自ら利用してはならない

第89条第3項	配慮しなければならない	配慮しなければならない。この場合において，行政機関の長は，経済的困難その他特別の理由があると認めるときは，政令で定めるところにより，当該手数料を減額し，又は免除することができる
第97条	当該保有個人情報の提供先	当該訂正に係る行政手続における特定の個人を識別するための番号の利用等に関する法律（平成25年法律第27号）第23条第3項（同法第26条において準用する場合を含む。）に規定する記録に記録された同法第19条第8号に規定する情報照会者及び情報提供者又は同条第9号に規定する条例事務関係情報照会者及び条例事務関係情報提供者

③　個人情報保護法第61条，第63条から第65条まで，第66条第1項（同条第2項（第1号及び第5号（同項第1号に係る部分に限る。）に係る部分に限る。）において準用する場合を含む。以下この項において同じ。），第67条から第69条第1項まで，第76条から第84条まで，第86条，第87条，第89条第4項から第6項まで，第90条から第95条まで，第97条及び第127条の規定（みなし個人情報取扱事業者については，個人情報保護法第61条，第63条から第66条第1項まで及び第67条から第69条第1項までの規定）は，行政機関等以外の者（みなし個人情報取扱事業者を含む。）が保有する第23条第1項及び第2項に規定する記録に記録された特定個人情報について準用する。この場合において，次の表の上欄に掲げる個人情報保護法の規定中同表の中欄に掲げる字句は，同表の下欄に掲げる字句に読み替えるものとする。

［上欄］	［中欄］	［下欄］
読み替えられる個人情報保護法の規定	読み替えられる字句	読み替える字句
第69条第1項	法令に基づく場合を除き，利用目的	利用目的
	自ら利用し，又は提供してはならない	自ら利用してはならない
第86条第1項	及び開示請求者	，開示請求者及び開示請求を受けた者
第89条第4項	独立行政法人等に対し開示請求をする者は，独立行政法人等の定めるところにより，手数料を納めなければならない	開示請求を受けた者は，行政手続における特定の個人を識別するための番号の利用等に関する法律第23条第1項及び第2項（これらの規定を同法第26条において準用する場合を含む。第97条において同じ。）に規定する記録の開示を請求されたときは，当該開示の実施に関し，手数料を徴収することができる
第97条	当該保有個人情報の提供先	内閣総理大臣及び行政手続における特定の個人を識別するための番号の利用等に関する法律第

> 資料　行政手続における特定の個人を識別するための番号の利用等に関する法律

		19条第8号に規定する情報照会者若しくは情報提供者又は同条第9号に規定する条例事務関係情報照会者若しくは条例事務関係情報提供者（当該訂正に係る同法第23条第1項及び第2項に規定する記録に記録された者であって，当該開示請求を受けた者以外のものに限る。）

（特定個人情報の保護を図るための連携協力）

第32条　委員会は，特定個人情報の保護を図るため，サイバーセキュリティの確保に関する事務を処理するために内閣官房に置かれる組織と情報を共有すること等により相互に連携を図りながら協力するものとする。

第6章　特定個人情報の取扱いに関する監督等

（指導及び助言）

第33条　委員会は，この法律の施行に必要な限度において，個人番号利用事務等実施者に対し，特定個人情報の取扱いに関し，必要な指導及び助言をすることができる。

（勧告及び命令）

第34条①　委員会は，特定個人情報の取扱いに関して法令の規定に違反する行為が行われた場合において，特定個人情報の適正な取扱いの確保のために必要があると認めるときは，当該違反行為をした者に対し，期限を定めて，当該違反行為の中止その他違反を是正するために必要な措置をとるべき旨を勧告することができる。

②　委員会は，前項の規定による勧告を受けた者が，正当な理由がなくてその勧告に係る措置をとらなかったときは，その者に対し，期限を定めて，その勧告に係る措置をとるべきことを命ずることができる。

③　委員会は，前二項の規定にかかわらず，特定個人情報の取扱いに関して法令の規定に違反する行為が行われた場合において，個人の重大な権利利益を害する事実があるため緊急に措置をとる必要があると認めるときは，当該違反行為をした者に対し，期限を定めて，当該違反行為の中止その他違反を是正するために必要な措置をとるべき旨を命ずることができる。

（報告及び立入検査）

第35条①　委員会は，この法律の施行に必要な限度において，特定個人情報を取り扱う者その他の関係者に対し，特定個人情報の取扱いに関し，必要な報告若しくは資料の提出を求め，又はその職員に，当該特定個人情報を取り扱う者その他の関係者の事務所その他必要な場所に立ち入らせ，特定個人情報の取扱いに関し質問させ，若しくは帳簿書類その他の物件を検査させることができる。

②　前項の規定により立入検査をする職員は，その身分を示す証明書を携帯し，関係人の請求があったときは，これを提示しなければならない。

③　第1項の規定による立入検査の権限は，犯罪捜査のために認められたものと解釈してはならない。

（適用除外）

第36条　前三条の規定は，各議院審査等が行われる場合又は第19条第15号の政令で定める場合のうち各議院審査等に準ずるものとして政令で定める手続が行われる場合における特定個人情報の提供及び提供を受け，又は取得した特定個人情報の取扱いについては，適用しない。

（措置の要求）

第37条①　委員会は，個人番号その他の特定個人情報の取扱いに利用される情報提供

ネットワークシステムその他の情報システムの構築及び維持管理に関し，費用の節減その他の合理化及び効率化を図った上でその機能の安全性及び信頼性を確保するよう，内閣総理大臣その他の関係行政機関の長に対し，必要な措置を実施するよう求めることができる。
② 委員会は，前項の規定により同項の措置の実施を求めたときは，同項の関係行政機関の長に対し，その措置の実施状況について報告を求めることができる。

（内閣総理大臣に対する意見の申出）
第38条 委員会は，内閣総理大臣に対し，その所掌事務の遂行を通じて得られた特定個人情報の保護に関する施策の改善についての意見を述べることができる。

第6章の2 機構処理事務等の実施に関する措置

（機構処理事務管理規程）
第38条の2① 機構は，この法律の規定により機構が処理する事務（以下「機構処理事務」という。）の実施に関し総務省令で定める事項について機構処理事務管理規程を定め，総務大臣の認可を受けなければならない。これを変更しようとするときも，同様とする。
② 総務大臣は，前項の規定により認可をした機構処理事務管理規程が機構処理事務の適正かつ確実な実施上不適当となったと認めるときは，機構に対し，これを変更すべきことを命ずることができる。

（機構処理事務特定個人情報等の安全確保）
第38条の3① 機構は，機構処理事務において取り扱う特定個人情報その他の総務省令で定める情報（以下この条及び次条第2項において「機構処理事務特定個人情報等」という。）の電子計算機処理等を行うに当たっては，機構処理事務特定個人情報等の漏えい，滅失又は毀損の防止その他の機構処理事務特定個人情報等の適切な管理のために必要な措置を講じなければならない。
② 前項の規定は，機構から機構処理事務特定個人情報等の電子計算機処理等の委託（二以上の段階にわたる委託を含む。）を受けた者が受託した業務を行う場合について準用する。

（機構の役職員等の秘密保持義務）
第38条の3の2① 機構の役員若しくは職員（地方公共団体情報システム機構法（平成25年法律第29号）第27条第1項に規定する機構処理事務特定個人情報等保護委員会の委員を含む。）又はこれらの職にあった者は，機構処理事務に関して知り得た秘密を漏らしてはならない。
② 機構から機構処理事務特定個人情報等の電子計算機処理等の委託（二以上の段階にわたる委託を含む。）を受けた者若しくはその役員若しくは職員又はこれらの者であった者は，その委託された業務に関して知り得た機構処理事務特定個人情報等に関する秘密又は機構処理事務特定個人情報等の電子計算機処理等に関する秘密を漏らしてはならない。

（帳簿の備付け）
第38条の4 機構は，総務省令で定めるところにより，機構処理事務に関する事項で総務省令で定めるものを記載した帳簿を備え，保存しなければならない。

（報告書の公表）
第38条の5 機構は，毎年少なくとも1回，機構処理事務の実施の状況について，総務省令で定めるところにより，報告書を作成し，これを公表しなければならない。

（監督命令）
第38条の6 総務大臣は，機構処理事務の適正な実施を確保するため必要があると認めるときは，機構に対し，機構処理事務の実施に関し監督上必要な命令をすることができる。

資料 行政手続における特定の個人を識別するための番号の利用等に関する法律

（報告及び立入検査）
第38条の7① 総務大臣は，機構処理事務の適正な実施を確保するため必要があると認めるときは，機構に対し，機構処理事務の実施の状況に関し，必要な報告若しくは資料の提出を求め，又はその職員に，機構の事務所に立ち入らせ，機構処理事務の実施の状況に関し質問させ，若しくは帳簿書類その他の物件を検査させることができる。
② 第35条第2項及び第3項の規定は，前項の規定による立入検査について準用する。

（個人番号カード関係事務に係る中期目標）
第38条の8① 主務大臣は，個人番号カード関係事務（第16条の2の規定により機構が処理する事務及び電子署名等に係る地方公共団体情報システム機構の認証業務に関する法律（平成14年法律第153号）第39条第1項に規定する認証事務をいう。以下この条から第38条の12までにおいて同じ。）の実施に関し，3年以上5年以下の期間において機構が達成すべき業務運営に関する目標（以下「中期目標」という。）を定め，これを機構に指示するとともに，公表しなければならない。これを変更したときも，同様とする。
② 中期目標においては，次に掲げる事項について具体的に定めるものとする。
 1 中期目標の期間（前項の期間の範囲内で主務大臣が定める期間をいう。第38条の11第1項第2号及び第3号において同じ。）
 2 個人番号カード関係事務に係る業務の質の向上に関する事項
 3 個人番号カード関係事務に係る業務運営の効率化に関する事項
 4 その他個人番号カード関係事務に係る業務運営に関する重要事項

（個人番号カード関係事務に係る中期計画）
第38条の9① 機構は，前条第1項の指示を受けたときは，中期目標に基づき，主務省令で定めるところにより，当該中期目標を達成するための計画（以下この条から第38条の11までにおいて「中期計画」という。）を作成し，主務大臣の認可を受けなければならない。これを変更しようとするときも，同様とする。
② 中期計画においては，次に掲げる事項を定めるものとする。
 1 個人番号カード関係事務に係る業務の質の向上に関する目標を達成するためとるべき措置
 2 個人番号カード関係事務に係る業務運営の効率化に関する目標を達成するためとるべき措置
 3 その他主務省令で定める個人番号カード関係事務に係る業務運営に関する事項
③ 主務大臣は，第1項の規定により認可をした中期計画が前条第2項第2号から第4号までに掲げる事項の適正かつ確実な実施上不適当となったと認めるときは，機構に対し，その中期計画を変更すべきことを命ずることができる。
④ 機構は，第1項の認可を受けたときは，遅滞なく，その中期計画を公表しなければならない。

（個人番号カード関係事務に係る年度計画）
第38条の10 機構は，毎事業年度の開始前に，前条第1項の認可を受けた中期計画に基づき，主務省令で定めるところにより，その事業年度の個人番号カード関係事務に係る業務運営に関する計画（次条第5項において「年度計画」という。）を定め，これを主務大臣に届け出るとともに，公表しなければならない。これを変更したときも，同様とする。

（各事業年度に係る個人番号カード関係事務に係る業務の実績に関する評価等）
第38条の11① 機構は，毎事業年度の終了後，当該事業年度が次の各号に掲げる事業年度のいずれに該当するかに応じ当該各号に定める事項について，主務大臣の評価を受けなければならない。

1　次号及び第3号に掲げる事業年度以外の事業年度　当該事業年度における個人番号カード関係事務に係る業務の実績
2　中期目標の期間の最後の事業年度の直前の事業年度　当該事業年度における個人番号カード関係事務に係る業務の実績及び中期目標の期間の終了時に見込まれる中期目標の期間における個人番号カード関係事務に係る業務の実績
3　中期目標の期間の最後の事業年度　当該事業年度における個人番号カード関係事務に係る業務の実績及び中期目標の期間における個人番号カード関係事務に係る業務の実績

② 機構は、前項の評価を受けようとするときは、主務省令で定めるところにより、各事業年度の終了後3月以内に、同項第1号、第2号又は第3号に定める事項及び当該事項について自ら評価を行った結果を明らかにした報告書を主務大臣に提出するとともに、公表しなければならない。

③ 第1項の評価は、同項第1号、第2号又は第3号に定める事項について総合的な評定を付して、行わなければならない。この場合において、同項各号に規定する当該事業年度における個人番号カード関係事務に係る業務の実績に関する評価は、当該事業年度における中期計画の実施状況の調査及び分析を行い、その結果を考慮して行わなければならない。

④ 主務大臣は、第1項の評価を行ったときは、遅滞なく、機構に対し、当該評価の結果を通知するとともに、公表しなければならない。

⑤ 機構は、第1項の評価の結果を、中期計画及び年度計画並びに個人番号カード関係事務に係る業務運営の改善に適切に反映させるとともに、毎年度、評価結果の反映状況を公表しなければならない。

⑥ 主務大臣は、第1項の評価の結果に基づき必要があると認めるときは、機構に対し、個人番号カード関係事務に係る業務運営の改善その他の必要な措置を講ずることを命ずることができる。

⑦ 主務大臣は、機構の理事長が前項の命令に違反する行為をしたときは、機構の代表者会議（地方公共団体情報システム機構法第8条第1項に規定する代表者会議をいう。次項において同じ。）に対し、期間を指定して、当該理事長を解任すべきことを命ずることができる。

⑧ 主務大臣は、機構の代表者会議が前項の規定による命令に従わなかったときは、同項の命令に係る理事長を解任することができる。

（個人番号カード関係事務に係る財源措置）
第38条の12　国は、機構に対し、予算の範囲内において、個人番号カード関係事務に係る業務の財源に充てるために必要な金額の全部又は一部に相当する金額を補助することができる。

（財務大臣との協議）
第38条の13　主務大臣は、次の場合には、財務大臣に協議しなければならない。
1　第38条の8第1項の規定により中期目標を定め、又は変更しようとするとき。
2　第38条の9第1項の規定による認可をしようとするとき。

第7章　法人番号

（通知等）
第39条① 国税庁長官は、政令で定めるところにより、法人等（国の機関、地方公共団体及び会社法（平成17年法律第86号）その他の法令の規定により設立の登記をした法人並びにこれらの法人以外の法人又は法人でない社団若しくは財団で代表者若しくは管理人の定めがあるもの（以下この条において「人格のない社団等」という。）であって、所得税法第230条、法人税法（昭和40年法律第34号）第148条、第149条若しくは第150条又は消費税法（昭和

資料 行政手続における特定の個人を識別するための番号の利用等に関する法律

63年法律第108号）第57条の規定により届出書を提出することとされているものをいう。以下この項及び次項において同じ。）に対して，法人番号を指定し，これを当該法人等に通知するものとする。

② 法人等以外の法人又は人格のない社団等であって政令で定めるものは，政令で定めるところにより，その者の商号又は名称及び本店又は主たる事務所の所在地その他財務省令で定める事項を国税庁長官に届け出て法人番号の指定を受けることができる。

③ 前項の規定による届出をした者は，その届出に係る事項に変更があったとき（この項の規定による届出に係る事項に変更があった場合を含む。）は，政令で定めるところにより，当該変更があった事項を国税庁長官に届け出なければならない。

④ 国税庁長官は，政令で定めるところにより，第1項又は第2項の規定により法人番号の指定を受けた者（以下「法人番号保有者」という。）の商号又は名称，本店又は主たる事務所の所在地及び法人番号を公表するものとする。ただし，人格のない社団等については，あらかじめ，その代表者又は管理人の同意を得なければならない。

（情報の提供の求め）

第40条① 行政機関の長，地方公共団体の機関又は独立行政法人等（以下この章において「行政機関の長等」という。）は，他の行政機関の長等に対し，特定法人情報（法人番号保有者に関する情報であって法人番号により検索することができるものをいう。第42条において同じ。）の提供を求めるときは，当該法人番号を当該他の行政機関の長等に通知してするものとする。

② 行政機関の長等は，国税庁長官に対し，法人番号保有者の商号又は名称，本店又は主たる事務所の所在地及び法人番号について情報の提供を求めることができる。

（資料の提供）

第41条① 国税庁長官は，第39条第1項の規定による法人番号の指定を行うために必要があると認めるときは，法務大臣に対し，商業登記法（昭和38年法律第125号）第7条（他の法令において準用する場合を含む。）に規定する会社法人等番号（会社法その他の法令の規定により設立の登記をした法人の本店又は主たる事務所の所在地を管轄する登記所において作成される登記簿に記録されたものに限る。）その他の当該登記簿に記録された事項の提供を求めることができる。

② 前項に定めるもののほか，国税庁長官は，第39条第1項若しくは第2項の規定による法人番号の指定若しくは通知又は同条第4項の規定による公表を行うために必要があると認めるときは，官公署に対し，法人番号保有者の商号又は名称及び本店又は主たる事務所の所在地その他必要な資料の提供を求めることができる。

（正確性の確保）

第42条 行政機関の長等は，その保有する特定法人情報について，その利用の目的の達成に必要な範囲内で，過去又は現在の事実と合致するよう努めなければならない。

第8章 雑則

（指定都市の特例）

第43条① 地方自治法（昭和22年法律第67号）第252条の19第1項に規定する指定都市（次項において単に「指定都市」という。）に対するこの法律の規定で政令で定めるものの適用については，区及び総合区を市と，区長及び総合区長を市長とみなす。

② 前項に定めるもののほか，指定都市に対するこの法律の規定の適用については，政令で特別の定めをすることができる。

（事務の区分）

第44条 第7条第1項及び第2項，第8条第1項（附則第3条第4項において準用する場合を含む。），第17条第1項及び第3

項（同条第4項において準用する場合を含む。），第21条の2第2項（情報提供者が第9条第3項の法務大臣である場合における通知に係る部分に限り，第26条において準用する場合を含む。）並びに附則第3条第1項から第3項までの規定により市町村が処理することとされている事務は，地方自治法第2条第9項第1号に規定する第1号法定受託事務とする。

（権限又は事務の委任）

第45条　行政機関の長は，政令（内閣の所轄の下に置かれる機関及び会計検査院にあっては，当該機関の命令）で定めるところにより，第2章，第4章，第5章及び前章に定める権限又は事務を当該行政機関の職員に委任することができる。

（戸籍関係情報作成用情報に係る個人情報保護法の特例）

第45条の2　① 法務大臣は，第19条第8号又は第9号の規定による提供の用に供する戸籍関係情報の作成に関する事務を行う目的の達成に必要な範囲を超えて，戸籍関係情報作成用情報（戸籍関係情報を作成するために戸籍又は除かれた戸籍の副本に記録されている情報の電子計算機処理等を行うことにより作成される情報（戸籍関係情報を除く。）をいう。以下この条において同じ。）を保有してはならない。

② 法務大臣は，戸籍関係情報作成用情報の作成に関する事務に関する秘密について，その漏えいの防止その他の適切な管理のために，当該事務に使用する電子計算機の安全性及び信頼性を確保することその他の必要な措置を講じなければならない。

③ 前項に規定する事務に従事する者又は従事していた者は，その業務に関して知り得た当該事務に関する秘密を漏らし，又は盗用してはならない。

④ 法務大臣は，第1項に規定する目的以外の目的のために戸籍関係情報作成用情報を自ら利用してはならない。

⑤ 第19条（第6号，第13号及び第15号から第17号までに係る部分に限る。）の規定は，法務大臣による戸籍関係情報作成用情報の提供について準用する。この場合において，同条中「次の」とあるのは「第21条の2第2項の規定による通知を行う場合及び次の」と，同条第13号中「第35条第1項」とあるのは「第45条の2第9項において準用する第35条第1項」と読み替えるものとする。

⑥ 前項（次項において準用する場合を含む。）において準用する第19条（第6号，第13号及び第15号から第17号までに係る部分に限る。）の規定により戸籍関係情報作成用情報の提供を受けた者は，その提供を受けた目的の達成に必要な範囲を超えて，当該戸籍関係情報作成用情報を保有してはならない。

⑦ 第4項及び第5項の規定は，前項に規定する者について準用する。この場合において，第4項中「第1項に規定する」とあるのは，「その提供を受けた」と読み替えるものとする。

⑧ 戸籍関係情報作成用情報については，個人情報保護法第5章第4節の規定は，適用しない。

⑨ 第6章の規定は，戸籍関係情報作成用情報の取扱いについて準用する。この場合において，第33条中「個人番号利用事務等実施者」とあるのは「法務大臣又は第45条の2第6項に規定する者」と，第36条中「第19条第15号」とあるのは「第45条の2第5項（同条第7項において準用する場合を含む。）において準用する第19条第15号」と読み替えるものとする。

（主務省令）

第46条　この法律における主務省令は，デジタル庁令・総務省令とする。

（政令への委任）

第47条　この法律に定めるもののほか，この法律の実施のための手続その他この法律

> 資料　行政手続における特定の個人を識別するための番号の利用等に関する法律

の施行に関し必要な事項は，政令で定める．

第9章　罰　則

第48条　個人番号利用事務等又は第7条第1項若しくは第2項の規定による個人番号の指定若しくは通知，第8条第2項の規定による個人番号とすべき番号の生成若しくは通知若しくは第14条第2項の規定による機構保存本人確認情報等の提供に関する事務に従事する者又は従事していた者が，正当な理由がないのに，その業務に関して取り扱った個人の秘密に属する事項が記録された特定個人情報ファイル（その全部又は一部を複製し，又は加工した特定個人情報ファイルを含む．）を提供したときは，4年以下の懲役若しくは200万円以下の罰金に処し，又はこれを併科する．

第49条　前条に規定する者が，その業務に関して知り得た個人番号を自己若しくは第三者の不正な利益を図る目的で提供し，又は盗用したときは，3年以下の懲役若しくは150万円以下の罰金に処し，又はこれを併科する．

第50条　第25条（第26条において準用する場合を含む．）の規定に違反して秘密を漏らし，又は盗用した者は，3年以下の懲役若しくは150万円以下の罰金に処し，又はこれを併科する．

第51条①　人を欺き，人に暴行を加え，若しくは人を脅迫する行為により，又は財物の窃取，施設への侵入，不正アクセス行為（不正アクセス行為の禁止等に関する法律（平成11年法律第128号）第2条第4項に規定する不正アクセス行為をいう．）その他の個人番号を保有する者の管理を害する行為により，個人番号を取得した者は，3年以下の懲役又は150万円以下の罰金に処する．

②　前項の規定は，刑法（明治40年法律第45号）その他の罰則の適用を妨げない．

第52条　国の機関，地方公共団体の機関若しくは機構の職員又は独立行政法人等若しくは地方独立行政法人の役員若しくは職員が，その職権を濫用して，専らその職務の用以外の用に供する目的で個人の秘密に属する特定個人情報が記録された文書，図画又は電磁的記録（電子的方式，磁気的方式その他人の知覚によっては認識することができない方式で作られる記録をいう．）を収集したときは，2年以下の懲役又は100万円以下の罰金に処する．

第52条の2　第38条の3の2の規定に違反して秘密を漏らした者は，2年以下の懲役又は100万円以下の罰金に処する．

第52条の3　第45条の2第3項の規定に違反して秘密を漏らし，又は盗用した者は，2年以下の懲役若しくは100万円以下の罰金に処し，又はこれを併科する．

第53条　第34条第2項又は第3項の規定による命令に違反した者は，2年以下の懲役又は50万円以下の罰金に処する．

第53条の2　第21条の2第8項又は第45条の2第9項において準用する第34条第2項又は第3項の規定による命令に違反した者は，1年以下の懲役又は50万円以下の罰金に処する．

第54条　第35条第1項の規定による報告若しくは資料の提出をせず，若しくは虚偽の報告をし，若しくは虚偽の資料を提出し，又は当該職員の質問に対して答弁をせず，若しくは虚偽の答弁をし，若しくは検査を拒み，妨げ，若しくは忌避した者は，1年以下の懲役又は50万円以下の罰金に処する．

第55条　偽りその他不正の手段により個人番号カードの交付を受けた者は，6月以下の懲役又は50万円以下の罰金に処する．

第55条の2　第21条の2第8項又は第45条の2第9項において準用する第35条第1項の規定による報告若しくは資料の提出をせず，若しくは虚偽の報告をし，若しくは虚偽の資料を提出し，又は当該職員の質

問に対して答弁をせず、若しくは虚偽の答弁をし、若しくは検査を拒み、妨げ、若しくは忌避した者は、30万円以下の罰金に処する。

第55条の3　次の各号のいずれかに該当するときは、その違反行為をした機構の役員又は職員は、30万円以下の罰金に処する。
1　第38条の4の規定に違反して帳簿を備えず、帳簿に記載せず、若しくは帳簿に虚偽の記載をし、又は帳簿を保存しなかったとき。
2　第38条の7第1項の規定による報告若しくは資料の提出をせず、若しくは虚偽の報告をし、若しくは虚偽の資料を提出し、又は同項の規定による質問に対して答弁をせず、若しくは虚偽の答弁をし、若しくは同項の規定による検査を拒み、妨げ、若しくは忌避したとき。

第56条　第48条から第52条の3までの規定は、日本国外においてこれらの条の罪を犯した者にも適用する。

第57条①　法人（法人でない団体で代表者又は管理人の定めのあるものを含む。以下この項において同じ。）の代表者若しくは管理人又は法人若しくは人の代理人、使用人その他の従業者が、その法人又は人の業務に関して次の各号に掲げる違反行為をしたときは、その行為者を罰するほか、その法人に対して当該各号に定める罰金刑を、その人に対して各本条の罰金刑を科する。
1　第48条、第49条及び第53条　1億円以下の罰金刑
2　第51条及び第53条の2から第55条の2まで　各本条の罰金刑
②　法人でない団体について前項の規定の適用がある場合には、その代表者又は管理人が、その訴訟行為につき法人でない団体を代表するほか、法人を被告人又は被疑者とする場合の刑事訴訟に関する法律の規定を準用する。

附　則
（施行期日）
第1条　この法律は、公布の日から起算して3年を超えない範囲内において政令で定める日［平成27.10.5］から施行する。ただし、次の各号に掲げる規定は、当該各号に定める日から施行する。
1　第1章、第24条、第65条及び第66条並びに次条並びに附則第5条及び第6条の規定　公布の日［平成25.5.31］
2　第25条、第6章第1節、第54条、第6章第3節、第69条、第72条及び第76条（第69条及び第72条に係る部分に限る。）並びに附則第4条の規定　平成26年1月1日から起算して6月を超えない範囲内において政令で定める日［平成26.1.1］
3　第26条、第27条、第29条第1項（行政機関個人情報保護法第10条第1項及び第3項の規定を読み替えて適用する部分に限る。）、第31条、第6章第2節（第54条を除く。）、第73条、第74条及び第77条（第73条及び第74条に係る部分に限る。）の規定　公布の日から起算して1年6月を超えない範囲内において政令で定める日［平成26.4.20］
4　第9条から第11条まで、第13条、第14条、第16条、第3章、第29条第1項（行政機関個人情報保護法第10条第1項及び第3項の規定を読み替えて適用する部分を除く。）から第3項まで、第30条第1項（行政機関個人情報保護法第10条第1項及び第3項の規定を読み替えて適用する部分に限る。）及び第2項（行政機関個人情報保護法第10条第1項及び第3項の規定を読み替えて適用する部分に限る。）、第63条（第17条第1項及び第3項（同条第4項において準用する場合を含む。）に係る部分に限る。）、第75条（個人番号カードに係る部分に限る。）並びに第77条（第75条（個人番

資料 行政手続における特定の個人を識別するための番号の利用等に関する法律

号カードに係る部分に限る。）に係る部分に限る。）並びに別表第1の規定　公布の日から起算して3年6月を超えない範囲内において政令で定める日〔平成28.1.1〕

5　第19条第7号，第21条から第23条まで並びに第30条第1項（行政機関個人情報保護法第10条第1項及び第3項の規定を読み替えて適用する部分を除く。）及び第2項（行政機関個人情報保護法第10条第1項及び第3項の規定を読み替えて適用する部分を除く。）から第4項まで並びに別表第2の規定　公布の日から起算して4年を超えない範囲内において政令で定める日〔平成29.5.30〕

（準備行為）

第2条　行政機関の長等は，この法律（前条各号に掲げる規定については，当該各規定。以下この条において同じ。）の施行の日前においても，この法律の実施のために必要な準備行為をすることができる。

（個人番号の指定及び通知に関する経過措置）

第3条①　市町村長は，政令で定めるところにより，この法律の施行の日（次項において「施行日」という。）において現に当該市町村の備える住民基本台帳に記録されている者について，第4項において準用する第8条第2項の規定により機構から通知された個人番号とすべき番号をその者の個人番号として指定し，その者に対し，当該個人番号を通知カードにより通知しなければならない。

②　市町村長は，施行日前に住民票に住民票コードを記載された者であって施行日にいずれの市町村においても住民基本台帳に記録されていないものについて，住民基本台帳法第30条の3第1項の規定により住民票に当該住民票コードを記載したときは，政令で定めるところにより，第4項において準用する第8条第2項の規定により機構から通知された個人番号とすべき番号をその者の個人番号として指定し，その者に対し，当該個人番号を通知しなければならない。

③　市町村長は，住民基本台帳法の一部を改正する法律（平成11年法律第133号）の施行の日以後住民基本台帳に記録されていなかった者について，同法附則第4条の規定により住民票に住民票コードを記載したときは，政令で定めるところにより，次項において準用する第8条第2項の規定により機構から通知された個人番号とすべき番号をその者の個人番号として指定し，その者に対し，当該個人番号を通知しなければならない。

④　第7条第3項及び第8条の規定は，前三項の場合について準用する。

⑤　第1項から第3項までの規定による個人番号の指定若しくは通知又は前項において準用する第8条第2項の規定による個人番号とすべき番号の生成若しくは通知に関する事務に従事する者又は従事していた者が，正当な理由がないのに，その業務に関して取り扱った個人の秘密に属する事項が記録された特定個人情報ファイル（その全部又は一部を複製し，又は加工した特定個人情報ファイルを含む。）を提供したときは，4年以下の懲役若しくは200万円以下の罰金に処し，又はこれを併科する。

⑥　前項に規定する者が，その業務に関して知り得た個人番号を自己若しくは第三者の不正な利益を図る目的で提供し，又は盗用したときは，3年以下の懲役若しくは150万円以下の罰金に処し，又はこれを併科する。

⑦　前二項の規定は，日本国外においてこれらの項の罪を犯した者にも適用する。

（日本年金機構に係る経過措置）

第3条の2①　日本年金機構は，第9条第1項の規定にかかわらず，附則第1条第4号に掲げる規定の施行の日から平成29年5

月31日までの間において政令で定める日〔平成28.11.12〕までの間においては、個人番号を利用して別表第1の下欄に掲げる事務の処理を行うことができない。
② 日本年金機構は、第19条第7号及び第8号の規定にかかわらず、附則第1条第5号に掲げる規定の施行の日から平成29年11月30日までの間において政令で定める日〔平成29.11.16〕までの間においては、情報照会者及び情報提供者並びに条例事務関係情報提供者に該当しないものとする。

（委員会に関する経過措置）
第4条　附則第1条第2号に掲げる規定の施行の日から起算して1年を経過する日（以下この条において「経過日」という。）の前日までの間における第40条第1項、第2項及び第4項並びに第45条第2項の規定の適用については、第40条第1項中「6人」とあるのは「2人」と、同条第2項中「3人」とあるのは「1人」と、同条第4項中「委員には」とあるのは「委員は」と、「が含まれるものとする」とあるのは「のうちから任命するものとする」と、第45条第2項中「3人以上」とあるのは「2人」とし、経過日以後経過日から起算して1年を経過する日の前日までの間における第40条第1項及び第2項並びに第45条第2項の規定の適用については、第40条第1項中「6人」とあるのは「4人」と、同条第2項中「3人」とあるのは「2人」と、第45条第2項中「3人以上」とあるのは「2人以上」とする。

（政令への委任）
第5条　附則第2条から前条までに規定するもののほか、この法律の施行に関し必要な経過措置は、政令で定める。

（検討等）
第6条①　政府は、この法律の施行後3年を目途として、この法律の施行の状況等を勘案し、個人番号の利用及び情報提供ネットワークシステムを使用した特定個人情報の提供の範囲を拡大すること並びに特定個人情報以外の情報の提供に情報提供ネットワークシステムを活用することができるようにすることその他この法律の規定について検討を加え、必要があると認めるときは、その結果に基づいて、国民の理解を得つつ、所要の措置を講ずるものとする。
② 政府は、第14条第1項の規定により本人から個人番号の提供を受ける者が、当該提供をする者が本人であることを確認するための措置として選択することができる措置の内容を拡充するため、適時に必要な技術的事項について検討を加え、必要があると認めるときは、その結果に基づいて所要の措置を講ずるものとする。
③ 政府は、この法律の施行後1年を目途として、情報提供等記録開示システム（総務大臣の使用に係る電子計算機と第23条第3項に規定する記録に記録された特定個人情報について総務大臣に対して第30条第2項の規定により読み替えられた行政機関個人情報保護法第12条の規定による開示の請求を行う者の使用に係る電子計算機とを電気通信回線で接続した電子情報処理組織であって、その者が当該開示の請求を行い、及び総務大臣がその者に対して行政機関個人情報保護法第18条の規定による通知を行うために設置し、及び運用されるものをいう。以下この項及び次項において同じ。）を設置するとともに、年齢、身体的な条件その他の情報提供等記録開示システムの利用を制約する要因にも配慮した上で、その活用を図るために必要な措置を講ずるものとする。
④ 政府は、情報提供等記録開示システムの設置後、適時に、国民の利便性の向上を図る観点から、民間における活用を視野に入れて、情報提供等記録開示システムを利用して次に掲げる手続又は行為を行うこと及び当該手続又は行為を行うために現に情報提供等記録開示システムに電気通信回線で

資料 行政手続における特定の個人を識別するための番号の利用等に関する法律

接続した電子計算機を使用する者が当該手続又は行為を行うべき者であることを確認するための措置を当該手続又は行為に応じて簡易なものとすることについて検討を加え、その結果に基づいて所要の措置を講ずるものとする。
1　法律又は条例の規定による個人情報の開示に関する手続（前項に規定するものを除く。）
2　個人番号利用事務実施者が、本人に対し、個人番号利用事務に関して本人が希望し、又は本人の利益になると認められる情報を提供すること。
3　同一の事項が記載された複数の書面を一又は複数の個人番号利用事務実施者に提出すべき場合において、一の書面への記載事項が他の書面に複写され、かつ、これらの書面があらかじめ選択された一又は複数の個人番号利用事務実施者に対し一の手続により提出されること。
⑤　政府は、給付付き税額控除（給付と税額控除を適切に組み合わせて行う仕組みその他これに準ずるものをいう。）の施策の導入を検討する場合には、当該施策に関する事務が的確に実施されるよう、国の税務官署が保有しない個人所得課税に関する情報に関し、個人番号の利用に関する制度を活用して当該事務を実施するために必要な体制の整備を検討するものとする。
⑥　政府は、適時に、地方公共団体における行政運営の効率化を通じた住民の利便性の向上に資する観点から、地域の実情を勘案して必要があると認める場合には、地方公共団体に対し、複数の地方公共団体の情報システムの共同化又は集約の推進について必要な情報の提供、助言その他の協力を行うものとする。

別表第1（第9条関係）

［上欄］	［下欄］
1　厚生労働大臣	健康保険法第5条第2項又は第123条第2項の規定により厚生労働大臣が行うこととされた健康保険に関する事務であって主務省令で定めるもの
2　全国健康保険協会又は健康保険組合	健康保険法による保険給付の支給、保健事業若しくは福祉事業の実施又は保険料等の徴収に関する事務であって主務省令で定めるもの
3　厚生労働大臣	船員保険法（昭和14年法律第73号）第4条第2項の規定により厚生労働大臣が行うこととされた船員保険に関する事務であって主務省令で定めるもの
4　全国健康保険協会	船員保険法による保険給付、障害前払一時金若しくは遺族前払一時金の支給、保健事業若しくは福祉事業の実施若しくは保険料等の徴収又は雇用保険法等の一部を改正する法律（平成19年法律第30号。以下「平成19年法律第30号」という。）附則第39条の規定によりなお従前の例によるものとされた平成19年法律第30号第4条の規定による改正前の船員保険法による保険給付の支給に関する事務であって主務省令で定めるもの
5　厚生労働大臣	労働者災害補償保険法（昭和22年法律第50号）による保険給付の支給又は社会復帰促進等事業の実施に関する事務であって主務省令で定めるもの
6　都道府県知事	災害救助法（昭和22年法律第118号）による救助又は扶助金の支給に関する事務であって主務省令で定めるもの
7　厚生労働大臣	職業安定法（昭和22年法律第141号）による職業紹介又は職業指導に関する事務であって主務省令で定めるもの

8	都道府県知事	児童福祉法（昭和22年法律第164号）による養育里親若しくは養子縁組里親の登録，里親の認定，児童及びその家庭についての調査及び判定，保育士の登録，小児慢性特定疾病医療費，療育の給付，障害児入所給付費，高額障害児入所給付費，特定入所障害児食費等給付費若しくは障害児入所医療費の支給，日常生活上の援助及び生活指導並びに就業の支援の実施，負担能力の認定又は費用の徴収に関する事務であって主務省令で定めるもの
9	市町村長	児童福祉法による障害児通所給付費，特例障害児通所給付費，高額障害児通所給付費，肢体不自由児通所医療費，障害児相談支援給付費若しくは特例障害児相談支援給付費の支給，障害福祉サービスの提供，保育所における保育の実施若しくは措置又は費用の徴収に関する事務であって主務省令で定めるもの
10	都道府県知事，市長（特別区の区長を含む。）又は社会福祉法（昭和26年法律第45号）に規定する福祉に関する事務所を管理する町村長（以下「都道府県知事等」という。）	児童福祉法による助産施設における助産の実施又は母子生活支援施設における保護の実施に関する事務であって主務省令で定めるもの
11	厚生労働大臣	あん摩マッサージ指圧師，はり師，きゅう師等に関する法律（昭和22年法律第217号）によるあん摩マッサージ指圧師，はり師又はきゅう師の免許に関する事務であって主務省令で定めるもの
12	都道府県知事	栄養士法（昭和22年法律第245号）による栄養士の免許に関する事務であって主務省令で定めるもの
13	厚生労働大臣	栄養士法による管理栄養士の免許に関する事務であって主務省令で定めるもの
14	都道府県知事又は市町村長	予防接種法（昭和23年法律第68号）による予防接種の実施，給付の支給又は実費の徴収に関する事務であって主務省令で定めるもの
15	厚生労働大臣	医師法（昭和23年法律第201号）による医師の免許に関する事務であって主務省令で定めるもの
16	厚生労働大臣	歯科医師法（昭和23年法律第202号）による歯科医師の免許に関する事務であって主務省令で定めるもの
17	厚生労働大臣	保健師助産師看護師法（昭和23年法律第203号）による保健師，助産師又は看護師の免許に関する事務であって主務省令で定めるもの
18	都道府県知事	保健師助産師看護師法による准看護師の免許に関する事務であって主務省令で定めるもの
19	厚生労働大臣	歯科衛生士法（昭和23年法律第204号）による歯科衛生士の免許に関する事務であって主務省令で定めるもの
20	都道府県知事	身体障害者福祉法（昭和24年法律第283号）による身体障害者手帳の交付に関する事務であって主務省令で定めるもの
21	市町村長	身体障害者福祉法による障害福祉サービス，障害者支援施設等への入所等の措置又は費用の徴収に関する事務であって主務省令で定めるもの

資料 行政手続における特定の個人を識別するための番号の利用等に関する法律

22	都道府県知事	精神保健及び精神障害者福祉に関する法律（昭和25年法律第123号）による診察，入院措置，費用の徴収，退院等の請求又は精神障害者保健福祉手帳の交付に関する事務であって主務省令で定めるもの
23	都道府県知事等	生活保護法による保護の決定及び実施，就労自立給付金若しくは進学準備給付金の支給，被保護者健康管理支援事業の実施，保護に要する費用の返還又は徴収金の徴収に関する事務であって主務省令で定めるもの
24	都道府県知事又は市町村長	地方税法その他の地方税に関する法律及びこれらの法律に基づく条例，森林環境税及び森林環境譲与税に関する法律又は特別法人事業税及び特別法人事業譲与税に関する法律（平成31年法律第4号）による地方税，森林環境税若しくは特別法人事業税の賦課徴収又は地方税，森林環境税若しくは特別法人事業税に関する調査（犯則事件の調査を含む。）に関する事務であって主務省令で定めるもの
25	国税庁長官	地方税法による譲渡割の賦課徴収又は譲渡割に関する調査（犯則事件の調査を含む。）に関する事務であって主務省令で定めるもの
26	社会福祉法第109条第1項に規定する市町村社会福祉協議会又は同法第110条第1項に規定する都道府県社会福祉協議会（以下「社会福祉協議会」と総称する。）	社会福祉法による生計困難者に対して無利子又は低利で資金を融通する事業の実施に関する事務であって主務省令で定めるもの
27	公営住宅法（昭和26年法律第193号）第2条第16号に規定する事業主体である都道府県知事又は市町村長	公営住宅法による公営住宅（同法第2条第2号に規定する公営住宅をいう。以下同じ。）の管理に関する事務であって主務省令で定めるもの
28	厚生労働大臣	診療放射線技師法（昭和26年法律第226号）による診療放射線技師の免許に関する事務であって主務省令で定めるもの
29	国税審議会	税理士法（昭和26年法律第237号）による税理士試験の執行に関する事務であって主務省令で定めるもの
30	日本税理士会連合会	税理士法による税理士の登録に関する事務であって主務省令で定めるもの
31	国税庁長官	税理士法による税理士又は税理士法人に対する報告の徴取又は質問若しくは検査に関する事務であって主務省令で定めるもの
32	厚生労働大臣	戦傷病者戦没者遺族等援護法（昭和27年法律第127号）による援護に関する事務であって主務省令で定めるもの
33	厚生労働大臣	未帰還者留守家族等援護法（昭和28年法律第161号）による留守家族手当，帰郷旅費，葬祭料，遺骨の引取に要する経費又は障害一時金の支給に関する事務であって主務省令で定めるもの
34	日本私立学校振興・共済事業団	私立学校教職員共済法（昭和28年法律第245号）による短期給付若しくは年金である給付の支給又は福祉事業の実施に関する事務であって主務省令で定めるもの

35	財務大臣	国税収納金整理資金に関する法律（昭和29年法律第36号）による国税等（同法第8条第1項に規定する国税等をいう。）の徴収若しくは収納又は債権者への支払に関する事務であって主務省令で定めるもの
36	厚生労働大臣又は共済組合等（日本私立学校振興・共済事業団，国家公務員共済組合連合会，地方公務員共済組合又は全国市町村職員共済組合連合会をいう。以下同じ。）	厚生年金保険法による年金である保険給付若しくは一時金の支給又は保険料その他徴収金の徴収に関する事務であって主務省令で定めるもの
37	文部科学大臣又は都道府県教育委員会	特別支援学校への就学奨励に関する法律（昭和29年法律第144号）による特別支援学校への就学のため必要な経費の支弁に関する事務であって主務省令で定めるもの
38	厚生労働大臣	歯科技工士法（昭和30年法律第168号）による歯科技工士の免許に関する事務であって主務省令で定めるもの
39	都道府県教育委員会又は市町村教育委員会	学校保健安全法（昭和33年法律第56号）による医療に要する費用についての援助に関する事務であって主務省令で定めるもの
40	厚生労働大臣	臨床検査技師等に関する法律（昭和33年法律第76号）による臨床検査技師の免許に関する事務であって主務省令で定めるもの
41	国家公務員共済組合	国家公務員共済組合法（昭和33年法律第128号）による短期給付の支給又は福祉事業の実施に関する事務であって主務省令で定めるもの
42	国家公務員共済組合連合会	国家公務員共済組合法又は国家公務員共済組合法の長期給付に関する施行法（昭和33年法律第129号）による年金である給付の支給に関する事務であって主務省令で定めるもの
43	市町村長又は国民健康保険組合	国民健康保険法（昭和33年法律第192号）による保険給付の支給，保険料の徴収又は保健事業の実施に関する事務であって主務省令で定めるもの
44	都道府県知事	国民健康保険法による国民健康保険保険給付費等交付金の交付に関する事務であって主務省令で定めるもの
45	厚生労働大臣	国民年金法（昭和34年法律第141号）による年金である給付若しくは一時金の支給，保険料その他徴収金の徴収，基金の設立の認可又は加入員の資格の取得及び喪失に関する事項の届出に関する事務であって主務省令で定めるもの
46	国民年金基金	国民年金法による年金である給付若しくは一時金の支給又は掛金の徴収に関する事務であって主務省令で定めるもの
47	国民年金基金連合会	国民年金法による年金である給付又は一時金の支給に関する事務であって主務省令で定めるもの
48	独立行政法人勤労者退職金共済機構	中小企業退職金共済法（昭和34年法律第160号）による退職金，解約手当金又は差額の支給に関する事務であって主務省令で定めるもの
49	都道府県知事	知的障害者福祉法（昭和35年法律第37号）による知的障害者の判定に関する事務であって主務省令で定めるもの
50	市町村長	知的障害者福祉法による障害福祉サービス，障害者支援施設等への入所等

資料 行政手続における特定の個人を識別するための番号の利用等に関する法律

		の措置又は費用の徴収に関する事務であって主務省令で定めるもの
51	住宅地区改良法（昭和35年法律第84号）第2条第2項に規定する施行者である都道府県知事又は市町村長	住宅地区改良法による改良住宅（同法第2条第6項に規定する改良住宅をいう。以下同じ。）の管理若しくは家賃若しくは敷金の決定若しくは変更又は収入超過者に対する措置に関する事務であって主務省令で定めるもの
52	厚生労働大臣	障害者の雇用の促進等に関する法律（昭和35年法律第123号）による職業紹介等、障害者職業センターの設置及び運営、納付金関係業務若しくは納付金関係業務に相当する業務の実施、在宅就業障害者特例調整金若しくは報奨金等の支給又は登録に関する事務であって主務省令で定めるもの
53	厚生労働大臣	薬剤師法（昭和35年法律第146号）による薬剤師の免許に関する事務であって主務省令で定めるもの
54	市町村長	災害対策基本法（昭和36年法律第223号）による避難行動要支援者名簿の作成、個別避難計画の作成、罹災証明書の交付又は被災者台帳の作成に関する事務であって主務省令で定めるもの
55	都道府県知事等	児童扶養手当法（昭和36年法律第238号）による児童扶養手当の支給に関する事務であって主務省令で定めるもの
56	国税庁長官	国税通則法その他の国税に関する法律による国税の納付義務の確定、納税の猶予、担保の提供、還付又は充当、附帯税（国税通則法第2条第4号に規定する附帯税をいう。）の減免、調査（犯則事件の調査を含む。）、不服審査その他の国税の賦課又は徴収に関する事務であって主務省令で定めるもの
57	社債、株式等の振替に関する法律第2条第2項に規定する振替機関	国税通則法による加入者情報の管理又は加入者の個人番号等の提供に関する事務であって主務省令で定めるもの
58	地方公務員共済組合又は全国市町村職員共済組合連合会	地方公務員等共済組合法（昭和37年法律第152号）による短期給付若しくは年金である給付の支給若しくは福祉事業の実施又は地方公務員等共済組合法の長期給付等に関する施行法（昭和37年法律第153号）による年金である給付の支給に関する事務であって主務省令で定めるもの
59	厚生労働大臣	戦没者等の妻に対する特別給付金支給法（昭和38年法律第61号）による特別給付金の支給に関する事務であって主務省令で定めるもの
60	市町村長	老人福祉法（昭和38年法律第133号）による福祉の措置又は費用の徴収に関する事務であって主務省令で定めるもの
61	厚生労働大臣	戦傷病者特別援護法（昭和38年法律第168号）による援護に関する事務であって主務省令で定めるもの
62	都道府県知事	母子及び父子並びに寡婦福祉法（昭和39年法律第129号）による資金の貸付けに関する事務であって主務省令で定めるもの
63	都道府県知事又は市町村長	母子及び父子並びに寡婦福祉法による配偶者のない者で現に児童を扶養しているもの又は寡婦についての便宜の供与に関する事務であって主務省令で定めるもの
64	都道府県知事等	母子及び父子並びに寡婦福祉法による給付金の支給に関する事務であって

		主務省令で定めるもの
65	厚生労働大臣又は都道府県知事	特別児童扶養手当等の支給に関する法律（昭和39年法律第134号）による特別児童扶養手当の支給に関する事務であって主務省令で定めるもの
66	都道府県知事等	特別児童扶養手当等の支給に関する法律による障害児福祉手当若しくは特別障害者手当又は国民年金法等の一部を改正する法律（昭和60年法律第34号。以下「昭和60年法律第34号」という。）附則第97条第1項の福祉手当の支給に関する事務であって主務省令で定めるもの
67	厚生労働大臣	戦没者等の遺族に対する特別弔慰金支給法（昭和40年法律第100号）による特別弔慰金の支給に関する事務であって主務省令で定めるもの
68	厚生労働大臣	理学療法士及び作業療法士法（昭和40年法律第137号）による理学療法士又は作業療法士の免許に関する事務であって主務省令で定めるもの
69	市町村長	母子保健法（昭和40年法律第141号）による保健指導、新生児の訪問指導、健康診査、妊娠の届出、母子健康手帳の交付、妊産婦の訪問指導、低体重児の届出、未熟児の訪問指導、養育医療の給付若しくは養育医療に要する費用の支給、費用の徴収又は母子健康包括支援センターの事業の実施に関する事務であって主務省令で定めるもの
70	厚生労働大臣	戦傷病者等の妻に対する特別給付金支給法（昭和41年法律第109号）による特別給付金の支給に関する事務であって主務省令で定めるもの
71	厚生労働大臣又は都道府県知事	労働施策の総合的な推進並びに労働者の雇用の安定及び職業生活の充実等に関する法律（昭和41年法律第132号）による職業転換給付金の支給に関する事務であって主務省令で定めるもの
72	厚生労働大臣	労働施策の総合的な推進並びに労働者の雇用の安定及び職業生活の充実等に関する法律による再就職援助計画の認定に関する事務であって主務省令で定めるもの
73	厚生労働大臣	戦没者の父母等に対する特別給付金支給法（昭和42年法律第57号）による特別給付金の支給に関する事務であって主務省令で定めるもの
74	地方公務員災害補償基金	地方公務員災害補償法（昭和42年法律第121号）による公務上の災害若しくは通勤による災害に対する補償又は福祉事業の実施に関する事務であって主務省令で定めるもの
75	石炭鉱業年金基金	石炭鉱業年金基金法（昭和42年法律第135号）による年金である給付又は一時金の支給に関する事務であって主務省令で定めるもの
76	全国社会保険労務士会連合会	社会保険労務士法（昭和43年法律第89号）による社会保険労務士の登録に関する事務であって主務省令で定めるもの
77	厚生労働大臣	柔道整復師法（昭和45年法律第19号）による柔道整復師の免許に関する事務であって主務省令で定めるもの
78	預金保険機構	預金保険法（昭和46年法律第34号）による預金等に係る債権の額の把握に関する事務であって主務省令で定めるもの
79	厚生労働大臣	視能訓練士法（昭和46年法律第64号）による視能訓練士の免許に関する事務であって主務省令で定めるもの
80	市町村長（児童手当法（昭和46年法律第73号）第17条第1	児童手当法による児童手当又は特例給付（同法附則第2条第1項に規定する給付をいう。以下同じ。）の支給に関する事務であって主務省令で定めるもの

資料 行政手続における特定の個人を識別するための番号の利用等に関する法律

	項の表の下欄に掲げる者を含む。）	
81	農水産業協同組合貯金保険機構	農水産業協同組合貯金保険法（昭和48年法律第53号）による貯金等に係る債権の額の把握に関する事務であって主務省令で定めるもの
82	厚生労働大臣	雇用保険法による失業等給付若しくは育児休業給付の支給又は雇用安定事業若しくは能力開発事業の実施に関する事務であって主務省令で定めるもの
83	厚生労働大臣	賃金の支払の確保等に関する法律（昭和51年法律第34号）による未払賃金の立替払に関する事務であって主務省令で定めるもの
84	市町村長又は高齢者の医療の確保に関する法律（昭和57年法律第80号）第48条に規定する後期高齢者医療広域連合（以下「後期高齢者医療広域連合」という。）	高齢者の医療の確保に関する法律による後期高齢者医療給付の支給、保険料の徴収又は同法第125条第1項の高齢者保健事業若しくは同条第5項の事業の実施に関する事務であって主務省令で定めるもの
85	厚生労働大臣	昭和60年法律第34号附則第87条第2項の規定により厚生年金保険の実施者たる政府が支給するものとされた年金である保険給付又は一時金の支給に関する事務であって主務省令で定めるもの
86	厚生労働大臣	社会福祉士及び介護福祉士法（昭和62年法律第30号）による社会福祉士又は介護福祉士の登録に関する事務であって主務省令で定めるもの
87	厚生労働大臣	臨床工学技士法（昭和62年法律第60号）による臨床工学技士の免許に関する事務であって主務省令で定めるもの
88	厚生労働大臣	義肢装具士法（昭和62年法律第61号）による義肢装具士の免許に関する事務であって主務省令で定めるもの
89	厚生労働大臣	港湾労働法（昭和63年法律第40号）による港湾労働者証の交付に関する事務であって主務省令で定めるもの
90	厚生労働大臣	救急救命士法（平成3年法律第36号）による救急救命士の免許に関する事務であって主務省令で定めるもの
91	厚生労働大臣	看護師等の人材確保の促進に関する法律（平成4年法律第86号）による都道府県による看護師等の資質の向上及び就業の促進のための取組の支援に関する事務であって主務省令で定めるもの
92	特定優良賃貸住宅の供給の促進に関する法律（平成5年法律第52号）第18条第2項に規定する賃貸住宅の建設及び管理を行う都道府県知事又は市町村長	特定優良賃貸住宅の供給の促進に関する法律による賃貸住宅の管理に関する事務であって主務省令で定めるもの
93	厚生労働大臣	中国残留邦人等の円滑な帰国の促進並びに永住帰国した中国残留邦人等及び特定配偶者の自立の支援に関する法律（平成6年法律第30号）による

		永住帰国旅費，自立支度金，一時金若しくは一時帰国旅費の支給又は保険料の納付に関する事務であって主務省令で定めるもの
94	都道府県知事等	中国残留邦人等の円滑な帰国の促進並びに永住帰国した中国残留邦人等及び特定配偶者の自立の支援に関する法律による支援給付又は配偶者支援金（以下「中国残留邦人等支援給付等」という。）の支給に関する事務であって主務省令で定めるもの
95	都道府県知事又は広島市長若しくは長崎市長	原子爆弾被爆者に対する援護に関する法律（平成6年法律第117号）による被爆者健康手帳の交付，健康診断の実施，医療特別手当，特別手当，原子爆弾小頭症手当，健康管理手当，保健手当，介護手当若しくは葬祭料の支給又は居宅生活支援事業若しくは養護事業の実施に関する事務であって主務省令で定めるもの
96	厚生労働大臣	原子爆弾被爆者に対する援護に関する法律による一般疾病医療費の支給に関する事務であって主務省令で定めるもの
97	厚生労働大臣	厚生年金保険法等の一部を改正する法律（平成8年法律第82号。以下「平成8年法律第82号」という。）附則第16条第3項の規定により厚生年金保険の実施者たる政府が支給するものとされた年金である給付の支給に関する事務であって主務省令で定めるもの
98	平成8年法律第82号附則第32条第2項に規定する存続組合又は平成8年法律第82号附則第48条第1項に規定する指定基金	平成8年法律第82号による年金である長期給付又は年金である給付の支給に関する事務であって主務省令で定めるもの
99	市町村長	介護保険法（平成9年法律第123号）による保険給付の支給，地域支援事業の実施又は保険料の徴収に関する事務であって主務省令で定めるもの
100	都道府県知事	介護保険法による介護支援専門員の登録に関する事務であって主務省令で定めるもの
101	厚生労働大臣	精神保健福祉士法（平成9年法律第131号）による精神保健福祉士の登録に関する事務であって主務省令で定めるもの
102	厚生労働大臣	言語聴覚士法（平成9年法律第132号）による言語聴覚士の免許に関する事務であって主務省令で定めるもの
103	都道府県知事	被災者生活再建支援法（平成10年法律第66号）による被災者生活再建支援金の支給に関する事務であって主務省令で定めるもの
104	都道府県知事又は保健所を設置する市（特別区を含む。以下同じ。）の長	感染症の予防及び感染症の患者に対する医療に関する法律（平成10年法律第114号）による入院の勧告若しくは措置，費用の負担又は療養費の支給に関する事務であって主務省令で定めるもの
105	確定給付企業年金法（平成13年法律第50号）第29条第1項に規定する事業主等又は企業年金連合会	確定給付企業年金法による年金である給付又は一時金の支給に関する事務であって主務省令で定めるもの
106	確定拠出年金法（平成13年法律第88	確定拠出年金法による企業型記録関連運営管理機関への通知，企業型年金加入者等に関する原簿の記録及び保存又は企業型年金の給付若しくは脱退

資料 行政手続における特定の個人を識別するための番号の利用等に関する法律

号）第3条第3項第1号に規定する事業主	一時金の支給に関する事務であって主務省令で定めるもの	
107　国民年金基金連合会	確定拠出年金法による個人型年金加入者等に関する原簿若しくは帳簿の記録及び保存又は個人型年金の給付若しくは脱退一時金の支給に関する事務であって主務省令で定めるもの	
108　厚生労働大臣	厚生年金保険制度及び農林漁業団体職員共済組合制度の統合を図るための農林漁業団体職員共済組合法等を廃止する等の法律（平成13年法律第101号）附則第16条第3項の規定により厚生年金保険の実施者たる政府が支給するものとされた年金である給付の支給に関する事務であって主務省令で定めるもの	
109　農林漁業団体職員共済組合	厚生年金保険制度及び農林漁業団体職員共済組合制度の統合を図るための農林漁業団体職員共済組合法等を廃止する等の法律による年金である給付（同法附則第16条第3項の規定により厚生年金保険の実施者たる政府が支給するものとされた年金である給付を除く。）若しくは一時金の支給又は特例業務負担金の徴収に関する事務であって主務省令で定めるもの	
110　市町村長	健康増進法（平成14年法律第103号）による健康増進事業の実施に関する事務であって主務省令で定めるもの	
111　独立行政法人農業者年金基金	独立行政法人農業者年金基金法（平成14年法律第127号）による農業者年金事業の給付の支給若しくは保険料その他徴収金の徴収又は同法附則第6条第1項第1号の規定により独立行政法人農業者年金基金が行うものとされた農業者年金基金法の一部を改正する法律（平成13年法律第39号。以下「平成13年法律第39号」という。）による改正前の農業者年金基金法（昭和45年法律第78号）若しくは農業者年金基金法の一部を改正する法律（平成2年法律第21号。以下「平成2年法律第21号」という。）による改正前の農業者年金基金法による給付の支給に関する事務であって主務省令で定めるもの	
112　独立行政法人日本スポーツ振興センター	独立行政法人日本スポーツ振興センター法（平成14年法律第162号）による災害共済給付の支給に関する事務であって主務省令で定めるもの	
113　独立行政法人医薬品医療機器総合機構	独立行政法人医薬品医療機器総合機構法（平成14年法律第192号）による副作用救済給付、感染救済給付、給付金若しくは追加給付金の支給又は同法附則第15条第1項第1号若しくは第17条第1項の委託を受けて行う事業の実施に関する事務であって主務省令で定めるもの	
114　独立行政法人日本学生支援機構	独立行政法人日本学生支援機構法（平成15年法律第94号）による学資の貸与及び支給に関する事務であって主務省令で定めるもの	
115　厚生労働大臣	特定障害者に対する特別障害給付金の支給に関する法律（平成16年法律第166号）による特別障害給付金の支給に関する事務であって主務省令で定めるもの	
116　都道府県知事又は市町村長	障害者の日常生活及び社会生活を総合的に支援するための法律（平成17年法律第123号）による自立支援給付の支給又は地域生活支援事業の実施に関する事務であって主務省令で定めるもの	
117　厚生労働大臣	石綿による健康被害の救済に関する法律（平成18年法律第4号）による特別遺族給付金の支給に関する事務であって主務省令で定めるもの	
118　厚生労働大臣又	社会保障協定の実施に伴う厚生年金保険法等の特例等に関する法律（平成	

は日本私立学校振興・共済事業団，国家公務員共済組合連合会，地方公務員共済組合，全国市町村職員共済組合連合会若しくは地方公務員共済組合連合会		19年法律第104号）による文書の受理及び送付又は保有情報の提供に関する事務であって主務省令で定めるもの
119	厚生労働大臣	厚生年金保険の保険給付及び国民年金の給付に係る時効の特例等に関する法律（平成19年法律第111号）による保険給付又は給付の支給に関する事務であって主務省令で定めるもの
120	厚生労働大臣	厚生年金保険の保険給付及び保険料の納付の特例等に関する法律（平成19年法律第131号）による特例納付保険料の徴収に関する事務であって主務省令で定めるもの
121	厚生労働大臣	厚生年金保険の保険給付及び国民年金の給付の支払の遅延に係る加算金の支給に関する法律（平成21年法律第37号）による保険給付遅延特別加算金又は給付遅延特別加算金の支給に関する事務であって主務省令で定めるもの
122	文部科学大臣，都道府県知事又は都道府県教育委員会	高等学校等就学支援金の支給に関する法律（平成22年法律第18号）による就学支援金の支給に関する事務であって主務省令で定めるもの
123	厚生労働大臣	職業訓練の実施等による特定求職者の就職の支援に関する法律（平成23年法律第47号）による職業訓練受講給付金の支給又は就職支援措置の実施に関する事務であって主務省令で定めるもの
124	地方公務員等共済組合法の一部を改正する法律（平成23年法律第56号。以下「平成23年法律第56号」という。）附則第23条第1項第3号に規定する存続共済会	平成23年法律第56号による年金である給付の支給に関する事務であって主務省令で定めるもの
125	厚生労働大臣，都道府県知事又は市町村長	新型インフルエンザ等対策特別措置法（平成24年法律第31号）による予防接種の実施に関する事務であって主務省令で定めるもの
126	市町村長	子ども・子育て支援法（平成24年法律第65号）による子どものための教育・保育給付若しくは子育てのための施設等利用給付の支給又は地域子ども・子育て支援事業の実施に関する事務であって主務省令で定めるもの
127	厚生労働大臣	年金生活者支援給付金の支給に関する法律（平成24年法律第102号）による年金生活者支援給付金の支給に関する事務であって主務省令で定めるもの
128	公的年金制度の健全性及び信頼性の確保のための厚生年金保険法等の一部を改正する法律（平成25年法	平成25年法律第63号附則第5条第1項の規定によりなおその効力を有するものとされた平成25年法律第63号第1条の規定による改正前の厚生年金保険法による年金である給付又は一時金の支給に関する事務であって主務省令で定めるもの

資料　行政手続における特定の個人を識別するための番号の利用等に関する法律

律第 63 号。以下「平成 25 年法律第 63 号」という。）附則第 3 条第 11 号に規定する存続厚生年金基金	
129　平成 25 年法律第 63 号附則第 3 条第 13 号に規定する存続連合会又は企業年金連合会	平成 25 年法律第 63 号による年金である給付又は一時金の支給に関する事務であって主務省令で定めるもの
130　都道府県知事	難病の患者に対する医療等に関する法律（平成 26 年法律第 50 号）による特定医療費の支給に関する事務であって主務省令で定めるもの
131　文部科学大臣又は厚生労働大臣	公認心理師法（平成 27 年法律第 68 号）による公認心理師の登録に関する事務であって主務省令で定めるもの
132　都道府県知事	地方税法等の一部を改正する等の法律（平成 28 年法律第 13 号）附則第 31 条第 2 項の規定によりなおその効力を有するものとされた同法第 9 条の規定による廃止前の地方法人特別税等に関する暫定措置法（平成 20 年法律第 25 号）による地方法人特別税の賦課徴収又は地方法人特別税に関する調査（犯則事件の調査を含む。）に関する事務であって主務省令で定めるもの
133　内閣総理大臣	公的給付の支給等の迅速かつ確実な実施のための預貯金口座の登録等に関する法律（令和 3 年法律第 38 号）による公的給付支給等口座登録簿への登録に関する事務であって主務省令で定めるもの
134　公的給付の支給等の迅速かつ確実な実施のための預貯金口座の登録等に関する法律第 10 条に規定する特定公的給付の支給を実施する行政機関の長等	公的給付の支給等の迅速かつ確実な実施のための預貯金口座の登録等に関する法律による特定公的給付の支給を実施するための基礎とする情報の管理に関する事務であって主務省令で定めるもの
135　預金保険機構	預貯金者の意思に基づく個人番号の利用による預貯金口座の管理等に関する法律による通知又は情報の提供に関する事務であって主務省令で定めるもの

別表第 2（第 19 条，第 21 条関係）

情報照会者	事務	情報提供者	特定個人情報
1　厚生労働大臣	健康保険法第 5 条第 2 項の規定により厚生労働大臣が行うこととされた健康保険に関する事務であって主務省令で定めるもの	医療保険者（医療保険各法（健康保険法，船員保険法，私立学校教職員共済法，国家公務員共済組合法，国民健康保険法又は地方公務員等共済組合法をいう。以下同じ。）により医療に関する給付の支給を行う全国健康保険協	医療保険各法又は高齢者の医療の確保に関する法律による医療に関する給付の支給又は保険料の徴収に関する情報（以下「医療保険給付関係情報」という。）であって主務省令で定めるもの

		会，健康保険組合，日本私立学校振興・共済事業団，共済組合，市町村長又は国民健康保険組合をいう。以下同じ。）又は後期高齢者医療広域連合	
		法務大臣	戸籍関係情報であって主務省令で定めるもの
		市町村長	地方税法その他の地方税に関する法律に基づく条例の規定により算定した税額若しくはその算定の基礎となる事項に関する情報（以下「地方税関係情報」という。），住民基本台帳法第7条第4号に規定する事項（以下「住民票関係情報」という。）又は介護保険法による保険給付の支給，地域支援事業の実施若しくは保険料の徴収に関する情報（以下「介護保険給付等関係情報」という。）であって主務省令で定めるもの
		厚生労働大臣若しくは日本年金機構又は共済組合等	国民年金法，私立学校教職員共済法，厚生年金保険法，国家公務員共済組合法若しくは地方公務員等共済組合法による年金である給付の支給若しくは保険料の徴収に関する情報（以下「年金給付関係情報」という。），特定障害者に対する特別障害給付金の支給に関する法律による特別障害給付金の支給に関する情報（以下「特別障害給付金関係情報」という。）又は年金生活者支援給付金の支給に関する法律による年金生活者支援給付金の支給に関する情報（以下「年金生活者支援給付金関係情報」という。）であって主務省令で定めるもの
		厚生労働大臣	雇用保険法による給付の支給に関する情報（以下「失業等給付関係情報」という。）であって主務省令で定めるもの
2　全国健康保険協会	健康保険法による保険給付の支給に関する事務であって主務省令で定めるもの	医療保険者又は後期高齢者医療広域連合	医療保険給付関係情報であって主務省令で定めるもの
		健康保険法第55条又は第128条に規定する他の法令による給付の支給を行うこととされ	健康保険法第55条又は第128条に規定する他の法令による給付の支給に関する情報であって主務省令で定めるもの

資料 行政手続における特定の個人を識別するための番号の利用等に関する法律

		ている者	
		法務大臣	戸籍関係情報であって主務省令で定めるもの
		市町村長	地方税関係情報，住民票関係情報又は介護保険給付等関係情報であって主務省令で定めるもの
		厚生労働大臣若しくは日本年金機構又は共済組合等	年金給付関係情報，特別障害給付金関係情報又は年金生活者支援給付金関係情報であって主務省令で定めるもの
		厚生労働大臣	失業等給付関係情報であって主務省令で定めるもの
		内閣総理大臣	公的給付の支給等の迅速かつ確実な実施のための預貯金口座の登録等に関する法律第3条第3項第1号から第3号までに規定する事項（以下「公的給付支給等口座登録簿関係情報」という。）であって主務省令で定めるもの
3 健康保険組合	健康保険法による保険給付の支給に関する事務であって主務省令で定めるもの	医療保険者又は後期高齢者医療広域連合	医療保険給付関係情報であって主務省令で定めるもの
		健康保険法第55条に規定する他の法令による給付の支給を行うこととされている者	健康保険法第55条に規定する他の法令による給付の支給に関する情報であって主務省令で定めるもの
		法務大臣	戸籍関係情報であって主務省令で定めるもの
		市町村長	地方税関係情報，住民票関係情報又は介護保険給付等関係情報であって主務省令で定めるもの
		厚生労働大臣若しくは日本年金機構又は共済組合等	年金給付関係情報，特別障害給付金関係情報又は年金生活者支援給付金関係情報であって主務省令で定めるもの
		厚生労働大臣	失業等給付関係情報であって主務省令で定めるもの
		内閣総理大臣	公的給付支給等口座登録簿関係情報であって主務省令で定めるもの
4 厚生労働大臣	船員保険法第4条第2項の規定により厚生労働大臣が行うこととされた船員保険に関する事務であっ	医療保険者又は後期高齢者医療広域連合	医療保険給付関係情報であって主務省令で定めるもの
		法務大臣	戸籍関係情報であって主務省令で定めるもの

	て主務省令で定めるもの	市町村長	地方税関係情報，住民票関係情報又は介護保険給付等関係情報であって主務省令で定めるもの
		厚生労働大臣若しくは日本年金機構又は共済組合等	年金給付関係情報，特別障害給付金関係情報又は年金生活者支援給付金関係情報であって主務省令で定めるもの
		厚生労働大臣	失業等給付関係情報であって主務省令で定めるもの
5 全国健康保険協会	船員保険法による保険給付の支給に関する事務であって主務省令で定めるもの	医療保険者又は後期高齢者医療広域連合	医療保険給付関係情報であって主務省令で定めるもの
		船員保険法第33条に規定する他の法令による給付の支給を行うこととされている者	船員保険法第33条に規定する他の法令による給付の支給に関する情報であって主務省令で定めるもの
		厚生労働大臣	労働者災害補償保険法による給付の支給に関する情報（以下「労働者災害補償関係情報」という。）又は失業等給付関係情報であって主務省令で定めるもの
		厚生労働大臣又は日本年金機構	特別障害給付金関係情報又は年金生活者支援給付金関係情報であって主務省令で定めるもの
6 全国健康保険協会	船員保険法による保険給付又は平成19年法律第30号附則第39条の規定によりなお従前の例によるものとされた平成19年法律第30号第4条の規定による改正前の船員保険法による保険給付の支給に関する事務であって主務省令で定めるもの	法務大臣	戸籍関係情報であって主務省令で定めるもの
		市町村長	地方税関係情報，住民票関係情報又は介護保険給付等関係情報であって主務省令で定めるもの
		厚生労働大臣若しくは日本年金機構又は共済組合等	年金給付関係情報であって主務省令で定めるもの
		内閣総理大臣	公的給付支給等口座登録簿関係情報であって主務省令で定めるもの
7 厚生労働大臣	労働者災害補償保険法による保険給付の支給に関する事務であって主務省令で定めるもの	国民年金法その他の法令による年金である給付の支給を行うこととされている者	国民年金法その他の法令による年金である給付の支給に関する情報であって主務省令で定めるもの
		内閣総理大臣	公的給付支給等口座登録簿関係情報であって主務省令で定めるもの
8 厚生労働大臣	労働者災害補償保険法による社会復帰促進等事業の実施に関	内閣総理大臣	公的給付支給等口座登録簿関係情報であって主務省令で定めるもの

資料 行政手続における特定の個人を識別するための番号の利用等に関する法律

			する事務であって主務省令で定めるもの
9 都道府県知事	児童福祉法による養育里親若しくは養子縁組里親の登録，里親の認定又は障害児入所給付費，高額障害児入所給付費若しくは特定入所障害児食費等給付費の支給に関する事務であって主務省令で定めるもの	市町村長	児童福祉法による障害児通所支援に関する情報，地方税関係情報，住民票関係情報，介護保険給付関係情報又は障害者の日常生活及び社会生活を総合的に支援するための法律による自立支援給付の支給に関する情報（以下「障害者自立支援給付関係情報」という。）であって主務省令で定めるもの
10 都道府県知事	児童福祉法による保育士の登録に関する事務であって主務省令で定めるもの	法務大臣	戸籍関係情報であって主務省令で定めるもの
11 都道府県知事	児童福祉法による小児慢性特定疾病医療費の支給に関する事務であって主務省令で定めるもの	医療保険者又は後期高齢者医療広域連合	医療保険給付関係情報であって主務省令で定めるもの
		児童福祉法第19条の7に規定する他の法令による給付の支給を行うこととされている者	児童福祉法第19条の7に規定する他の法令による給付の支給に関する情報であって主務省令で定めるもの
		法務大臣	戸籍関係情報であって主務省令で定めるもの
		都道府県知事等	生活保護法による保護の実施若しくは就労自立給付金若しくは進学準備給付金の支給に関する情報（以下「生活保護関係情報」という。）又は中国残留邦人等支援給付等の支給に関する情報（以下「中国残留邦人等支援給付等関係情報」という。）であって主務省令で定めるもの
		市町村長	地方税関係情報又は住民票関係情報であって主務省令で定めるもの
		特別児童扶養手当等の支給に関する法律その他の法令による給付の支給を行うこととされている者	特別児童扶養手当等の支給に関する法律その他の法令による給付の支給に関する情報であって主務省令で定めるもの
12 市町村長	児童福祉法による障害児通所給付費，特例障害児通所給付費若しくは高額障害児通所給付費の支給又	都道府県知事	児童福祉法による児童及びその家庭についての調査及び判定若しくは障害児入所支援に関する情報又は身体障害者福祉法による身体障害者手帳，精神保健及び精神障害者福祉に関す

		は障害福祉サービスの提供に関する事務であって主務省令で定めるもの		る法律による精神障害者保健福祉手帳若しくは知的障害者福祉法にいう知的障害者に関する情報(以下「障害者関係情報」という。)であって主務省令で定めるもの
			都道府県知事等	生活保護関係情報又は中国残留邦人等支援給付等関係情報であって主務省令で定めるもの
13	市町村長	児童福祉法による障害児通所給付費,特例障害児通所給付費,高額障害児通所給付費,障害児相談支援給付費若しくは特例障害児相談支援給付費の支給又は障害福祉サービスの提供に関する事務であって主務省令で定めるもの	市町村長	児童福祉法による障害児通所支援に関する情報,地方税関係情報,住民票関係情報,介護保険給付等関係情報又は障害者自立支援給付関係情報であって主務省令で定めるもの
			内閣総理大臣	公的給付支給等口座登録簿関係情報であって主務省令で定めるもの
14	市町村長	児童福祉法による肢体不自由児通所医療費の支給に関する事務であって主務省令で定めるもの	児童福祉法第21条の5の31に規定する他の法令による給付の支給を行うこととされている者	児童福祉法第21条の5の31に規定する他の法令による給付の支給に関する情報であって主務省令で定めるもの
			特別児童扶養手当等の支給に関する法律その他の法令による給付の支給を行うこととされている者	特別児童扶養手当等の支給に関する法律その他の法令による給付の支給に関する情報であって主務省令で定めるもの
15	市町村長	児童福祉法による保育所における保育の実施又は措置に関する事務であって主務省令で定めるもの	都道府県知事等	児童扶養手当法による児童扶養手当の支給に関する情報(以下「児童扶養手当関係情報」という。)であって主務省令で定めるもの
16	都道府県知事	児童福祉法による障害児入所給付費,高額障害児入所給付費又は特定入所障害児食費等給付費の支給に関する事務であって主務省令で定めるもの	都道府県知事	児童福祉法による障害児入所支援に関する情報又は障害者関係情報であって主務省令で定めるもの
			法務大臣	戸籍関係情報であって主務省令で定めるもの
			都道府県知事等	生活保護関係情報又は中国残留邦人等支援給付等関係情報であって主務省令で定めるもの
			内閣総理大臣	公的給付支給等口座登録簿関係情報であって主務省令で定めるもの

資料 行政手続における特定の個人を識別するための番号の利用等に関する法律

17　都道府県知事	児童福祉法による障害児入所医療費の支給に関する事務であって主務省令で定めるもの	児童福祉法第24条の22に規定する他の法令による給付の支給を行うこととされている者	児童福祉法第24条の22に規定する他の法令による給付の支給に関する情報であって主務省令で定めるもの
		特別児童扶養手当等の支給に関する法律その他の法令による給付の支給を行うこととされている者	特別児童扶養手当等の支給に関する法律その他の法令による給付の支給に関する情報であって主務省令で定めるもの
18　都道府県知事又は市町村長	児童福祉法による負担能力の認定又は費用の徴収に関する事務であって主務省令で定めるもの	市町村長	児童福祉法による障害児通所支援に関する情報,地方税関係情報,住民票関係情報又は障害者自立支援給付関係情報であって主務省令で定めるもの
		都道府県知事	児童福祉法による障害児入所支援若しくは措置（同法第27条第1項第3号の措置をいう。）に関する情報又は障害者関係情報であって主務省令で定めるもの
		都道府県知事等	児童福祉法による母子生活支援施設における保護の実施に関する情報,生活保護関係情報,児童扶養手当関係情報又は中国残留邦人等支援給付等関係情報であって主務省令で定めるもの
		法務大臣	戸籍関係情報であって主務省令で定めるもの
		厚生労働大臣又は日本年金機構	国民年金法による障害基礎年金の支給に関する情報であって主務省令で定めるもの
		厚生労働大臣又は都道府県知事	特別児童扶養手当等の支給に関する法律による特別児童扶養手当の支給に関する情報（以下「特別児童扶養手当関係情報」という。）であって主務省令で定めるもの
19　厚生労働大臣	あん摩マッサージ指圧師,はり師,きゅう師等に関する法律によるあん摩マッサージ指圧師,はり師又はきゅう師の免許に関する事務であって主務省令で定めるもの	法務大臣	戸籍関係情報であって主務省令で定めるもの

20 都道府県知事	栄養士法による栄養士の免許に関する事務であって主務省令で定めるもの	法務大臣	戸籍関係情報であって主務省令で定めるもの
21 厚生労働大臣	栄養士法による管理栄養士の免許に関する事務であって主務省令で定めるもの	法務大臣	戸籍関係情報であって主務省令で定めるもの
22 市町村長	予防接種法による予防接種の実施に関する事務であって主務省令で定めるもの	都道府県知事	障害者関係情報であって主務省令で定めるもの
		都道府県知事又は市町村長	予防接種法による予防接種の実施に関する情報であって主務省令で定めるもの
23 都道府県知事	予防接種法による予防接種の実施に関する事務であって主務省令で定めるもの	都道府県知事又は市町村長	予防接種法による予防接種の実施に関する情報であって主務省令で定めるもの
24 市町村長	予防接種法による給付（同法第15条第1項の疾病に係るものに限る。）の支給に関する事務であって主務省令で定めるもの	医療保険者その他の法令による医療に関する給付の支給を行うこととされている者	医療保険各法その他の法令による医療に関する給付の支給に関する情報であって主務省令で定めるもの
		内閣総理大臣	公的給付支給等口座登録簿関係情報であって主務省令で定めるもの
25 市町村長	予防接種法による給付の支給又は実費の徴収に関する事務であって主務省令で定めるもの	都道府県知事等	生活保護関係情報又は中国残留邦人等支援給付等関係情報であって主務省令で定めるもの
		市町村長	地方税関係情報又は住民票関係情報であって主務省令で定めるもの
		内閣総理大臣	公的給付支給等口座登録簿関係情報であって主務省令で定めるもの
26 市町村長	予防接種法による給付（同法第15条第1項の障害に係るものに限る。）の支給に関する事務であって主務省令で定めるもの	特別児童扶養手当等の支給に関する法律その他の法令による障害を有する者について支給される手当を支給することとされている者	特別児童扶養手当等の支給に関する法律その他の法令による障害を有する者に対する手当の支給に関する情報であって主務省令で定めるもの
		内閣総理大臣	公的給付支給等口座登録簿関係情報であって主務省令で定めるもの
27 厚生労働大臣	医師法による医師の免許に関する事務であって主務省令で定めるもの	法務大臣	戸籍関係情報であって主務省令で定めるもの

資料 行政手続における特定の個人を識別するための番号の利用等に関する法律

28　厚生労働大臣	歯科医師法による歯科医師の免許に関する事務であって主務省令で定めるもの	法務大臣	戸籍関係情報であって主務省令で定めるもの
29　厚生労働大臣	保健師助産師看護師法による保健師，助産師又は看護師の免許に関する事務であって主務省令で定めるもの	法務大臣	戸籍関係情報であって主務省令で定めるもの
30　都道府県知事	保健師助産師看護師法による准看護師の免許に関する事務であって主務省令で定めるもの	法務大臣	戸籍関係情報であって主務省令で定めるもの
31　厚生労働大臣	歯科衛生士法による歯科衛生士の免許に関する事務であって主務省令で定めるもの	法務大臣	戸籍関係情報であって主務省令で定めるもの
32　市町村長	身体障害者福祉法による障害福祉サービス，障害者支援施設等への入所等の措置又は費用の徴収に関する事務であって主務省令で定めるもの	法務大臣	戸籍関係情報であって主務省令で定めるもの
		都道府県知事	障害者関係情報であって主務省令で定めるもの
		都道府県知事等	生活保護関係情報又は中国残留邦人等支援給付等関係情報であって主務省令で定めるもの
		市町村長	地方税関係情報，住民票関係情報又は障害者自立支援給付関係情報であって主務省令で定めるもの
33　都道府県知事	精神保健及び精神障害者福祉に関する法律による入院措置に関する事務であって主務省令で定めるもの	精神保健及び精神障害者福祉に関する法律第30条の2に規定する他の法律による医療に関する給付の支給を行うこととされている者	精神保健及び精神障害者福祉に関する法律第30条の2に規定する他の法律による医療に関する給付の支給に関する情報であって主務省令で定めるもの
34　都道府県知事	精神保健及び精神障害者福祉に関する法律による入院措置又は費用の徴収に関する事務であって主務省令で定めるもの	法務大臣	戸籍関係情報であって主務省令で定めるもの
		市町村長	地方税関係情報又は住民票関係情報であって主務省令で定めるもの
35　都道府県知事	精神保健及び精神障害者福祉に関する法律による費用の徴収	都道府県知事等	生活保護関係情報又は中国残留邦人等支援給付等関係情報であって主務省令で定めるもの

			に関する事務であって主務省令で定めるもの
36 都道府県知事	精神保健及び精神障害者福祉に関する法律による精神障害者保健福祉手帳の交付に関する事務であって主務省令で定めるもの	厚生労働大臣若しくは日本年金機構、共済組合等又は農林漁業団体職員共済組合	年金給付関係情報、厚生年金保険制度及び農林漁業団体職員共済組合制度の統合を図るための農林漁業団体職員共済組合法等を廃止する等の法律による年金である給付の支給に関する情報又は特別障害給付金関係情報であって主務省令で定めるもの
37 都道府県知事等	生活保護法による保護の決定及び実施又は徴収金の徴収に関する事務であって主務省令で定めるもの	医療保険者又は後期高齢者医療広域連合	医療保険給付関係情報であって主務省令で定めるもの
		厚生労働大臣	労働者災害補償関係情報、戦傷病者戦没者遺族等援護法による援護に関する情報（以下「戦傷病者戦没者遺族等援護関係情報」という。）、失業等給付関係情報、原子爆弾被爆者に対する援護に関する法律による一般疾病医療費の支給に関する情報、石綿による健康被害の救済に関する法律による特別遺族給付金の支給に関する情報（以下「石綿健康被害救済給付等関係情報」という。）又は職業訓練の実施等による特定求職者の就職の支援に関する法律による職業訓練受講給付金の支給に関する情報（以下「職業訓練受講給付金関係情報」という。）であって主務省令で定めるもの
		都道府県知事	災害救助法による救助若しくは扶助金の支給、児童福祉法による小児慢性特定疾病医療費、療育の給付若しくは障害児入所給付費の支給若しくは母子及び父子並びに寡婦福祉法による資金の貸付けに関する情報、障害者自立支援給付関係情報又は難病の患者に対する医療等に関する法律による特定医療費の支給に関する情報であって主務省令で定めるもの
		都道府県知事等	生活保護関係情報、児童扶養手当関係情報又は母子及び父子並びに寡婦福祉法による給付金、特別児童扶養手当等の支給に関する法律による障害児福祉手当若しくは特別障害手当若しくは昭和60年法律第34号附則第97条第1項の福祉手当の支給に関する情報であって主務省令で定

資料 行政手続における特定の個人を識別するための番号の利用等に関する法律

			めるもの
		市町村長	地方税関係情報，母子保健法による養育医療の給付若しくは養育医療に要する費用の支給に関する情報，児童手当法による児童手当若しくは特例給付の支給に関する情報（以下「児童手当関係情報」という。），介護保険給付等関係情報又は障害者自立支援給付関係情報であって主務省令で定めるもの
		社会福祉協議会	社会福祉法による生計困難者に対して無利子又は低利で資金を融通する事業の実施に関する情報であって主務省令で定めるもの
		厚生労働大臣若しくは日本年金機構，共済組合等又は農林漁業団体職員共済組合	年金給付関係情報，厚生年金保険制度及び農林漁業団体職員共済組合制度の統合を図るための農林漁業団体職員共済組合法等を廃止する等の法律による年金である給付の支給に関する情報，特別障害給付金関係情報又は年金生活者支援給付金関係情報であって主務省令で定めるもの
		文部科学大臣又は都道府県教育委員会	特別支援学校への就学奨励に関する法律による特別支援学校への就学のため必要な経費の支弁に関する情報であって主務省令で定めるもの
		都道府県教育委員会又は市町村教育委員会	学校保健安全法による医療に要する費用についての援助に関する情報であって主務省令で定めるもの
		厚生労働大臣又は都道府県知事	特別児童扶養手当関係情報又は労働施策の総合的な推進並びに労働者の雇用の安定及び職業生活の充実等に関する法律による職業転換給付金の支給に関する情報であって主務省令で定めるもの
		地方公務員災害補償基金	地方公務員災害補償法による公務上の災害又は通勤による災害に対する補償に関する情報（以下「地方公務員災害補償関係情報」という。）であって主務省令で定めるもの
		厚生労働大臣又は都道府県知事等	中国残留邦人等の円滑な帰国の促進並びに永住帰国した中国残留邦人等及び特定配偶者の自立の支援に関する法律による永住帰国旅費，自立支度金，一時金若しくは一時帰国旅費の支給に関する情報又は中国残留邦

				人等支援給付等関係情報であって主務省令で定めるもの
			都道府県知事又は広島市長若しくは長崎市長	原子爆弾被爆者に対する援護に関する法律による手当等の支給に関する情報であって主務省令で定めるもの
			内閣総理大臣	公的給付支給等口座登録簿関係情報であって主務省令で定めるもの
38	市町村長	地方税法その他の地方税に関する法律及びこれらの法律に基づく条例又は森林環境税及び森林環境譲与税に関する法律による地方税又は森林環境税の賦課徴収に関する事務であって主務省令で定めるもの	医療保険者又は後期高齢者医療広域連合	医療保険給付関係情報であって主務省令で定めるもの
			法務大臣	戸籍関係情報であって主務省令で定めるもの
			都道府県知事	障害者関係情報であって主務省令で定めるもの
			都道府県知事等	生活保護関係情報であって主務省令で定めるもの
			市町村長	地方税関係情報又は住民票関係情報であって主務省令で定めるもの
			厚生労働大臣若しくは日本年金機構又は共済組合等	年金給付関係情報であって主務省令で定めるもの
			厚生労働大臣	失業等給付関係情報であって主務省令で定めるもの
			内閣総理大臣	公的給付支給等口座登録簿関係情報であって主務省令で定めるもの
39	都道府県知事	地方税法その他の地方税に関する法律及びこれらの法律に基づく条例による地方税の賦課徴収に関する事務であって主務省令で定めるもの	都道府県知事	障害者関係情報であって主務省令で定めるもの
			都道府県知事等	生活保護関係情報であって主務省令で定めるもの
			市町村長	地方税関係情報であって主務省令で定めるもの
			内閣総理大臣	公的給付支給等口座登録簿関係情報であって主務省令で定めるもの
40	厚生労働大臣又は共済組合等	地方税法その他の地方税に関する法律及びこれらの法律に基づく条例による地方税の賦課徴収に関する事務であって主務省令で定めるもの	市町村長	地方税関係情報であって主務省令で定めるもの
41	社会福祉協議会	社会福祉法による生計困難者に対して無	医療保険者又は後期高齢者医療広域連合	医療保険給付関係情報であって主務省令で定めるもの

資料 行政手続における特定の個人を識別するための番号の利用等に関する法律

	利子又は低利で資金を融通する事業の実施に関する事務であって主務省令で定めるもの	厚生労働大臣	労働者災害補償関係情報，戦傷病者戦没者遺族等援護関係情報，失業等給付関係情報，石綿健康被害救済給付等関係情報又は職業訓練受講給付金関係情報であって主務省令で定めるもの
		都道府県知事等	生活保護関係情報，児童扶養手当関係情報又は母子及び父子並びに寡婦福祉法による給付金の支給に関する情報であって主務省令で定めるもの
		市町村長	地方税関係情報，住民票関係情報，児童手当関係情報又は介護保険給付等関係情報であって主務省令で定めるもの
		社会福祉協議会	社会福祉法による生計困難者に対して無利子又は低利で資金を融通する事業の実施に関する情報であって主務省令で定めるもの
		厚生労働大臣若しくは日本年金機構又は共済組合等	年金給付関係情報であって主務省令で定めるもの
		都道府県知事	母子及び父子並びに寡婦福祉法による資金の貸付けに関する情報であって主務省令で定めるもの
		厚生労働大臣又は都道府県知事	特別児童扶養手当関係情報であって主務省令で定めるもの
		内閣総理大臣	公的給付支給等口座登録簿関係情報であって主務省令で定めるもの
42 公営住宅法第2条第16号に規定する事業主体である都道府県知事又は市町村長	公営住宅法による公営住宅の管理に関する事務であって主務省令で定めるもの	法務大臣	戸籍関係情報であって主務省令で定めるもの
		都道府県知事	障害者関係情報であって主務省令で定めるもの
		都道府県知事等	生活保護関係情報であって主務省令で定めるもの
		市町村長	地方税関係情報又は住民票関係情報であって主務省令で定めるもの
43 厚生労働大臣	診療放射線技師法による診療放射線技師の免許に関する事務であって主務省令で定めるもの	法務大臣	戸籍関係情報であって主務省令で定めるもの
44 日本税理士会連合会	税理士法による税理士の登録に関する事務であって主務省令	法務大臣	戸籍関係情報であって主務省令で定めるもの

			で定めるもの
45　厚生労働大臣	戦傷病者戦没者遺族等援護法による障害年金，遺族年金又は遺族給与金の支給に関する事務であって主務省令で定めるもの	厚生労働大臣若しくは日本年金機構，共済組合等又は農林漁業団体職員共済組合	年金給付関係情報又は厚生年金保険制度及び農林漁業団体職員共済組合制度の統合を図るための農林漁業団体職員共済組合法等を廃止する等の法律による年金である給付の支給に関する情報であって主務省令で定めるもの
		内閣総理大臣	公的給付支給等口座登録簿関係情報であって主務省令で定めるもの
46　日本私立学校振興・共済事業団	私立学校教職員共済法による短期給付の支給に関する事務であって主務省令で定めるもの	医療保険者又は後期高齢者医療広域連合	医療保険給付関係情報であって主務省令で定めるもの
		私立学校教職員共済法第25条において準用する国家公務員共済組合法第60条第1項に規定する他の法令による給付の支給を行うこととされている者	私立学校教職員共済法第25条において準用する国家公務員共済組合法第60条第1項に規定する他の法令による給付の支給に関する情報であって主務省令で定めるもの
		市町村長	介護保険給付等関係情報であって主務省令で定めるもの
		厚生労働大臣又は日本年金機構	特別障害給付金関係情報又は年金生活者支援給付金関係情報であって主務省令で定めるもの
47　日本私立学校振興・共済事業団	私立学校教職員共済法による短期給付又は年金である給付の支給に関する事務であって主務省令で定めるもの	法務大臣	戸籍関係情報であって主務省令で定めるもの
		市町村長	地方税関係情報又は住民票関係情報であって主務省令で定めるもの
		厚生労働大臣若しくは日本年金機構又は共済組合等	年金給付関係情報であって主務省令で定めるもの
		厚生労働大臣	失業等給付関係情報であって主務省令で定めるもの
		内閣総理大臣	公的給付支給等口座登録簿関係情報であって主務省令で定めるもの
48　厚生労働大臣又は共済組合等	厚生年金保険法による年金である保険給付又は一時金の支給に関する事務であって主務省令で定めるもの	全国健康保険協会	船員保険法による保険給付の支給に関する情報であって主務省令で定めるもの
		厚生労働大臣	労働者災害補償関係情報又は戦傷病者戦没者遺族等援護法による年金である給付若しくは雇用保険法による基本手当若しくは高年齢雇用継続基本給付金の支給に関する情報であっ

資料 行政手続における特定の個人を識別するための番号の利用等に関する法律

			て主務省令で定めるもの
		法務大臣	戸籍関係情報であって主務省令で定めるもの
		市町村長	地方税関係情報又は住民票関係情報であって主務省令で定めるもの
		厚生労働大臣若しくは日本年金機構又は共済組合等	年金給付関係情報であって主務省令で定めるもの
		地方公務員災害補償基金	地方公務員災害補償関係情報であって主務省令で定めるもの
		内閣総理大臣	公的給付支給等口座登録簿関係情報であって主務省令で定めるもの
49 文部科学大臣又は都道府県教育委員会	特別支援学校への就学奨励に関する法律による特別支援学校への就学のため必要な経費の支弁に関する事務であって主務省令で定めるもの	都道府県知事等	生活保護関係情報であって主務省令で定めるもの
		市町村長	地方税関係情報又は住民票関係情報であって主務省令で定めるもの
		内閣総理大臣	公的給付支給等口座登録簿関係情報であって主務省令で定めるもの
50 厚生労働大臣	歯科技工士法による歯科技工士の免許に関する事務であって主務省令で定めるもの	法務大臣	戸籍関係情報であって主務省令で定めるもの
51 都道府県教育委員会又は市町村教育委員会	学校保健安全法による医療に要する費用についての援助に関する事務であって主務省令で定めるもの	都道府県知事等	生活保護関係情報であって主務省令で定めるもの
		市町村長	地方税関係情報又は住民票関係情報であって主務省令で定めるもの
52 厚生労働大臣	臨床検査技師等に関する法律による臨床検査技師の免許に関する事務であって主務省令で定めるもの	法務大臣	戸籍関係情報であって主務省令で定めるもの
53 国家公務員共済組合	国家公務員共済組合法による短期給付の支給に関する事務であって主務省令で定めるもの	医療保険者又は後期高齢者医療広域連合	医療保険給付関係情報であって主務省令で定めるもの
		法務大臣	戸籍関係情報であって主務省令で定めるもの
		市町村長	地方税関係情報，住民票関係情報又は介護保険給付等関係情報であって主務省令で定めるもの
		厚生労働大臣若しくは日本年金機構又は共済組合等	年金給付関係情報，特別障害給付金関係情報又は年金生活者支援給付金関係情報であって主務省令で定める

			もの
		国家公務員共済組合法第60条第1項に規定する他の法令による給付の支給を行うこととされている者	国家公務員共済組合法第60条第1項に規定する他の法令による給付の支給に関する情報であって主務省令で定めるもの
		厚生労働大臣	失業等給付関係情報であって主務省令で定めるもの
		内閣総理大臣	公的給付支給等口座登録簿関係情報であって主務省令で定めるもの
54 国家公務員共済組合連合会	国家公務員共済組合法又は国家公務員共済組合法の長期給付に関する施行法による年金である給付の支給に関する事務であって主務省令で定めるもの	法務大臣	戸籍関係情報であって主務省令で定めるもの
		市町村長	地方税関係情報又は住民票関係情報であって主務省令で定めるもの
		厚生労働大臣若しくは日本年金機構又は共済組合等	年金給付関係情報であって主務省令で定めるもの
		内閣総理大臣	公的給付支給等口座登録簿関係情報であって主務省令で定めるもの
55 国家公務員共済組合連合会	国家公務員共済組合法による年金である給付の支給に関する事務であって主務省令で定めるもの	厚生労働大臣	失業等給付関係情報であって主務省令で定めるもの
56 市町村長又は国民健康保険組合	国民健康保険法による保険給付の支給又は保険料の徴収に関する事務であって主務省令で定めるもの	医療保険者又は後期高齢者医療広域連合	医療保険給付関係情報であって主務省令で定めるもの
		法務大臣	戸籍関係情報であって主務省令で定めるもの
		都道府県知事等	生活保護関係情報又は中国残留邦人等支援給付等関係情報であって主務省令で定めるもの
		市町村長	地方税関係情報，住民票関係情報又は介護保険給付等関係情報であって主務省令で定めるもの
		内閣総理大臣	公的給付支給等口座登録簿関係情報であって主務省令で定めるもの
57 市町村長又は国民健康保険組合	国民健康保険法による保険給付の支給に関する事務であって主務省令で定めるもの	国民健康保険法第56条第1項に規定する他の法令による給付の支給を行うこととされている者	国民健康保険法第56条第1項に規定する他の法令による給付の支給に関する情報であって主務省令で定めるもの
58 市町村長	国民健康保険法による保険料の徴収に関	厚生労働大臣	失業等給付関係情報であって主務省令で定めるもの

資料 行政手続における特定の個人を識別するための番号の利用等に関する法律

			する事務であって主務省令で定めるもの
59　市町村長	国民健康保険法による特別徴収の方法による保険料の徴収又は納入に関する事務であって主務省令で定めるもの	厚生労働大臣若しくは日本年金機構又は共済組合等	年金給付関係情報であって主務省令で定めるもの
60　厚生労働大臣又は共済組合等	国民健康保険法による特別徴収の方法による保険料の徴収又は納入に関する事務であって主務省令で定めるもの	市町村長	国民健康保険法第76条の4において準用する介護保険法第136条第1項（同法第140条第3項において準用する場合を含む。）、第138条第1項又は第141条第1項の規定により通知することとされている事項に関する情報であって主務省令で定めるもの
61　厚生労働大臣	国民年金法による年金である給付若しくは一時金の支給又は保険料の免除に関する事務であって主務省令で定めるもの	全国健康保険協会	船員保険法による保険給付の支給に関する情報であって主務省令で定めるもの
		厚生労働大臣	労働者災害補償関係情報又は戦傷病者戦没者遺族等援護法による年金である給付の支給に関する情報であって主務省令で定めるもの
		共済組合等	年金給付関係情報であって主務省令で定めるもの
		都道府県知事等	児童扶養手当関係情報であって主務省令で定めるもの
		地方公務員災害補償基金	地方公務員災害補償関係情報であって主務省令で定めるもの
62　厚生労働大臣	国民年金法による年金である給付若しくは一時金の支給，保険料の納付に関する処分又はその他徴収金の徴収に関する事務であって主務省令で定めるもの	法務大臣	戸籍関係情報であって主務省令で定めるもの
		市町村長	地方税関係情報又は住民票関係情報であって主務省令で定めるもの
		内閣総理大臣	公的給付支給等口座登録簿関係情報であって主務省令で定めるもの
63　厚生労働大臣	国民年金法による国民年金原簿の記録又は保険料の納付委託に関する事務であって主務省令で定めるもの	国民年金基金連合会	国民年金基金の加入員に関する情報であって主務省令で定めるもの
64　厚生労働大臣	国民年金法による保険料の免除又は保険	都道府県知事等	生活保護関係情報であって主務省令で定めるもの

	料の納付に関する処分に関する事務であって主務省令で定めるもの	市町村長	国民年金法第89条第1項第3号の施設に入所する者に関する情報であって主務省令で定めるもの
		厚生労働大臣	失業等給付関係情報であって主務省令で定めるもの
65 国民年金基金	国民年金法による年金である給付又は一時金の支給に関する事務であって主務省令で定めるもの	厚生労働大臣又は日本年金機構	年金給付関係情報であって主務省令で定めるもの
		独立行政法人農業者年金基金	独立行政法人農業者年金基金法による農業者年金の被保険者に関する情報であって主務省令で定めるもの
		内閣総理大臣	公的給付支給等口座登録簿関係情報であって主務省令で定めるもの
66 国民年金基金連合会	国民年金法による年金である給付又は一時金の支給に関する事務であって主務省令で定めるもの	厚生労働大臣又は日本年金機構	年金給付関係情報であって主務省令で定めるもの
		内閣総理大臣	公的給付支給等口座登録簿関係情報であって主務省令で定めるもの
67 市町村長	知的障害者福祉法による障害福祉サービス，障害者支援施設等への入所等の措置又は費用の徴収に関する事務であって主務省令で定めるもの	法務大臣	戸籍関係情報であって主務省令で定めるもの
		都道府県知事	障害者関係情報であって主務省令で定めるもの
		都道府県知事等	生活保護関係情報又は中国残留邦人等支援給付等関係情報であって主務省令で定めるもの
		市町村長	地方税関係情報，住民票関係情報又は障害者自立支援給付関係情報であって主務省令で定めるもの
68 住宅地区改良法第2条第2項に規定する施行者である都道府県知事又は市町村長	住宅地区改良法による改良住宅の管理若しくは家賃若しくは敷金の決定若しくは変更又は収入超過者に対する措置に関する事務であって主務省令で定めるもの	法務大臣	戸籍関係情報であって主務省令で定めるもの
		都道府県知事	障害者関係情報であって主務省令で定めるもの
		都道府県知事等	生活保護関係情報であって主務省令で定めるもの
		市町村長	地方税関係情報又は住民票関係情報であって主務省令で定めるもの
69 厚生労働大臣	障害者の雇用の促進等に関する法律による職業紹介等，障害者職業センターの設置及び運営，納付金関係業務若しくは納付金関係業務に相当する業務の実施，在	都道府県知事	障害者関係情報であって主務省令で定めるもの

|資料| 行政手続における特定の個人を識別するための番号の利用等に関する法律

	宅就業障害者特例調整金若しくは報奨金等の支給又は登録に関する事務であって主務省令で定めるもの		
70 厚生労働大臣	障害者の雇用の促進等に関する法律による納付金関係業務又は納付金関係業務に相当する業務の実施に関する事務であって主務省令で定めるもの	厚生労働大臣	失業等給付関係情報であって主務省令で定めるもの
71 厚生労働大臣	薬剤師法による薬剤師の免許に関する事務であって主務省令で定めるもの	法務大臣	戸籍関係情報であって主務省令で定めるもの
72 市町村長	災害対策基本法による避難行動要支援者名簿、個別避難計画又は被災者台帳の作成に関する事務であって主務省令で定めるもの	都道府県知事	災害救助法による救助若しくは児童福祉法による障害児入所支援、小児慢性特定疾病医療費の支給若しくは措置（同法第27条第1項第3号又は第2項の措置をいう。）に関する情報、障害者関係情報又は精神保健及び精神障害者福祉に関する法律による入院措置若しくは難病の患者に対する医療等に関する法律による特定医療費の支給に関する情報であって主務省令で定めるもの
		市町村長	児童福祉法による障害児通所支援若しくは母子保健法による妊娠の届出に関する情報又は介護保険給付等関係情報であって主務省令で定めるもの
		厚生労働大臣又は都道府県知事	特別児童扶養手当関係情報であって主務省令で定めるもの
		都道府県知事等	特別児童扶養手当等の支給に関する法律による障害児福祉手当若しくは特別障害者手当又は昭和60年法律第34号附則第97条第1項の福祉手当の支給に関する情報であって主務省令で定めるもの
		都道府県知事又は市町村長	障害者自立支援給付関係情報であって主務省令で定めるもの
73 都道府県知事等	児童扶養手当法による児童扶養手当の支	都道府県知事	児童福祉法による障害児入所支援、措置（同法第27条第1項第3号若

		給に関する事務であって主務省令で定めるもの		しくは第2項又は第27条の2第1項の措置をいう。）若しくは日常生活上の援助及び生活指導並びに就業の支援の実施に関する情報又は障害者関係情報であって主務省令で定めるもの
			法務大臣	戸籍関係情報であって主務省令で定めるもの
			市町村長	地方税関係情報，住民票関係情報又は障害者の日常生活及び社会生活を総合的に支援するための法律による療養介護若しくは施設入所支援に関する情報であって主務省令で定めるもの
			児童扶養手当法第3条第2項に規定する公的年金給付の支給を行うこととされている者	児童扶養手当法第3条第2項に規定する公的年金給付の支給に関する情報であって主務省令で定めるもの
			厚生労働大臣又は都道府県知事	特別児童扶養手当関係情報であって主務省令で定めるもの
			内閣総理大臣	公的給付支給等口座登録簿関係情報であって主務省令で定めるもの
74	国税庁長官	国税通則法その他の国税に関する法律による国税の還付に関する事務であって主務省令で定めるもの	内閣総理大臣	公的給付支給等口座登録簿関係情報であって主務省令で定めるもの
75	地方公務員等共済組合	地方公務員等共済組合法による短期給付の支給に関する事務であって主務省令で定めるもの	医療保険者又は後期高齢者医療広域連合	医療保険給付関係情報であって主務省令で定めるもの
			法務大臣	戸籍関係情報であって主務省令で定めるもの
			市町村長	地方税関係情報，住民票関係情報又は介護保険給付等関係情報であって主務省令で定めるもの
			厚生労働大臣若しくは日本年金機構又は共済組合等	年金給付関係情報，特別障害給付金関係情報又は年金生活者支援給付金関係情報であって主務省令で定めるもの
			地方公務員等共済組合法第62条第1項に規定する他の法令による給付の支給を行うこととされている者	地方公務員等共済組合法第62条第1項に規定する他の法令による給付の支給に関する情報であって主務省令で定めるもの

資料 行政手続における特定の個人を識別するための番号の利用等に関する法律

		地方公務員災害補償基金	地方公務員災害補償関係情報であって主務省令で定めるもの
		厚生労働大臣	失業等給付関係情報であって主務省令で定めるもの
		内閣総理大臣	公的給付支給等口座登録簿関係情報であって主務省令で定めるもの
76 地方公務員共済組合又は全国市町村職員共済組合連合会	地方公務員等共済組合法又は地方公務員等共済組合法の長期給付等に関する施行法による年金である給付の支給に関する事務であって主務省令で定めるもの	法務大臣	戸籍関係情報であって主務省令で定めるもの
		市町村長	地方税関係情報又は住民票関係情報であって主務省令で定めるもの
		厚生労働大臣若しくは日本年金機構又は共済組合等	年金給付関係情報であって主務省令で定めるもの
		内閣総理大臣	公的給付支給等口座登録簿関係情報であって主務省令で定めるもの
77 地方公務員共済組合又は全国市町村職員共済組合連合会	地方公務員等共済組合法による年金である給付の支給に関する事務であって主務省令で定めるもの	地方公務員災害補償基金	地方公務員災害補償関係情報であって主務省令で定めるもの
		厚生労働大臣	失業等給付関係情報であって主務省令で定めるもの
78 市町村長	老人福祉法による福祉の措置に関する事務であって主務省令で定めるもの	都道府県知事等	生活保護関係情報であって主務省令で定めるもの
		市町村長	地方税関係情報，住民票関係情報又は介護保険給付等関係情報であって主務省令で定めるもの
79 市町村長	老人福祉法による費用の徴収に関する事務であって主務省令で定めるもの	医療保険者又は後期高齢者医療広域連合	医療保険給付関係情報であって主務省令で定めるもの
		厚生労働大臣	労働者災害補償関係情報又は失業等給付関係情報であって主務省令で定めるもの
		都道府県知事等	生活保護関係情報であって主務省令で定めるもの
		市町村長	地方税関係情報，住民票関係情報又は介護保険給付等関係情報であって主務省令で定めるもの
		厚生労働大臣若しくは日本年金機構又は共済組合等	年金給付関係情報であって主務省令で定めるもの
80 都道府県知事	母子及び父子並びに寡婦福祉法による償還未済額の免除又は資金の貸付けに関する事務であって主務	法務大臣	戸籍関係情報であって主務省令で定めるもの
		市町村長	地方税関係情報であって定めるもの

	省令で定めるもの	内閣総理大臣	公的給付支給等口座登録簿関係情報であって主務省令で定めるもの
81 都道府県知事又は市町村長	母子及び父子並びに寡婦福祉法による配偶者のない者で現に児童を扶養しているもの又は寡婦についての便宜の供与に関する事務であって主務省令で定めるもの	法務大臣	戸籍関係情報であって主務省令で定めるもの
		都道府県知事等	生活保護関係情報又は児童扶養手当関係情報であって主務省令で定めるもの
		市町村長	地方税関係情報であって主務省令で定めるもの
82 都道府県知事等	母子及び父子並びに寡婦福祉法による給付金の支給に関する事務であって主務省令で定めるもの	法務大臣	戸籍関係情報であって主務省令で定めるもの
		市町村長	地方税関係情報であって主務省令で定めるもの
		都道府県知事等	児童扶養手当関係情報であって主務省令で定めるもの
		厚生労働大臣	雇用保険法による教育訓練給付金の支給に関する情報又は職業訓練受講給付金関係情報であって主務省令で定めるもの
		内閣総理大臣	公的給付支給等口座登録簿関係情報であって主務省令で定めるもの
83 厚生労働大臣又は都道府県知事	特別児童扶養手当等の支給に関する法律による特別児童扶養手当の支給に関する事務であって主務省令で定めるもの	厚生労働大臣	労働者災害補償関係情報であって主務省令で定めるもの
		法務大臣	戸籍関係情報であって主務省令で定めるもの
		市町村長	地方税関係情報又は住民票関係情報であって主務省令で定めるもの
		厚生労働大臣若しくは日本年金機構又は共済組合等	年金給付関係情報であって主務省令で定めるもの
		地方公務員災害補償基金	地方公務員災害補償関係情報であって主務省令で定めるもの
		内閣総理大臣	公的給付支給等口座登録簿関係情報であって主務省令で定めるもの
84 都道府県知事等	特別児童扶養手当等の支給に関する法律による障害児福祉手当若しくは特別障害者手当又は昭和60年法律第34号附則第97条第1項の福祉手当の支給に関す	法務大臣	戸籍関係情報であって主務省令で定めるもの
		市町村長	地方税関係情報又は住民票関係情報であって主務省令で定めるもの
		内閣総理大臣	公的給付支給等口座登録簿関係情報であって主務省令で定めるもの

資料　行政手続における特定の個人を識別するための番号の利用等に関する法律

			る事務であって主務省令で定めるもの
85　都道府県知事等	特別児童扶養手当等の支給に関する法律による障害児福祉手当又は特別障害者手当の支給に関する事務であって主務省令で定めるもの	厚生労働大臣	労働者災害補償関係情報であって主務省令で定めるもの
		厚生労働大臣若しくは日本年金機構又は共済組合等	年金給付関係情報であって主務省令で定めるもの
		地方公務員災害補償基金	地方公務員災害補償関係情報であって主務省令で定めるもの
86　都道府県知事等	特別児童扶養手当等の支給に関する法律による特別障害者手当の支給に関する事務であって主務省令で定めるもの	都道府県知事又は広島市長若しくは長崎市長	原子爆弾被爆者に対する援護に関する法律による介護手当の支給に関する情報であって主務省令で定めるもの
87　厚生労働大臣	理学療法士及び作業療法士法による理学療法士又は作業療法士の免許に関する事務であって主務省令で定めるもの	法務大臣	戸籍関係情報であって主務省令で定めるもの
88　市町村長	母子保健法による保健指導、新生児の訪問指導、健康診査、妊産婦の訪問指導、未熟児の訪問指導又は母子健康包括支援センターの事業の実施に関する事務であって主務省令で定めるもの	市町村長	母子保健法による健康診査に関する情報であって主務省令で定めるもの
89　市町村長	母子保健法による費用の徴収に関する事務であって主務省令で定めるもの	法務大臣	戸籍関係情報であって主務省令で定めるもの
		都道府県知事等	生活保護関係情報又は中国残留邦人等支援給付等関係情報であって主務省令で定めるもの
		市町村長	地方税関係情報又は住民票関係情報であって主務省令で定めるもの
90　厚生労働大臣又は都道府県知事	労働施策の総合的な推進並びに労働者の雇用の安定及び職業生活の充実等に関する法律による職業転換給付金の支給に関する事務であって主	市町村長	地方税関係情報であって主務省令で定めるもの
		内閣総理大臣	公的給付支給等口座登録簿関係情報であって主務省令で定めるもの

			務省令で定めるもの	
91 地方公務員災害補償基金	地方公務員災害補償法による公務上の災害又は通勤による災害に対する補償に関する事務であって主務省令で定めるもの	国民年金法その他の法令による年金である給付の支給を行うこととされている者	国民年金法その他の法令による年金である給付の支給に関する情報であって主務省令で定めるもの
		内閣総理大臣	公的給付支給等口座登録簿関係情報であって主務省令で定めるもの
92 地方公務員災害補償基金	地方公務員災害補償法による福祉事業の実施に関する事務であって主務省令で定めるもの	内閣総理大臣	公的給付支給等口座登録簿関係情報であって主務省令で定めるもの
93 石炭鉱業年金基金	石炭鉱業年金基金法による年金である給付又は一時金の支給に関する事務であって主務省令で定めるもの	厚生労働大臣又は日本年金機構	年金給付関係情報であって主務省令で定めるもの
		内閣総理大臣	公的給付支給等口座登録簿関係情報であって主務省令で定めるもの
94 全国社会保険労務士会連合会	社会保険労務士法による社会保険労務士の登録に関する事務であって主務省令で定めるもの	法務大臣	戸籍関係情報であって主務省令で定めるもの
95 厚生労働大臣	柔道整復師法による柔道整復師の免許に関する事務であって主務省令で定めるもの	法務大臣	戸籍関係情報であって主務省令で定めるもの
96 厚生労働大臣	視能訓練士法による視能訓練士の免許に関する事務であって主務省令で定めるもの	法務大臣	戸籍関係情報であって主務省令で定めるもの
97 市町村長（児童手当法第17条第1項の表の下欄に掲げる者を含む。）	児童手当法による児童手当又は特例給付の支給に関する事務であって主務省令で定めるもの	法務大臣	戸籍関係情報であって主務省令で定めるもの
		市町村長	地方税関係情報又は住民票関係情報であって主務省令で定めるもの
		内閣総理大臣	公的給付支給等口座登録簿関係情報であって主務省令で定めるもの
98 市町村長	児童手当法による児童手当又は特例給付の支給に関する事務であって主務省令で定めるもの	厚生労働大臣若しくは日本年金機構又は共済組合等	年金給付関係情報であって主務省令で定めるもの

資料 行政手続における特定の個人を識別するための番号の利用等に関する法律

99 厚生労働大臣	雇用保険法による失業等給付の支給に関する事務であって主務省令で定めるもの	厚生労働大臣若しくは日本年金機構又は共済組合等	年金給付関係情報であって主務省令で定めるもの
		内閣総理大臣	公的給付支給等口座登録簿関係情報であって主務省令で定めるもの
100 厚生労働大臣	雇用保険法による未支給の失業等給付若しくは育児休業給付又は介護休業給付金の支給に関する事務であって主務省令で定めるもの	法務大臣	戸籍関係情報であって主務省令で定めるもの
		市町村長	住民票関係情報であって主務省令で定めるもの
101 厚生労働大臣	雇用保険法による傷病手当の支給に関する事務であって主務省令で定めるもの	雇用保険法第37条第8項に規定する他の法令による給付の支給を行うこととされている者	雇用保険法第37条第8項に規定する他の法令による給付の支給に関する情報であって主務省令で定めるもの
102 厚生労働大臣	雇用保険法による育児休業給付の支給に関する事務であって主務省令で定めるもの	内閣総理大臣	公的給付支給等口座登録簿関係情報であって主務省令で定めるもの
103 厚生労働大臣	雇用保険法による雇用安定事業又は能力開発事業の実施に関する事務であって主務省令で定めるもの	都道府県知事	障害者関係情報であって主務省令で定めるもの
		厚生労働大臣	失業等給付関係情報であって主務省令で定めるもの
104 後期高齢者医療広域連合	高齢者の医療の確保に関する法律による後期高齢者医療給付の支給又は保険料の徴収に関する事務であって主務省令で定めるもの	医療保険者又は後期高齢者医療広域連合	医療保険給付関係情報であって主務省令で定めるもの
		市町村長	地方税関係情報，住民票関係情報又は介護保険給付等関係情報であって主務省令で定めるもの
105 後期高齢者医療広域連合	高齢者の医療の確保に関する法律による後期高齢者医療給付の支給に関する事務であって主務省令で定めるもの	厚生労働大臣若しくは日本年金機構又は共済組合等	年金給付関係情報であって主務省令で定めるもの
		高齢者の医療の確保に関する法律第57条第1項に規定する他の法令による給付の支給を行うこととされている者	高齢者の医療の確保に関する法律第57条第1項に規定する他の法令による給付の支給に関する情報であって主務省令で定めるもの
		内閣総理大臣	公的給付支給等口座登録簿関係情報であって主務省令で定めるもの

106 市町村長	高齢者の医療の確保に関する法律による保険料の徴収に関する事務であって主務省令で定めるもの	厚生労働大臣若しくは日本年金機構又は共済組合等	年金給付関係情報であって主務省令で定めるもの
		後期高齢者医療広域連合	高齢者の医療の確保に関する法律による保険料の徴収に関する情報であって主務省令で定めるもの
		内閣総理大臣	公的給付支給等口座登録簿関係情報であって主務省令で定めるもの
107 厚生労働大臣又は共済組合等	高齢者の医療の確保に関する法律による特別徴収の方法による保険料の徴収又は納入に関する事務であって主務省令で定めるもの	市町村長	高齢者の医療の確保に関する法律第110条において準用する介護保険法第136条第1項（同法第140条第3項において準用する場合を含む。）、第138条第1項又は第141条第1項の規定により通知することとされている事項に関する情報であって主務省令で定めるもの
108 厚生労働大臣	昭和60年法律第34号附則第87条第2項の規定により厚生年金保険の実施者たる政府が支給するものとされた年金である保険給付の支給に関する事務であって主務省令で定めるもの	法務大臣	戸籍関係情報であって主務省令で定めるもの
		市町村長	地方税関係情報又は住民票関係情報であって主務省令で定めるもの
		共済組合等	年金給付関係情報であって主務省令で定めるもの
		内閣総理大臣	公的給付支給等口座登録簿関係情報であって主務省令で定めるもの
109 都道府県知事等	昭和60年法律第34号附則第97条第1項の福祉手当の支給に関する事務であって主務省令で定めるもの	昭和60年法律第34号附則第97条第2項において準用する特別児童扶養手当等の支給に関する法律第17条第1号の障害を支給事由とする給付の支給を行うこととされている者	昭和60年法律第34号附則第97条第2項において準用する特別児童扶養手当等の支給に関する法律第17条第1号の障害を支給事由とする給付の支給に関する情報であって主務省令で定めるもの
110 厚生労働大臣	社会福祉士及び介護福祉士法による社会福祉士又は介護福祉士の登録に関する事務であって主務省令で定めるもの	法務大臣	戸籍関係情報であって主務省令で定めるもの
111 厚生労働大臣	臨床工学技士法による臨床工学技士の免許に関する事務であって主務省令で定めるもの	法務大臣	戸籍関係情報であって主務省令で定めるもの
112 厚生労働	義肢装具士法による	法務大臣	戸籍関係情報であって主務省令で定

資料 行政手続における特定の個人を識別するための番号の利用等に関する法律

働大臣	義肢装具士の免許に関する事務であって主務省令で定めるもの		めるもの
113 厚生労働大臣	救急救命士法による救急救命士に関する事務であって主務省令で定めるもの	法務大臣	戸籍関係情報であって主務省令で定めるもの
114 特定優良賃貸住宅の供給の促進に関する法律第18条第2項に規定する賃貸住宅の建設及び管理を行う都道府県知事又は市町村長	特定優良賃貸住宅の供給の促進に関する法律による賃貸住宅の管理に関する事務であって主務省令で定めるもの	法務大臣	戸籍関係情報であって主務省令で定めるもの
		都道府県知事	障害者関係情報であって主務省令で定めるもの
		市町村長	地方税関係情報又は住民票関係情報であって主務省令で定めるもの
115 厚生労働大臣	中国残留邦人等の円滑な帰国の促進並びに永住帰国した中国残留邦人等及び特定配偶者の自立の支援に関する法律による一時金の支給又は保険料の納付に関する事務であって主務省令で定めるもの	厚生労働大臣又は日本年金機構	国民年金法による年金である給付の支給に関する情報であって主務省令で定めるもの
		内閣総理大臣	公的給付支給等口座登録簿関係情報であって主務省令で定めるもの
116 都道府県知事等	中国残留邦人等支援給付等の支給に関する事務であって主務省令で定めるもの	医療保険者又は後期高齢者医療広域連合	医療保険給付関係情報であって主務省令で定めるもの
		厚生労働大臣	労働者災害補償関係情報，戦傷病者戦没者遺族等援護関係情報，失業等給付関係情報，原子爆弾被爆者に対する援護に関する法律による一般疾病医療費の支給に関する情報，石綿健康被害救済給付等関係情報又は職業訓練受講給付金関係情報であって主務省令で定めるもの
		都道府県知事	災害救助法による救助若しくは扶助金の支給，児童福祉法による小児慢性特定疾病医療費，療育の給付若しくは障害児入所給付費の支給若しくは母子及び父子並びに寡婦福祉法による資金の貸付けに関する情報，障害者自立支援給付関係情報又は難病

			の患者に対する医療等に関する法律による特定医療費の支給に関する情報であって主務省令で定めるもの
		都道府県知事等	生活保護関係情報,児童扶養手当関係情報又は母子及び父子並びに寡婦福祉法による給付金,特別児童扶養手当等の支給に関する法律による障害児福祉手当若しくは特別障害者手当若しくは昭和60年法律第34号附則第97条第1項の福祉手当の支給に関する情報であって主務省令で定めるもの
		市町村長	地方税関係情報,母子保健法による養育医療の給付若しくは養育医療に要する費用の支給に関する情報,児童手当関係情報,介護保険給付等関係情報又は障害者自立支援給付関係情報であって主務省令で定めるもの
		社会福祉協議会	社会福祉法による生計困難者に対して無利子又は低利で資金を融通する事業の実施に関する情報であって主務省令で定めるもの
		厚生労働大臣若しくは日本年金機構,共済組合等又は農林漁業団体職員共済組合	年金給付関係情報,厚生年金保険制度及び農林漁業団体職員共済組合制度の統合を図るための農林漁業団体職員共済組合法等を廃止する等の法律による年金である給付の支給に関する情報,特別障害給付金関係情報又は年金生活者支援給付金関係情報であって主務省令で定めるもの
		文部科学大臣又は都道府県教育委員会	特別支援学校への就学奨励に関する法律による特別支援学校への就学のため必要な経費の支弁に関する情報であって主務省令で定めるもの
		都道府県教育委員会又は市町村教育委員会	学校保健安全法による医療に要する費用についての援助に関する情報であって主務省令で定めるもの
		厚生労働大臣又は都道府県知事	特別児童扶養手当関係情報又は労働施策の総合的な推進並びに労働者の雇用の安定及び職業生活の充実等に関する法律による職業転換給付金の支給に関する情報であって主務省令で定めるもの
		地方公務員災害補償基金	地方公務員災害補償関係情報であって主務省令で定めるもの

> [資料] 行政手続における特定の個人を識別するための番号の利用等に関する法律

			厚生労働大臣又は都道府県知事等	中国残留邦人等の円滑な帰国の促進並びに永住帰国した中国残留邦人等及び特定配偶者の自立の支援に関する法律による永住帰国旅費,自立支度金,一時金若しくは一時帰国旅費の支給に関する情報又は中国残留邦人等支援給付等関係情報であって主務省令で定めるもの
			都道府県知事又は広島市長若しくは長崎市長	原子爆弾被爆者に対する援護に関する法律による手当等の支給に関する情報であって主務省令で定めるもの
			内閣総理大臣	公的給付支給等口座登録簿関係情報であって主務省令で定めるもの
117	厚生労働大臣	原子爆弾被爆者に対する援護に関する法律による一般疾病医療費の支給に関する事務であって主務省令で定めるもの	原子爆弾被爆者に対する援護に関する法律第18条第1項ただし書に規定する他の法令による医療に関する給付の支給を行うこととされている者	原子爆弾被爆者に対する援護に関する法律第18条第1項ただし書に規定する他の法令による医療に関する給付の支給に関する情報であって主務省令で定めるもの
118	都道府県知事又は広島市長若しくは長崎市長	原子爆弾被爆者に対する援護に関する法律による医療特別手当,特別手当,原子爆弾小頭症手当又は健康管理手当の支給に関する事務であって主務省令で定めるもの	内閣総理大臣	公的給付支給等口座登録簿関係情報であって主務省令で定めるもの
119	都道府県知事又は広島市長若しくは長崎市長	原子爆弾被爆者に対する援護に関する法律による保健手当又は葬祭料の支給に関する事務であって主務省令で定めるもの	市町村長	住民票関係情報であって主務省令で定めるもの
			内閣総理大臣	公的給付支給等口座登録簿関係情報であって主務省令で定めるもの
120	都道府県知事又は広島市長若しくは長崎市長	原子爆弾被爆者に対する援護に関する法律による介護手当の支給に関する事務であって主務省令で定めるもの	都道府県知事等	生活保護関係情報であって主務省令で定めるもの
			市町村長	介護保険給付等関係情報であって主務省令で定めるもの
			内閣総理大臣	公的給付支給等口座登録簿関係情報であって主務省令で定めるもの
121	厚生労働大臣	平成8年法律第82号附則第16条第3項の規定により厚生年金保険の実施者た	法務大臣	戸籍関係情報であって主務省令で定めるもの
			市町村長	地方税関係情報又は住民票関係情報であって主務省令で定めるもの

	る政府が支給するものとされた年金である給付の支給に関する事務であって主務省令で定めるもの	共済組合等	年金給付関係情報であって主務省令で定めるもの
		内閣総理大臣	公的給付支給等口座登録簿関係情報であって主務省令で定めるもの
122 平成8年法律第82号附則第32条第2項に規定する存続組合又は平成8年法律第82号附則第48条第1項に規定する指定基金	平成8年法律第82号による年金である長期給付又は年金である給付の支給に関する事務であって主務省令で定めるもの	法務大臣	戸籍関係情報であって主務省令で定めるもの
		市町村長	地方税関係情報又は住民票関係情報であって主務省令で定めるもの
		厚生労働大臣若しくは日本年金機構又は共済組合等	年金給付関係情報であって主務省令で定めるもの
		内閣総理大臣	公的給付支給等口座登録簿関係情報であって主務省令で定めるもの
123 市町村長	介護保険法による保険給付の支給又は地域支援事業の実施に関する事務であって主務省令で定めるもの	医療保険者又は後期高齢者医療広域連合	医療保険給付関係情報であって主務省令で定めるもの
		介護保険法第20条に規定する他の法令による給付の支給を行うこととされている者	介護保険法第20条に規定する他の法令による給付の支給に関する情報であって主務省令で定めるもの
124 市町村長	介護保険法による保険給付の支給、地域支援事業の実施又は保険料の徴収に関する事務であって主務省令で定めるもの	都道府県知事等	生活保護関係情報又は中国残留邦人等支援給付等関係情報であって主務省令で定めるもの
		市町村長	地方税関係情報、住民票関係情報又は介護保険給付等関係情報であって主務省令で定めるもの
		厚生労働大臣若しくは日本年金機構又は共済組合等	年金給付関係情報であって主務省令で定めるもの
		内閣総理大臣	公的給付支給等口座登録簿関係情報であって主務省令で定めるもの
125 都道府県知事	介護保険法による介護支援専門員の登録に関する事務であって主務省令で定めるもの	法務大臣	戸籍関係情報であって主務省令で定めるもの
126 厚生労働大臣又は共済組合等	介護保険法による特別徴収の方法による保険料の徴収又は納入に関する事務であって主務省令で定めるもの	市町村長	介護保険法第136条第1項（同法第140条第3項において準用する場合を含む。)、第138条第1項又は第141条第1項の規定により通知することとされている事項に関する情報であって主務省令で定めるもの
127 厚生労働	精神保健福祉士法に	法務大臣	戸籍関係情報であって主務省令で定

> [資料] 行政手続における特定の個人を識別するための番号の利用等に関する法律

働大臣	よる精神保健福祉士の登録に関する事務であって主務省令で定めるもの		めるもの
128 厚生労働大臣	言語聴覚士法による言語聴覚士の免許に関する事務であって主務省令で定めるもの	法務大臣	戸籍関係情報であって主務省令で定めるもの
129 都道府県知事	被災者生活再建支援法による被災者生活再建支援金の支給に関する事務であって主務省令で定めるもの	市町村長	住民票関係情報であって主務省令で定めるもの
		内閣総理大臣	公的給付支給等口座登録簿関係情報であって主務省令で定めるもの
130 都道府県知事又は保健所を設置する市の長	感染症の予防及び感染症の患者に対する医療に関する法律による費用の負担又は療養費の支給に関する事務であって主務省令で定めるもの	法務大臣	戸籍関係情報であって主務省令で定めるもの
		市町村長	地方税関係情報又は住民票関係情報であって主務省令で定めるもの
		感染症の予防及び感染症の患者に対する医療に関する法律第39条第1項に規定する他の法律による医療に関する給付の支給を行うこととされている者	感染症の予防及び感染症の患者に対する医療に関する法律第39条第1項に規定する他の法律による医療に関する給付の支給に関する情報であって主務省令で定めるもの
		内閣総理大臣	公的給付支給等口座登録簿関係情報であって主務省令で定めるもの
131 確定給付企業年金法第29条第1項に規定する事業主等又は企業年金連合会	確定給付企業年金法による年金である給付又は一時金の支給に関する事務であって主務省令で定めるもの	厚生労働大臣又は日本年金機構	年金給付関係情報であって主務省令で定めるもの
		内閣総理大臣	公的給付支給等口座登録簿関係情報であって主務省令で定めるもの
132 確定拠出年金法第3条第3項第1号に規定する事業主	確定拠出年金法による企業型年金の給付又は脱退一時金の支給に関する事務であって主務省令で定めるもの	厚生労働大臣又は日本年金機構	年金給付関係情報であって主務省令で定めるもの
		内閣総理大臣	公的給付支給等口座登録簿関係情報であって主務省令で定めるもの
133 国民年金基金連合会	確定拠出年金法による個人型年金の給付又は脱退一時金の支給に関する事務であ	厚生労働大臣又は日本年金機構	年金給付関係情報であって主務省令で定めるもの
		独立行政法人農業者年金基金	独立行政法人農業者年金基金法による農業者年金の被保険者に関する情

	って主務省令で定めるもの		報であって主務省令で定めるもの
		内閣総理大臣	公的給付支給等口座登録簿関係情報であって主務省令で定めるもの
134 厚生労働大臣	厚生年金保険制度及び農林漁業団体職員共済組合制度の統合を図るための農林漁業団体職員共済組合法等を廃止する等の法律附則第16条第3項の規定により厚生年金保険の実施者たる政府が支給するものとされた年金である給付の支給に関する事務であって主務省令で定めるもの	法務大臣	戸籍関係情報であって主務省令で定めるもの
		市町村長	地方税関係情報又は住民票関係情報であって主務省令で定めるもの
		共済組合等又は農林漁業団体職員共済組合	年金給付関係情報又は厚生年金保険制度及び農林漁業団体職員共済組合制度の統合を図るための農林漁業団体職員共済組合法等を廃止する等の法律による年金である給付の支給に関する情報であって主務省令で定めるもの
		内閣総理大臣	公的給付支給等口座登録簿関係情報であって主務省令で定めるもの
135 農林漁業団体職員共済組合	厚生年金保険制度及び農林漁業団体職員共済組合制度の統合を図るための農林漁業団体職員共済組合法等を廃止する等の法律による年金である給付（同法附則第16条第3項の規定により厚生年金保険の実施者たる政府が支給するものとされた年金である給付を除く。）若しくは一時金の支給又は特例業務負担金の徴収に関する事務であって主務省令で定めるもの	市町村長	地方税関係情報又は住民票関係情報であって主務省令で定めるもの
		厚生労働大臣若しくは日本年金機構又は共済組合等	年金給付関係情報であって主務省令で定めるもの
136 市町村長	健康増進法による健康増進事業の実施に関する事務であって主務省令で定めるもの	市町村長	健康増進法による健康増進事業の実施に関する情報であって主務省令で定めるもの
137 独立行政法人農業者年金基金	独立行政法人農業者年金基金法による農業者年金事業の給付の支給若しくは保険料その他徴収金の徴収又は同法附則第6	法務大臣	戸籍関係情報であって主務省令で定めるもの
		市町村長	地方税関係情報又は住民票関係情報であって主務省令で定めるもの
		厚生労働大臣若しくは	年金給付関係情報又は厚生年金保険

資料 行政手続における特定の個人を識別するための番号の利用等に関する法律

	条第1項第1号の規定により独立行政法人農業者年金基金が行うものとされた平成13年法律第39号による改正前の農業者年金基金法若しくは平成2年法律第21号による改正前の農業者年金基金法による給付の支給に関する事務であって主務省令で定めるもの	日本年金機構，共済組合等又は農林漁業団体職員共済組合	制度及び農林漁業団体職員共済組合制度の統合を図るための農林漁業団体職員共済組合法等を廃止する等の法律による年金である給付の支給に関する情報であって主務省令で定めるもの
		内閣総理大臣	公的給付支給等口座登録簿関係情報であって主務省令で定めるもの
138 独立行政法人日本スポーツ振興センター	独立行政法人日本スポーツ振興センター法による災害共済給付の支給に関する事務であって主務省令で定めるもの	都道府県知事等	生活保護関係情報であって主務省令で定めるもの
139 独立行政法人医薬品医療機器総合機構	独立行政法人医薬品医療機器総合機構法による副作用救済給付又は感染救済給付の支給に関する事務であって主務省令で定めるもの	市町村長	住民票関係情報であって主務省令で定めるもの
		内閣総理大臣	公的給付支給等口座登録簿関係情報であって主務省令で定めるもの
140 独立行政法人日本学生支援機構	独立行政法人日本学生支援機構法による学資の貸与及び支給に関する事務であって主務省令で定めるもの	医療保険者その他の法令による医療に関する給付の支給を行うこととされている者	医療保険各法その他の法令による医療に関する給付の支給に関する情報であって主務省令で定めるもの
		都道府県知事	児童福祉法による措置（同法第27条第1項第3号の措置をいう。）に関する情報又は障害者関係情報であって主務省令で定めるもの
		法務大臣	戸籍関係情報であって主務省令で定めるもの
		都道府県知事等	生活保護関係情報又は児童扶養手当関係情報であって主務省令で定めるもの
		市町村長	地方税関係情報，住民票関係情報又は児童手当関係情報であって主務省令で定めるもの
		国民年金法その他の法令による年金である給付の支給を行うこと	国民年金法その他の法令による年金である給付の支給に関する情報であって主務省令で定めるもの

			されている者	
		厚生労働大臣又は都道府県知事	特別児童扶養手当関係情報であって主務省令で定めるもの
		厚生労働大臣	失業等給付関係情報であって主務省令で定めるもの
		厚生労働大臣又は日本年金機構	年金生活者支援給付金関係情報であって主務省令で定めるもの
		内閣総理大臣	公的給付支給等口座登録簿関係情報であって主務省令で定めるもの
141 厚生労働大臣	特定障害者に対する特別障害給付金の支給に関する法律による特別障害給付金の支給に関する事務であって主務省令で定めるもの	全国健康保険協会	船員保険法による保険給付の支給に関する情報であって主務省令で定めるもの
		法務大臣	戸籍関係情報であって主務省令で定めるもの
		厚生労働大臣	労働者災害補償関係情報又は戦傷病者戦没者遺族等援護法による年金である給付の支給に関する情報であって主務省令で定めるもの
		市町村長	地方税関係情報又は住民票関係情報であって主務省令で定めるもの
		共済組合等	年金給付関係情報であって主務省令で定めるもの
		地方公務員災害補償基金	地方公務員災害補償関係情報であって主務省令で定めるもの
		内閣総理大臣	公的給付支給等口座登録簿関係情報であって主務省令で定めるもの
142 都道府県知事又は市町村長	障害者の日常生活及び社会生活を総合的に支援するための法律による自立支援給付の支給又は地域生活支援事業の実施に関する事務であって主務省令で定めるもの	市町村長	児童福祉法による障害児通所支援に関する情報、地方税関係情報、住民票関係情報、介護保険給付等関係情報又は障害者自立支援給付関係情報であって主務省令で定めるもの
		都道府県知事	児童福祉法による障害児入所支援に関する情報、障害者関係情報又は障害者自立支援給付関係情報であって主務省令で定めるもの
		都道府県知事等	生活保護関係情報又は中国残留邦人等支援給付等関係情報であって主務省令で定めるもの
		厚生労働大臣又は日本年金機構	国民年金法による障害基礎年金の支給に関する情報であって主務省令で定めるもの
		内閣総理大臣	公的給付支給等口座登録簿関係情報

資料 行政手続における特定の個人を識別するための番号の利用等に関する法律

			であって主務省令で定めるもの
143 都道府県知事又は市町村長	障害者の日常生活及び社会生活を総合的に支援するための法律による自立支援給付の支給に関する事務であって主務省令で定めるもの	障害者の日常生活及び社会生活を総合的に支援するための法律第7条に規定する他の法令により行われる給付の支給を行うこととされている者	障害者の日常生活及び社会生活を総合的に支援するための法律第7条に規定する他の法令により行われる給付の支給に関する情報であって主務省令で定めるもの
144 都道府県知事又は市町村長	障害者の日常生活及び社会生活を総合的に支援するための法律による自立支援医療費、療養介護医療費又は基準該当療養介護医療費の支給に関する事務であって主務省令で定めるもの	国民年金法その他の法令による給付の支給を行うこととされている者	国民年金法その他の法令による給付の支給に関する情報であって主務省令で定めるもの
145 厚生労働大臣	厚生年金保険の保険給付及び国民年金の給付に係る時効の特例等に関する法律による保険給付又は給付の支給に関する事務であって主務省令で定めるもの	法務大臣	戸籍関係情報であって主務省令で定めるもの
		市町村長	住民票関係情報であって主務省令で定めるもの
		内閣総理大臣	公的給付支給等口座登録簿関係情報であって主務省令で定めるもの
146 厚生労働大臣	厚生年金保険の保険給付及び国民年金の給付の支払の遅延に係る加算金の支給に関する法律による保険給付遅延特別加算金又は給付遅延特別加算金の支給に関する事務であって主務省令で定めるもの	法務大臣	戸籍関係情報であって主務省令で定めるもの
		市町村長	住民票関係情報であって主務省令で定めるもの
		内閣総理大臣	公的給付支給等口座登録簿関係情報であって主務省令で定めるもの
147 文部科学大臣、都道府県知事又は都道府県教育委員会	高等学校等就学支援金の支給に関する法律による就学支援金の支給に関する事務であって主務省令で定めるもの	都道府県知事等	生活保護関係情報であって主務省令で定めるもの
		市町村長	地方税関係情報又は住民票関係情報であって主務省令で定めるもの
		文部科学大臣、都道府県知事又は都道府県教育委員会	高等学校等就学支援金の支給に関する法律による就学支援金の支給に関する情報であって主務省令で定めるもの
148 厚生労働大臣	職業訓練の実施等による特定求職者の就	市町村長	地方税関係情報又は住民票関係情報であって主務省令で定めるもの

	職の支援に関する法律による職業訓練受講給付金の支給に関する事務であって主務省令で定めるもの	国民年金法その他の法令による年金である給付の支給を行うこととされている者	国民年金法その他の法令による年金である給付の支給に関する情報であって主務省令で定めるもの
		厚生労働大臣又は日本年金機構	特別障害給付金関係情報又は年金生活者支援給付金関係情報であって主務省令で定めるもの
		内閣総理大臣	公的給付支給等口座登録簿関係情報であって主務省令で定めるもの
149 平成23年法律第56号附則第23条第1項第3号に規定する存続共済会	平成23年法律第56号による年金である給付の支給に関する事務であって主務省令で定めるもの	市町村長	地方税関係情報であって主務省令で定めるもの
150 市町村長	新型インフルエンザ等対策特別措置法による予防接種の実施に関する事務であって主務省令で定めるもの	厚生労働大臣，都道府県知事又は市町村長	新型インフルエンザ等対策特別措置法による予防接種の実施に関する情報であって主務省令で定めるもの
151 市町村長	子ども・子育て支援法による子どものための教育・保育給付若しくは子育てのための施設等利用給付の支給又は地域子ども・子育て支援事業の実施に関する事務であって主務省令で定めるもの	市町村長	児童福祉法による障害児通所支援に関する情報，地方税関係情報，住民票関係情報又は障害者自立支援給付関係情報であって主務省令で定めるもの
		都道府県知事	児童福祉法による障害児入所支援若しくは措置（同法第27条第1項第3号の措置をいう。）に関する情報又は障害者関係情報であって主務省令で定めるもの
		法務大臣	戸籍関係情報であって主務省令で定めるもの
		都道府県知事等	生活保護関係情報，児童扶養手当関係情報又は中国残留邦人等支援給付等関係情報であって主務省令で定めるもの
		厚生労働大臣又は日本年金機構	国民年金法による障害基礎年金の支給に関する情報であって主務省令で定めるもの
		厚生労働大臣又は都道府県知事	特別児童扶養手当関係情報であって主務省令で定めるもの
		内閣総理大臣	公的給付支給等口座登録簿関係情報であって主務省令で定めるもの

> 資料　行政手続における特定の個人を識別するための番号の利用等に関する法律

152　厚生労働大臣	年金生活者支援給付金の支給に関する法律による年金生活者支援給付金の支給に関する事務であって主務省令で定めるもの	法務大臣	戸籍関係情報であって主務省令で定めるもの
		市町村長	地方税関係情報，住民票関係情報又は介護保険給付等関係情報であって主務省令で定めるもの
		内閣総理大臣	公的給付支給等口座登録簿関係情報であって主務省令で定めるもの
153　平成25年法律第63号附則第3条第11号に規定する存続厚生年金基金	平成25年法律第63号附則第5条第1項の規定によりなおその効力を有するものとされた平成25年法律第63号第1条の規定による改正前の厚生年金保険法による年金である給付又は一時金の支給に関する事務であって主務省令で定めるもの	厚生労働大臣又は日本年金機構	年金給付関係情報であって主務省令で定めるもの
154　平成25年法律第63号附則第3条第13号に規定する存続連合会又は企業年金連合会	平成25年法律第63号による年金である給付又は一時金の支給に関する事務であって主務省令で定めるもの	厚生労働大臣又は日本年金機構	年金給付関係情報であって主務省令で定めるもの
		内閣総理大臣	公的給付支給等口座登録簿関係情報であって主務省令で定めるもの
155　都道府県知事	難病の患者に対する医療等に関する法律による特定医療費の支給に関する事務であって主務省令で定めるもの	医療保険者又は後期高齢者医療広域連合	医療保険給付関係情報であって主務省令で定めるもの
		法務大臣	戸籍関係情報であって主務省令で定めるもの
		都道府県知事等	生活保護関係情報又は中国残留邦人等支援給付等関係情報であって主務省令で定めるもの
		市町村長	地方税関係情報又は住民票関係情報であって主務省令で定めるもの
		国民年金法その他の法令による給付の支給を行うこととされている者	国民年金法その他の法令による給付の支給に関する情報であって主務省令で定めるもの
		難病の患者に対する医療等に関する法律第12条に規定する他の法令による給付の支給を行うこととされてい	難病の患者に対する医療等に関する法律第12条に規定する他の法令による給付の支給に関する情報であって主務省令で定めるもの

			る者	
156 文部科学大臣又は厚生労働大臣	公認心理師法による公認心理師の登録に関する事務であって主務省令で定めるもの		法務大臣	戸籍関係情報であって主務省令で定めるもの
157 公的給付の支給等の迅速かつ確実な実施のための預貯金口座の登録等に関する法律第10条に規定する特定公的給付の支給を実施する行政機関の長等	公的給付の支給等の迅速かつ確実な実施のための預貯金口座の登録等に関する法律による特定公的給付の支給を実施するための基礎とする情報の管理に関する事務であって主務省令で定めるもの		市町村長	地方税関係情報であって主務省令で定めるもの
			内閣総理大臣	公的給付支給等口座登録簿関係情報であって主務省令で定めるもの

行政手続における特定の個人を識別するための番号の利用等に関する法律施行令 （平成26年政令第155号）

施行 （附則参照）
最終改正 令和4年政令第177号

第1章 総則

（個人番号カードの記載事項）

第1条 行政手続における特定の個人を識別するための番号の利用等に関する法律（以下「法」という。）第2条第7項の政令で定める事項は、次に掲げる事項とする。

1 個人番号カードの有効期間が満了する日

2 本人に係る住民票に住民基本台帳法施行令（昭和42年政令第292号）第30条の13に規定する旧氏が記載されているときは、当該旧氏

3 本人に係る住民票に住民基本台帳法施行令第30条の16第1項に規定する通称が記載されているときは、当該通称

第2章 個人番号

（個人番号の指定）

第2条 法第7条第1項又は第2項の規定による個人番号の指定は、法第8条第2項の規定により、市町村長（特別区の区長を含む。以下同じ。）が、地方公共団体情報システム機構（以下「機構」という。）から個人番号とすべき番号の通知を受けた時に行われたものとする。

> 資料　行政手続における特定の個人を識別するための番号の利用等に関する法律施行令

(請求による従前の個人番号に代わる個人番号の指定)

第3条① 法第7条第2項の規定による個人番号の指定の請求をしようとする者は，その者の個人番号及び当該個人番号が漏えいして不正に用いられるおそれがあると認められる理由その他総務省令で定める事項を記載した請求書（以下この条において「個人番号指定請求書」という。）を，その者が記録されている住民基本台帳を備える市町村（特別区を含む。以下同じ。）の長（以下「住所地市町村長」という。）に提出しなければならない。

② 法第16条の規定は，住所地市町村長が前項の規定による個人番号指定請求書の提出を受ける場合について準用する。

③ 住所地市町村長は，第1項の規定による個人番号指定請求書の提出を受けたときは，同項の理由を疎明するに足りる資料の提出を求めることができる。

④ 住所地市町村長は，第1項の規定による個人番号指定請求書の提出を受けた場合において，同項の理由があると認めるときは，法第8条第1項の規定により，機構に対し，当該請求に係る従前の個人番号に代えて当該提出をした者の個人番号とすべき番号の生成を求めるものとする。

⑤ 前項の場合において，住所地市町村長は，従前の個人番号に代えて個人番号を指定しようとする者が個人番号カードの交付を受けている者であるときは，その者に対し，当該個人番号カードの返納を求めるものとする。

⑥ 第1項の規定による個人番号指定請求書の提出は，総務省令で定めるところにより，代理人を通じてすることができる。

⑦ 第12条第2項の規定は，住所地市町村長が前項の規定による代理人を通じた個人番号指定請求書の提出を受ける場合について準用する。

(職権による従前の個人番号に代わる個人番号の指定)

第4条① 住所地市町村長は，前条第4項の規定による場合のほか，当該市町村が備える住民基本台帳に記録されている者の個人番号が漏えいして不正に用いられるおそれがあると認められるときは，法第8条第1項の規定により，機構に対し，当該個人番号に代えてその者の個人番号とすべき番号の生成を求めるものとする。

② 前項の場合においては，住所地市町村長は，従前の個人番号に代えて個人番号を指定しようとする者に対し，当該指定をしようとする理由及びその者が個人番号カードの交付を受けている者であるときは，当該個人番号カードの返納を求める旨を通知するものとする。この場合において，通知を受けるべき者の住所及び居所が明らかでないときその他通知をすることが困難であると認めるときは，その通知に代えて，その旨を公示することができる。

第5条及び第6条　削除

(個人番号とすべき番号の生成の求め)

第7条　法第8条第1項の規定による市町村長からの住民票コードの通知及び個人番号とすべき番号の生成の求めは，総務省令で定めるところにより，当該市町村長の使用に係る電子計算機から電気通信回線を通じて機構の使用に係る電子計算機に当該住民票コード及び当該生成を求める旨の情報を送信する方法により行うものとする。

(個人番号とすべき番号の構成)

第8条　法第8条第2項の規定により生成される個人番号とすべき番号は，機構が同条第3項の規定により設置される電子情報処理組織を使用して，作為が加わらない方法により生成する次に掲げる要件に該当する11桁の番号及びその後に付された1桁の検査用数字（個人番号を電子計算機に入力するときに誤りのないことを確認することを目的として，当該11桁の番号を基礎と

して総務省令で定める算式により算出される0から9までの整数をいう。第3号において同じ。）により構成されるものとする。
1　住民票コードを変換して得られるものであること。
2　前号の住民票コードを復元することのできる規則性を備えるものでないこと。
3　他のいずれの個人番号（法第7条第2項の従前の個人番号及び個人番号とすべき番号を含む。）を構成する検査用数字以外の11桁の番号とも異なること。

（個人番号とすべき番号の通知）
第9条　法第8条第2項の規定による個人番号とすべき番号の市町村長に対する通知は、総務省令で定めるところにより、機構の使用に係る電子計算機から電気通信回線を通じて当該市町村長の使用に係る電子計算機に当該個人番号とすべき番号及び第7条の規定により送信された住民票コードを送信する方法により行うものとする。

（激甚災害が発生したときに準ずる場合）
第10条　法第9条第4項の政令で定めるときは、災害対策基本法（昭和36年法律第223号）第63条第1項その他デジタル庁令で定める法令の規定により一定の区域への立入りを制限され、若しくは禁止され、又は当該区域からの退去を命ぜられた場合とする。

（機構保存本人確認情報の提供を求めることができる個人番号利用事務実施者）
第11条　法第14条第2項の政令で定める個人番号利用事務実施者は、住民基本台帳法（昭和42年法律第81号）別表第1から別表第4までの上欄に掲げる者及び同法第30条の10第1項第2号、第30条の11第1項第2号又は第30条の12第1項第2号に掲げる場合においてこれらの号に規定する求めをした者とする。

（個人番号の提供を受ける場合の本人確認の措置）
第12条①　法第16条の政令で定める措置は、個人番号の提供を行う者から次に掲げる書類の提示を受けることその他これに準ずるものとして主務省令で定める措置とする。
1　住民基本台帳法第12条第1項に規定する住民票の写し又は住民票記載事項証明書であって、氏名、出生の年月日、男女の別、住所及び個人番号が記載されたもの
2　前号に掲げる書類に記載された氏名及び出生の年月日又は住所（以下この条、次条第5項及び第13条の2において「個人識別事項」という。）が記載された書類であって、写真の表示その他の当該書類に施された措置によって、当該書類の提示を行う者が当該個人識別事項により識別される特定の個人と同一の者であることを確認することができるものとして主務省令で定めるもの

②　個人番号利用事務等実施者は、本人の代理人から個人番号の提供を受けるときは、その者から次に掲げる書類の提示を受けることその他これに準ずるものとして主務省令で定める措置をとらなければならない。
1　個人識別事項が記載された書類であって、当該個人識別事項により識別される特定の個人が本人の依頼により又は法令の規定により本人の代理人として個人番号の提供をすることを証明するものとして主務省令で定めるもの
2　前号に掲げる書類に記載された個人識別事項が記載された書類であって、写真の表示その他の当該書類に施された措置によって、当該書類の提示を行う者が当該個人識別事項により識別される特定の個人と同一の者であることを確認することができるものとして主務省令で定めるもの
3　本人に係る個人番号カード又は前項第1号に掲げる書類その他の本人の個人番号及び個人識別事項が記載された書類であって主務省令で定めるもの

> 資料　行政手続における特定の個人を識別するための番号の利用等に関する法律施行令

第3章　個人番号カード

（個人番号カードの発行及び交付）

第13条①　個人番号カードの交付を受けようとする者（以下この条，次条及び附則第4条において「交付申請者」という。）は，総務省令で定めるところにより，その交付を受けようとする旨その他総務省令で定める事項を記載し，かつ，交付申請者の写真を添付した交付申請書を，機構に提出しなければならない。

②　前項の場合において，交付申請者は，住所地市町村長（住所地市町村長以外の市町村長を経由して交付申請書を提出することが当該交付申請者の利便及び迅速な個人番号カードの交付に資するものとして総務省令で定める事情があるときは，当該市町村長又は住所地市町村長）を経由して，交付申請書を提出することができる。

③　機構は，前二項の規定による交付申請書の提出を受けたときは，総務省令で定めるところにより，個人番号カードを発行し，当該個人番号カードを住所地市町村長に送付するものとする。

④　住所地市町村長は，前項の規定による個人番号カードの送付を受けたときは，交付申請者に対し，当該市町村の事務所への出頭を求めて，個人番号カードを交付するものとする。ただし，交付申請者が，第2項の規定による交付申請書の提出を，住所地市町村長が指定する場所（同項に規定する住所地市町村長以外の市町村長を経由して交付申請書を提出した場合にあっては，当該市町村長が指定する場所）に出頭してしたときは，当該交付申請者が確実に受領することができるものとして総務省令で定める方法により，当該事務所への出頭を求めることなく，個人番号カードを交付することができる。

⑤　住所地市町村長は，病気，身体の障害その他のやむを得ない理由により交付申請者の出頭が困難であると認められるときは，前項本文の規定にかかわらず，当該交付申請者の指定した者の出頭を求めて，その者に対し，個人番号カードを交付することができる。この場合において，住所地市町村長は，その者から，当該交付申請者の出頭が困難であることを疎明するに足りる資料及び次に掲げる書類その他主務省令で定める書類の提示を受けなければならない。

1　個人識別事項が記載された書類であって，当該個人識別事項により識別される特定の個人が当該交付申請者の依頼により又は法令の規定により当該交付申請者の代理人として個人番号カードの交付を受けることを証明するものとして主務省令で定めるもの

2　前号に掲げる書類に記載された個人識別事項が記載された書類であって，写真の表示その他の当該書類に施された措置によって，当該書類の提示を行う者が当該個人識別事項により識別される特定の個人と同一の者であることを確認することができるものとして主務省令で定めるもの

3　当該交付申請者の個人識別事項が記載され，及び当該交付申請者の写真が表示された書類であって主務省令で定めるもの

⑥　第3条第6項の規定は，第1項及び第2項の規定による交付申請書の提出について準用する。

（個人番号カードを交付する場合の本人確認の措置）

第13条の2　法第17条第1項の政令で定める措置は，次に掲げる措置とする。

1　交付申請者に係る住民票に記載されている個人番号及び個人識別事項の確認

2　交付申請者から，当該交付申請者に係る住民票に記載されている個人識別事項が記載された書類であって，写真の表示その他の当該書類に施された措置によっ

て，当該書類の提示を行う者が当該個人識別事項により識別される特定の個人と同一の者であることを確認することができるものとして主務省令で定めるものの提示を受けることその他これに準ずるものとして主務省令で定める措置

（個人番号カードが失効する場合）
第14条　法第17条第6項の政令で定める場合は，次に掲げる場合とする。
1　個人番号カードの交付を受けている者が国外に転出をしたとき。
2　個人番号カードの交付を受けている者が住民基本台帳法第24条の規定による届出（以下この条及び附則第3条第1項において「転出届」という。）をした場合において，その者が最初の転入届（同法第24条の2第1項に規定する最初の転入届をいう。次号において同じ。）を行うことなく，当該転出届により届け出た転出の予定年月日から30日を経過し，又は転入をした日から14日を経過したとき。
3　個人番号カードの交付を受けている者が転出届をした場合において，その者が当該転出届に係る最初の転入届を受けた市町村長に当該個人番号カードの提出を行うことなく，最初の転入届をした日から90日を経過し，又はその者が当該市町村長の統括する市町村から転出をしたとき。
4　個人番号カードの交付を受けている者が死亡したとき。
5　個人番号カードの交付を受けている者が住民基本台帳法の適用を受けない者となったとき。
6　個人番号カードの交付を受けている者に係る住民票が消除されたとき（転出届（国外への転出に係るものを除く。）に基づき当該住民票が消除されたとき，住民基本台帳法施行令第8条の2の規定により当該住民票が消除されたとき及び第1号又は前二号に掲げる場合に該当したことにより当該住民票が消除されたときを除く。）。
7　個人番号カードの交付を受けている者に係る住民票に記載されている住民票コードについて記載の修正が行われたとき。
8　第3条第5項又は第4条第2項の規定により返納を求められた個人番号カードにあっては，当該個人番号カードが返納されたとき又は当該個人番号カードの返納を求められた者に係る住民票に記載されている個人番号について記載の修正が行われたときのいずれか早いとき。
9　次条第4項の規定により返納された個人番号カードにあっては，当該個人番号カードが返納されたとき。
10　第16条第1項の規定により返納を命ぜられた個人番号カードにあっては，同条第2項の規定により個人番号カードの返納を命ずる旨を通知し，又は公示したとき。

（個人番号カードの返納）
第15条①　法第17条第7項の政令で定める場合は，次に掲げる場合とする。
1　前条第3号又は第7号に該当したとき。
2　第3条第5項又は第4条第2項の規定により個人番号カードの返納を求められたとき。
3　次条第1項の規定により個人番号カードの返納を命ぜられたとき。
②　個人番号カードの交付を受けている者は，個人番号カードの有効期間が満了した場合又は前項各号のいずれかに該当する場合には，個人番号カードを返納する理由その他総務省令で定める事項を記載した書面を添えて，当該個人番号カードを，住所地市町村長に遅滞なく返納しなければならない。
③　個人番号カードの交付を受けている者は，前条第1号，第2号，第5号又は第6号のいずれかに該当した場合には，個人番号カードを返納する理由その他総務省令で定め

資料 行政手続における特定の個人を識別するための番号の利用等に関する法律施行令

る事項を記載した書面を添えて，当該個人番号カードを，その者につき直近に住民票の記載をした市町村長に遅滞なく返納しなければならない。
④ 個人番号カードの交付を受けている者は，いつでも，当該個人番号カードを住所地市町村長に返納することができる。
⑤ 第3条第6項の規定は，前三項の規定による個人番号カードの返納について準用する。

（個人番号カードの返納命令）
第16条① 住所地市町村長は，法第17条第1項の規定による個人番号カードの交付又は同条第3項（同条第4項において準用する場合を含む。）の規定による個人番号カードの返還が錯誤に基づき，又は過失によってされた場合において，当該個人番号カードを返納させる必要があると認めるときは，当該個人番号カードの交付を受けている者に対し，当該個人番号カードの返納を命ずることができる。
② 住所地市町村長は，前項の規定により個人番号カードの返納を命ずることを決定したときは，当該個人番号カードの交付を受けている者に対し，書面によりその旨を通知するものとする。この場合において，通知を受けるべき者の住所及び居所が明らかでないときその他通知をすることが困難であると認めるときは，その通知に代えて，その旨を公示することができる。

（返納された個人番号カードの廃棄）
第17条 個人番号カードの返納を受けた市町村長は，返納された個人番号カードを廃棄しなければならない。

（個人番号カードの利用）
第18条① 法第18条第2号に掲げる者が，同条の規定により個人番号カードを利用するときは，あらかじめ，当該個人番号カードの交付を受けている者にその利用の目的を明示し，その同意を得なければならない。
② 法第18条第2号の政令で定める者は，次に掲げる者とする。
1 国民の利便性の向上に資するものとして内閣総理大臣及び総務大臣が定める事務を処理する行政機関，独立行政法人等又は機構
2 地方公共団体に対し申請，届出その他の手続を行い，又は地方公共団体から便益の提供を受ける者の利便性の向上に資するものとして条例で定める事務（法第18条第1号に定める事務を除く。）を処理する地方公共団体の機関
3 地方独立行政法人に対し申請，届出その他の手続を行い，又は地方独立行政法人から便益の提供を受ける者の利便性の向上に資するものとして条例で定める事務を処理する地方独立行政法人
4 国民の利便性の向上に資するものとして内閣総理大臣及び総務大臣が定める事務を処理する民間事業者（当該事務及びカード記録事項の安全管理を適切に実施することができるものとして内閣総理大臣及び総務大臣が定める基準に適合する者に限る。）

第4章 特定個人情報の提供
第1節 特定個人情報の提供の制限等

（資産等の状況についての報告を求めるために個人番号の提供をすることができる場合）
第18条の2① 法第19条第1号の政令で定める法律の規定は，次のとおりとする。
1 児童福祉法（昭和22年法律第164号）第57条の4
2 生活保護法（昭和25年法律第144号）第29条第1項（中国残留邦人等の円滑な帰国の促進並びに永住帰国した中国残留邦人等及び特定配偶者の自立の支援に関する法律（平成6年法律第30号）第14条第4項（同法第15条第3項及び中国残留邦人等の円滑な帰国の促進及び永住帰国後の自立の支援に関する法律の一

部を改正する法律（平成19年法律第127号）附則第4条第2項において準用する場合を含む。）並びに中国残留邦人等の円滑な帰国の促進及び永住帰国後の自立の支援に関する法律の一部を改正する法律（平成25年法律第106号）附則第2条第1項及び第2項の規定によりなお従前の例によるものとされた同法による改正前の中国残留邦人等の円滑な帰国の促進及び永住帰国後の自立の支援に関する法律第14条第4項の規定によりその例によるものとされる場合を含む。）

3　公営住宅法（昭和26年法律第193号）第34条（住宅地区改良法（昭和35年法律第84号）第29条第1項において準用する場合を含む。）

4　厚生年金保険法（昭和29年法律第115号）第100条の2第5項

5　国民健康保険法（昭和33年法律第192号）第113条の2第1項

6　国民年金法（昭和34年法律第141号）第108条第1項及び第2項

7　児童扶養手当法（昭和36年法律第238号）第30条

8　老人福祉法（昭和38年法律第133号）第36条

9　特別児童扶養手当等の支給に関する法律（昭和39年法律第134号）第37条

10　児童手当法（昭和46年法律第73号）第28条（同法附則第2条第4項において準用する場合を含む。）

11　高齢者の医療の確保に関する法律（昭和57年法律第80号）第138条第1項及び第3項

12　介護保険法（平成9年法律第123号）第203条第1項

13　特定障害者に対する特別障害給付金の支給に関する法律（平成16年法律第166号）第29条

14　障害者の日常生活及び社会生活を総合的に支援するための法律（平成17年法律第123号）第12条

15　子ども・子育て支援法（平成24年法律第65号）第16条（同法第30条の3において準用する場合を含む。）

16　年金生活者支援給付金の支給に関する法律（平成24年法律第102号）第37条

17　難病の患者に対する医療等に関する法律（平成26年法律第50号）第37条

② 法第19条第1号の政令で定める者は，預金保険法（昭和46年法律第34号）第2条第1項に規定する金融機関，農水産業協同組合貯金保険法（昭和48年法律第53号）第2条第1項に規定する農水産業協同組合又は所得税法（昭和40年法律第33号）第225条第1項の規定による支払に関する調書の提出若しくは同法第226条第1項から第3項までの規定による源泉徴収票の提出をすることとされている者とする。

（特定個人情報を提供することができる住民基本台帳法の規定）

第19条　法第19条第7号の政令で定める住民基本台帳法の規定は，同法第12条第5項（同法第30条の51の規定により読み替えて適用する場合を含む。），第30条の7第1項又は第30条の32第2項の規定その他主務省令で定める同法の規定とする。

（情報照会者又は条例事務関係情報照会者による特定個人情報の提供の求め）

第20条①　情報照会者による法第19条第8号の規定による特定個人情報の提供の求めは，デジタル庁令で定めるところにより，情報照会者の使用に係る電子計算機から情報提供ネットワークシステムを使用して内閣総理大臣の使用に係る電子計算機に，当該特定個人情報に係る本人に係る情報提供用個人識別符号，当該特定個人情報の項目及び当該特定個人情報を保有する情報提供者の名称その他デジタル庁令で定める事項を送信する方法により行うものとする。

②　前項の規定は，法第19条第9号の規定による条例事務関係情報照会者による特定

> 資料　行政手続における特定の個人を識別するための番号の利用等に関する法律施行令

個人情報の提供の求めについて準用する。この場合において，同項中「情報提供者」とあるのは，「条例事務関係情報提供者」と読み替えるものとする。

（特定個人情報を提供することができる地方税法等の規定）

第21条　法第19条第10号の政令で定める地方税法（昭和25年法律第226号）又は国税に関する法律の規定は，同法第48条第2項，第72条の59若しくは第294条第3項の規定その他主務省令で定める同法の規定又は外国居住者等の所得に対する相互主義による所得税等の非課税等に関する法律（昭和37年法律第144号）第40条第4項において準用する同法第39条第1項から第3項まで若しくは同法第40条第7項において準用する同法第39条第6項から第9項まで（これらの規定を同法第42条第1項において準用する場合を含む。）とする。

（地方税法等の規定により提供される特定個人情報の安全を確保するために必要な措置）

第22条　法第19条第10号の政令で定める措置は，次に掲げる措置とする。
1　特定個人情報の提供を受ける者の名称，特定個人情報の提供の日時及び提供する特定個人情報の項目その他主務省令で定める事項を記録し，並びに当該記録を第29条に規定する期間保存すること。
2　提供する特定個人情報が漏えいした場合において，その旨及びその理由を遅滞なく個人情報保護委員会に報告するために必要な体制を整備するとともに，提供を受ける者が同様の体制を整備していることを確認すること。
3　前二号に掲げるもののほか，特定個人情報の安全を確保するために必要な措置として主務省令で定める措置

（社債等の発行者に準ずる者）

第23条　法第19条第12号の政令で定める者は，次に掲げる者とする。
1　投資信託及び投資法人に関する法律（昭和26年法律第198号）第2条第1項に規定する委託者指図型投資信託の受託者又は同法第166条第2項第8号に規定する投資主名簿等管理人
2　協同組織金融機関の優先出資に関する法律（平成5年法律第44号）第25条第2項に規定する優先出資者名簿管理人
3　資産の流動化に関する法律（平成10年法律第105号）第42条第1項第3号に規定する優先出資社員名簿管理人
4　会社法（平成17年法律第86号）第123条に規定する株主名簿管理人又は同法第683条に規定する社債原簿管理人
5　信託法（平成18年法律第108号）第188条に規定する受益権原簿管理人

（社債，株式等の振替に関する法律の規定により提供される特定個人情報の安全を確保するために必要な措置）

第24条　法第19条第12号の政令で定める措置は，次に掲げる措置とする。
1　特定個人情報を提供する者の使用に係る電子計算機に特定個人情報の提供を受ける者の名称，特定個人情報の提供の日時及び提供する特定個人情報の項目その他主務省令で定める事項を記録し，並びに当該記録を第29条に規定する期間保存すること。
2　提供する特定個人情報が漏えいした場合において，その旨及びその理由を遅滞なく個人情報保護委員会に報告するために必要な体制を整備するとともに，提供を受ける者が同様の体制を整備していることを確認すること。
3　前二号に掲げるもののほか，特定個人情報の安全を確保するために必要な措置として主務省令で定める措置

（公益上の必要がある場合）

第25条　法第19条第15号の政令で定める公益上の必要があるときは，別表に掲げる

場合とする。

第2節 情報提供ネットワークシステムによる特定個人情報の提供

（特定個人情報の提供の求めがあった場合の内閣総理大臣の措置）

第26条① 内閣総理大臣は、法第19条第8号の規定により特定個人情報の提供の求めがあった場合において、当該提供の求めに係る情報提供者が当該特定個人情報に係る本人に係る情報提供用個人識別符号を取得しているときは、法第21条第2項各号に掲げる場合を除き、当該情報提供者に対し、当該情報提供用個人識別符号、当該特定個人情報の項目及び当該提供の求めをした情報照会者の名称その他デジタル庁令で定める事項を通知するものとする。

② 内閣総理大臣は、法第19条第8号の規定により特定個人情報の提供の求めがあった場合において、当該提供の求めに係る情報提供者が当該特定個人情報に係る本人に係る情報提供用個人識別符号を取得していないときは、法第21条第2項各号に掲げる場合を除き、当該提供の求めをした情報照会者に対し、当該情報提供者が当該特定個人情報に係る本人に係る情報提供用個人識別符号を取得していない旨を通知するものとする。

③ 前項の規定による通知を受けた情報照会者は、同項の情報提供者（法第9条第3項の法務大臣である情報提供者を除く。次条第1項において同じ。）に対し、前項の特定個人情報に係る本人に係る情報提供用個人識別符号を取得するよう求めることができる。この場合において、当該情報照会者は、当該情報提供者に対し、当該特定個人情報に係る本人の氏名、出生の年月日、男女の別及び住所を通知するものとする。

④ 内閣総理大臣は、法第19条第8号の規定により特定個人情報の提供の求めがあった場合において、法第21条第2項各号のいずれかに該当するときは、当該提供の求めをした情報照会者に対し、その旨を通知するものとする。

⑤ 第1項、第2項及び前項の規定による通知は、デジタル庁令で定めるところにより、内閣総理大臣の使用に係る電子計算機から情報提供ネットワークシステムを使用して第1項の情報提供者又は第2項若しくは前項の情報照会者の使用に係る電子計算機に送信する方法により行うものとする。

⑥ 内閣総理大臣は、次条第5項の規定による情報提供用個人識別符号の生成並びに第1項及び第2項の規定による通知に関する事務を適切に処理するため、一の情報提供用個人識別符号により識別される特定の個人と他の情報提供用個人識別符号により識別される特定の個人とが同一の者であるかどうかを確認することができるように、それぞれの情報提供用個人識別符号及び同条第5項の規定による通知先を情報提供ネットワークシステムに記録して、これを管理するものとする。

（情報提供用個人識別符号の取得）

第27条① 情報照会者又は情報提供者（以下この条において「情報照会者等」という。）は、法第21条の2第2項の規定により情報提供用個人識別符号を取得しようとするときは、機構に対し、当該取得に係る取得番号及び当該情報提供用個人識別符号により識別しようとする特定の個人の個人番号その他デジタル庁令で定める事項（次項において「通知事項」という。）を通知するものとする。

② 前項の規定による通知は、次のいずれかの方法により行うものとする。

1 デジタル庁令で定めるところにより、情報照会者等の使用に係る電子計算機から電気通信回線を通じて機構の使用に係る電子計算機に通知事項を送信する方法

2 デジタル庁令で定めるところにより、情報照会者等から通知事項を記録した電

資料 行政手続における特定の個人を識別するための番号の利用等に関する法律施行令

磁的記録媒体（電子的方式，磁気的方式その他人の知覚によっては認識することができない方式で作られる記録であって電子計算機による情報処理の用に供されるものに係る記録媒体をいう。第31条において同じ。）を機構に送付する方法
③ 機構は，情報照会者等から第１項の規定による通知を受けたときは，内閣総理大臣に対し，同項の取得番号及び同項の特定の個人に係る住民票に記載された住民票コードを通知するものとする。
④ 前項の規定による通知は，デジタル庁令で定めるところにより，機構の使用に係る電子計算機から電気通信回線を通じて内閣総理大臣の使用に係る電子計算機に送信する方法により行うものとする。
⑤ 内閣総理大臣は，第３項の規定による通知を受けたときは，デジタル庁令で定めるところにより，情報提供ネットワークシステムを使用して，次に掲げる要件に該当する情報提供用個人識別符号を生成し，速やかに，同項の情報照会者等に対し，第１項の取得番号を付して通知するものとする。
 1 第３項の住民票コードを変換して得られるものであること。
 2 前号の住民票コードを復元することのできる規則性を備えるものでないこと。
 3 当該情報照会者等が取得した他のいずれの情報提供用個人識別符号とも異なること。
 4 第１項の特定の個人について他のいずれの情報照会者等が取得した情報提供用個人識別符号とも異なること。
⑥ 前項の規定による通知は，デジタル庁令で定めるところにより，内閣総理大臣の使用に係る電子計算機から情報提供ネットワークシステムを使用して情報照会者等の使用に係る電子計算機に送信する方法により行うものとする。

（法第９条第３項の法務大臣である情報提供者による情報提供用個人識別符号の取得の特例）
第27条の２① 情報提供者（法第９条第３項の法務大臣である情報提供者に限る。以下この条及び次条において同じ。）は，法第21条の２第２項の規定により情報提供用個人識別符号を取得しようとするときは，当該情報提供用個人識別符号により識別しようとする特定の個人の本籍地の市町村長に対し，当該取得に係る取得番号並びに当該特定の個人に係る戸籍の表示並びに戸籍法（昭和22年法律第224号）第13条第１号，第２号及び第４号（実父母との続柄に係る部分に限る。以下この項及び次条第２項において同じ。）に掲げる事項を通知するものとする。ただし，当該個人が養子であるときは，同号に掲げる事項については，これに代えて，同法第13条第５号（養親との続柄に係る部分に限る。次条第２項ただし書において同じ。）に掲げる事項を通知するものとする。
② 前項の規定による通知は，デジタル庁令で定めるところにより，情報提供者の使用に係る電子計算機から電気通信回線を通じて市町村長の使用に係る電子計算機に送信することによって行うものとする。
③ 市町村長は，情報提供者から第１項の規定による通知を受けたときは，機構に対し，同項の取得番号並びに同項の特定の個人に係る戸籍の附票に記載された住民基本台帳法第17条第２号，第３号，第５号及び第６号に掲げる事項を通知するものとする。ただし，当該個人が非居住者（いずれの市町村においても住民基本台帳に記録されていない者をいう。次条第２項において同じ。）であるときは，この限りでない。
④ 前項本文の規定による通知は，デジタル庁令で定めるところにより，市町村長の使用に係る電子計算機から電気通信回線を通じて機構の使用に係る電子計算機に送信す

ることによって行うものとする。

⑤　前条第3項から第6項までの規定は，機構が第3項本文の規定による通知を受けたときについて準用する。この場合において，同条第3項中「情報照会者等」とあるのは「市町村長」と，「第1項」とあるのは「次条第3項本文」と，「，同項」とあるのは「，同条第1項」と，同条第5項中「同項の情報照会者等に対し，第1項」とあるのは「次条第3項の情報提供者に対し，同条第1項」と，同項第3号中「情報照会者等」とあるのは「情報提供者」と，同項第4号中「第1項」とあるのは「次条第1項」と読み替えるものとする。

第27条の3　①　前条第3項ただし書に規定する場合においては，市町村長は，情報提供者に対し，その旨及び同条第1項の取得番号を通知するものとする。

②　市町村長は，その市町村の区域内に本籍を有する非居住者がいずれかの市町村の住民基本台帳に記録されたことを知ったときは，情報提供者に対し，その旨並びに当該記録に係る者に係る戸籍の表示並びに戸籍法第13条第1号，第2号及び第4号に掲げる事項を通知するものとする。ただし，当該記録に係る者が養子であるときは，同号に掲げる事項については，これに代えて，同条第5号に掲げる事項を通知するものとする。

③　前二項の規定による通知は，デジタル庁令で定めるところにより，市町村長の使用に係る電子計算機から電気通信回線を通じて情報提供者の使用に係る電子計算機に送信することによって行うものとする。

（公益上の必要がある場合に関する規定の準用）

第27条の4　第25条の規定は，法第21条の2第5項（同条第7項において準用する場合を含む。）において準用する法第19条第15号の政令で定める公益上の必要があるときについて準用する。

（各議院審査等に準ずる手続に関する規定の準用）

第27条の5　第34条の規定は，法第21条の2第8項において準用する法第36条の政令で定める手続について準用する。

（情報提供者による特定個人情報の提供）

第28条　情報提供者による法第22条第1項の規定による特定個人情報の提供は，デジタル庁令で定めるところにより，情報提供者の使用に係る電子計算機から情報提供ネットワークシステムを使用して情報照会者の使用に係る電子計算機に，当該特定個人情報その他デジタル庁令で定める事項を送信する方法により行うものとする。

（情報提供等の記録の保存期間）

第29条　法第23条第1項の政令で定める期間は，7年とする。

（法第19条第9号の規定による特定個人情報の提供）

第30条　第26条から前条までの規定は，法第19条第9号の規定による条例事務関係情報照会者による特定個人情報の提供の求め及び条例事務関係情報提供者による特定個人情報の提供について準用する。この場合において，第26条第1項，第2項及び第4項中「第21条第2項各号」とあるのは「第26条において準用する法第21条第2項各号」と，第27条第1項中「第21条の2第2項」とあるのは「第26条において準用する法第21条の2第2項」と，第27条の4中「第21条の2第5項」とあるのは「第26条において準用する法第21条の2第5項」と，第27条の5中「第21条の2第8項」とあるのは「第26条において準用する法第21条の2第8項」と，第28条中「第22条第1項」とあるのは「第26条において準用する法第22条第1項」と，前条中「第23条第1項」とあるのは「第26条において準用する法第23条第1項」と読み替えるものとする。

> 資料　行政手続における特定の個人を識別するための番号の利用等に関する法律施行令

第5章　特定個人情報の保護

（電子計算機処理に伴う措置）

第31条　法第28条第1項第5号の政令で定める措置は、情報の入力のための準備作業又は電磁的記録媒体の保管とする。

（研修の実施方法）

第32条　法第29条の2の規定による研修の実施は、次に掲げるところによるものとする。

1　研修の計画をあらかじめ策定し、これに沿ったものとすること。

2　研修の内容は、特定個人情報の適正な取扱いを確保するために必要なサイバーセキュリティの確保に関する事項として、情報システムに対する不正な活動その他のサイバーセキュリティに対する脅威及び当該脅威による被害の発生又は拡大を防止するため必要な措置に関するものを含むものとすること。

3　特定個人情報ファイルを取り扱う事務に従事する者の全てに対して、おおむね1年ごとに研修を受けさせるものとすること。

（特定個人情報の開示の請求に係る手数料の免除）

第33条①　行政機関の長（個人情報の保護に関する法律（平成15年法律第57号）第126条の規定により委任を受けた職員があるときは、当該職員。次項において同じ。）は、同法第76条の規定により特定個人情報の開示の請求を受けた場合において、当該特定個人情報に係る本人が、経済的困難により同法第89条第1項の手数料を納付する資力がないと認めるときは、当該手数料を免除することができる。

②　前項の規定による手数料の免除を受けようとする者は、個人情報の保護に関する法律第77条第1項の規定による書面の提出を行う際に、併せて当該免除を求める理由を記載した申請書を行政機関の長に提出しなければならない。

③　前項の申請書には、第1項の特定個人情報に係る本人が生活保護法第11条第1項各号に掲げる扶助を受けていることを理由とする場合にあっては当該扶助を受けていることを証明する書面を、その他の事実を理由とする場合にあっては当該事実を証明する書面を添付しなければならない。

第6章　特定個人情報の取扱いに関する監督等

（各議院審査等に準ずる手続）

第34条　法第36条の政令で定める手続は、別表第1号、第2号（私的独占の禁止及び公正取引の確保に関する法律（昭和22年法律第54号）第101条第1項に規定する犯則事件の調査に係る部分に限る。）、第3号、第4号（金融商品取引法（昭和23年法律第25号）第210条第1項（金融サービスの提供に関する法律（平成12年法律第101号）第102条及び犯罪による収益の移転防止に関する法律（平成19年法律第22号）第32条において準用する場合を含む。）に規定する犯則事件の調査に係る部分に限る。）、第6号、第7号、第9号、第11号、第13号、第16号、第17号、第21号（犯罪による収益の移転防止に関する法律第8条第1項の規定による届出、同条第4項又は第5項の規定による通知、同法第13条第1項又は第14条第1項の規定による提供及び同法第13条第2項の規定による閲覧、謄写又は写しの送付の求めに係る部分に限る。）又は第22号に掲げる場合において行われる手続とする。

第7章　法人番号

（法人番号の構成）

第35条①　法人番号は、次項又は第3項の規定により定められた12桁の番号（以下この条において「基礎番号」という。）及びその前に付された1桁の検査用数字（法

人番号を電子計算機に入力するときに誤りのないことを確認することを目的として，基礎番号を基礎として財務省令で定める算式により算出される1から9までの整数をいう。）により構成されるものとする。
② 会社法その他の法令の規定により設立の登記をした法人（以下「設立登記法人」という。）の法人番号を構成する基礎番号は，その者の会社法人等番号（商業登記法（昭和38年法律第125号）第7条（他の法令において準用する場合を含む。）に規定する会社法人等番号をいう。次項において同じ。）であって，その者の本店又は主たる事務所の所在地を管轄する登記所において作成される登記簿に記録されたものとする。
③ 設立登記法人以外の者の法人番号を構成する基礎番号は，他のいずれの法人番号を構成する基礎番号及びいずれの会社法人等番号とも異なるものとなるように，財務省令で定める方法により国税庁長官が定めるものとする。

（国の機関に対する法人番号の指定の単位）

第36条 国の機関に対する法第39条第1項の規定による法人番号の指定は，次に掲げる機関を単位として行うものとする。
1 衆議院，参議院，裁判官弾劾裁判所，裁判官訴追委員会及び国立国会図書館
2 行政機関（検察庁にあっては，最高検察庁，高等検察庁及び地方検察庁）及び検察審査会
3 最高裁判所，高等裁判所（東京高等裁判所にあっては，東京高等裁判所及び知的財産高等裁判所），地方裁判所，家庭裁判所及び簡易裁判所

（国の機関，地方公共団体及び設立登記法人以外の法人又は人格のない社団等に対する法人番号の指定）

第37条 国の機関，地方公共団体及び設立登記法人以外の法人又は人格のない社団等（法第39条第1項に規定する人格のない社団等をいう。以下同じ。）であって，次の各号に掲げるもの（法人番号保有者を除く。）に対する同項の規定による法人番号の指定は，その者が当該各号に規定する届出書若しくは国税通則法（昭和37年法律第66号）第124条に規定する税務書類（第39条第1項第1号及び第3項において単に「税務書類」という。）を提出するに際して国税庁長官にした申告又は官公署が法第41条第2項の規定により国税庁長官に提供した資料により，その者の商号又は名称及び本店又は主たる事務所の所在地，その者について当該各号に定める事実が生じたこと並びにその者が法人番号保有者でないことが確認された後，速やかに行うものとする。

1 所得税法第230条の規定により届出書を提出することとされている者　国内において給与等（同法第28条第1項に規定する給与等をいう。）の支払事務を取り扱う事務所，事業所その他これらに準ずるものを設けたこと。
2 法人税法（昭和40年法律第34号）第148条の規定により届出書を提出することとされている者　内国法人（同法第2条第3号に規定する内国法人をいう。）である普通法人（同法第2条第9号に規定する普通法人をいう。）又は協同組合等（同法第2条第7号に規定する協同組合等をいう。）として新たに設立されたこと。
3 法人税法第149条の規定により届出書を提出することとされている者　同条第1項又は第2項に規定する場合に該当することとなったこと。
4 法人税法第150条の規定により届出書を提出することとされている者　同条各項に規定する場合のいずれかに該当することとなったこと。
5 消費税法（昭和63年法律第108号）第57条の規定により届出書を提出することとされている者　同条第1項第1号に

> 資料　行政手続における特定の個人を識別するための番号の利用等に関する法律施行令

掲げる場合に該当することとなったこと又は同法第12条の2第1項に規定する新設法人若しくは同法第12条の3第1項に規定する特定新規設立法人に該当することとなったこと。

（法人番号の通知）
第38条　国税庁長官は、法第39条第1項の規定により法人番号を指定したときは、速やかに、当該法人番号の指定を受けた者に対し、その旨及び当該法人番号を、これらの事項並びにその者の商号又は名称及び本店又は主たる事務所の所在地その他の財務省令で定める事項が記載された書面により通知するものとする。

（届出による法人番号の指定等）
第39条　① 法第39条第2項の政令で定める法人等以外の法人又は人格のない社団等は、次に掲げる者（法人番号保有者を除く。）とする。
　1　国税に関する法律の規定に基づき税務署長その他行政機関の長若しくはその職員に税務書類を提出する者又はその者から当該税務書類に記載するため必要があるとして法人番号の提供を求められる者
　2　国内に本店又は主たる事務所を有する法人
② 法第39条第2項の規定による届出は、当該届出をしようとする者についての同項に規定する事項（以下この項及び次条において「届出事項」という。）が記載された届出書に、当該届出事項を証明する定款その他の財務省令で定める書類を添付して行わなければならない。
③ 法第39条第2項の規定による法人番号の指定は、前項の届出書及びこれに添付された書類、当該届出をした者が税務書類を提出するに際して国税庁長官にした申告又は官公署が法第41条第2項の規定により国税庁長官に提供した資料により、当該届出をした者が法人番号保有者でないことが確認された後、速やかに行うものとする。

④ 前条の規定は、国税庁長官が法第39条第2項の規定により法人番号を指定した場合について準用する。

（変更の届出）
第40条　法第39条第3項の規定による変更の届出は、当該届出をしようとする者の法人番号、その者についての届出事項に変更があった旨、変更後の当該届出事項その他の財務省令で定める事項が記載された届出書に、当該変更があった旨を証明する定款その他の財務省令で定める書類を添付して行わなければならない。

（法人番号等の公表）
第41条　① 法第39条第4項の規定による公表は、同条第1項又は第2項の規定による法人番号の指定をした後（当該公表に係る法人番号保有者が人格のない社団等である場合にあっては、当該指定をし、及び同条第4項ただし書の規定による同意を得た後）、速やかに、インターネットを利用して公衆の閲覧に供する方法により行うものとする。
② 国税庁長官は、法第39条第4項の規定による公表を行った場合において、当該公表に係る法人番号保有者について、当該公表に係る事項に変更があったとき（この項の規定による公表に係る事項に変更があった場合を含む。）は、財務省令で定めるところによりその事実を確認した上で、これらの事項に加えて、速やかに、これらの事項に変更があった旨及び変更後のこれらの事項を前項に規定する方法により公表するものとする。
③ 国税庁長官は、法第39条第4項の規定による公表を行った場合において、当該公表に係る法人番号保有者について、会社法第2編第9章の規定による清算の結了その他の財務省令で定める事由が生じたときは、財務省令で定めるところによりその事実を確認した上で、当該公表に係る事項（前項の規定による公表に係る事項を含む。）に

加えて，速やかに，当該法人番号保有者について当該事由が生じた旨及び当該事由が生じた年月日（当該年月日が明らかでないときは，国税庁長官が当該事由が生じたことを知った年月日）を第1項に規定する方法により公表するものとする。

（財務省令への委任）
第42条　この章に定めるもののほか，法人番号の指定その他法人番号に関し必要な事項は，財務省令で定める。

第8章　雑　則

（指定都市の区及び総合区に対する法の適用）
第43条① 法第43条第1項の政令で定める法の規定は，法第7条第1項及び第3項，第8条第3項，第21条の2第2項及び第3項並びに附則第3条第3項とする。
②　地方自治法（昭和22年法律第67号）第252条の19第1項に規定する指定都市（次条において単に「指定都市」という。）について法の規定を適用する場合には，次の表の上欄に掲げる法の規定中同表の中欄に掲げる字句は，同表の下欄に掲げる字句とする。

[上欄]	[中欄]	[下欄]
第7条第2項	市町村長は，当該市町村（特別区を含む。以下同じ。）が備える	区長（総合区長を含む。以下同じ。）は，当該区長が作成した
第8条第1項	市町村長	区長
	あらかじめ	あらかじめ当該区（総合区を含む。次項及び第17条第2項において同じ。）の属する市の市長を経由して
第8条第2項	市町村長から	区長から
	当該市町村長	当該区の属する市の市長を経由して当該区長
第17条第1項	市町村長は，政令	市長は，政令
	市町村が	市が
	により，その者	により，その者が記録されている住民基本台帳を作成した区長（以下この条において「住所地区長」という。）を経由して，その者
	当該市町村長	住所地区長
第17条第2項	市町村長	当該最初の転入届を受けた区長を経由して当該区の属する市の市長
第17条第3項	市町村長	市長
	これを	これを前項の区長を経由して
第17条第4項	その者が記録されている住民基本台帳を備える市町村の長	住所地区長を経由して住所地市長（その者が記録されている住民基本台帳を備える市の市長をいう。次項及び第7項において同じ。）

資料 行政手続における特定の個人を識別するための番号の利用等に関する法律施行令

		(次項及び第7項並びに第18条の2第3項において「住所地市町村長」という。)
第17条第5項及び第7項	住所地市町村長	住所地区長を経由して住所地市長
第18条第1号	市町村	市町村（特別区を含む。第44条及び附則第3条第2項において同じ。）
附則第3条第1項	市町村長	区長
	市町村の備える	区長が作成した
附則第3条第2項	市町村長	区長

（指定都市の区及び総合区に対するこの政令の適用）

第44条① 指定都市においては，第2条，第7条，第9条，第27条の2第1項，第2項及び第4項，同条第5項において読み替えて準用する第27条第3項，第27条の3第1項及び第3項並びに附則第2条第2項の規定中市長に関する規定は，市の区長及び総合区長に適用する。

② 指定都市についてこの政令の規定を適用する場合には，次の表の上欄に掲げる規定中同表の中欄に掲げる字句は，同表の下欄に掲げる字句とする。

[上欄]	[中欄]	[下欄]
第3条第1項	備える市町村（特別区を含む。以下同じ。）の長（以下「住所地市町村長」	作成した区長（総合区長を含む。以下「住所地区長
第3条第2項から第4項まで及び第7項	住所地市町村長	住所地区長
第3条第5項	住所地市町村長	住所地市長（その者が記録されている住民基本台帳を備える市の市長をいう。以下同じ。）
	対し，	対し，住所地区長を経由して
第4条第1項	住所地市町村長	住所地区長
	当該市町村が備える	住所地区長が作成した
第4条第2項	住所地市町村長	住所地区長
	理由及び	理由を通知するものとし，及び
	当該個人番号カード	住所地市長は，その者に対し，住所地区長を経由して当該個人番号カード
第13条第2項	住所地市町村長（住所地市町村長	住所地区長及び住所地市長（住所地市長
	住所地市町村長）	住所地区長及び住所地市長）
第13条第3項	住所地市町村長	住所地市長

第13条第4項	住所地市町村長	住所地市長	
	当該市町村の	住所地区長を経由して当該区（総合区を含む。以下同じ。）の	
第13条第5項	住所地市町村長は，病気	住所地市長は，病気	
	かかわらず，	かかわらず，住所地区長を経由して	
	住所地市町村長は，その者	住所地区長は，その者	
第14条第2号	という。）	という。）（市の区域外へ住所を移すことに係るものに限る。以下この号及び次号において同じ。）	
	次号	同号	
第14条第3号	市町村から	市町村（特別区を含む。第27条の2第3項ただし書及び第27条の3第2項において同じ。）から	
第15条第2項及び第4項	住所地市町村長	住所地区長を経由して住所地市長	
第15条第3項	市町村長	区長（総合区長を含む。第27条の2第3項及び第27条の3第2項において同じ。）を経由して当該区の属する市の市長	
第16条	住所地市町村長	住所地市長	
	対し，	対し，住所地区長を経由して	
第27条の2第3項	市町村長	区長	
	事項を	事項を，当該区の属する市の市長を経由して	
第27条の3第2項	市町村長	区長	
	その市町村	その区	
附則第4条	住所地市町村長	住所地区長を経由して住所地市長	
	市町村が	市が	

（公益上の必要がある場合に関する規定の準用）
第45条 第25条の規定は，法第45条の2第5項（同条第7項において準用する場合を含む。）において準用する法第19条第15号の政令で定める公益上の必要があるときについて準用する。
（各議院審査等に準ずる手続に関する規定の準用）
第46条 第34条の規定は，法第45条の2第9項において準用する法第36条の政令で定める手続について準用する。
（主務省令）
第47条 この政令における主務省令は，デジタル庁令・総務省令とする。

附　則
（施行期日）
第1条　この政令は，法の施行の日［平成27.10.5］から施行する。ただし，次の各号に掲げる規定は，当該各号に定める日から施行する。

> 資料　行政手続における特定の個人を識別するための番号の利用等に関する法律施行令

1　第1条の規定　公布の日〔平成26.3.31〕

2　第30条，第31条（法第29条第1項の規定により行政機関個人情報保護法第10条第1項の規定を読み替えて適用する場合に係る部分に限る。）及び第34条並びに別表第1号，第2号（私的独占の禁止及び公正取引の確保に関する法律第101条第1項に規定する犯則事件の調査に係る部分に限る。），第3号，第4号（金融商品取引法第210条第1項（犯罪による収益の移転防止に関する法律第30条において準用する場合を含む。）に規定する犯則事件の調査に係る部分に限る。），第6号，第7号，第9号，第11号，第13号，第16号，第17号，第23号（犯罪による収益の移転防止に関する法律第8条第1項の規定による届出，同条第3項又は第4項の規定による通知，同法第12条第1項又は第13条第1項の規定による提供及び同法第12条第2項の規定による閲覧，謄写又は写しの送付の求めに係る部分に限る。）及び第24号の規定　法附則第1条第3号に掲げる規定の施行の日〔平成26.4.20〕

3　第10条から第12条まで，第3章，第31条（法第29条第1項の規定により行政機関個人情報保護法第10条第1項の規定を読み替えて適用する場合に係る部分を除く。），第32条第1項（法第29条第1項の規定により行政機関個人情報保護法第13条第2項の規定を読み替えて適用する場合に係る部分に限る。），第2項（法第29条第1項の規定により行政機関個人情報保護法第28条第2項の規定を読み替えて適用する場合に係る部分に限る。），第3項，第4項（法第29条第2項の規定により独立行政法人等個人情報保護法第13条第2項の規定を読み替えて適用する場合に係る部分に限る。），第5項（法第29条第2項の規定により独立行政法人等個人情報保護法第28条第2項の規定を読み替えて適用する場合に係る部分に限る。）及び第6項，第33条（法第29条第1項の規定により読み替えて適用する行政機関個人情報保護法第12条の規定により特定個人情報の開示の請求を受けた場合に係る部分に限る。），第43条第2項（同項の表第17条第1項の項から第18条第1号の項までに係る部分に限る。）並びに第44条第2項（同項の表第13条第1項の項から第16条の項までに係る部分に限る。）の規定　法附則第1条第4号に掲げる規定の施行の日〔平成28.1.1〕

4　第20条，第21条，第4章第2節，第32条第1項（法第29条第1項の規定により行政機関個人情報保護法第13条第2項の規定を読み替えて適用する場合に係る部分を除く。），第2項（法第29条第1項の規定により行政機関個人情報保護法第28条第2項の規定を読み替えて適用する場合に係る部分を除く。），第4項（法第29条第2項の規定により独立行政法人等個人情報保護法第13条第2項の規定を読み替えて適用する場合に係る部分を除く。），第5項（法第29条第2項の規定により独立行政法人等個人情報保護法第28条第2項の規定を読み替えて適用する場合に係る部分を除く。），第7項及び第8項並びに第33条（法第29条第1項の規定により読み替えて適用する行政機関個人情報保護法第12条の規定により特定個人情報の開示の請求を受けた場合に係る部分を除く。）の規定　法附則第1条第5号に掲げる規定の施行の日〔平成29.5.30〕

（個人番号の指定等に関する経過措置）

第2条①　第2条の規定は，法附則第3条第1項から第3項まで（次条第1項において法附則第3条第3項の規定を準用する場合を含む。）の規定による個人番号の指定に

ついて準用する。この場合において，第2条中「法第8条第2項」とあるのは，「法附則第3条第4項（附則第3条第1項において準用する場合を含む。）において準用する法第8条第2項」と読み替えるものとする。

② 第7条の規定は法附則第3条第4項（次条第1項において準用する場合を含む。）において準用する法第8条第1項の規定による市町村長からの住民票コードの通知及び個人番号とすべき番号の生成の求めについて，第8条及び第9条の規定は法附則第3条第4項（次条第1項において準用する場合を含む。）において準用する法第8条第2項の規定による個人番号とすべき番号の生成及び通知について，それぞれ準用する。

第3条① 法附則第3条第3項及び第4項の規定は，住民基本台帳法施行令の一部を改正する政令（平成22年政令第253号）附則第9条第1項に規定する適用日（以下この項において単に「適用日」という。）前に住民基本台帳に記録されていた同条第1項に規定する外国人住民であって，適用日以後住民基本台帳に記録されていなかったもの又は適用日前に転出届をし，かつ，当該転出届に記載された転出の予定年月日が適用日以後であるもののうち当該転出の日以後住民基本台帳に記録されていなかったものについて，同条第2項の規定により住民票に住民票コードを記載したときについて準用する。

② 前項において準用する法附則第3条第3項の規定及び前項において準用する法附則第3条第4項において準用する法第8条第1項の規定により市町村が処理することとされている事務は，地方自治法第2条第9項第1号に規定する第1号法定受託事務とする。

（個人番号カードの交付申請書の提出に関する経過措置）

第4条 交付申請者は，附則第1条第3号に掲げる規定の施行の日前においても，第13条第1項の規定の例により，住所地市町村長に対し，交付申請書の提出を行うことができる。この場合において，交付申請者が同日において現に当該市町村が備える住民基本台帳に記録されている者であるときは，当該交付申請書の提出は，同日において同項の規定によりされたものとみなす。

（法人番号の指定に関する経過措置）

第5条 この政令の施行の日前に，国の機関，地方公共団体及び設立登記法人以外の法人又は人格のない社団等であって第37条各号に掲げる者について，当該各号に定める事実があった場合において，その者が当該各号に規定する規定により届出書を提出したときは，当分の間，その者を当該各号に規定する規定により届出書を提出することとされている者とみなして，同条の規定を適用する。この場合において，同条中「確認された後」とあるのは，「確認された場合には，この政令の施行の日以後」とする。

別表（第25条，第34条関係）

1 恩赦法（昭和22年法律第20号）第4条の特赦，同法第6条の減刑（同条に規定する特定の者に対するものに限る。），同法第8条の刑の執行の免除又は同法第9条の復権（同条に規定する特定の者に対するものに限る。）が行われるとき。

2 私的独占の禁止及び公正取引の確保に関する法律第47条第1項の規定による処分又は同法第101条第1項に規定する犯則事件の調査が行われるとき。

3 地方自治法第100条第1項の規定による調査が行われるとき。

4 金融商品取引法の規定による報告若しくは資料の提出の求め若しくは検査（同法第6章の2の規定による課徴金に係る事件に

> **資料** 行政手続における特定の個人を識別するための番号の利用等に関する法律施行令

ついてのものに限る。)、同法第177条の規定による処分、同章第2節の規定による審判手続、同法第187条 (投資信託及び投資法人に関する法律第26条第7項 (同法第54条第1項において準用する場合を含む。)、第60条第3項、第219条第3項及び第223条第3項において準用する場合を含む。) の規定による処分 (金融商品取引法第187条第1項の規定による処分にあっては、同法第192条の規定による申立てについてのものに限る。) 又は同法第210条第1項 (金融サービスの提供に関する法律第102条及び犯罪による収益の移転防止に関する法律第32条において準用する場合を含む。) に規定する犯則事件の調査が行われるとき。

5 公認会計士法 (昭和23年法律第103号) 第33条第1項 (同法第34条の21の2第7項において準用する場合を含む。) の規定による処分 (同法第31条の2第1項又は第34条の21の2第1項の規定による課徴金に係る事件についてのものに限る。) 又は同法第5章の5の規定による審判手続が行われるとき。

6 検察審査会法 (昭和23年法律第147号) 第2条第1項第1号に規定する審査が行われるとき。

7 少年法 (昭和23年法律第168号) 第6条の2第1項又は第3項の規定による調査が行われるとき。

8 租税に関する法律又はこれに基づく条例の規定による質問、検査、提示若しくは提出の求め又は協力の要請が行われるとき。

9 破壊活動防止法 (昭和27年法律第240号) 第11条の規定による処分の請求、同法第22条第1項の規定による審査、同法第27条の規定による調査又は同法第28条第1項 (無差別大量殺人行為を行った団体の規制に関する法律 (平成11年法律第147号) 第30条において準用する場合を含む。) の規定による書類及び証拠物の閲覧の求めが行われるとき。

10 租税条約等の実施に伴う所得税法、法人税法及び地方税法の特例等に関する法律 (昭和44年法律第46号) 第8条の2第1項の規定による情報の提供が行われるとき。

11 国際捜査共助等に関する法律 (昭和55年法律第69号) 第1条第1号に規定する共助 (同条第4号に規定する受刑者証人移送を除く。) 又は同法第18条第1項の協力が行われるとき。

12 暴力団員による不当な行為の防止等に関する法律 (平成3年法律第77号) 第33条第1項の規定による報告若しくは資料の提出の求め又は立入検査が行われるとき。

13 国際的な協力の下に規制薬物に係る不正行為を助長する行為等の防止を図るための麻薬及び向精神薬取締法等の特例等に関する法律 (平成3年法律第94号) 第21条の規定による共助が行われるとき。

14 行政機関の保有する情報の公開に関する法律 (平成11年法律第42号) 第19条第1項の規定による諮問が行われるとき。

15 不正アクセス行為の禁止等に関する法律 (平成11年法律第128号) 第9条第1項の規定による申出が行われるとき。

16 組織的な犯罪の処罰及び犯罪収益の規制等に関する法律 (平成11年法律第136号) 第59条第1項又は第2項の規定による共助が行われるとき。

17 無差別大量殺人行為を行った団体の規制に関する法律第7条第1項、第14条第1項若しくは第29条の規定による調査、同法第7条第2項若しくは第14条第2項の規定による立入検査又は同法第12条第1項の規定による処分の請求が行われるとき。

18 独立行政法人等の保有する情報の公開に関する法律 (平成13年法律第140号) 第19条第1項の規定による諮問が行われるとき。

19 個人情報の保護に関する法律第105条第1項の規定による諮問、同法第146条第1

項の規定による報告若しくは資料の提出の求め若しくは立入検査、同法第156条の規定による資料の提出及び説明の求め若しくは実地調査、同法第159条の規定による報告の求め又は同法第165条第1項の規定による報告の求めが行われるとき。
20　犯罪被害財産等による被害回復給付金の支給に関する法律（平成18年法律第87号）第6条第1項に規定する犯罪被害財産支給手続又は同法第37条第1項に規定する外国譲与財産支給手続が行われるとき。
21　犯罪による収益の移転防止に関する法律第8条第1項の規定による届出、同条第4項若しくは第5項の規定による通知、同法第13条第1項若しくは第14条第1項の規定による提供、同法第13条第2項の規定による閲覧、謄写若しくは写しの送付の求め、同法第15条若しくは第19条第2項の規定による報告若しくは資料の提出の求め又は同法第16条第1項若しくは第19条第3項の規定による立入検査が行われるとき。
22　国際刑事裁判所に対する協力等に関する法律（平成19年法律第37号）第2条第4号に規定する証拠の提供、同条第10号に規定する執行協力又は同法第52条第1項に規定する管轄刑事事件の捜査に関する措置が行われるとき。
23　更生保護法（平成19年法律第88号）第85条第1項に規定する更生緊急保護が行われるとき。
24　公文書等の管理に関する法律（平成21年法律第66号）第8条第1項、第11条第4項若しくは第14条第2項の規定による移管又は同法第21条第4項の規定による諮問が行われるとき。

行政手続における特定の個人を識別するための番号の利用等に関する法律施行規則　（平成26年内閣府・総務省令第3号）

施行　（附則参照）
最終改正　令和4年デジタル庁・総務省令第6号

（写真の表示等により個人番号提供者を確認できる書類）

第1条　行政手続における特定の個人を識別するための番号の利用等に関する法律施行令（以下「令」という。）第12条第1項第2号の主務省令で定める書類は、次に掲げるいずれかの書類とする。
1　運転免許証、運転経歴証明書（交付年月日が平成24年4月1日以降のものに限る。）、旅券、身体障害者手帳、精神障害者保健福祉手帳、療育手帳、在留カード又は特別永住者証明書
2　前号に掲げるもののほか、官公署から発行され、又は発給された書類その他これに類する書類であって、令第12条第1項第1号に掲げる書類に記載された氏名及び出生の年月日又は住所（以下「個人識別事項」という。）が記載され、かつ、写真の表示その他の当該書類に施された措置によって、当該書類の提示を行う者が当該個人識別事項により識別される特定の個人と同一の者であることを確

資料　行政手続における特定の個人を識別するための番号の利用等に関する法律施行規則

認することができるものとして個人番号利用事務実施者が適当と認めるもの
(住民票の写し等の提示を受けることが困難であると認められる場合等の本人確認の措置)
第2条①　個人番号利用事務実施者又は個人番号関係事務実施者（以下「個人番号利用事務等実施者」という。）は，令第12条第1項第1号に掲げる書類の提示を受けることが困難であると認められる場合には，これに代えて，次に掲げるいずれかの措置をとらなければならない。
1　行政手続における特定の個人を識別するための番号の利用等に関する法律（以下「法」という。）第14条第2項の規定により地方公共団体情報システム機構（以下「機構」という。）から個人番号の提供を行う者に係る機構保存本人確認情報（同項に規定する機構保存本人確認情報をいう。第9条第5項第1号において同じ。）の提供を受けること（個人番号利用事務実施者が個人番号の提供を受ける場合に限る。）。
2　都道府県知事保存本人確認情報（住民基本台帳法（昭和42年法律第81号）第30条の8に規定する都道府県知事保存本人確認情報をいう。以下同じ。）に記録されている個人番号の提供を行う者の個人番号及び個人識別事項を確認すること（当該都道府県知事保存本人確認情報を保存する都道府県知事が個人番号の提供を受ける場合に限る。）。
3　住民基本台帳法第30条の15第2項の規定により都道府県知事から個人番号の提供を行う者に係る都道府県知事保存本人確認情報の提供を受けること（当該都道府県知事以外の当該都道府県の執行機関が個人番号の提供を受ける場合に限る。）。
4　住民基本台帳に記録されている個人番号の提供を行う者の個人番号及び個人識別事項を確認すること（当該住民基本台帳を備える市町村（特別区を含む。以下同じ。）の長が個人番号の提供を受ける場合に限る。）。
5　提供を受ける個人番号及び当該個人番号に係る個人識別事項について，過去に本人若しくはその代理人若しくは法第14条第2項の規定により機構からその提供を受け，又は都道府県知事保存本人確認情報若しくは住民基本台帳に記録されている当該個人番号及び個人識別事項を確認して特定個人情報ファイルを作成している場合（以下「本人確認の上特定個人情報ファイルを作成している場合」という。）には，当該特定個人情報ファイルに記録されている個人番号及び個人識別事項を確認すること。
6　官公署又は個人番号利用事務等実施者から発行され，又は発給された書類その他これに類する書類であって個人番号利用事務実施者が適当と認めるもの（個人番号の提供を行う者の個人番号及び個人識別事項の記載があるものに限る。）の提示を受けること。
②　税務署長は，次の各号に掲げるときは，所得税法（昭和40年法律第33号）第229条又は消費税法（昭和63年法律第108号）第9条第4項若しくは第57条第1項（同項第1号に係る部分に限る。）に規定する届出書の提出において，過去に法第16条の規定により本人確認の措置を講じている者について，前項第1号に掲げる措置をとることにより令第12条第1項第1号に掲げる書類の提示を受けることに代えることができる。
1　所得税法第143条の承認を受けている居住者又は同法第166条において準用する同法第143条の承認を受けている非居住者から同法第2条第1項第40号に規定する青色申告書の提出を受けるとき（当該申告書に同法第122条第1項第1

号若しくは第2号又は第123条第2項第6号若しくは第7号に掲げる金額の記載がある場合及び同法第124条又は第125条の規定により相続人から当該申告書の提出を受ける場合を除く。）。
2 消費税法第2条第1項第3号に規定する個人事業者から同法第42条の2に規定する中間申告書又は同法第45条第1項に規定する申告書の提出を受けるとき（当該申告書に同項第5号に掲げる不足額の記載がある場合及び同条第2項又は第3項の規定により相続人から当該申告書の提出を受ける場合を除く。）。
③ 個人番号利用事務等実施者は，令第12条第1項第2号に掲げる書類の提示を受けることが困難であると認められる場合には，これに代えて，次に掲げる書類のうち二以上の書類（個人番号の提供を行う者の個人識別事項の記載があるものに限る。）の提示を受けなければならない。
1 国民健康保険，健康保険，船員保険，後期高齢者医療若しくは介護保険の被保険者証，健康保険日雇特例被保険者手帳，国家公務員共済組合若しくは地方公務員共済組合の組合員証，私立学校教職員共済制度の加入者証，児童扶養手当証書又は特別児童扶養手当証書
2 前号に掲げるもののほか，官公署又は個人番号利用事務等実施者から発行され，又は発給された書類その他これに類する書類であって個人番号利用事務実施者が適当と認めるもの
④ 個人番号利用事務実施者である財務大臣，国税庁長官，都道府県知事又は市町村長（特別区の区長を含む。以下同じ。）（法令の規定により法別表第1の16の項，17の項，23の項，38の項又は99の項の下欄に掲げる事務（以下この項及び第9条第2項において「租税に関する事務」という。）の全部又は一部を行うこととされている者がある場合にあっては，その者を含む。以下この項及び第9条第2項において「財務大臣等」という。）は，租税に関する事務の処理に関して個人番号の提供を受ける場合には，次に掲げるいずれかの措置をとることにより当該提供を行う者が令第12条第1項第1号に掲げる書類に記載されている個人識別事項又は第1項各号に掲げる措置により確認される個人識別事項により識別される特定の個人と同一の者であることを確認することをもって，前項の規定による書類の提示を受けることに代えることができる。
1 前項第1号に掲げるいずれかの書類の提示を受けること。
2 当該提供に係る租税に関する法律の規定に基づき提出される書類（次号及び第5号において「申告書等」という。）に添付された書類であって，当該提供を行う者に対し一に限り発行され，若しくは発給されたもの又は官公署から発行され，若しくは発給されたものに記載されている当該提供を行う者の個人識別事項を確認すること。
3 当該提供に係る申告書等又は当該申告書等と同時に財務大臣等に提出される国税通則法（昭和37年法律第66号）第34条の2第1項の規定による口座振替納付の依頼に係る書面若しくは地方自治法施行令（昭和22年政令第16号）第155条の規定による口座振替納付の請求に係る書面に記載されている預金口座又は貯金口座に係る名義人の氏名並びに金融機関及びその店舗並びに預金又は貯金の種別及び口座番号を確認すること。
4 租税に関する法律の規定に基づく調査において確認した当該提供を行う者に係る事項その他の当該提供を行う者しか知り得ない事項を確認すること。
5 前各号に掲げる措置をとることが困難であると認められる場合であって，当該提供に係る申告書等に還付を受けるべき

資料 行政手続における特定の個人を識別するための番号の利用等に関する法律施行規則

金額の記載がないときは，過去に法第16条の規定により本人確認の措置を講じた上で受理している申告書等に記載されている純損失の金額，雑損失の金額その他当該提供を行う者が当該提供に係る申告書等を作成するに当たって必要となる事項又は考慮すべき事情（以下この号において「事項等」という。）であって財務大臣等が適当と認める事項等を確認すること。

⑤ 個人番号利用事務等実施者は，本人確認の上特定個人情報ファイルを作成している場合であって，個人番号利用事務又は個人番号関係事務（第9条第3項において「個人番号利用事務等」という。）を処理するに当たって当該特定個人情報ファイルに記録されている個人番号その他の事項を確認するため電話により本人から個人番号の提供を受けるときは，令第12条第1項第2号に掲げる書類の提示を受けることに代えて，本人しか知り得ない事項その他の個人番号利用事務実施者が適当と認める事項の申告を受けることにより，当該提供を行う者が当該特定個人情報ファイルに記録されている者と同一の者であることを確認しなければならない。

⑥ 個人番号利用事務等実施者は，本人から個人番号の提供を受ける場合であって，その者と雇用関係にあることその他の事情を勘案し，その者が令第12条第1項第1号に掲げる書類に記載されている個人識別事項又は第1項各号に掲げる措置により確認される個人識別事項により識別される特定の個人と同一の者であることが明らかであると個人番号利用事務実施者が認める場合には，令第12条第1項第2号に掲げる書類の提示を受けることを要しない。

（電子情報処理組織を使用して個人番号の提供を受ける場合の本人確認の措置）

第3条 個人番号利用事務等実施者は，その使用に係る電子計算機と個人番号の提供を行う者の使用に係る電子計算機とを電気通信回線で接続した電子情報処理組織を使用して本人から個人番号の提供を受ける場合には，次に掲げるいずれかの措置をとらなければならない。

1　機構により電子署名（電子署名及び認証業務に関する法律（平成12年法律第102号）第2条第1項に規定する電子署名をいう。次号ハ及び第10条第2号において同じ。）が行われた当該提供を行う者の個人番号及び個人識別事項に係る情報であって内閣総理大臣及び総務大臣（第21条の2，第21条の4第2項及び第21条の5第2項において「主務大臣」という。）が定めるものの送信を受けること並びに次号ハに掲げる措置をとること（電子署名等に係る地方公共団体情報システム機構の認証業務に関する法律（平成14年法律第153号。次号ハにおいて「公的個人認証法」という。）第17条第4項に規定する署名検証者又は同条第5項に規定する署名確認者（次号ハにおいて「署名検証者等」という。）が個人番号の提供を受ける場合に限る。）。

2　次のイ又はロに掲げる措置及びハ又はニに掲げる措置をとること。

イ　前条第1項第1号から第5号までに掲げるいずれかの措置

ロ　官公署若しくは個人番号利用事務等実施者から発行され，若しくは発給された書類その他これに類する書類であって個人番号利用事務実施者が適当と認めるもの（当該提供を行う者の個人番号及び個人識別事項が記載されているものに限る。）若しくはその写しの提出を受けること又は個人番号利用事務実施者が適当と認める方法により当該書類に係る電磁的記録（電子的方式，磁気的方式その他人の知覚によっては認識することができない方式で作られる記録をいう。第10条第3号ロにお

いて同じ。）の送信を受けること。
　ハ　署名用電子証明書（公的個人認証法第3条第1項に規定する署名用電子証明書をいう。以下この号及び第10条第2号において同じ。）及び当該署名用電子証明書により確認される電子署名が行われた当該提供に係る情報の送信を受けること（署名検証者等が個人番号の提供を受ける場合に限る。）。
　ニ　ハに掲げるもののほか、個人番号利用事務実施者が適当と認める方法により、当該電子情報処理組織に電気通信回線で接続した電子計算機を使用する者が当該提供を行う者であることを確認すること。

（市町村長が個人番号カードを交付する場合の本人確認の措置）
第4条　令第13条の2第2号の主務省令で定める書類は、次に掲げるいずれかの書類とする。
1　次に掲げるいずれかの措置その他法第17条第1項の規定により個人番号カードを交付する市町村長（以下この条において単に「市町村長」という。）が適当と認める措置をとる場合には、第1条第1号に掲げるいずれかの書類又は出入国管理及び難民認定法（昭和26年政令第319号）第18条の2第3項に規定する一時庇護許可書（以下「一時庇護許可書」という。）若しくは同法第61条の2の4第2項に規定する仮滞在許可書（以下「仮滞在許可書」という。）のうち市町村長が適当と認めるもの
　イ　当該書類に係る暗証番号の入力を求めること。
　ロ　当該書類に組み込まれた半導体集積回路（半導体集積回路の回路配置に関する法律（昭和60年法律第43号）第2条第1項に規定する半導体集積回路をいう。）に記録された写真を確認すること。
　ハ　個人番号カードの交付を受けようとする者（以下「交付申請者」という。）又は交付申請者と同一の世帯に属する者に係る住民票の記載事項その他の市町村長が適当と認める事項の申告を受けること。
2　前号の措置をとることが困難であると認められる場合には、第1条第1号に掲げるいずれかの書類又は一時庇護許可書若しくは仮滞在許可書のうち市町村長が適当と認める二以上の書類
3　前二号に掲げる書類の提示を受けることが困難であると認められる場合には、次に掲げる書類
　イ　第1条第1号に掲げるいずれかの書類又は一時庇護許可書若しくは仮滞在許可書のうち市町村長が適当と認めるもの
　ロ　イに掲げるもののほか、官公署から発行され、又は発給された書類その他これに類する書類であって、市町村長が適当と認めるもの（交付申請者に係る住民票に記載されている個人識別事項の記載があるものに限る。）。
4　前三号に掲げる書類の提示を受けることが困難であると認められる場合には、個人番号カードの交付の申請について、交付申請者が本人であること及び当該申請が交付申請者の意思に基づくものであることを確認するため、郵便その他市町村長が適当と認める方法により交付申請者に対して文書で照会したその回答書（次号及び第13条において単に「回答書」という。）（市町村長がやむを得ない理由があると認める場合を除き、その取扱いにおいて転送をしない郵便物又はこれに準ずるものとして送付されたものに限る。次号及び第13条において同じ。）及び次に掲げるいずれかの書類
　イ　前号イに掲げる書類
　ロ　イに掲げる書類の提示を受けること

資料 行政手続における特定の個人を識別するための番号の利用等に関する法律施行規則

　　が困難であると認められる場合には，官公署から発行され，又は発給された書類その他これに類する書類であって，市町村長が適当と認める二以上の書類（交付申請者に係る住民票に記載されている個人識別事項の記載があるものに限る。）
　5　前各号に掲げる書類の提示を受けることが困難であると認められる場合であって，次に掲げる措置をとるときは，回答書及び第3号ロに掲げる書類
　　イ　次の（1）から（3）までに掲げるいずれかの書類（交付申請者又は交付申請者と同一の世帯に属する者に係る住民票に記載されている氏名及び住所の記載並びに領収日付の押印又は発行年月日の記載があるもので，その日が令第13条の2第2号の主務省令で定める措置をとる日前3月以内であるものに限る。）の提示を受けること。
　　　（1）　国税又は地方税の領収証書又は納税証明書
　　　（2）　所得税法第74条第2項に規定する社会保険料の領収証書
　　　（3）　公共料金（日本国内において供給される電気，ガス及び水道水その他これらに準ずるものに係る料金をいう。）の領収証書
　　ロ　交付申請者又は交付申請者と同一の世帯に属する者に係る住民票の記載事項その他の市町村長が適当と認める事項の申告を受けること。

（住所地市町村長以外の市町村長を経由して交付申請書を提出する場合の本人確認の措置）

第5条　令第13条第2項の規定により交付申請者が当該交付申請者が記録されている住民基本台帳を備える市町村の長（以下「住所地市町村長」という。）以外の市町村長を経由して同条第1項に規定する交付申請書を提出した場合において，同条第4項ただし書の規定により個人番号カードを交付する住所地市町村長は，交付申請者から前条各号に掲げるいずれかの書類の提示を受けた旨を記載した書面及び同条各号に掲げるいずれかの書類の写しの提供を当該住所地市町村長以外の市町村長から受けるものとする。

（本人の代理人として個人番号の提供をすることを証明する書類）

第6条①　令第12条第2項第1号の主務省令で定める書類は，次に掲げるいずれかの書類とする。
　1　本人の代理人として個人番号の提供をする者が法定代理人である場合には，戸籍謄本その他その資格を証明する書類
　2　本人の代理人として個人番号の提供をする者が法定代理人以外の者である場合には，委任状
　3　前二号に掲げる書類の提示を受けることが困難であると認められる場合には，官公署又は個人番号利用事務等実施者から本人に対し一に限り発行され，又は発給された書類その他の本人の代理人として個人番号の提供をすることを証明するものとして個人番号利用事務実施者が適当と認める書類
②　個人番号利用事務等実施者は，本人の代理人から個人番号の提供を受ける場合であって当該代理人が法人であるときは，令第12条第2項第1号に掲げる書類に代えて，前項各号に掲げるいずれかの書類であって当該法人の商号又は名称及び本店又は主たる事務所の所在地が記載されたものの提示を受けなければならない。

（写真の表示等により代理人である個人番号提供者を確認できる書類）

第7条①　令第12条第2項第2号の主務省令で定める書類は，次に掲げるいずれかの書類とする。
　1　個人番号カード又は第1条第1号に掲げる書類

2　前号に掲げるもののほか，官公署から発行され，又は発給された書類その他これに類する書類であって，令第12条第2項第1号に掲げる書類に記載された個人識別事項が記載され，かつ，写真の表示その他の当該書類に施された措置によって，当該書類の提示を行う者が当該個人識別事項により識別される特定の個人と同一の者であることを確認することができるものとして個人番号利用事務実施者が適当と認めるもの

②　個人番号利用事務等実施者は，本人の代理人から個人番号の提供を受ける場合であって当該代理人が法人であるときは，令第12条第2項第2号に掲げる書類に代えて，登記事項証明書その他の官公署から発行され，又は発給された書類及び現に個人番号の提供を行う者と当該法人との関係を証する書類その他これらに類する書類であって個人番号利用事務実施者が適当と認めるもの（当該法人の商号又は名称及び本店又は主たる事務所の所在地の記載があるものに限る。）の提示を受けなければならない。

（代理人から提示を受ける本人の個人番号及び個人識別事項が記載された書類）

第8条　令第12条第2項第3号の主務省令で定める書類は，本人に係る個人番号カード若しくは同条第1項第1号に掲げる書類又はこれらの写しとする。

（代理人である個人番号提供者を確認できる書類等の提示を受けることが困難であると認められる場合等の本人確認の措置）

第9条①　個人番号利用事務等実施者は，令第12条第2項第2号に掲げる書類の提示を受けることが困難であると認められる場合には，これに代えて，次に掲げる書類のうち二以上の書類（代理人の個人識別事項の記載があるものに限る。）の提示を受けなければならない。

1　第2条第3項第1号に掲げる書類
2　前号に掲げるもののほか，官公署又は個人番号利用事務等実施者から発行され，又は発給された書類その他これに類する書類であって個人番号利用事務実施者が適当と認めるもの

②　財務大臣等は，租税に関する事務の処理に関して，本人の代理人であって税理士法（昭和26年法律第237号）第2条第1項の事務を行う者から個人番号の提供を受ける場合には，令第12条第2項第1号に掲げる書類又は第6条第2項の書類に記載された当該代理人の個人識別事項又は商号若しくは名称及び本店若しくは主たる事務所の所在地（以下この項において「個人識別事項等」という。）について，同法第19条第1項の税理士名簿若しくは同法第48条の10第2項の税理士法人の名簿又は税理士法施行規則（昭和26年大蔵省令第55号）第26条第1項の書面に記録されている当該個人識別事項等を確認することをもって，第7条第2項又は前項の規定による書類の提示を受けることに代えることができる。

③　個人番号利用事務等実施者は，本人確認の上特定個人情報ファイルを作成している場合であって，個人番号利用事務等を処理するに当たって当該特定個人情報ファイルに記録されている個人番号その他の事項を確認するため電話により本人の代理人から個人番号の提供を受けるときは，令第12条第2項第1号又は第2号に掲げる書類の提示を受けることに代えて，本人及び代理人しか知り得ない事項その他の個人番号利用事務実施者が適当と認める事項の申告を受けることにより，当該提供を行う者が当該特定個人情報ファイルに記録されている者の代理人であることを確認しなければならない。

④　個人番号利用事務等実施者は，本人の代理人から個人番号の提供を受ける場合であって，その者と雇用関係にあることその他の事情を勘案し，その者が令第12条第2項第1号に掲げる書類に記載されている個

資料 行政手続における特定の個人を識別するための番号の利用等に関する法律施行規則

人識別事項により識別される特定の個人と同一の者であることが明らかであると個人番号利用事務実施者が認める場合には，令第12条第2項第2号又は第7条第2項に掲げる書類の提示を受けることを要しない。
⑤ 個人番号利用事務等実施者は，令第12条第2項第3号に掲げる書類の提示を受けることが困難であると認められる場合には，これに代えて，次に掲げるいずれかの措置をとらなければならない。
1 法第14条第2項の規定により機構から本人に係る機構保存本人確認情報の提供を受けること（個人番号利用事務実施者が個人番号の提供を受ける場合に限る。）。
2 都道府県知事保存本人確認情報に記録されている本人の個人番号及び個人識別事項を確認すること（当該都道府県知事保存本人確認情報を保存する都道府県知事が個人番号の提供を受ける場合に限る。）。
3 住民基本台帳法第30条の15第2項の規定により都道府県知事から本人に係る都道府県知事保存本人確認情報の提供を受けること（当該都道府県知事以外の当該都道府県の執行機関が個人番号の提供を受ける場合に限る。）。
4 住民基本台帳に記録されている本人の個人番号及び個人識別事項を確認すること（当該住民基本台帳を備える市町村の長が個人番号の提供を受ける場合に限る。）。
5 本人確認の上特定個人情報ファイルを作成している場合には，当該特定個人情報ファイルに記録されている個人番号及び個人識別事項を確認すること。
6 官公署又は個人番号利用事務等実施者から発行され，又は発給された書類その他これに類する書類であって個人番号利用事務実施者が適当と認めるもの（本人の個人番号及び個人識別事項の記載があるものに限る。）の提示を受けること。

⑥ 税務署長は，次の各号に掲げるときは，所得税法第229条又は消費税法第9条第4項若しくは第57条第1項（同項第1号に係る部分に限る。）に規定する届出書の提出において，過去に法第16条の規定により本人確認の措置を講じている者について，前項第1号に掲げる措置をとることにより令第12条第2項第3号に掲げる書類の提示を受けることに代えることができる。
1 所得税法第143条の承認を受けている居住者の代理人又は同法第166条において準用する同法第143条の承認を受けている非居住者の代理人から同法第2条第1項第40号に規定する青色申告書の提出を受けるとき（当該申告書に同法第122条第1項第1号若しくは第2号又は第123条第2項第6号若しくは第7号に掲げる金額の記載がある場合及び同法第124条又は第125条の規定による当該申告書の提出を相続人の代理人から受ける場合を除く。）。
2 消費税法第2条第1項第3号に規定する個人事業者の代理人から同法第42条の2に規定する中間申告書又は同法第45条第1項に規定する申告書の提出を受けるとき（当該申告書に同項第5号に掲げる不足額の記載がある場合及び同条第2項又は第3項の規定による当該申告書の提出を相続人の代理人から受ける場合を除く。）。

（電子情報処理組織を使用して本人の代理人から個人番号の提供を受ける場合の本人確認の措置）
第10条 個人番号利用事務等実施者は，その使用に係る電子計算機と個人番号の提供を行う者の使用に係る電子計算機とを電気通信回線で接続した電子情報処理組織を使用して本人の代理人から個人番号の提供を受ける場合には，次に掲げる措置をとらなければならない。
1 本人及び代理人の個人識別事項並びに

本人の代理人として個人番号の提供を行うことを証明する情報の送信を受けることその他の個人番号利用事務実施者が適当と認める方法により、当該提供を行う者が本人の代理人として当該提供を行うことを確認すること。
2　代理人に係る署名用電子証明書及び当該署名用電子証明書により確認される電子署名が行われた当該提供に係る情報の送信を受けることその他の個人番号利用事務実施者が適当と認める方法により、当該電子情報処理組織に電気通信回線で接続した電子計算機を使用する者が当該提供を行う者であることを確認すること。
3　次に掲げるいずれかの措置により、本人の個人番号及び個人識別事項を確認すること。
　　イ　前条第5項第1号から第5号までに掲げるいずれかの措置
　　ロ　官公署若しくは個人番号利用事務等実施者から発行され、若しくは発給された書類その他これに類する書類であって個人番号利用事務実施者が適当と認めるもの（本人の個人番号及び個人識別事項の記載があるものに限る。）若しくはその写しの提出を受けること又は個人番号利用事務実施者が適当と認める方法により当該書類に係る電磁的記録の送信を受けること。

（書面の送付により個人番号の提供を受ける場合の本人確認の措置）
第11条①　個人番号利用事務等実施者は、個人番号が記載された書面の送付により個人番号の提供を受ける場合には、法第16条、令第12条第1項若しくは第2項又は第2条第1項（第6号に係る部分に限る。）、第3項若しくは第4項、第6条第2項、第7条第2項若しくは第9条第1項若しくは第5項第6号の規定により提示を受けることとされている書類又はその写しの提出を受けなければならない。

②　第2条第1項の規定は前項の規定による令第12条第1項第1号に掲げる書類又はその写しの提出を受けることについて、第2条第3項及び第4項の規定は前項の規定による令第12条第1項第2号に掲げる書類又はその写しの提出を受けることについて、第9条第1項及び第2項の規定は前項の規定による令第12条第2項第2号に掲げる書類又はその写しの提出を受けることについて、第9条第5項の規定は前項の規定による令第12条第2項第3号に掲げる書類又はその写しの提出を受けることについて、それぞれ準用する。

（個人番号指定請求書の提出を受ける場合の本人確認の措置）
第12条①　令第3条第2項において準用する法第16条の規定による個人番号指定請求書（令第3条第1項に規定する個人番号指定請求書をいう。以下同じ。）の提出を受ける市町村長が行う本人確認の措置については、第1条、第2条第1項（第1号から第3号まで、第5号及び第6号を除く。）及び第3項（第2号を除く。）、第3条（第2号ロを除く。）並びに第17条第1項の規定を準用する。この場合において、第1条第1号中「特別永住者証明書」とあるのは「特別永住者証明書のうち個人番号指定請求書（令第3条第1項に規定する個人番号指定請求書をいう。以下同じ。）の提出を受ける市町村長（特別区の区長を含む。以下同じ。）が適当と認めるもの」と、同条第2号中「個人番号利用事務実施者」とあるのは「個人番号指定請求書の提出を受ける市町村長」と、第2条第3項中「二以上」とあるのは「二以上（当該書類の提示を受けるとともに当該書類の提示を行う者又はその者と同一の世帯に属する者に係る住民票の記載事項について申告を受けることその他の個人番号指定請求書の提出を受ける市町村長が適当と認める措置をとることにより当該書類の提示を行う者が当該書

|資料| 行政手続における特定の個人を識別するための番号の利用等に関する法律施行規則

類に記載された個人識別事項により識別される特定の個人と同一の者であることを確認することができる場合には，一以上）」と，同項第1号中「特別児童扶養手当証書」とあるのは「特別児童扶養手当証書のうち個人番号指定請求書の提出を受ける市町村長が適当と認める書類」と，同項第2号中「個人番号利用事務実施者」とあるのは「個人番号指定請求書の提出を受ける市町村長が」と，第3条第2号イ中「前条第1項第1号から第5号までに掲げるいずれかの」とあるのは「第12条第1項において準用する前条第1項第4号に掲げる」と，同号ニ中「個人番号利用事務実施者」とあるのは「個人番号指定請求書の提出を受ける市町村長」と読み替えるものとする。

② 令第3条第7項において準用する令第12条第2項の規定による個人番号指定請求書の提出を受ける市町村長が行う本人確認の措置については，第6条から第8条まで，第9条第1項及び第5項（第1号から第3号まで，第5号及び第6号を除く。），第10条（第3号ロを除く。）並びに第17条第1項の規定を準用する。この場合において，第6条第1項第3号中「個人番号利用事務実施者」とあるのは「個人番号指定請求書（令第3条第1項に規定する個人番号指定請求書をいう。以下同じ。）の提出を受ける市町村長」と，第7条第1項第1号中「書類」とあるのは「書類のうち個人番号指定請求書の提出を受ける市町村長が適当と認めるもの」と，同項第2号中「個人番号利用事務実施者」とあるのは「個人番号指定請求書の提出を受ける市町村長」と，同条第2項中「個人番号利用事務実施者」とあるのは「個人番号指定請求書の提出を受ける市町村長」と，第9条第1項中「二以上」とあるのは「二以上（当該書類の提示を受けるとともに当該書類の提示を行う者又はその者と同一の世帯に属する者に係る住民票の記載事項について申告を受けることその他の個人番号指定請求書の提出を受ける市町村長が適当と認める措置をとることにより当該書類の提示を行う者が当該書類に記載された個人識別事項により識別される特定の個人と同一の者であることを確認することができる場合には，一以上）」と，同項第1号中「書類」とあるのは「書類のうち個人番号指定請求書の提出を受ける市町村長が適当と認めるもの」と，同項第2号中「個人番号利用事務実施者」とあるのは「個人番号指定請求書の提出を受ける市町村長」と，第10条第1号及び第2号中「個人番号利用事務実施者」とあるのは「個人番号指定請求書の提出を受ける市町村長」と，同条第3号イ中「前条第5項第1号から第5号までに掲げるいずれかの」とあるのは「第12条第2項において準用する前条第5項第4号に掲げる」と読み替えるものとする。

③ 個人番号指定請求書の提出を受ける市町村長は，個人番号指定請求書の送付によりその提出を受ける場合には，令第3条第2項において準用する法第16条，令第12条第1項若しくは第3条第7項において準用する令第12条第2項又は第1項において準用する第2条第3項若しくは前項において準用する第6条第2項，第7条第2項若しくは第9条第1項の規定により提示を受けることとされている書類又はその写しの提出を受けなければならない。

④ 第1項において準用する第2条第1項（第1号から第3号まで，第5号及び第6号を除く。）の規定は前項の規定による令第12条第1項第1号に掲げる書類又はその写しの提出を受けることについて，第1項において読み替えて準用する第2条第3項（第2号を除く。）の規定は前項の規定による令第12条第1項第2号に掲げる書類又はその写しの提出を受けることについて，第2項において読み替えて準用する第9条第1項の規定は前項の規定による令第

12条第2項第2号に掲げる書類又はその写しの提出を受けることについて，第2項において準用する第9条第5項（第1号から第3号まで，第5号及び第6号を除く。）の規定は前項の規定による令第12条第2項第3号に掲げる書類又はその写しの提出を受けることについて，それぞれ準用する。
（交付申請者の代理人から提示を受ける書類）
第13条　令第13条第5項後段の主務省令で定める書類は，回答書とする。ただし，交付申請者の代理人として個人番号カードの交付を受ける者が法定代理人である場合には，住所地市町村長が必要と認める場合に限るものとする。
（交付申請者の代理人として個人番号カードの交付を受けることを証明する書類）
第14条　令第13条第5項第1号の主務省令で定める書類は，次に掲げるいずれかの書類とする。
1　交付申請者の代理人として個人番号カードの交付を受ける者が法定代理人である場合には，戸籍謄本その他その資格を証明する書類
2　交付申請者の代理人として個人番号カードの交付を受ける者が法定代理人以外の者である場合には，交付申請者の指定の事実を確認するに足る資料
（写真の表示等により交付申請者の代理人を確認できる書類）
第15条　令第13条第5項第2号の主務省令で定める書類は，第4条第1号から第3号までに掲げるいずれかの書類とする。ただし，個人番号カードの交付を受けている者が代理人として個人番号カードの交付を受ける場合においては，同条中第1号から第3号までの規定の適用については，これらの規定中「いずれかの書類」とあるのは，「いずれかの書類，個人番号カード」とする。

（代理人から提示を受ける交付申請者の個人識別事項の記載等がされた書類）
第16条①　令第13条第5項第3号の主務省令で定める書類は，次に掲げる書類のうち二以上の書類とする。ただし，当該書類には，第1号に掲げる一以上の書類を含むものとする。
1　第1条第1号に掲げるいずれかの書類又は一時庇護許可書若しくは仮滞在許可書のうち住所地市町村長が適当と認めるもの
2　前号に掲げるもののほか，官公署から発行され，又は発給された書類その他これに類する書類であって住所地市町村長が適当と認めるもの（交付申請者の個人識別事項が記載され，及び交付申請者の写真が表示されたものに限る。）
②　住所地市町村長は，前項に掲げる書類の提示を受けることが困難であると認められる場合には，次に掲げる書類の提示を受けるものとする。
1　前項第1号に掲げる書類
2　第2条第3項第1号に掲げる書類その他の住所地市町村長が適当と認める書類（交付申請者の個人識別事項の記載があるものに限る。）
③　住所地市町村長は，前二項に掲げる書類の提示を受けることが困難であると認められる場合には，次に掲げる書類の提示を受けるものとする。
1　第1項第2号に掲げる書類
2　第2条第3項第1号に掲げる書類その他の住所地市町村長が適当と認める二以上の書類（交付申請者の個人識別事項の記載があるものに限る。）
（訳文の添付）
第17条①　個人番号利用事務等実施者は，法，令又はこの命令の規定により個人番号の提供を行う者から提示又は提出を受けることとされている書類が外国語により作成されている場合には，翻訳者を明らかにし

資料　行政手続における特定の個人を識別するための番号の利用等に関する法律施行規則

た訳文の添付を求めることができる。
② 前項の規定は，市町村長が交付申請者から提示を受けることとされている書類について準用する。

(特定個人情報を提供することができる住民基本台帳法の規定)
第18条　令第19条の主務省令で定める住民基本台帳法の規定は，同法第12条の4第3項若しくは第4項（同法第30条の51の規定により読み替えて適用する場合を含む。），第12条の5，第13条，第14条第2項，第15条の4第5項において準用する第12条第5項（同法第30条の51の規定により読み替えて適用する場合を含む。），第22条第2項，第24条の2第4項，第30条の8，第30条の10第1項第3号，第30条の11第1項第3号，第30条の12第1項第3号，第30条の13，第30条の14，第30条の15第2項，第30条の20第1項，第30条の35又は第34条第1項若しくは第2項の規定とする。

(特定個人情報を提供することができる地方税法の規定)
第19条　令第21条の主務省令で定める地方税法（昭和25年法律第226号）の規定は，同法第8条第1項若しくは第2項（同法第8条の2第3項（同法第8条の3第2項において準用する場合を含む。）において準用する場合を含む。），第8条の2第1項若しくは第2項，第8条の3第1項若しくは第3項，第19条の6，第20条の3第1項，第20条の4第1項，第41条第3項，第46条第1項から第3項まで，第48条第3項若しくは第5項，同条第8項において準用する同条第2項，第3項，第5項若しくは第7項，第53条第62項若しくは第63項，第55条の3，第58条第4項若しくは第6項，第63条，第72条の25第2項（同条第6項（同法第72条の28第2項又は第72条の29第2項において準用する場合を含む。），同法第72条の28第2項又は第72条の29第2項において準用する場合を含む。），第4項（同法第72条の25第7項（同法第72条の28第2項又は第72条の29第2項において準用する場合を含む。），第72条の28第2項又は第72条の29第2項において準用する場合を含む。）若しくは第5項（同法第72条の28第2項又は第72条の29第2項において準用する場合を含む。），第72条の39の3，第72条の40，第72条の48の2第2項，第4項，第6項，第8項若しくは第12項，第72条の49の2，第72条の50第3項，第72条の54第3項，第72条の57の3，第72条の94，第73条の18第4項，第73条の21第3項若しくは第4項，第73条の22，第73条の23，第74条の19，第144条の8第4項，第144条の9第2項若しくは第9項，第144条の34第4項，第144条の35第4項，第321条の7の14，第321条の14第4項若しくは第6項，第321条の15第1項若しくは第3項，第349条の4第6項若しくは第7項，第354条の2（同法第745条第1項において読み替えて準用する場合を含む。），第389条第1項若しくは第4項（同法第417条第3項において準用する場合を含む。），第399条（同法第417条第4項において準用する場合を含む。），第401条第4号若しくは第5号，第417条第2項，第419条第1項，第421条，第479条，第605条，第701条の55，第742条，第743条第1項若しくは第2項又は第744条の規定とする。

(地方税法等の規定により提供される特定個人情報の安全を確保するために必要な措置)
第20条　令第22条第3号の主務省令で定める措置は，次に掲げる措置とする。
1　令第22条第1号に規定する記録に係る特定の個人を識別すること。
2　特定個人情報の提供を受ける者に対し，特定個人情報を提供する者の名称，特定

個人情報の提供の日時及び提供を受ける特定個人情報の項目を記録し，当該記録に係る特定の個人を識別するとともに，当該記録を令第29条に規定する期間保存するよう求めること。
3 国税庁長官又は都道府県知事若しくは市町村長の使用に係る電子計算機を相互に電気通信回線で接続した電子情報処理組織を使用して特定個人情報を提供する場合には，情報通信の技術の利用における安全性及び信頼性を確保するために必要な基準として内閣総理大臣が定める基準に従って行うこと。
4 前三号に掲げるもののほか，特定個人情報の安全を確保するために必要な措置として内閣総理大臣が定める措置

（社債，株式等の振替に関する法律の規定により提供される特定個人情報の安全を確保するために必要な措置）
第21条 令第24条第3号の主務省令で定める措置は，次に掲げる措置とする。
1 令第24条第1号に規定する記録に係る特定の個人を識別すること。
2 特定個人情報の提供を受ける者に対し，その使用に係る電子計算機に特定個人情報を提供する者の名称，特定個人情報の提供の日時及び提供を受ける特定個人情報の項目を記録し，当該記録に係る特定の個人を識別するとともに，当該記録を令第29条に規定する期間保存するよう求めること。
3 情報通信の技術の利用における安全性及び信頼性を確保するために必要な基準として内閣総理大臣が定める基準に従って特定個人情報を提供すること。

（中期計画の認可の申請）
第21条の2 ① 機構は，法第38条の9第1項の規定により中期計画の認可を受けようとするときは，当該中期計画の最初の事業年度開始の日の30日前までに，当該中期計画を記載した申請書を主務大臣に提出しなければならない。
② 機構は，法第38条の9第1項後段の規定により中期計画の変更の認可を受けようとするときは，変更しようとする事項及びその理由を記載した申請書を主務大臣に提出しなければならない。

（中期計画の記載事項）
第21条の3 機構に係る法第38条の9第2項第3号に規定する主務省令で定める個人番号カード関係事務に係る業務運営に関する事項は，次に掲げるものとする。
1 人事に関する計画
2 その他中期目標を達成するために必要な事項

（年度計画の記載事項等）
第21条の4 ① 機構に係る法第38条の10に規定する年度計画には，中期計画に定めた事項に関し，当該事業年度において実施すべき事項を記載しなければならない。
② 機構は，法第38条の10後段の規定により年度計画の変更をしたときは，変更した事項及びその理由を記載した届出書を主務大臣に提出しなければならない。

（業務実績等報告書）
第21条の5 ① 機構に係る法第38条の11第2項の報告書には，当該報告書が次の表の上欄に掲げる報告書のいずれに該当するかに応じ，同表の下欄に掲げる事項を記載しなければならない。その際，機構は，当該報告書が同条第1項の評価の根拠となる情報を提供するために作成されるものであることに留意しつつ，機構の事務及び事業の性質，内容等に応じて区分して同欄に掲げる事項を記載するものとする。

資料 行政手続における特定の個人を識別するための番号の利用等に関する法律施行規則

［上欄］	［下欄］
1 事業年度における業務の実績及び当該実績について自ら評価を行った結果を明らかにした報告書	1 当該事業年度における業務の実績。なお，当該業務の実績は，当該業務が法第38条の8第2項第2号に掲げる事項に係るものである場合には次のイからニまで，同項第3号及び第4号に掲げる事項に係るものである場合には次のイからハまでに掲げる事項を明らかにしたものでなければならない。 　イ　中期計画及び年度計画の実施状況 　ロ　当該事業年度における業務運営の状況 　ハ　当該業務に係る指標がある場合には，当該指標及び当該事業年度の属する中期目標の期間における当該事業年度以前の毎年度の当該指標の数値 　ニ　当該事業年度の属する中期目標の期間における当該事業年度以前の毎年度の当該業務に係る人員に関する情報 2 当該業務が法第38条の8第2項第2号から第4号までに掲げる事項に係るものである場合には，前号に掲げる業務の実績について機構が評価を行った結果。なお，当該評価を行った結果は，次のイからハまでに掲げる事項を明らかにしたものでなければならない。 　イ　中期目標に定めた項目ごとの評定及び当該評定を付した理由 　ロ　業務運営上の課題が検出された場合には，当該課題及び当該課題に対する改善方策 　ハ　過去の報告書に記載された改善方策のうちその実施が完了した旨の記載がないものがある場合には，その実施状況
2 中期目標の期間の終了時に見込まれる中期目標の期間における業務の実績及び当該実績について自ら評価を行った結果を明らかにする報告書	1 中期目標の期間の終了時に見込まれる中期目標の期間における業務の実績。なお，当該業務の実績は，当該業務が法第38条の8第2項第2号に掲げる事項に係るものである場合には次のイからニまで，同項第3号及び第4号に掲げる事項に係るものである場合には次のイからハまでに掲げる事項を明らかにしたものでなければならない。 　イ　中期目標及び中期計画の実施状況 　ロ　当該期間における業務運営の状況 　ハ　当該業務に係る指標がある場合には，当該指標及び当該期間における毎年度の当該指標の数値 　ニ　当該期間における毎年度の当該業務に係る人員に関する情報 2 当該業務が法第38条の8第2項第2号から第4号までに掲げる事項に係るものである場合には，前号に掲げる業務の実績について機構が評価を行った結果。なお，当該評価を行った結果は，次のイからハまでに掲げる事項を明らかにしたものでなければならない。 　イ　中期目標に定めた項目ごとの評定及び当該評定を付した理由 　ロ　業務運営上の課題が検出された場合には，当該課題及び当該課題に対する改善方策 　ハ　過去の報告書に記載された改善方策のうちその実施が完了した旨の記載がないものがある場合には，その実施状況
3 中期目標の期間における業務の実績及び当該実績について自ら評価を行った結果を明らかにする報告書	1 中期目標の期間における業務の実績。なお，当該業務の実績は，当該業務が法第38条の8第2項第2号に掲げる事項に係るものである場合には次のイからニまで，同項第3号及び第4号に掲げる事項に係るものである場合には次のイからハまでに掲げる事項を明らかにしたものでなければならない。 　イ　中期目標及び中期計画の実施状況 　ロ　当該期間における業務運営の状況 　ハ　当該業務に係る指標がある場合には，当該指標及び当該期間における毎年度の当該指標の数値 　ニ　当該期間における毎年度の当該業務に係る人員に関する情報 2 当該業務が法第38条の8第2項第2号から第4号までに掲げる事項に係るも

	のである場合には，前号に掲げる業務の実績について機構が評価を行った結果。なお，当該評価を行った結果は，次のイからハまでに掲げる事項を明らかにしたものでなければならない。 イ 中期目標に定めた項目ごとの評定及び当該評定を付した理由 ロ 業務運営上の課題が検出された場合には，当該課題及び当該課題に対する改善方策 ハ 過去の報告書に記載された改善方策のうちその実施が完了した旨の記載がないものがある場合には，その実施状況

② 機構は，前項に規定する報告書を主務大臣に提出したときは，速やかに，当該報告書をインターネットの利用その他の適切な方法により公表するものとする。

(指定都市の区及び総合区に対するこの命令の適用)
第22条 地方自治法（昭和22年法律第67号）第252条の19第1項に規定する指定都市についてこの命令の規定を適用する場合には，次の表の上欄に掲げる規定中同表の中欄に掲げる字句は，同表の下欄に掲げる字句とする。

[上欄]	[中欄]	[下欄]
第4条第1号	法第17条第1項の規定により個人番号カードを交付する市町村長（以下この条において単に「市町村長」という。）	令第43条第2項の規定により読み替えて適用する法第17条第1項の規定により個人番号カードを交付する市長（以下この条において単に「市長」という。）
	のうち市町村長	のうち市長
第4条第1号ハ，第2号，第3号イ及びロ，第4号並びに第5号ロ	市町村長	市長
第5条	市町村の長（以下「住所地市町村長」	市の市長（以下「住所地市長」
	同条第4項ただし書の規定により個人番号カードを交付する住所地市町村長	令第44条第2項の規定により読み替えて適用する令第13条第4項ただし書の規定に基づき個人番号カードを交付する住所地市長
第12条第1項	市町村長が行う	区長（総合区長を含む。以下同じ。）が行う
	市町村長（特別区の区長を含む。以下同じ。）	区長
	市町村長」	区長」
	第2条第3項中	第2条第1項第4号中「備える市町村（特別区を含む。以下同じ。）の長」とあるのは「作成した区長（総合区長を含む。）」と，同条第3項中

473

[資料] 行政手続における特定の個人を識別するための番号の利用等に関する法律施行規則

	市町村長が適当	区長が適当
第12条第2項	市町村長が」	区長が」
	市町村長	区長
	第10条第1号	同条第5項第4号中「備える市町村の長」とあるのは「作成した区長（総合区長を含む。）」と，第10条第1号
第12条第3項及び附則第2条第3項	市町村長	区長
第13条並びに第16条第1項第1号及び第2号	住所地市町村長	住所地市長
第16条第2項	住所地市町村長は	交付申請者が記録されている住民基本台帳を作成した区長（以下「住所地区長」という。）は
	住所地市町村長が	住所地市長が
第16条第3項	住所地市町村長は	住所地区長は
	住所地市町村長が	住所地市長が
第17条第2項	市町村長	住所地区長
附則第2条第2項	法第17条第1項の規定により個人番号カードを交付する市町村長	令第43条第2項の規定により読み替えて適用する法第17条第1項の規定により個人番号カードを交付する市長及び政令で定める措置をとるものとされた住所地区長

附　則

（施行期日）

第1条　この命令は，法の施行の日［平成27.10.5］から施行する。ただし，第1条から第11条まで，第13条から第18条（住民基本台帳法第30条の13，第30条の14及び第30条の15第2項に係る部分に限る。）まで及び第22条（同条の表第12条第1項の項から第12条第3項及び附則第2条第3項の項までに係る部分を除く。）並びに次条第1項及び第2項の規定は，法附則第1条第4号に掲げる規定の施行の日［平成28.1.1］から施行する。

（住民基本台帳法の一部改正に伴う法第16条の主務省令で定める書類等に関する経過措置）

第2条①　行政手続における特定の個人を識別するための番号の利用等に関する法律の施行に伴う関係法律の整備等に関する法律（平成25年法律第28号）第20条第1項の規定によりなお従前の例によることとされた住民基本台帳カード（当該住民基本台帳カードの交付を受けている者の写真が表示されたものに限る。次項及び第3項において「住民基本台帳カード」という。）の交付を受けている者から個人番号の提供を受ける個人番号利用事務等実施者についての第1条及び第7条第1項の規定の適用については，第1条第1号中「運転免許証」とあるのは「行政手続における特定の個人を識別するための番号の利用等に関する法律の施行に伴う関係法律の整備等に関する法律（平成25年法律第28号）第20条第1項の規定によりなお従前の例によることとされた住民基本台帳カード，運転免許証」と，第7条第1項第1号中「第1条」とあるのは「附則第2条第1項の規定により読み替えて適用する第1条」とする。

②　住民基本台帳カードの交付を受けている者に対して法第17条第1項の規定により個人番号カードを交付する市町村長についての第4条、第15条及び第16条第1項の規定の適用については、第4条第1号中「第1条」とあるのは「行政手続における特定の個人を識別するための番号の利用等に関する法律の施行に伴う関係法律の整備等に関する法律（平成25年法律第28号）第20条第1項の規定によりなお従前の例によることとされた住民基本台帳カード（以下「住民基本台帳カード」という。）、第1条」と、同条第2号及び第3号イ中「第1条」とあるのは「住民基本台帳カード、第1条」と、第15条中「第4条」とあるのは「附則第2条第2項の規定により読み替えて適用する第4条」と、第16条第1項第1号中「第1条」とあるのは「住民基本台帳カード、第1条」とする。

③　住民基本台帳カードの交付を受けている者から個人番号指定請求書の提出を受ける市町村長についての第12条第1項及び第2項の規定の適用については、同条第1項中「特別永住者証明書」とあるのは「運転免許証」とあるのは「行政手続における特定の個人を識別するための番号の利用等に関する法律の施行に伴う関係法律の整備等に関する法律（平成25年法律第28号）第20条第1項の規定によりなお従前の例によることとされた住民基本台帳カード、運転免許証」と、「特別永住者証明書」」と、同条第2項中「第7条第1項第1号中」とあるのは「第7条第1項第1号中「又は」とあるのは「、行政手続における特定の個人を識別するための番号の利用等に関する法律の施行に伴う関係法律の整備等に関する法律（平成25年法律第28号）第20条第1項の規定によりなお従前の例によることとされた住民基本台帳カード又は」と、」とする。

（地方消費税の譲渡割に関する特定個人情報の提供に係る特例）

第3条　地方税法附則第9条の4の規定の適用がある場合には、第19条の規定の適用については、同条中「又は第744条」とあるのは、「、第744条又は附則第9条の13第1項若しくは第2項」とする。

（地方税法の一部改正に伴う経過措置）

第4条　地方税法の一部を改正する法律（平成25年法律第3号）附則第1条第3号に掲げる規定の施行の日前における第19条の規定の適用については、同条中「第53条第40項若しくは第41項」とあるのは「第53条第46項若しくは第47項」と、「、第72条の25第2項」とあるのは「、第65条の2第1項から第3項まで、第72条の25第2項」とする。

資料　行政手続における特定の個人を識別するための番号の利用等に関する法律に規定する個人番号，個人番号カード，特定個人情報の提供等に関する命令

行政手続における特定の個人を識別するための番号の利用等に関する法律に規定する個人番号，個人番号カード，特定個人情報の提供等に関する命令 （平成26年総務省令第85号）

施行　（附則参照）
最終改正　令和4年デジタル庁・総務省令第2号

第1章　総則

第1条　この省令において使用する用語は，行政手続における特定の個人を識別するための番号の利用等に関する法律（以下「法」という。）及び行政手続における特定の個人を識別するための番号の利用等に関する法律施行令（以下「令」という。）において使用する用語の例による。

第2章　個人番号
第1節　個人番号とすべき番号の生成等

（個人番号指定請求書の記載事項）

第2条　令第3条第1項の総務省令で定める事項は，個人番号（法第2条第5項に規定する個人番号をいう。第47条第2項を除き，以下同じ。）の指定の請求をしようとする者の氏名及び住所とする。

（代理人を通じた個人番号指定請求書の提出等）

第3条①　住所地市町村長は，令第3条第6項の規定により個人番号の指定の請求をしようとする者の代理人を通じて個人番号指定請求書の提出を受けたときは，当該代理人に対し，同条第1項の理由を疎明するに足りる資料の提出を求めることができる。

②　前項の規定による個人番号指定請求書の提出を受けた住所地市町村長は，令第3条第1項の理由があると認める場合であって，従前の個人番号に代えて個人番号を指定しようとする者が個人番号カードの交付を受けている者であるときは，その者の代理人に対し，当該個人番号カードの返納を求めるものとする。

③　令第15条第2項の規定は，個人番号カードの交付を受けている者が前項の規定により個人番号カードの返納を求められたときについて準用する。

④　前項の規定により準用する令第15条第2項の規定による個人番号カードの返納は，代理人を通じてすることができる。

（機構への個人番号とすべき番号の生成の求めの方法）

第4条　令第7条の規定による住民票コードの通知及び個人番号とすべき番号の生成の求めは，電子計算機の操作によるものとし，電気通信回線を通じた送信の方法に関する技術的基準については，総務大臣が定める。

（検査用数字を算出する算式）

第5条　令第8条の総務省令で定める算式は，次に掲げる算式とする。

算式

$$11 - (\sum_{n=1}^{11} P_n \times Q_n \text{を11で除した余り})$$

ただし，

$$\sum_{n=1}^{11} P_n \times Q_n$$

を11で除した余り≦1の場合は，0とする。

算式の符号

P_n　個人番号を構成する検査用数字以外の11桁の番号の最下位の桁を1桁目としたときのn桁目の数字

Q_n　$1≦n≦6$ のとき　$n+1$　$7≦n≦11$ のとき　$n-5$

(市町村長への個人番号とすべき番号の通知の方法)
第6条　令第9条の規定による個人番号とすべき番号の通知は，電子計算機の操作によるものとし，電気通信回線を通じた送信の方法に関する技術的基準については，総務大臣が定める。

第2節　個人番号通知書

(個人番号の通知)
第7条　法第7条第1項若しくは第2項又は法附則第3条第2項若しくは第3項の規定による個人番号の通知は，郵便又は民間事業者による信書の送達に関する法律(平成14年法律第99号)第2条第6項に規定する一般信書便事業者若しくは同条第9項に規定する特定信書便事業者による同条第2項に規定する信書便により，当該個人番号及び次に掲げる事項が記載された書面(以下「個人番号通知書」という。)を送付する方法により行うものとする。
1　氏名
2　出生の年月日
3　個人番号通知書の発行の日

(住民票に基づく個人番号通知書の記載)
第8条　市町村長(特別区の区長を含む。以下同じ。)は，前条の規定により個人番号通知書に氏名，出生の年月日及び個人番号を記載する場合には，本人に係る住民票に記載されている事項を記載するものとする。

(個人番号通知書の技術的基準)
第9条　個人番号通知書に関する技術的基準については，総務大臣が定める。

第10条から第16条まで　削除

第3章　個人番号カード

(個人番号カードの記録事項)
第17条　法第2条第7項の主務省令で定める事項は，住民票コードとする。

(住民票に基づく個人番号カードの記載等)
第18条　第8条の規定は，住所地市町村長が個人番号カードに法第2条第7項の規定により記載されることとされている事項を記載し，又は同項に規定するカード記録事項を電磁的方法により記録する場合について準用する。

(個人番号カードの記録事項の閲覧又は改変を防止するための措置)
第19条　法第2条第7項の主務省令で定める措置は，個人番号カードに組み込まれた半導体集積回路(半導体集積回路の回路配置に関する法律(昭和60年法律第43号)第2条第1項に規定する半導体集積回路をいう。)に物理的又は電気的な攻撃を加えて，カード記録事項を取得しようとする行為に対し，カード記録事項の読取り又は解析を防止する仕組みの保持その他の内閣総理大臣及び総務大臣(以下「主務大臣」という。)が定める措置とする。

(交付申請書の記載事項)
第20条　令第13条第1項の総務省令で定める事項は，交付申請者の氏名，住所及び個人番号(交付申請者が個人番号通知書とともに発送される交付申請書の用紙を用いる場合には，交付申請者の氏名，住所，生年月日及び性別)とする。

(交付申請書に添付する写真)
第21条　令第13条第1項の規定により交付申請書に添付する写真は，申請前6月以内に撮影した無帽，正面，無背景のものとする。

(住所地市町村長以外の市町村長を経由して交付申請書を提出することができる場合)
第22条　令第13条第2項の総務省令で定める事情は，次の各号のいずれかに該当する事情とする。
1　法人(法人でない団体で代表者又は管理人の定めのあるものを含む。以下この号において同じ。)が当該法人の事務所，

資料 行政手続における特定の個人を識別するための番号の利用等に関する法律に規定する個人番号，個人番号カード，特定個人情報の提供等に関する命令

事業所その他これらに準ずるものにおいて二以上の交付申請者に係る交付申請書を取りまとめることができること。

2 　交付申請者が東日本大震災（平成23年3月11日に発生した東北地方太平洋沖地震及びこれに伴う原子力発電所の事故による災害をいう。）の影響により当該交付申請者が記録されている住民基本台帳を備える市町村（特別区を含む。以下同じ。）の区域外に避難することを余儀なくされていること。

3 　交付申請者が配偶者からの暴力の防止及び被害者の保護等に関する法律（平成13年法律第31号）第1条第2項に規定する被害者であり，かつ，更なる暴力によりその生命又は身体に危害を受けるおそれがあり，かつ，当該交付申請者が記録されている住民基本台帳を備える市町村の区域外に居住していること。

4 　交付申請者がストーカー行為等の規制等に関する法律（平成12年法律第81号）第6条に規定するストーカー行為等に係る被害を受け，かつ，更に反復して同法第2条第1項に規定するつきまとい等又は同条第3項に規定する位置情報無承諾取得等をされるおそれがあり，かつ，当該交付申請者が記録されている住民基本台帳を備える市町村の区域外に居住していること。

5 　交付申請者が児童虐待の防止等に関する法律（平成12年法律第82号）第2条に規定する児童虐待を受け，かつ，再び児童虐待を受けるおそれ又は監護，教育，懲戒その他児童（18歳に満たない者をいう。）の福祉のための必要な措置を受けることに支障をきたすおそれがあり，かつ，当該交付申請者が記録されている住民基本台帳を備える市町村の区域外に居住していること。

6 　第2号から前号までに掲げる事情に準ずると住所地市町村長が認める事情があること。

（交付申請書の保存）

第23条　地方公共団体情報システム機構（以下「機構」という。）は，法第16条の2第1項の規定により発行した個人番号カードに係る交付申請書を，その受理した日から15年間保存するものとする。

（個人番号通知書及び個人番号カードに関し機構が処理する事務）

第23条の2　法第16条の2第2項の総務省令で定める事務は，次に掲げるものとする。

1 　個人番号通知書，交付申請書の用紙及びこれらに関連する印刷物（この号及び第36条第2項第2号において「個人番号通知書等」という。）の作成及び発送（受取人の住所及び居所が明らかでないことその他の理由により返送された個人番号通知書等の再度の発送を除く。）

2 　個人番号通知書の作成及び発送等に関する状況の管理

3 　交付申請書及び第28条第1項に規定する再交付申請書の受付及び保存

4 　電話による個人番号カードを紛失した旨の届出（個人番号カードの利用の一時停止に係るものに限る。）の受付

5 　第35条第1項の規定により市町村長から委任された事務

（個人番号カードの発行）

第23条の3　機構は，令第13条第1項又は第2項の規定により提出を受けた交付申請書に不備がないことを認めたときは，第34条に規定する個人番号カードに関する技術的基準に適合するように個人番号カードを発行するものとする。

（個人番号カードの交付方法）

第23条の4　令第13条第4項ただし書の総務省令で定める方法は，次に掲げるいずれかの方法とする。

1 　本人限定受取郵便等（その取扱いにおいて名あて人本人若しくは差出人の指定した名あて人に代わって受け取ることが

できる者に限り交付する郵便又はこれらに準ずるものをいう。）により送付する方法
2　交付申請者に係る住民票に記載されている住所にあてて，書留郵便等（書留郵便若しくはその取扱いにおいて引受け及び配達の記録をする郵便又はこれらに準ずるものをいう。次号において同じ。）により，転送不要郵便物等（その取扱いにおいて転送をしない郵便物又はこれに準ずるものをいう。同号において同じ。）として送付する方法（当該交付申請者が当該方法により確実に交付を受けることができる旨を住所地市町村長に申し出た場合に限る。）
3　病院への入院その他のやむを得ない理由により前二号に掲げる方法により交付することが困難であると認められる場合には，交付申請者の所在地にあてて，書留郵便等により，転送不要郵便物等として送付する方法（当該交付申請者が当該方法により確実に交付を受けることができる旨を住所地市町村長に申し出た場合に限る。）

（個人番号カードの二重交付の禁止）
第24条　個人番号カードの交付を受けている者は，当該個人番号カードが有効な限り，重ねて個人番号カードの交付を受けることができない。

（個人番号カードの様式）
第25条　個人番号カードの様式は，別記様式のとおりとする。

（個人番号カードの有効期間）
第26条①　個人番号カードの有効期間は，次の各号に掲げる個人番号カードの交付を受ける者の区分に応じ，当該各号に定める期間とする。

1　個人番号カードの発行の日において18歳以上の者　当該発行の日から当該発行の日後のその者の10回目の誕生日まで
2　個人番号カードの発行の日において18歳未満の者　当該発行の日から当該発行の日後のその者の5回目の誕生日まで
②　個人番号カードの交付を受ける者の誕生日が2月29日である場合における前項の規定の適用については，その者のうるう年以外の年における誕生日は2月28日であるものとみなす。

（外国人住民に係る個人番号カードの有効期間の特例）
第27条①　住民基本台帳法（昭和42年法律第81号）第30条の45に規定する外国人住民（中長期在留者（出入国管理及び難民認定法（昭和26年政令第319号。以下「入管法」という。）第19条の3に規定する中長期在留者をいう。以下この項において同じ。）のうち入管法別表第1の2の表の上欄の高度専門職の在留資格（同表の高度専門職の項の下欄第2号に係るものに限る。）をもって在留する者（以下この項及び次項第1号において「高度専門職第2号」という。）及び入管法別表第2の上欄の永住者の在留資格をもって在留する者（以下この項及び次項第1号において「永住者」という。）並びに特別永住者（日本国との平和条約に基づき日本の国籍を離脱した者等の出入国管理に関する特例法（平成3年法律第71号）に規定する特別永住者をいう。次項第1号において同じ。）を除く。以下この条において同じ。）に対し交付される個人番号カードの有効期間は，前条の規定にかかわらず，次の表の上欄に掲げる者の区分に応じ，それぞれ同表の下欄に掲げる期間とする。

［上欄］	［下欄］
中長期在留者（高度専門職第2号及び永住者を除く。）	個人番号カードの発行の日から入管法第19条の3に規定する在留カード（出入国管理及び難民認定法及び日本国との平和条約に基づ

資料　行政手続における特定の個人を識別するための番号の利用等に関する法律に規定する個人番号，個人番号カード，特定個人情報の提供等に関する命令

	き日本の国籍を離脱した者等の出入国管理に関する特例法の一部を改正する等の法律（平成21年法律第79号）附則第7条第1項に規定する出入国在留管理庁長官が中長期在留者に対し，出入国港において在留カードを交付することができない場合にあっては，同項の規定により後日在留カードを交付する旨の記載がされた旅券）に記載されている在留期間の満了の日まで
住民基本台帳法第30条の45の表に規定する一時庇護許可者又は仮滞在許可者	個人番号カードの発行の日から入管法第18条の2第4項に規定する上陸期間又は入管法第61条の2の4第2項に規定する仮滞在許可書に記載されている仮滞在期間を経過する日まで
住民基本台帳法第30条の45の表に規定する出生による経過滞在者又は国籍喪失による経過滞在者	個人番号カードの発行の日から出生した日又は日本の国籍を失った日から60日を経過する日まで

② 個人番号カードの交付を受けた後に次の各号に掲げる場合に該当することとなった外国人住民は，前項の規定にかかわらず，住所地市町村長に対し，当該個人番号カードを提示して，当該個人番号カードの有効期間について，当該各号に定める期間とすることを求めることができる。

1 入管法第20条の規定による在留資格の変更，入管法第21条の規定による在留期間の更新又は入管法第22条の2の規定による在留資格の取得等により適法に本邦に在留できる期間が延長された場合　個人番号カードの発行の日から延長された適法に本邦に在留できる期間の満了の日（前条第1項の規定が当該個人番号カードに適用されていたと仮定した場合における当該個人番号カードの有効期間が満了する日（以下この号及び次号において「仮定有効期間満了日」という。）が，当該延長された適法に本邦に在留できる期間の満了の日より早い場合又はその者が高度専門職第2号，永住者若しくは特別永住者となった場合には，仮定有効期間満了日）まで

2 入管法第20条第6項（入管法第21条第4項において準用する場合を含む。以下この項において同じ。）の規定により在留期間の満了後も引き続き本邦に在留することができることとなった場合　個人番号カードの発行の日から入管法第20条第6項の規定により在留することができる期間の満了の日（仮定有効期間満了日が，当該入管法第20条第6項の規定により在留することができる期間の満了の日より早い場合には，仮定有効期間満了日）まで

③ 外国人住民に再交付される個人番号カードについて第1項の規定を適用する場合には，同項中「交付される個人番号カードの有効期間は，前条の規定にかかわらず」とあるのは「再交付される個人番号カードの有効期間は，次条第6項の規定により読み替えて適用する前条の規定にかかわらず」と，同項の表中「個人番号カード」とあるのは「再交付される個人番号カード」とし，個人番号カードの再交付を受けた外国人住民について前項の規定を適用する場合には，同項中「交付を受けた」とあるのは「再交付を受けた」と，「当該個人番号カード」とあるのは「当該再交付された個人番号カード」とする。

④ 第29条第2項の規定により外国人住民に交付される新たな個人番号カードについて第1項の規定を適用する場合には，同項中「交付される個人番号カードの有効期間は，前条の規定にかかわらず」とあるのは

「第29条第2項の規定により交付される新たな個人番号カード(以下この条において「新たな個人番号カード」という。)の有効期間は、同条第3項の規定により読み替えて適用する前条の規定にかかわらず」と、同項の表中「個人番号カード」とあるのは「新たな個人番号カード」とし、第29条第2項の規定により新たな個人番号カードの交付を受けた外国人住民について第2項の規定を適用する場合には、同項中「個人番号カードの交付を受けた」とあるのは「新たな個人番号カードの交付を受けた」と、「当該個人番号カード」とあるのは「当該新たな個人番号カード」とする。

(個人番号カードの再交付の申請等)

第28条 ① 個人番号カードの交付を受けている者は、個人番号カードを紛失し、焼失し、若しくは著しく損傷した場合又は個人番号カードの機能が損なわれた場合には、直接に又は住所地市町村長を経由して機構に対し、個人番号カードの再交付を受けようとする旨及びその事由並びに当該個人番号カードの交付を受けている者の氏名、住所及び個人番号を記載し、かつ、その者の写真を添付した再交付申請書を提出して、個人番号カードの再交付を求めることができる。

② 前項の規定により個人番号カードの再交付を受けようとする者は、現に交付を受けている個人番号カードを紛失し、又は焼失した場合を除き、当該個人番号カードを返納の上、再交付を求めなければならない。

③ 第1項の規定により個人番号カードの再交付を受けようとする者は、現に交付を受けている個人番号カードを紛失し、又は焼失した場合には、同項に規定する再交付申請書に、当該個人番号カードを紛失し、又は焼失した事実を疎明するに足りる資料を添付しなければならない。

④ 第1項に規定する場合に該当することとなった個人番号カードは、同項の規定により個人番号カードの再交付の求めがあったときに、その効力を失うものとする。

⑤ 個人番号カードの再交付を受けた者は、紛失した個人番号カードを発見した場合には、その旨並びにその者の氏名及び住所を記載した書面を添えて、発見した個人番号カードを、住所地市町村長に遅滞なく返納しなければならない。

⑥ 再交付される個人番号カードについて第26条の規定を適用する場合には、同条第1項中「個人番号カードの有効期間」とあるのは「再交付される個人番号カードの有効期間」と、「交付を受ける者」とあるのは「再交付を受ける者」と、「個人番号カードの発行の日」とあるのは「再交付される個人番号カードの発行の日」と、同条第2項中「交付を受ける者」とあるのは「再交付を受ける者」とする。

⑦ 第21条の規定は第1項に規定する再交付申請書に添付する写真について、第23条の規定は第1項に規定する再交付申請書の保存について、それぞれ準用する。

(個人番号カードの有効期間内の交付の申請等)

第29条 ① 個人番号カードの交付を受けている者は、当該個人番号カードの有効期間が満了する日までの期間が3月未満となった場合又は追記欄の余白がなくなった場合その他住所地市町村長が特に必要と認める場合には、第24条の規定にかかわらず、直接に又は住所地市町村長を経由して機構に対し、当該個人番号カードの有効期間内においても当該個人番号カードを提示して、新たな個人番号カードの交付を求めることができる。

② 住所地市町村長は、前項の求めがあった場合には、その者に対し、その者が現に有する個人番号カードと引換えに新たな個人番号カードを交付しなければならない。

③ 前項の規定により交付される新たな個人番号カードについて第26条の規定を適用する場合には、同条第1項中「個人番号カ

資料 行政手続における特定の個人を識別するための番号の利用等に関する法律に規定する個人番号，個人番号カード，特定個人情報の提供等に関する命令

ードの有効期間」とあるのは「第29条第2項の規定により交付される新たな個人番号カード（以下この条において「新たな個人番号カード」という。）の有効期間」と，「個人番号カードの交付を受ける者」とあるのは「新たな個人番号カードの交付を受ける者」と，同項第1号中「個人番号カード」とあるのは「新たな個人番号カード」と，「10回目」とあるのは「10回目（従前の個人番号カードの有効期間が満了する日までの期間が3月未満となった場合に該当して新たな個人番号カードの交付を受ける場合にあっては，11回目）」と，同項第2号中「個人番号カード」とあるのは「新たな個人番号カード」と，「5回目」とあるのは「5回目（従前の個人番号カードの有効期間が満了する日までの期間が3月未満となった場合に該当して新たな個人番号カードの交付を受ける場合にあっては，6回目）」と，同条第2項中「個人番号カード」とあるのは「新たな個人番号カード」とする。

（紛失した個人番号カードを発見した場合の届出）

第30条 法第17条第5項の規定による届出をした者は，紛失した個人番号カードを発見したとき（第28条第5項に規定する場合に該当して発見した個人番号カードを返納したときを除く。）は，遅滞なく，その旨を住所地市町村長に届け出なければならない。

（個人番号カードの返納届の記載事項）

第31条 令第15条第2項及び第3項の総務省令で定める事項は，個人番号カードの交付を受けている者の氏名及び住所とする。

（国外転出者に対する個人番号カードの還付）

第32条 ① 市町村長は，令第15条第3項の規定により個人番号カードの返納を受けた場合（令第14条第1号に該当して個人番号カードの返納を受けた場合に限る。）においては，これに国外への転出により返納を受けた旨を表示し，当該個人番号カードを返納した者に還付するものとする。

② 前項の規定により市町村長が個人番号カードを還付したときは，令第17条の規定により当該個人番号カードを廃棄したものとみなす。

（個人番号カードの効力の有無に関する情報の提供）

第32条の2 市町村長は，個人番号カードの効力の有無その他の運用に関する情報を，インターネットの利用その他の方法により提供することができる。

（個人番号カードの暗証番号）

第33条 ① 令第13条第4項本文又は第5項の規定により交付申請者又はその法定代理人が個人番号カードの交付を受けるときは，当該交付申請者又はその法定代理人は，当該個人番号カードに4桁の数字からなる暗証番号（以下この条において「暗証番号」という。）を設定しなければならない。

② 令第13条第4項ただし書の規定により交付申請者が個人番号カードの交付を受けるときは，当該交付申請者は，暗証番号を住所地市町村長（当該交付申請者が同条第2項の規定により交付申請書を提出する場合にあっては，住所地市町村長以外の市町村長を経由して住所地市町村長）に届け出なければならない。この場合において，住所地市町村長は，当該個人番号カードに当該暗証番号を設定するものとする。

③ 令第13条第5項の規定により交付申請者の指定した者（当該交付申請者の法定代理人を除く。以下この項において同じ。）が個人番号カードの交付を受けるときは，当該交付申請者の指定した者は，暗証番号を住所地市町村長に届け出なければならない。この場合において，住所地市町村長は，当該個人番号カードに当該暗証番号を設定するものとする。

④ 個人番号カードの交付を受けている者は，個人番号カードを利用するに当たり，住所

地市町村長その他の市町村の執行機関から暗証番号の入力を求められたとき又は住所地市町村長以外の市町村長その他の市町村の執行機関、都道府県知事その他の都道府県の執行機関若しくは住民基本台帳法別表第1の上欄に掲げる国の機関若しくは法人から同法に規定する事務若しくはその処理する事務であって同法の定めるところにより当該事務の処理に関し本人確認情報の提供を求めることができることとされているものの遂行のため必要がある場合において暗証番号の入力を求められたときは、入力装置に暗証番号を入力しなければならない。

(個人番号カードの技術的基準)

第34条　個人番号カードに関する技術的基準については、主務大臣が定める。

(個人番号通知書・個人番号カード関連事務の委任)

第35条①　市町村長は、機構に、個人番号通知書及び個人番号カードに係る事務のうち次に掲げる事務(以下「個人番号通知書・個人番号カード関連事務」という。)を行わせることができる。

1　個人番号カード交付通知書(個人番号カードを交付するため、住所地市町村長が交付申請者に対して当該市町村の事務所への出頭を求める旨を記載した通知書をいう。次条第1項第1号及び第2項第1号において同じ。)の作成

2　個人番号通知書及び個人番号カードに係る住民からの問合せへの対応

②　委任市町村長(前項の規定により機構に個人番号通知書・個人番号カード関連事務を行わせることとした市町村長をいう。以下同じ。)は、前項の規定により機構に個人番号通知書・個人番号カード関連事務を行わせることとした日を公示しなければならない。

(機構への通知)

第36条①　委任市町村長は、次に掲げる事項について、機構に通知するものとする。

1　個人番号カード交付通知書の発送先の住所等

2　前号に掲げる事項のほか、個人番号通知書・個人番号カード関連事務を実施するために必要な事項

②　市町村長は、次に掲げる事項について、機構に通知するものとする。

1　個人番号通知書、交付申請書の用紙、個人番号カード及び個人番号カード交付通知書に記載すべき事項

2　個人番号通知書等の発送先の住所等

3　第23条の2第2号に掲げる事務に係る事項として、個人番号通知書の返送を受けた場合には、その旨

4　個人番号カードの発送先の住所等

5　法第16条の2第2項に規定する事務に係る事項として、個人番号カードを交付した場合、個人番号カードを紛失した旨の届出(個人番号カードの利用の一時停止に係るものを除く。)を受けた場合、紛失した個人番号カードを発見した旨の届出を受けた場合、個人番号カードがその効力を失ったことを知った場合又は個人番号カードの返納を受けた場合には、その旨

6　前各号に掲げる事項のほか、法16条の2に規定する事務を実施するために必要な事項

③　前二項の規定による通知は、電子計算機の操作により、市町村長の使用に係る電子計算機から電気通信回線を通じて機構の使用に係る電子計算機に送信すること又は前二項各号に掲げる事項の全部若しくは一部を記録した磁気ディスクを機構に送付することによって行うものとし、電気通信回線を通じた送信又は磁気ディスクの送付の方法に関する技術的基準については、総務大臣が定める。

(交付金)

第37条①　委任市町村長の統括する市町村は、機構に対して、当該委任市町村長が行

わせることとした個人番号通知書・個人番号カード関連事務に要する費用に相当する金額を交付金として交付するものとする。

② 前項の交付金の額については，機構が定款で定めるところにより定める。

(個人番号通知書・個人番号カード関連事務の委任の解除)

第38条① 委任市町村長は，機構に個人番号通知書・個人番号カード関連事務を行わせないこととするときは，その3月前までに，その旨を機構に通知しなければならない。

② 委任市町村長は，機構に個人番号通知書・個人番号カード関連事務を行わせないこととしたときは，その日を公示しなければならない。

第39条 削除

第4章 特定個人情報の提供
第1節 特定個人情報の提供の制限等

(情報照会者又は条例事務関係情報照会者による特定個人情報の提供の求めの方法等)

第40条① 令第20条第1項の規定による特定個人情報の提供の求めは，電子計算機の操作によるものとし，情報提供ネットワークシステムを使用した送信の方法に関する技術的基準については，内閣総理大臣が定める。

② 令第20条第1項のデジタル庁令で定める事項は，次に掲げる事項とする。
1 法第19条第8号の規定による提供の求めをした情報照会者の名称
2 法第19条第8号の規定による提供の求めに係る事務をつかさどる組織の名称
3 第1号の情報照会者の処理する事務
4 法第19条第8号の規定による提供の求めの事実が法第23条第2項各号のいずれかに該当する場合はその旨
5 前各号に掲げるもののほか，内閣総理大臣が定める事項

③ 前二項の規定は，法第19条第9号の規定による条例事務関係情報照会者による特定個人情報の提供の求めについて準用する。この場合において，第1項中「第20条第1項」とあるのは「第20条第2項において準用する令第20条第1項」と，前項中「第20条第1項」とあるのは「第20条第2項において準用する令第20条第1項」と，同項第4号中「第23条第2項各号」とあるのは「第26条において準用する法第23条第2項各号」と読み替えるものとする。

第2節 情報提供ネットワークシステムによる特定個人情報の提供

(特定個人情報の提供の求めがあった場合の内閣総理大臣の措置に係る通知の方法等)

第41条① 令第26条第1項のデジタル庁令で定める事項は，次に掲げる事項とする。
1 法第19条第8号の規定による提供の求めがあった特定個人情報を保有する情報提供者の名称
2 法第19条第8号の規定による提供の求めの日時
3 前条第2項第2号から第4号までに掲げる事項
4 法第21条第2項の規定による提供の求めがあった旨の通知の有効期間
5 前各号に掲げるもののほか，内閣総理大臣が定める事項

② 令第26条第5項の規定による通知は，電子計算機の操作によるものとし，情報提供ネットワークシステムを使用した送信の方法に関する技術的基準については，内閣総理大臣が定める。

③ 情報提供者が法第21条第2項の規定による提供の求めがあった旨の通知を受けた場合において，当該通知の有効期間内に当該情報提供者による法第22条第1項の規定による特定個人情報の提供が行われることなく当該期間を経過したときは，当該期

間を経過した日に法第21条第2項の規定による提供の求めがあった旨の通知は、その効力を失う。

（取得番号）

第41条の2　法第21条の2第2項のデジタル庁令で定めるものは、内閣総理大臣が定めるところにより生成された取得番号とすべき番号のうち、情報照会者等が情報提供用個人識別符号により識別しようとする特定の個人ごとに異なるものとなるように割り当てた番号とする。

（情報照会者等による通知事項の通知の方法）

第42条　令第27条第2項第1号及び第2号の規定による通知は、電子計算機の操作によるものとし、電気通信回線を通じた送信又は電磁的記録媒体の送付の方法に関する技術的基準については、主務大臣が定める。

（機構による住民票コードの通知の方法）

第43条　令第27条第4項の規定による通知は、電子計算機の操作によるものとし、電気通信回線を通じた送信の方法に関する技術的基準については、主務大臣が定める。

（住民票コードの通知を受けた場合の内閣総理大臣の措置）

第44条①　内閣総理大臣は、令第27条第3項の規定により住民票コードの通知を受けた場合において、同条第1項の規定による通知をした情報照会者等が同項の特定の個人に係る情報提供用個人識別符号を取得していないときは、情報提供ネットワークシステムを使用して、当該特定の個人に係る情報提供用個人識別符号を生成し、速やかに、当該情報照会者等に対し、通知するものとする。

②　内閣総理大臣は、令第27条第3項の規定により住民票コードの通知を受けた場合において、同条第1項の規定による通知をした情報照会者等が同項の特定の個人に係る情報提供用個人識別符号を取得しているときは、情報提供ネットワークシステムを使用して、速やかに、当該情報照会者等に対し、既に当該情報提供用個人識別符号を取得している旨を通知するものとする。

（内閣総理大臣による情報提供用個人識別符号の通知の方法）

第45条　令第27条第6項の規定による通知は、電子計算機の操作によるものとし、情報提供ネットワークシステムを使用した送信の方法に関する技術的基準については、内閣総理大臣が定める。

（法第9条第3項の法務大臣である情報提供者による令第27条の2第2項の規定による通知の方法）

第45条の2　令第27条の2第2項の規定による通知は、電子計算機の操作によるものとし、電気通信回線を通じた送信の方法に関する技術的基準については、内閣総理大臣が定める。

（法第21条の2第2項の市町村長による令第27条の2第4項の規定による通知の方法）

第45条の3　令第27条の2第4項の規定による通知は、電子計算機の操作によるものとし、電気通信回線を通じた送信の方法に関する技術的基準については、主務大臣が定める。

（機構が令第27条の2第3項本文の規定による通知を受けたときの機構による住民票コードの通知の方法等）

第45条の4　第43条から第45条までの規定は、機構が令第27条の2第3項本文の規定による通知を受けたときについて準用する。この場合において、第43条中「第27条第4項」とあるのは「第27条の2第5項において準用する令第27条第4項」と、第44条中「第27条第3項」とあるのは「第27条の2第5項において準用する令第27条第3項」と、「同条第1項」とあるのは「令第27条の2第1項」と、「情報照会者等」とあるのは「情報提供者」と、第45条中「第27条第6項」とあるのは

資料　行政手続における特定の個人を識別するための番号の利用等に関する法律に規定する個人番号，個人番号カード，特定個人情報の提供等に関する命令

「第27条の2第5項において準用する第27条第6項」と読み替えるものとする。

（市町村長による令第27条の3第3項の規定による通知の方法）

第45条の5　令第27条の3第3項の規定による通知は，電子計算機の操作によるものとし，電気通信回線を通じた送信の方法に関する技術的基準については，内閣総理大臣が定める。

（情報提供者による特定個人情報の提供の方法等）

第46条① 　令第28条の規定による特定個人情報の提供は，電子計算機の操作によるものとし，情報提供ネットワークシステムを使用した送信の方法に関する技術的基準については，内閣総理大臣が定める。

② 　法第21条第2項の規定による提供の求めがあった旨の通知を受けた情報提供者は，当該通知の有効期間内に，速やかに，情報照会者に対し，法第22条第1項の規定による特定個人情報の提供をするものとする。

③ 　令第28条のデジタル庁令で定める事項は，次に掲げる事項とする。

1　法第22条第1項の規定による提供の事実が法第23条第2項各号のいずれかに該当する場合はその旨

2　前号に掲げるもののほか，内閣総理大臣が定める事項

（情報提供等の記録等）

第47条① 　法第23条第1項第4号のデジタル庁令で定める事項は，次に掲げる事項とする。

1　第40条第2項第2号及び第3号に掲げる事項

2　法第19条第8号の規定による提供の求めが法第21条第2項各号に掲げる場合に該当する場合はその旨

3　前各号に掲げるもののほか，内閣総理大臣が定める事項

② 　情報照会者及び情報提供者は，法第23条第1項及び第2項に規定する記録について，法第2条第8項に規定する個人番号を用いて，当該記録に係る特定の個人を識別するものとする。

③ 　内閣総理大臣は，法第23条第3項に規定する記録について，当該記録を管理するために個人番号に代わって用いられる特定の個人を識別する符号を用いて，当該記録に係る特定の個人を識別するものとする。

（法第19条第9号の規定による特定個人情報の提供）

第48条　第41条から前条までの規定は，法第19条第9号の規定による条例事務関係情報照会者による特定個人情報の提供の求め及び条例事務関係情報提供者による特定個人情報の提供について準用する。この場合において，次の表の上欄に掲げる規定中同表の中欄に掲げる字句は，それぞれ同表の下欄に掲げる字句に読み替えるものとする。

[上欄]	[中欄]	[下欄]
第41条第1項	第26条第1項	第29条の2において準用する令第26条第1項
第41条第1項第4号	第21条第2項	第26条において準用する法第21条第2項
第41条第2項	第26条第5項	第29条の2において準用する令第26条第5項
第41条第3項	第21条第2項	第26条において準用する法第21条第2項
	第22条第1項	第26条において準用する法第22条第1項
第41条の2	第21条の2第2項	第26条において準用する法第21条の2第2項
第42条	第27条第2項第1号及び第2号	第29条の2において準用する令第27条第2項第1号及び第2号

第43条	第27条第4項	第29条の2において準用する令第27条第4項
第44条第1項及び第2項	第27条第3項	第29条の2において準用する令第27条第3項
第45条	第27条第6項	第29条の2において準用する令第27条第6項
第46条第1項	第28条	第29条の2において準用する令第28条
第46条第2項	第21条第2項	第26条において準用する法第21条第2項
	第22条第1項	第26条において準用する法第22条第1項
第46条第3項	第28条	第29条の2において準用する令第28条
第46条第3項第1号	第22条第1項	第26条において準用する法第22条第1項
	第23条第2項各号	第26条において準用する法第23条第2項各号
前条第1項	第23条第1項第4号	第26条において準用する法第23条第1項第4号
前条第1項第2号	第21条第2項各号	第26条において準用する法第21条第2項各号
前条第2項	第23条第1項及び第2項	第26条において準用する法第23条第1項及び第2項
前条第3項	第23条第3項	第26条において準用する法第23条第3項

（特定個人情報の提供の求め等に係る電子計算機の設置等関連事務の委任）

第49条① 都道府県知事，市町村長，一部事務組合の管理者（地方自治法（昭和22年法律第67号）第287条の3第2項の規定により管理者に代えて理事会を置く同法第285条の一部事務組合にあっては，理事会。次項において同じ。）若しくは広域連合の長（同法第291条の13において準用する同法第287条の3第2項の規定により長に代えて理事会を置く広域連合にあっては，理事会。次項において同じ。）又は被災者生活再建支援法（平成10年法律第66号）第6条第1項に基づき内閣総理大臣が指定した被災者生活再建支援法人（次項及び次条第1項において「支援法人」という。）は，機構に，次に掲げる事務に係る法第23条第1項に規定する電子計算機及び法第2条第14項に規定する電気通信回線の一部の設置及び管理に関する事務（以下「特定個人情報の提供の求め等に係る電子計算機の設置等関連事務」という。）を行わせることができる。

1 法第19条第8号の規定による特定個人情報の提供の求め
2 法第22条第1項の規定による特定個人情報の提供

② 委任都道府県知事等（前項の規定により機構に特定個人情報の提供の求め等に係る電子計算機の設置等関連事務を行わせることとした都道府県知事，市町村長，一部事務組合の管理者若しくは広域連合の長又は支援法人をいう。以下この節において同じ。）は，特定個人情報の提供の求め等に係る電子計算機の設置等関連事務を行わないものとする。

③ 委任都道府県知事等は，第1項の規定により機構に特定個人情報の提供の求め等に係る電子計算機の設置等関連事務を行わせることとした日を公示しなければならない。

（交付金）

第50条① 委任都道府県知事等（支援法人を除く。）の統括する都道府県，市町村若しくは一部事務組合若しくは広域連合又は

支援法人は，機構に対して，当該委任都道府県知事等又は当該支援法人が行わせることとした特定個人情報の提供の求め等に係る電子計算機の設置等関連事務（法第2条第14項に規定する電気通信回線の一部の設置及び管理に関する事務を除く。）に要する費用に相当する金額を交付金として交付するものとする。

② 前項の交付金の額については，機構が定款で定めるところにより定める。

（特定個人情報の提供の求め等に係る電子計算機の設置等関連事務の委任の解除）

第51条① 委任都道府県知事等は，機構に特定個人情報の提供の求め等に係る電子計算機の設置等関連事務を行わせないこととするときは，その3月前までに，その旨を機構に通知しなければならない。

② 委任都道府県知事等は，機構に特定個人情報の提供の求め等に係る電子計算機の設置等関連事務を行わせないこととしたときは，その日を公示しなければならない。

（委任都道府県知事等による特定個人情報の提供の求め等に係る電子計算機の設置等関連事務の実施等）

第52条① 委任都道府県知事等は，機構が天災その他の事由により特定個人情報の提供の求め等に係る電子計算機の設置等関連事務の全部又は一部を実施することが困難となった場合には，第49条第2項の規定にかかわらず，当該特定個人情報の提供の求め等に係る電子計算機の設置等関連事務の全部又は一部を行うものとする。

② 委任都道府県知事等は，前項の規定により特定個人情報の提供の求め等に係る電子計算機の設置等関連事務の全部又は一部を行うときは，その旨を公示しなければならない。

③ 第1項の規定により委任都道府県知事等が特定個人情報の提供の求め等に係る電子計算機の設置等関連事務を行うこととなった場合には，機構は，次に掲げる事務を行わなければならない。

1 引き継ぐべき特定個人情報の提供の求め等に係る電子計算機の設置等関連事務を委任都道府県知事等に引き継ぐこと。

2 引き継ぐべき特定個人情報の提供の求め等に係る電子計算機の設置等関連事務に関する帳簿，書類，資材及び磁気ディスクを委任都道府県知事等に引き渡すこと。

3 その他委任都道府県知事等が必要と認める事項を行うこと。

第5章 機構処理事務管理規程等

（機構処理事務管理規程の記載事項）

第53条① 法第38条の2第1項の総務省令で定める事項は，次のとおりとする。

1 機構処理事務の適正な実施に関する職員の意識の啓発及び教育に関する事項

2 機構処理事務の実施に係る事務を統括管理する者に関する事項

3 機構処理事務特定個人情報等の消去を適切に実施するための必要な措置に関する事項

4 機構処理事務特定個人情報等の漏えい，滅失及び毀損を防止するための措置に関する事項

5 機構処理事務に関する帳簿，書類，資料及び磁気ディスクの保存に関する事項

6 機構処理事務に関して知り得た秘密の保持に関する事項

7 機構処理事務の実施に係る電子計算機及び端末装置を設置する場所の入出場の管理その他これらの施設への不正なアクセスを予防するための措置に関する事項

8 機構処理事務の実施に係る電子計算機及び端末装置が不正に操作された疑いがある場合における調査その他不正な操作に対する必要な措置に関する事項

9 機構処理事務の実施に係る監査に関する事項

10 前各号に掲げるもののほか，機構処理事務の適切な実施を図るための必要な措

置に関する事項
② 機構は，法第38条の2第1項前段の規定による認可を受けようとするときは，その旨を記載した申請書に機構処理事務管理規程を添えて総務大臣に提出しなければならない。
③ 機構は，法第38条の2第1項後段の規定による変更の認可を受けようとするときは，次に掲げる事項を記載した申請書を総務大臣に提出しなければならない。
1 変更しようとする事項
2 変更しようとする年月日
3 変更の理由

（機構処理事務特定個人情報等の内容）
第54条 法第38条の3第1項の総務省令で定める情報は，次に掲げるものとする。
1 機構処理事務において取り扱う特定個人情報
2 機構処理事務において取り扱う個人情報（前号に規定する特定個人情報を除く。）
3 機構処理事務において機構が取り扱う電子計算機及び電気通信回線の一部に関する秘密

（帳簿の記載事項）
第55条 法第38条の4の総務省令で定める事項は，次に掲げるものとする。
1 個人番号とすべき番号を生成した年月日及び件数
2 個人番号通知書を作成した年月日及び件数
3 個人番号通知書を発送した年月日及び件数
4 個人番号カードの交付の申請を受けた年月日及び件数
5 個人番号カードを作成した年月日及び件数
6 個人番号カードを発送した年月日及び件数
7 個人番号通知書・個人番号カード関連事務の委任を行っている市町村の名称及び数
8 第49条の規定により機構が設置及び管理する電子計算機の運用状況に関する記録
9 特定個人情報の提供の求め等に係る電子計算機の設置等関連事務の委任を行っている都道府県，市町村又は一部事務組合若しくは広域連合の名称及び数

（機構における機構処理事務の実施状況についての報告書の作成及び公表）
第56条 ① 法第38条の5の規定による報告書の作成は，次に掲げる事項について報告書を作成することによって行うものとする。
1 個人番号とすべき番号を生成した年月及び件数
2 個人番号通知書を作成した年月及び件数
3 個人番号通知書を発送した年月及び件数
4 個人番号カードの交付の申請を受けた年月及び件数
5 個人番号カードを作成した年月及び件数
6 個人番号カードを発送した年月及び件数
7 個人番号通知書・個人番号カード関連事務の委任を行っている市町村の名称及び数
8 第49条の規定により機構が設置及び管理する電子計算機の運用状況に関する記録の概要
9 特定個人情報の提供の求め等に係る電子計算機の設置等関連事務の委任を行っている都道府県，市町村又は一部事務組合若しくは広域連合の名称及び数
② 法第38条の5の規定による報告書の公表は，次に掲げる方法によるものとする。
1 当該報告書を機構の事務所に備えて置き，5年間，一般の閲覧に供する方法
2 インターネットの利用その他の方法

資料　行政手続における特定の個人を識別するための番号の利用等に関する法律に規定する個人番号，個人番号カード，特定個人情報の提供等に関する命令

第6章　雑　則

第57条① 　地方自治法第252条の19第1項に規定する指定都市（次項において「指定都市」という。）においては，第8条の規定中市長に関する規定は，市の区長及び総合区長に適用する。

② 　指定都市についてこの省令の規定を適用する場合には，次の表の上欄に掲げる規定中同表の中欄に掲げる字句は，同表の下欄に掲げる字句とする。

[上欄]	[中欄]	[下欄]
第3条第1項	住所地市町村長	住所地区長
第3条第2項	住所地市町村長	住所地市長
	に対し，	に対し，住所地区長を経由して
第18条，第22条第6号及び第33条第4項	住所地市町村長	住所地市長
第23条の2第5号	市町村長	市長（個人番号通知書に係る事務にあっては，区長。第35条並びに第36条第2項及び第3項において同じ。）
第23条の4第2号及び第3号，第28条第5項並びに第30条	住所地市町村長	住所地区長を経由して住所地市長
第27条第2項	住所地市町村長に対し，当該個人番号カードを提示して	住所地区長に対し当該個人番号カードを提示して，住所地区長を経由して住所地市長に対し
第28条第1項	住所地市町村長	住所地区長及び住所地市長
第29条第1項	住所地市町村長が	住所地市長が
	住所地市町村長を	住所地区長及び住所地市長を
第29条第2項	住所地市町村長	住所地市長
	対し，	対し，住所地区長を経由して
第32条第1項	市町村長	市長
	表示し，	表示し，住所地区長を経由して
第32条第2項，第32条の2並びに第49条第1項及び第2項	市町村長	市長
第33条第2項	住所地市町村長（	住所地区長を経由して住所地市長（
	住所地市町村長）	住所地市長）
	住所地市町村長は	住所地区長は
第33条第3項	住所地市町村長に	住所地区長を経由して住所地市長に
	住所地市町村長は	住所地区長は
第35条第1項	市町村長は	市長は

第35条第1項第1号	住所地市町村長	住所地市長
	当該市町村	住所地区長を経由して当該区（総合区を含む。第37条第1項において同じ。）
第35条第2項	委任市町村長	委任市長
	市町村長を	市長を
第36条第1項及び第38条	委任市町村長	委任市長
第36条第2項及び第3項	市町村長	市長
第37条第1項	委任市町村長の統括する市町村	委任市長の統括する市（個人番号通知書に係る事務にあっては，当該市に属する区）
	当該委任市町村長	当該委任市長
第50条第1項	市町村	市
附則第3条	住所地市町村長（	住所地区長を経由して住所地市長（
	住所地市町村長）	住所地市長）
	市町村が	市が
別記様式	交付地市町村長名	交付地区長名

附　則
（施行期日）
第1条　この省令は，法の施行の日〔平成27.10.5〕から施行する。ただし，次の各号に掲げる規定は，当該各号に定める日から施行する。
1　第1条，第17条，第19条，第35条，第37条から第39条まで及び第48条第2項（同項の表第35条第1項の項から第37条の項までに係る部分に限る。）の規定　公布の日〔平成26.11.20〕
2　第3章（第17条，第19条及び第35条から第39条までを除く。）及び第48条第2項（同項の表第18条，第22条の2第6号，第23条及び第33条第4項の項から第32条第3項の項まで及び別記様式第2の項に係る部分に限る。）の規定　法附則第1条第4号に掲げる規定の施行の日〔平成28.1.1〕
3　第4章の規定　法附則第1条第5号に掲げる規定の施行の日〔平成29.5.30〕

（個人番号カードの交付申請書の提出に関する経過措置）
第2条　令附則第3条後段の規定により令第13条第1項の規定による提出がされたものとみなされる交付申請書は，第23条の例により保存するものとする。

（個人番号カードの暗証番号の届出に関する経過措置）
第3条　交付申請者は，附則第1条第2号に掲げる規定の施行の日前においても，第33条第2項前段の規定の例により，暗証番号を住所地市町村長（当該交付申請者が令第13条第1項後段の規定により交付申請書を提出する場合にあっては，同項後段に規定する経由市町村長を経由して住所地市町村長）に届け出ることができる。この場合において，交付申請者が同日において現に当該市町村が備える住民基本台帳に記録されている者であるときは，当該暗証番号の届出は，同日において第33条第2項前段の規定によりされたものとみなす。

別記様式（第25条関係）　略

事項索引

あ行

安全確保措置 …………………………245
安全管理措置義務 ……………83, 86, 88
委　託…29, 57, 71, 76, 82, 122, 133, 185, 189, 198, 246, 248
オプトアウト ………………………211

か行

外国人 ……………………………42, 115
開示請求……81, 148, 168, 185, 191, 201, 203, 205〜207, 218, 219, 222〜227, 299, 356, 358
会社法人等番号 …………………………281
カード管理システム ……………107, 249, 251
カード記録事項………26, 109, 114, 118, 288
勧　告 ………………………………230
監　督 ……………………………86, 228
監督命令 ……………………………251
機構処理事務管理規程 …………………242
機構処理事務特定個人情報等 …………245
機構保存本人確認情報……94, 103, 132, 139, 250, 304, 346
基本4情報 ………41, 61, 94, 96, 106, 157
給付付き税額控除……………4, 14, 338, 360
旧マイナンバー法案…3, 36, 39, 43, 119, 229, 240, 353, 354
行政機関 ……………………………19
行政機関個人情報保護法 …………………6
行政手続等における情報通信の技術の利用
　に関する法律　→デジタル手続法
行政手続法 ……………………………6
共同利用 ……………………………212
グリーン・カード ……………………2
検　査 ………………………………195
研　修 ………………………………194
コアシステム …………………………70

公的個人認証……16, 106, 242, 246, 254, 355
国外犯 ……………………………330, 347
国税連携 ……………………………140
個人識別事項 ………………………78, 99
個人情報 ……………………………23
個人情報データベース等 ……………24, 181
個人情報取扱事業者………86, 208, 235
個人情報ファイル ………………17, 23, 181
個人情報保護委員会…4, 177, 196, 228, 234, 241, 298, 300, 322, 324, 325, 328
個人情報保護条例 ……………………89
個人情報保護法………7, 16, 19, 82, 200, 208
個人番号………12, 25, 41, 46, 51, 308, 314
個人番号カード………18, 37, 44, 100, 326
個人番号カード関係事務 ………………252
個人番号関係事務……………………18, 29, 82
個人番号関係事務実施者 ………………19, 88
個人番号通知書 ……………………101, 250
個人番号利用事務……………………18, 29, 82
個人番号利用事務実施者 ………………18, 88
個人番号利用事務等……………………82, 303
戸籍関係情報……………57, 158, 288, 294
戸籍法 ………………5, 59, 63, 69, 154, 294
コネクテッド・ワンストップ原則 ……359

さ行

再委託 ……………………………57, 82, 189
サイバーセキュリティ ……………194, 228
事案の移送 ……………………………217, 221
死　者 ……………………………16, 23, 88
自治体クラウド …………………………361
自治体中間サーバ ……………………243, 245
指　導 ………………………………228
事務処理用統一個人コード ……………2
従業者 ………………………………130
住民基本台帳カード………15, 99, 108, 119
住民基本台帳ネットワーク……2, 30, 46, 94,

事項索引

242, 301
住民票コード…12, 25, 42, 44, 48, 67, 94, 156
情報照会者……………………………32, 134
情報通信技術を活用した行政の推進等に関する法律　→デジタル手続法
情報提供者……………………………32, 134
情報提供等記録開示システム…16, 203, 356
情報提供等事務………………………135
情報提供等の記録……………………166, 215
情報提供ネットワークシステム…19, 32, 38, 151, 334
情報提供用個人識別符号…67, 154, 167, 289
情報保有機関…………………………136
情報連携……4, 6, 13, 33, 38, 48, 58, 60, 134, 136, 139, 152, 158, 166, 170, 218, 222, 348
条例事務関係情報照会者……………32, 137
条例事務関係情報提供者……………32
初期一斉付番…………………………290, 346
助　言…………………………………228
署名用電子証明書……16, 30, 109, 118, 250, 355
総合行政ネットワーク………………30, 62
総務省……………33, 45, 151, 243, 268, 302
属人主義………………………………330
属地主義………………………………330
措置要求………………………………235, 240

た　行

立入検査………………………………233, 251
地方共同法人…………………………30
地方公共団体…………………………40
地方公共団体情報システム機構…30, 46, 122, 242, 253
地方税連携……………………………140
帳　簿……………………………236, 248, 329
通知カード……………………………41, 45
訂正請求……81, 148, 185, 201, 207, 220, 223, 225〜227, 299
適用除外………………………………237
デジタル社会形成整備法……101, 108, 121, 131, 230, 247, 248, 253, 255, 266

デジタル庁…33, 45, 152, 168, 268, 301, 333
デジタル手続法………………6, 59, 90, 359
手数料……………121, 205, 218, 222, 227
電子証明書………16, 30, 109, 118, 250, 355
電子署名等に係る地方公共団体情報システム機構の認証業務に関する法律………30
統計法…………………………………91
盗　用…25, 150, 170, 297, 307, 308, 310, 320, 322
特定個人情報……………18, 122, 149, 164, 319
特定個人情報ファイル……18, 178, 192, 305, 346
特定個人情報保護委員会……………229
特定個人情報保護評価………………177
特定法人情報…………………………280
独立行政法人等………………………23
独立行政法人等個人情報保護法………6

は　行

バックオフィス連携…………………15
罰　則…………………………………303
番号制度………………………………2
秘密保持義務……170, 246, 297, 307, 321, 330
符号（リンクコード）…48, 94, 126, 136, 167
不正アクセス………………245, 312, 315, 331
プッシュ型情報………………………358
プライバシー影響評価………………178
プライバシー・バイ・デザイン………178
分散管理………………………………126, 136
報　告……………………………196, 233, 251
報告書…………………………………250
法人番号………………………12, 19, 270
法人番号保有者………………………278
法定受託事務…………………………291
本人確認………………………………98

ま　行

マイナポータル…………………16, 203, 355
みなし公務員…………………………318, 334
みなし個人情報取扱事業者…………209, 224
みなし独立行政法人等………………201, 216

493

命　令 …………………………………230
目的外利用・提供…202, 204, 216, 218, 220, 222, 227

ら行

利用者証明用電子証明書…30, 118, 250, 355

利用停止請求……81, 148, 185, 201, 206, 207, 215, 217, 222, 226, 299
両罰規定 ………………………………332

わ行

ワンストップサービス ………………359

マイナンバー法の逐条解説
Commentary on the My Number Law

2022年6月10日 初版第1刷発行

著者 宇 賀 克 也
発行者 江 草 貞 治
発行所 株式会社 有 斐 閣
郵便番号 101-0051
東京都千代田区神田神保町2-17
http://www.yuhikaku.co.jp/

印刷／株式会社理想社・製本／大口製本印刷株式会社
©2022, Katsuya Uga. Printed in Japan
落丁・乱丁本はお取替えいたします。
★定価はカバーに表示してあります。
ISBN 978-4-641-22832-0

[JCOPY] 本書の無断複写(コピー)は、著作権法上での例外を除き、禁じられています。複写される場合は、そのつど事前に(一社)出版者著作権管理機構(電話03-5244-5088, FAX03-5244-5089, e-mail:info@jcopy.or.jp)の許諾を得てください。

本書のコピー，スキャン，デジタル化等の無断複製は著作権法上での例外を除き禁じられています。本書を代行業者等の第三者に依頼してスキャンやデジタル化することは，たとえ個人や家庭内での利用でも著作権法違反です。